図解とQ&Aでここまで分かる

改訂2版

ステップアップ 新生児循環管理

東邦大学医学部 新生児学講座 教授
与田仁志 編著

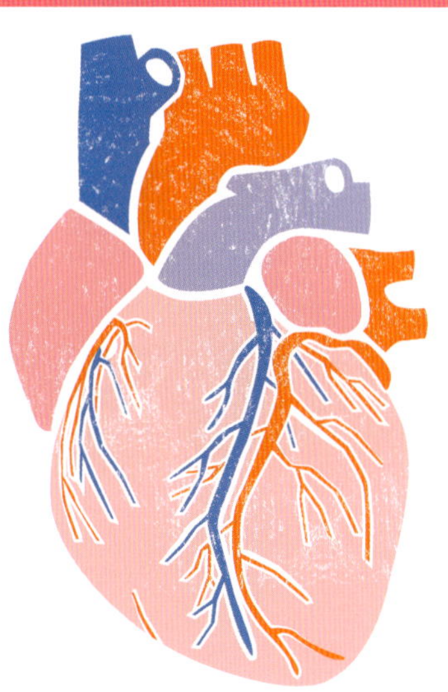

MC メディカ出版

改訂２版刊行にあたって

『ステップアップ新生児循環管理』が刊行されたのは2016年8月です。本書の土台となったNeonatal Care増刊号『新生児循環管理なるほどQ&A』は2012年3月発行です。いずれもわが国で初めて、図解を中心に新生児の循環管理を分かりやすく解説した実践的な書籍です。執筆陣の分かりやすい解説のおかげで現場スタッフからも大変好評で、これまでマイナーチェンジを重ねて第5刷まで数えました。

初版から5年が経過し、NICUでの循環管理を取り巻く状況にも変化が訪れています。動脈管開存症治療薬としてイブプロフェンなどの新しい薬剤も登場しています。新生児の循環管理に関する基本的な考え方に大きな変更はないものの、ここ数年の進歩に追随すべきと考え、改訂版を上梓することになりました。改訂版では新たな項目も設けました。最も基礎となる新生児心エコーの基本的手技、重症先天性心疾患のパルスオキシメータによるスクリーニングの考え方、日本で特に普及している脳血流測定の捉え方、さらに胎児診断症例の増加に伴い胎児心エコー検査の項目を追加しました。

NICUに入院している赤ちゃんを管理・ケアするためには、循環の知識が欠かせません。しかし、「循環は難しい」という苦手意識を持つNICUスタッフの疑問や不安を払拭する工夫が本書にはあふれています。もちろん基礎知識だけでなく、さらに高度の知識や技術を習得したいという意欲ある若手医師の要望にも応えられる内容となっています。

本書で勉強することで、一人でも多くの方々にとって、NICUや新生児室で遭遇するさまざまな新生児の循環器疾患がより身近に感じられるようになることを願っています。

2021年5月

与田仁志

初版刊行にあたって

私自身、新生児の診療をしていながら、こと新生児循環管理に関する手引書がなく、研修医やNICUナースに役立つ本が必要だと思っていました。そのような折、Neonatal Care 2012年春季増刊号『図解でどんどんステップアップ　新生児循環管理なるほどQ&A』を編集する機会に恵まれました。本増刊号はその思いに応えられるもので、新生児医療に関わる多くの医療者にご好評いただきました。本書はそれをもとに執筆陣が改訂を加え、かつより基礎的な項目から、外科治療や術後管理など発展的な項目を増やして、さらに充実させたものです。本書はわが国で初めての新生児循環管理の実践書と言えます。

新生児の呼吸管理はともかく、循環管理は難しいと思っている医師やNICUスタッフは決して少なくないと思われます。しかし、循環の理解は生理的状態から逸脱した患児の看護・診断には不可欠です。NICUでは呼吸心拍モニタやSpO_2モニタが所狭しと並んでいますが、そこからのデータやバイタルサインだけでなく、X線写真や心エコー所見などから多くの情報が得られます。これらの情報でどのように血行動態を解釈し、どんなふうに治療に活かすのか？　本書では分かりやすく説明してあります。

NICUで遭遇する循環器疾患といえばまず、皆さんは未熟児動脈管開存症を思い浮かべることでしょう。その診断のポイントや治療中の観察についてNICUナースの果たす役割は非常に大きく、しっかりと理解する必要があります。また、先天性心疾患の病児が入院してくるのもNICUならではの光景です。先天性心疾患についても診断から治療まで自施設で見るところもあるでしょうし、先天性心疾患と分かるとより専門の施設や部門に移送する施設もあるでしょう。どんな場合であっても、心疾患児の観察すべきポイントには共通点があります。搬送のタイミングも重要な要素です。循環器疾患のみかたには特殊性があるのも事実で、SpO_2モニタにしても酸素濃度の調整にしても、他疾患の児とは異なる考えが要求されます。本書ではまた、皆さんが苦手とされているであろう不整脈の診断や双胎間輸血症候群、晩期循環不全など特殊な病態についても触れています。巻末には治療に用いられる薬剤についての基本知識や使用法などもまとめました。主にNICUで遭遇するさまざまな循環管理について図解を存分に取り入れて解説しましたが、その際に飛び交う循環器用語や略語についても巻末にまとめ、分かりやすくしました。

本書が多くの読者からの期待に応えた1冊として、NICUだけでなく分娩室や新生児室など、新生児に関わるすべての部門の皆さんのお役に立てることを切に願っております。

2016年6月

与田仁志

CONTENTS

本書は、項目を下記の1～3にレベル分けしています。
レベル1から順に学んでステップアップしてください。

● レベル1 若手ナースにも必ず押さえておいてほしいこと
●● レベル2 NICUのエキスパートナース・研修医として押さえておきたいこと
●●● レベル3 後期研修医・専攻医・専門医を目指す医師として押さえておきたいこと

第3章 先天性心疾患を理解しよう！

第4章 先天性心疾患の手術を理解しよう！

第5章 不整脈を理解しよう！

第6章 循環不全はこう管理する！

第7章 特殊な循環不全

執筆者一覧

編集

与田仁志｜東邦大学医学部新生児学講座 教授

執筆（50音順）

飯田浩一｜大分県立病院総合周産期母子医療センター 所長、新生児科

池上　等｜愛仁会高槻病院小児科・新生児小児科 主任部長

池田智文｜青森県立中央病院新生児科 部長

稲村　昇｜近畿大学病院小児科 准教授

岩本眞理｜済生会横浜市東部病院こどもセンター総合小児科、こどもセンター長

緒方公平｜東邦大学医学部新生児学講座 助教

小澤　司｜目黒厚生会本田病院循環器科

影山　操｜国立病院機構岡山医療センター新生児科 診療部長（周産期）

片山雄三｜東邦大学医学部外科学講座心臓血管外科学分野 講師

川瀬昭彦｜熊本市民病院総合周産期母子医療センター新生児内科 部長

川滝元良｜神奈川県立こども医療センター新生児科

熊谷　健｜和歌山県立医科大学総合周産期母子医療センターNICU 講師

近藤　敦｜前川小児科クリニック 院長／東京医科大学小児科・思春期科 兼任助教

志賀清悟｜伊豆赤十字病院 院長

柴崎　淳｜神奈川県立こども医療センター新生児科 医長

嶋岡　鋼｜国際医療福祉大学塩谷病院小児科 副部長

白石　淳｜大阪府急性期・総合医療センター小児科・新生児科 副部長

杉浦　弘｜聖隷浜松病院総合周産期母子医療センター新生児科 部長

高見　剛｜代々木上原こどもクリニック 院長／東京医科大学小児科・思春期科 兼任講師

瀧川逸朗｜東京都立大塚病院新生児科

瀧聞浄宏｜長野県立こども病院循環器小児科 部長
田中靖彦｜静岡県立こども病院循環器科 科長
千葉洋夫｜国立病院機構仙台医療センター小児科・新生児科 医長
豊島勝昭｜神奈川県立こども医療センター新生児科 部長、周産期センター長
中尾　厚｜日本赤十字社医療センター新生児科 部長
中野玲二｜静岡県立こども病院周産期母子医療センター センター長、新生児科 科長
奈良昇乃助｜東京医科大学小児科・思春期科 助教
日根幸太郎｜東邦大学医学部新生児学講座 助教
本田義信｜いわき市医療センター未熟児・新生児科 主任部長
前野泰樹｜聖マリア病院 副院長、新生児科
増谷　聡｜埼玉医科大学総合医療センター小児科 教授
増本健一｜東邦大学医学部新生児学講座 准教授
水書教雄｜東邦大学医学部新生児学講座 助教
村瀬真紀｜むらせ赤ちゃんこどもクリニック 院長
山本　裕｜岐阜県総合医療センター新生児内科 部長
横山岳彦｜名古屋第一赤十字病院第二小児科 副部長
横山直樹｜愛仁会明石医療センター 副院長、小児科 主任部長
芳本誠司｜兵庫県立こども病院周産期医療センター センター次長、部長
与田仁志｜東邦大学医学部新生児学講座 教授

第1章

新生児の循環生理を理解しよう！

● レベル 1

1 子宮内生活から子宮外生活で循環はどう変わる?

胎児循環

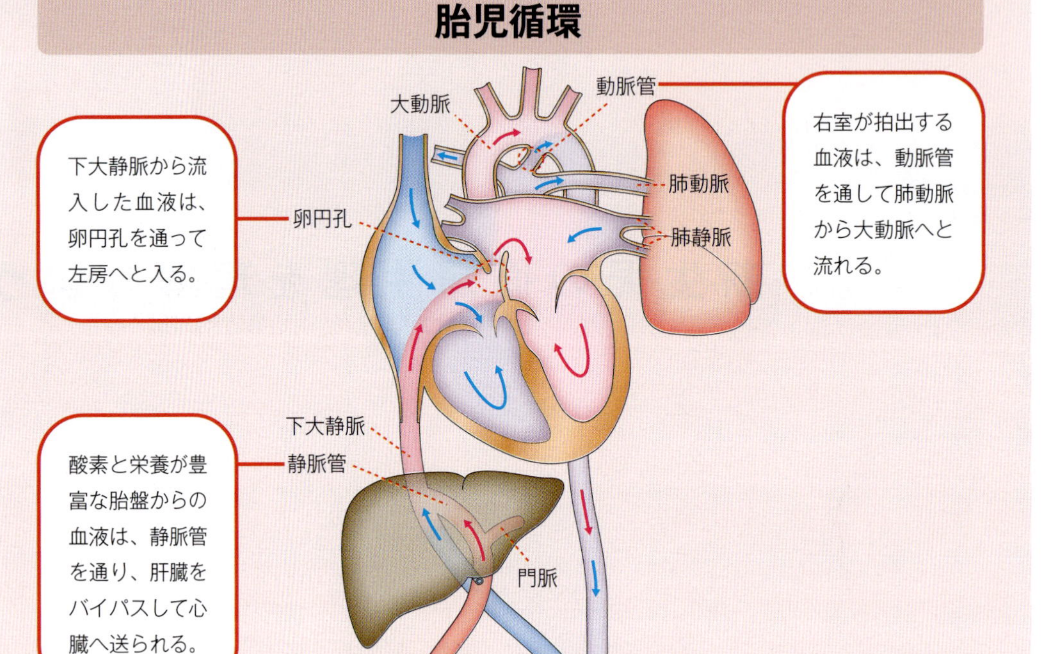

(文献1より改変)

胎児は母親の子宮内で、胎盤を通してすべての栄養をもらい、排泄やガス交換を行っている。胎児循環における特徴を以下に示す。

①栄養、排泄、ガス交換を行う胎盤へ大量の血液が流れている。

②肺血管は強く収縮し、肺血管抵抗が高く、肺血流量は少ない。

③太い動脈管が肺動脈と大動脈とをつなぎ、右室の拍出する血液の大部分が動脈管を経て大動脈へ流れる。

④卵円孔が右房と左房とをつなぎ、胎盤からの酸素に富む血液は、ここを通って左房→左室→上行大動脈へと流れる。

⑤静脈管が臍静脈と下大静脈の間にあり、胎盤からの血液は肝臓をバイパスして心臓に流れる。

新生児循環

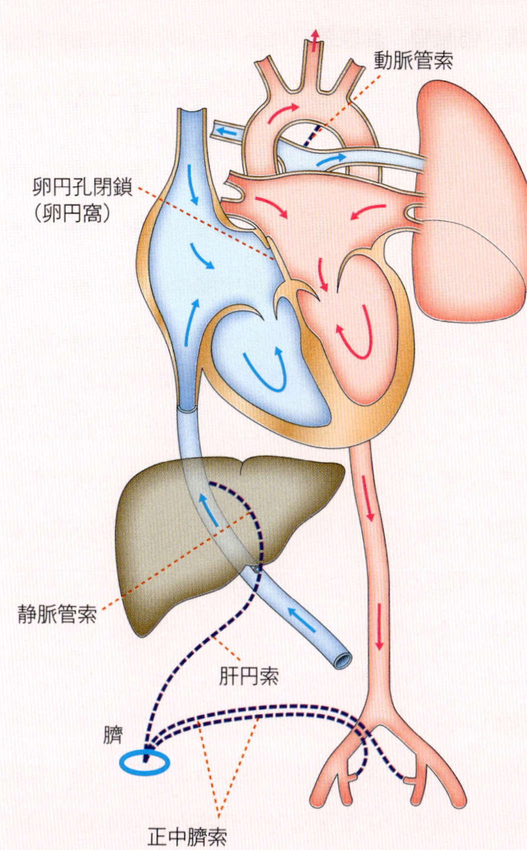

（文献1より改変）

出生に伴い胎盤循環は消失し、ガス交換は胎盤から肺に移行し、肺循環が確立する。新生児循環における特徴を以下に示す。

①臍帯結紮・離断によって胎盤が除去されることにより、児の体血管抵抗は急激に上昇する。

②肺に空気が入り膨らむことに伴い、肺血管も拡張し、肺血管抵抗が低下し、肺血流が急激に増加する。

③これに伴い肺静脈還流が増加し、左房へ流入する血液量が増加することにより、左房圧が上がり卵円孔は閉鎖する。

④肺循環が確立すると体動脈血の酸素飽和度が上昇し、動脈管は閉鎖する。

⑤静脈管の閉鎖により胎盤からの静脈還流がなくなる。

胎児循環

胎児循環は、**心内短絡**（**卵円孔**）と**心外短絡**（**動脈管**、**静脈管**）により、両心室で血液を全身に送る**並列の循環**である。胎盤を経由して母体から得られた酸素と栄養が豊富な血液は、胎児の臍静脈を通って下大静脈に注がれる。一部は門脈を経由して胎児の肝臓を栄養する。それらの血液は胎児の下半身から還流した静脈血と合流してやや酸素濃度を落とすものの、胎児においては依然として高い酸素濃度を保って右房に入る。

下大静脈からの血液のほとんどは、卵円孔を通って左房へ入る。心房中隔は、壁の薄い心房一次中隔と、右房側に後からできてくる壁の比較的硬い心房二次中隔とで形成される。心房一次中隔の上部には二次孔と呼ばれる孔が形成される。一方、二次中隔は下部に卵円孔という孔を残すが、これらの2つの孔には上下のずれがあるために、胎盤から右房に還流した血液の大半は、薄い一次中隔の弁を右房から左房へ押すことにより、右房から左房へと流れ込むようになっている。この血液は胎児期の肺組織から還流するわずかな静脈血と混合して、最終的に左室から上行大動脈を通過して主に脳や上半身へ分布する。したがって胎児においては、心臓、頭部、上半身には酸素に富んだ血液が供給されることとなる。

一方、上大静脈および冠静脈から還流した血液は、下大静脈からの血液と右房内で交叉する形で右室へと流れる。胎児期は**肺血管抵抗が高い**ため、右室から肺動脈主幹部へ駆出された血液は、ほとんどが動脈管を介して血管抵抗が低い下行大動脈から腹部臓器および下半身へと流れる。このように、胎児期には心臓、脳、肝臓に、酸素分圧と栄養分が豊富な血液が優先的に供給される仕組みを兼ね備えていると言える。

新生児循環

新生児循環では、動脈管、静脈管、卵円孔が閉じることにより**肺循環**と**体循環**が分離され、右室と左室はそれぞれに血液を送る**直列の循環**となる。児の出生に伴う臍帯結紮と離断によって、血管床が豊富で血管抵抗が低い胎盤が除去されることにより、児の体血管抵抗は急激に上昇する。同時に新生児が呼吸を開始し、肺に空気が入り込み拡張するとともに肺血管も拡張し、肺血管抵抗が低下し、その結果、肺血流が急激に増加する。そして大量の血液が左房へと還流することになる。以上の変化から、右房への還流血が減少して左房への還流血が増加することとなり、一次中隔はむしろ左房から押される形となり、卵円孔が閉じる。この結果、心房間の右左短絡は原則的に出生直後に消失する。

動脈管では、出生後の**肺血管抵抗低下**と**体血管抵抗上昇**により、胎生期とは逆に大動脈から肺動脈へ流れるようになる。また動脈管血流の酸素濃度が上昇することによって血管平滑筋の収縮が起こる（**機能的収縮**）。その後、血管組織の構築変化が起こり、内腔は狭小化して、最終的にはアポトーシスにより索状の組織へと変化する（**解剖学的閉鎖**）。正常児の動脈管は、生後24時間では20％、48時間では80％、96時間では100％が閉鎖するとされている。

静脈管も同様なメカニズムで出生後に収縮すると考えられているが、詳細は明らかではない。静脈管の収縮閉鎖により、門脈と下大静脈の短絡は消失する。解剖学的に閉鎖した血管は、臍静脈は肝円索、静脈管は静脈管索、動脈管は動脈管索として、索状物になり残存する。一次中隔組織により弁状に閉鎖した卵円孔は、生後3カ月頃までに器質的に閉鎖する。二次中隔の卵円孔とそれを塞ぐ一次中隔は、最終的に卵円窩として残る。

引用・参考文献

1）山岸敬幸ほか編．先天性心疾患を理解するための臨床心臓発生学．東京，メジカルビュー社，2007，73-4.

志賀清悟

レベル 1

2 肺血管抵抗と体血管抵抗って何?

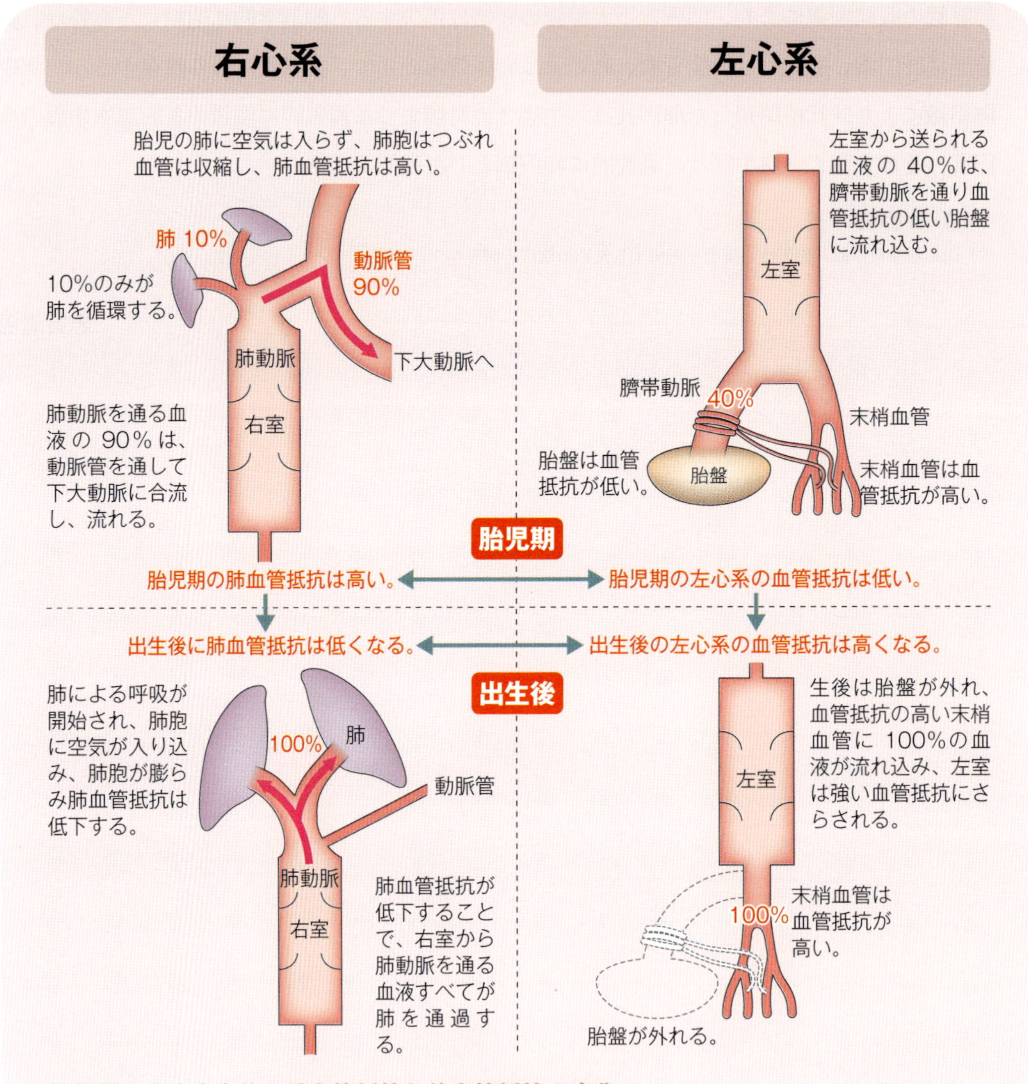

胎児期から出生直後の肺血管抵抗と体血管抵抗の変化

肺血管抵抗とは右室が肺に血液を送るときの抵抗である。肺の血管抵抗が高く、肺に血液を送るのに高い血圧を必要とする状態が肺高血圧である。体血管抵抗は左室が全身に血液を送るときに受ける抵抗で、体血管抵抗が高まると血圧が上昇する。胎児期は肺血管抵抗が高く、分娩直後に肺の拡張による肺血管抵抗の低下が起こり、肺への血液流入量が増加する。

胎児期には、左心系では血管抵抗が低い胎盤に血液が流れ込むため、左心系の血管抵抗は低いが、生後、胎盤が外れることにより、高い血管抵抗にさらされる。このように右心系・左心系の両者に分娩前後に劇的な循環変化が生じる。

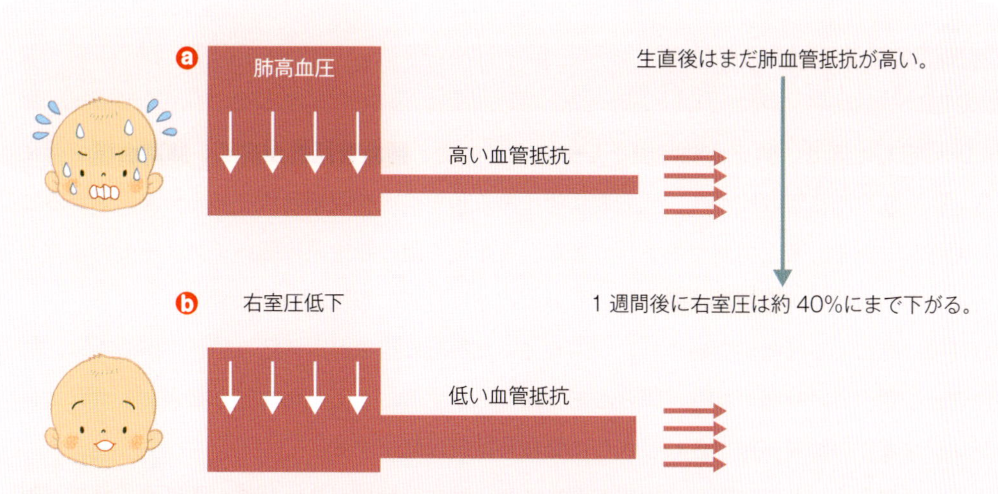

生後の肺血管抵抗の変化：血管抵抗を電気抵抗に例えると

細い電線に大量の電流を流そうとすれば、抵抗が高く大きな電圧を必要とする。そして太い電線に同じ電流を流す場合、抵抗が低いので、低い電圧で電流を流すことができる。

生直後は肺血管抵抗が高く肺高血圧状態が残っているが、生後徐々に肺血管抵抗は低下し、右室圧も低下する。

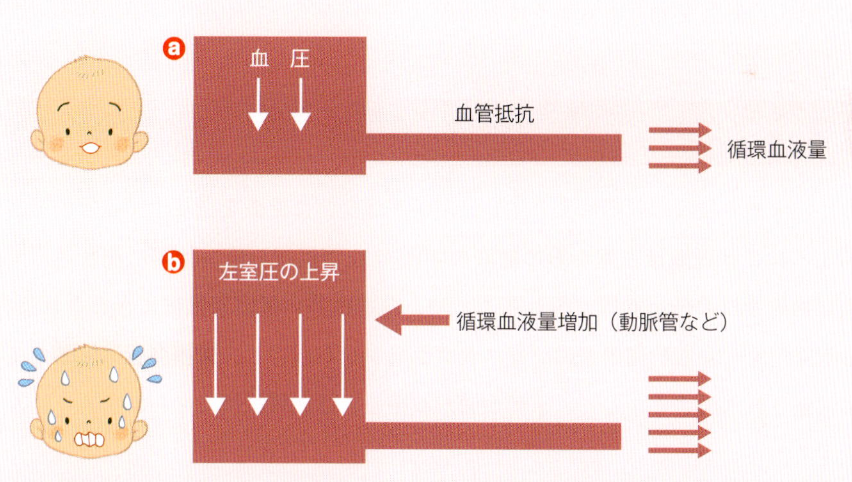

早産児の生後の左心系の循環の変化：血管抵抗を電気抵抗に例えると

血管抵抗が一定であれば、電流（循環血液量）が増えれば電圧（血圧）は上がる。早産児の場合、動脈管開存症などにより肺血流が増えると左房に還流する血液が増加し、左室圧は上昇しやすくなる。

肺血管抵抗の変化

p.18 で示した通り、胎児は肺呼吸をしていないので、**肺血管抵抗が高く**、**肺高血圧**状態にある。胎児期の肺血管収縮には、低酸素状態にある胎児が血管収縮物質を多く分泌していることが関係している。帝王切開で生まれてきた、まだ泣く前の新生児は強いチアノーゼを呈していることから、胎児が**低酸素状態**に陥っていることは容易に想像がつくはずである。

分娩後は肺による呼吸が開始され、つぶれていた肺胞に空気が入り込み、肺胞が膨らみ、肺の血管は拡張する。呼吸で肺胞が膨らんだり縮んだりすることで、肺血管を拡張するプロスタグランジンなどの物質が産生され、さらに肺血管抵抗は低下する。

生後の低酸素により肺血管収縮物質が産生され、肺血管抵抗が高い状態が遷延する状態が**新生児遷延性肺高血圧症**である。肺動脈圧は生後すぐに成人と同じレベルまで下がるのではなく、徐々に低下し、約 1 週間で体血圧の約 40％に、約 6 週間で成人と同じレベル（体血圧の約 20％）まで低下する。生直後はまだ肺血管抵抗が高く、肺高血圧状態であり、右室圧が高く左室との圧較差が小さいので、動脈管開存症や心室中隔欠損などの短絡性心疾患があっても、左室から右室への短絡血流は少なく、生直後には心雑音は聴取されない。p.19 上図のように、生後数日して肺血管抵抗が低下し、右室圧が低下して左室と右室の圧較差が大きくなり、短絡血液量が増加して初めて心雑音を聴取するようになる。

体血管抵抗の変化

体血管抵抗とは、末梢の血管の収縮により生じ、左室が体全体に血液を送り出すときの抵抗になる。p.18 のように、胎児期は左室からの血液の 40％は血管抵抗の低い胎盤に流れ込んでいるが、出生後は血管抵抗の低い胎盤が外れることで、左室は強い体血管抵抗にさらされる。生直後は血管拡張作用を有する胎盤由来のプロスタグランジンが残存し、**末梢血管は拡張**しているが、徐々に代謝され消失することで、末梢血管が収縮し、体血管抵抗はさらに上昇し、左室の負荷は増大する。

胎児期に全身に送られる血液には、前述のように右室から肺動脈、動脈管を通じて送られる血液も含まれ、左室と右室の両心室で送り出しているので**並列循環**と言われる。出生後は右室からの血液はすべて肺に流れ込み、左室単独で全身に血液を送る**直列循環**となり、左室はさらに高い負荷にさらされることになる。早産児ではこれらの負荷に適応できず、治療を必要とすることがある。

さらに生後に肺血管抵抗が下がることで、早産児では**動脈管**を通して肺血流が増加し、p.19 下図のように左房・左室への血液の還流が増加する。循環血液量が増加すると心筋が拡張（心拡大）して血流増加に適応するが、早産児の心筋は拡張性に乏しいため、血管抵抗が一定であれば血流量の増大により容易に血圧上昇がもたらされ、さらに左室に負荷がかかる。

未熟な心筋はこのさまざまな負荷（血管抵抗の増大、並列循環から直列循環へ、血流量の増加）に適応できず、**後負荷不整合**を起こすことがあり、肺出血や頭蓋内出血の原因になる。

心不全の治療に使用される頻度の高いドパミンは、量が増えると末梢血管を収縮させ、体血管抵抗を上昇させるので、注意が必要である。

胎児期から新生児期にかけての肺血管抵抗と体血管抵抗の変化

胎児期から新生児期にかけて急激な肺血管抵抗の低下と体血管抵抗の上昇が起こり、循環動態は劇的に変化する。新生児は、この変化に適応しなければならない。未熟性や周産期の低酸素などのエピソードにより適応が阻害されると、**循環不全**に伴うさまざまな有害事象が生じる。そのため早産児・新生児を看護する上では、この循環の変化を理解して注意深い観察を行うことが重要である。

本田義信

● レベル 1

3 左右短絡、右左短絡ってどういうこと？

代表的な３つのシャント

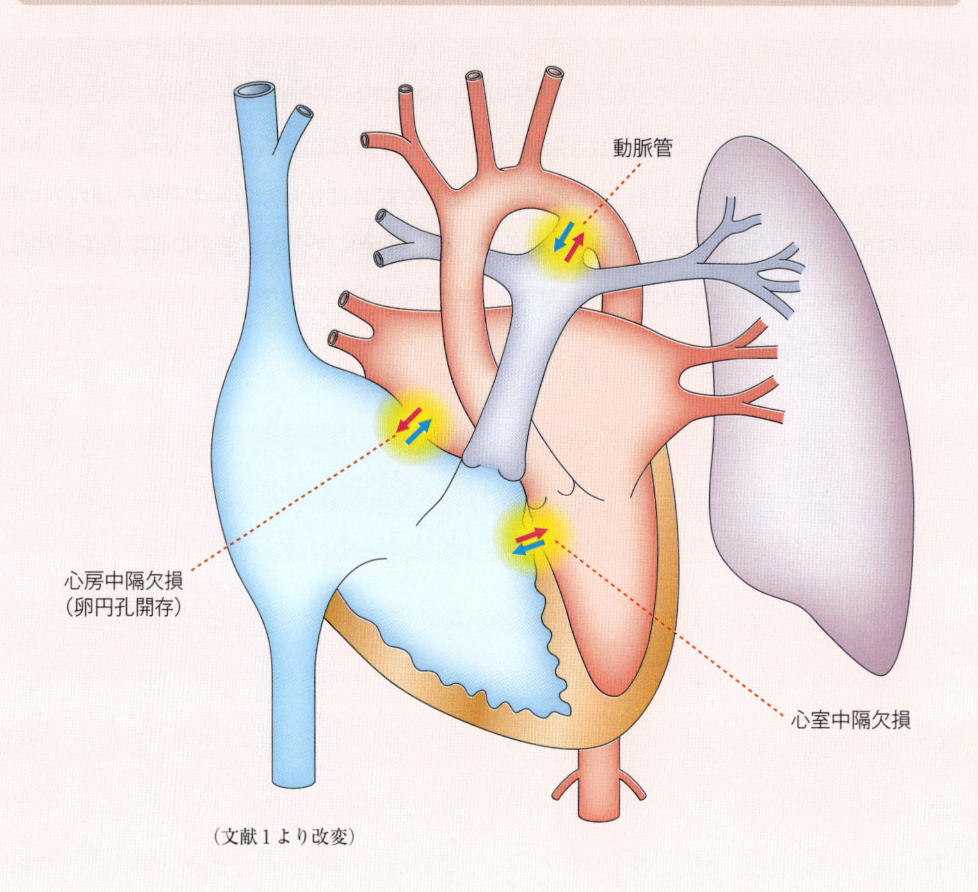

（文献１より改変）

シャントとは日本語では短絡といい、循環の中ではバイパス、または近道と考えてほしい。一方通行でぐるぐる回るはずの血液が、バイパスを通じて左心系から右心系、右心系から左心系に流れ込むことが短絡（シャント）である。

循環の代表的な近道（短絡路）は３つある。

①右房と左房を隔てる心房中隔に穴が開いている心房中隔欠損（卵円孔開存）

②左心系の大動脈と右心系の肺動脈をつなぐ動脈管

③右室と左室を隔てる心室中隔に穴が開いている心室中隔欠損

新生児の場合、正常でも生直後には、①心房中隔欠損（卵円孔開存）と②動脈管の２つの短絡がある。右心系と左心系の圧較差でシャント血流が生じ、圧較差の評価に有用となる。

心エコーによる動脈管のシャント血流

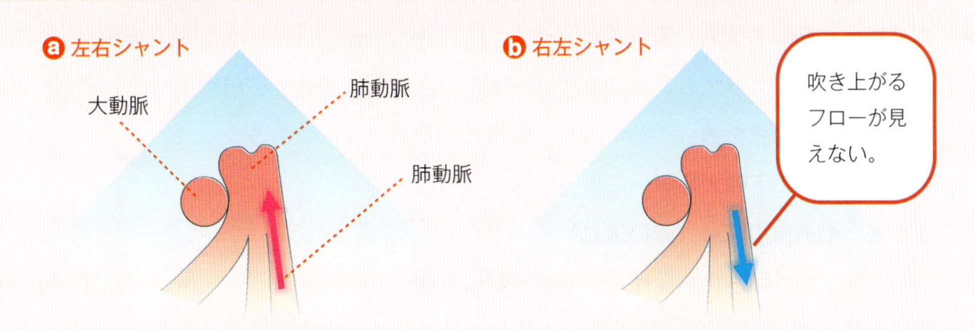

動脈管の血流

看護師も医師の心エコーを一緒に見てみよう！

ⓐ通常は左右シャントで、大動脈から肺動脈内に吹き上がる赤い血流が見える。

ⓑ肺高血圧が強いと完全な右左シャントとなる。肺動脈内に動脈管からのフローが見えず、動脈管が閉鎖しているだけだと誤診されることがある。

心エコーによる卵円孔のシャント血流

ⓐ左右シャント

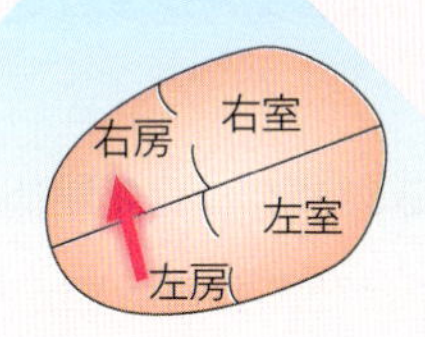

ⓑ右左シャント

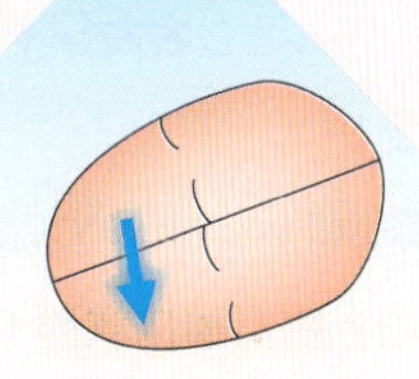

卵円孔（心房中隔欠損の血流）

ⓐ通常は左右シャントである。

ⓑ右左シャントでは、新生児遷延性肺高血圧症や総肺静脈還流異常などの基礎疾患があると考えられる。

還流の基礎知識

▶…**右心系：静脈血の流れ（青い流れ）**

右心系とは、末梢で静脈血となった血液が上下の大静脈を通って右房に還流し、右室に流れ込み、右室から肺動脈を通って肺に入り、酸素化を受ける流れである。

末梢の静脈血→上下の大静脈→右房→右室→肺動脈→肺

▶…**左心系：動脈血の流れ（赤い流れ）**

左心系とは、肺で酸素化を受けた血液が肺静脈を通って左房に入り、左房から左室、左室から大動脈を通って、全身に血液が送られ、末梢に流れ込む動脈血の流れである。

肺→肺静脈→左房→左室→大動脈→全身（末梢の動脈）

▶…**循環の血液の流れは一方通行**

正常な体内の循環では、血流は上記の右心系と左心系の血液が混じり合わない一方通行で、グルグル回る流れになっている。

先天性心疾患がない場合のシャント

1 血流の方向は通常、左右シャント

血液は圧の高い方から低い方向へと流れる。したがって、心疾患がない場合は、左心系の圧が高ければ、左心系から右心系に血液が流れ込む**左右シャント**、右心系の圧が高ければ、右心系から左心系に流れ込む**右左シャント**になる。圧が等しければ、シャント（短絡血流）の方向は両方向性になる。

通常は左心系の圧が高いので、血流は左右シャントになる。しかし胎児期は左心系と右心系の圧が等圧である**肺高血圧状態**であり、生直後の新生児では肺高血圧状態が残存し、その後徐々に肺の血圧が低下するので、シャントの方向は最初が両方向性で、その後、左右シャントに変化する。

しかし低酸素などの周産期の異常なエピソードがあると、肺血管収縮物質が産生され、肺血管が収縮し、肺血管抵抗が高い状態が遷延し、肺高血圧状態が持続する新生児遷延性肺高血圧症（PPHN）という病態を引き起こす。そして肺の血圧が体血圧を上回り、シャント血流は右左シャントまたは両方向性シャントになる。超音波検査でシャントの方向性を評価することによって、このような生後の肺高血圧の状況、病的状態の有無について把握するのに有用なデータが得られる。

2 右左シャントが生じる代表的な疾患

右左シャントが生じる疾患として、①新生児遷延性肺高血圧症、②先天性横隔膜ヘルニア（肺低形成）、③ドライラング症候群（dry lung syndrome）などが代表的である。これらの疾患では、心エコーによるシャントの方向性の評価が病態や治療の有効性の把握に有用である。

先天性心疾患がある場合のシャント血流の方向の重要性

シャント血流の方向性の評価が有用なのは、**先天性心疾患**を疑ったときで、心内に明らかな構造異常がない心疾患の診断に特に有用である。例えば、総肺静脈還流異常、大動脈縮窄、大動脈弓離断などである。これらの疾患は心内に明らかな構造異常がなく、酸素飽和度も時には90％以上となり、明らかなチアノーゼも認められず、心雑音が聴取されず、呼吸困難などの臨床症状がなく、正常新生児として（心疾患のない児として）経過観察されてしまうことがある。これらの疾患は見逃されると急性増悪し、生命を脅かしかねない状態に陥ることがあるので、決して見逃してはいけない疾患なのである。

これらを見逃さないためにシャント血流の方向性の評価が重要になる。総肺静脈還流異常はすべての肺静脈の血流が左房ではなく右房に還流するため、左心系の血液は右房から卵円孔を通り左房→左室に流れ込む必要があるので、卵円孔の血流は右左シャントになる。

肺静脈（左房に還らない）→右房→卵円孔（右左シャント）→左房→左室→大動脈→全身

総肺静脈還流異常を疑った場合、卵円孔のシャント血流の方向の評価が大事になる。

大動脈の一部が狭くなって下半身に血液が流れにくくなる大動脈縮窄、左室から出た上行大動脈から下行大動脈がつながっていない大動脈弓離断の場合、下半身に血液が流れない（流れにくい）状況であり、肺動脈の血液が動脈管を通り下大動脈に流れ込むことで下半身の血流は維持される。そのため、動脈管の血流は肺動脈から大動脈への右左シャントになる。

肺動脈→動脈管（右左シャント）→下行大動脈→下半身

動脈管の血流方向がこれらの疾患の診断のきっかけになることがある。

以上のように、シャントの血流方向を把握することは、疾患の病態の理解や診断に有用で、看護師も病態把握のために心エコー所見を理解することは、看護を行う上でも重要なことである。

引用・参考文献

1）髙橋長裕．図解先天性心疾患：血行動態の理解と外科治療．第2版．東京，医学書院，2007，232p.

本田義信

レベル 1

4 新生児蘇生法では右手に SpO_2 モニタを付けるのはなぜ?

胎児循環から移行したばかりの新生児循環

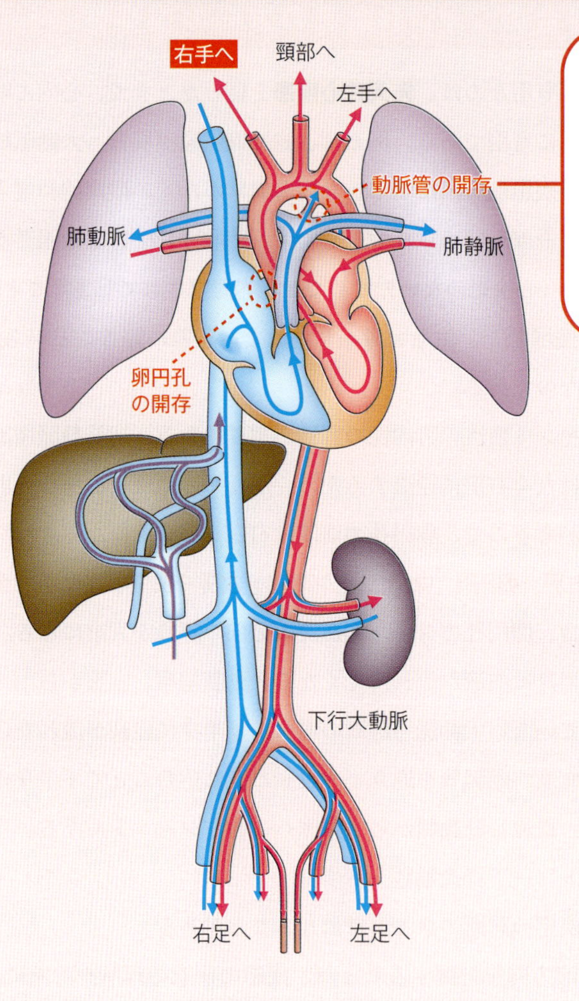

動脈管を通して、主肺動脈の静脈血が下行大動脈に流れ込む。動脈管前(pre-ductal)の体循環である右手のみ、この影響を受けず、肺で酸素化された動脈血の酸素飽和度を示す。

出生直後、動脈管はまだ開存し、肺動脈ー大動脈の間で血流の短絡が生じている。そして肺血管抵抗が高いため、動脈管での右左短絡が残存している。その結果、動脈管以後(post-ductal)の体循環、すなわち両下肢の(時に左手も)動脈血酸素飽和度は低下する。一方で、動脈管より前(pre-ductal)の体循環、つまり右手に流れる血液は左室から拍出された血液であり、右手の SpO_2 値は肺で酸素化された動脈血酸素飽和度を反映する[1)]。つまり、右手に SpO_2 モニタを付けることで肺での酸素化、心肺蘇生の効果を評価することができる。

出生直後の循環動態とSpO_2測定

2010年、国際蘇生連絡協議会にて心肺蘇生法の改訂（Consensus 2010）が行われた。本改訂により、蘇生時の酸素化の評価に**経皮的動脈血酸素飽和度モニタ**（SpO_2モニタ）の使用が推奨され、その際、右手に装着するよう明記された[1)]。

SpO_2は、本来動脈血でしか測定できない**動脈血酸素飽和度**（SaO_2）をパルスオキシメータによって経皮的、簡易的に測定し、連続モニタリングするものである。動脈血酸素飽和度とは動脈血中のすべてのヘモグロビン（酸化ヘモグロビン：O_2Hb、還元ヘモグロビン：Hb、一酸化炭素ヘモグロビン：COHb、メトヘモグロビン：MetHb）のうち、酸素と結合しているO_2Hbの割合を示している。2種類の波長の光を用いてO_2HbとHbのみを識別しているが、Hb以外のヘモグロビンをO_2Hbとして測定しているためSpO_2はSaO_2より高く表示されることがある。単位は％であり、成熟新生児の至適範囲は**95%**以上、早産児ではだいたい**85～95%**とされている。

SpO_2を右手に装着する理由を理解するためには、胎児循環から移行したばかりの新生児循環を理解しなければならない。出生直後、**動脈管**はまだ開いており、肺動脈－大動脈間で血流の短絡が生じているが、出生直後は肺血管抵抗が高いため、動脈管を介して肺動脈の静脈血が大動脈へ流入する。その結果、動脈管以後（**post-ductal**）の体循環、すなわち両下肢（時に左手）の動脈血酸素飽和度は低下する。一方、動脈管より前（**pre-ductal**）の体循環、つまり右手は左室からの拍出であり、肺で酸素化された動脈血酸素飽和度を反映している[2)]。よって、右手にSpO_2モニタを付けることで、肺での酸素化、心肺蘇生の効果を評価することができる。

加えてConsensus 2010では、酸素毒性の観点から、蘇生時の過剰な酸素投与を避けるため、SpO_2は95％を上限とすることを推奨している。蘇生の必要がない新生児でもSpO_2が90％以上になるのには出生後10分ほど[3)]、動脈管前後のSpO_2が同じになるには出生後15分ほどかかることから[4)]、肺での酸素化の指標となる右手のSpO_2を観察しながら蘇生することは理にかなっている。

NCPR2020においても、2015に引き続き、出生時に補助呼吸を受ける在胎35週以上の新生児においては21％酸素（空気）から始めることを推奨している。在胎35週未満の早産児に対しては、高濃度酸素（60～100％）よりも低濃度酸素（21～30％）から始めることを推奨している[5)]。

パルスオキシメータを用いた先天性心疾患のスクリーニング

次にパルスオキシメータを用いた**先天性心疾患**のスクリーニングについて述べる。有用性については多くの報告があり、Thangaratinamらが13文献についてメタアナリシスを行った結果、229,421例の新生児において、心疾患検出の感度は76.5％（95％CI 67.7–83.5）、特異度は99.9％（95％CI 99.7–99.9）であり、偽陽性率は0.14％（95％CI 0.06–0.33）であった。生後24時間以内にスクリーニングを行うと、感度は84.8％（95％CI 69.8–93.1）に上昇し、生後24時間以降にスクリーニングを行うと、偽陽性率が0.05％（95％CI 0.02–0.12）に低下することを報告した[6]。

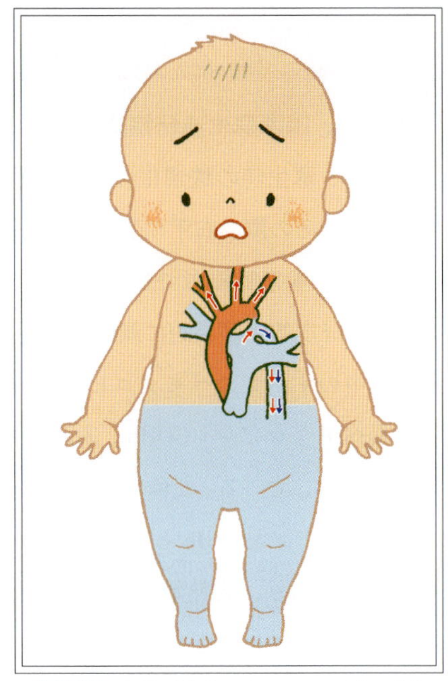

図4-1 大動脈縮窄でのチアノーゼの発生

先天性心疾患のスクリーニングでは、パルスオキシメータを**上下肢に装着**することが重要である。なぜなら、**体循環を動脈管に依存する重篤な疾患**を早期に疑うことができ、いわゆるダクタルショック（**ductal shock**）を防ぐことができるからである。例えば、大動脈縮窄では下肢の血流は動脈管による右左短絡に依存するため、上肢に比較してSpO_2が低い（**図4-1**）。また、チアノーゼという見逃しやすく主観的な症候に対しては、パルスオキシメータによる酸素飽和度の確認が総肺静脈還流異常や大血管転位、または肺循環を動脈管に依存する重篤な先天性心疾患など、出生後早期に介入を必要とするチアノーゼ性心疾患のスクリーニングにつながる。

蘇生時は右手、生後24時間以降、または**心疾患を疑う場合は上肢と下肢**にパルスオキシメータを装着することを忘れず、蘇生効果の確認、先天性心疾患の早期診断によって新生児管理をより良いものにしていただきたい。

引用・参考文献

1）田村正徳監修．日本版救急蘇生ガイドライン2010に基づく新生児蘇生法テキスト．改訂第2版．東京，メジカルビュー社，2010，174p.

2）D'cunha C, et al. Persistent fetal circulation. Paediatr Child Health. 6 (10), 2001, 744–50.

3）Dawson JA, et al. Defining the reference range for oxygen saturation for infants after birth. Pediatrics. 125 (6), 2010, e1340–7.

4）Mariani G, et al. Pre-ductal and post-ductal O_2 saturation in healthy term neonates after birth. J Pediatr. 150 (4), 2007, 418–21.

5）北野裕之．“人工呼吸”．日本版救急蘇生ガイドライン2020に基づく新生児蘇生法テキスト．第4版．細野茂春監修．東京，メジカルビュー社，2021，80–1.

6）Thangaratinam S, et al. Pulse oximetry screening for critical congenital heart defects in asymptomatic newborn babies : a systematic review and meta-analysis. Lancet. 379 (9835), 2012, 2459–64.

杉浦　弘

● レベル 1

5 新生児・早産児の心臓は小児や成人とどう違う?

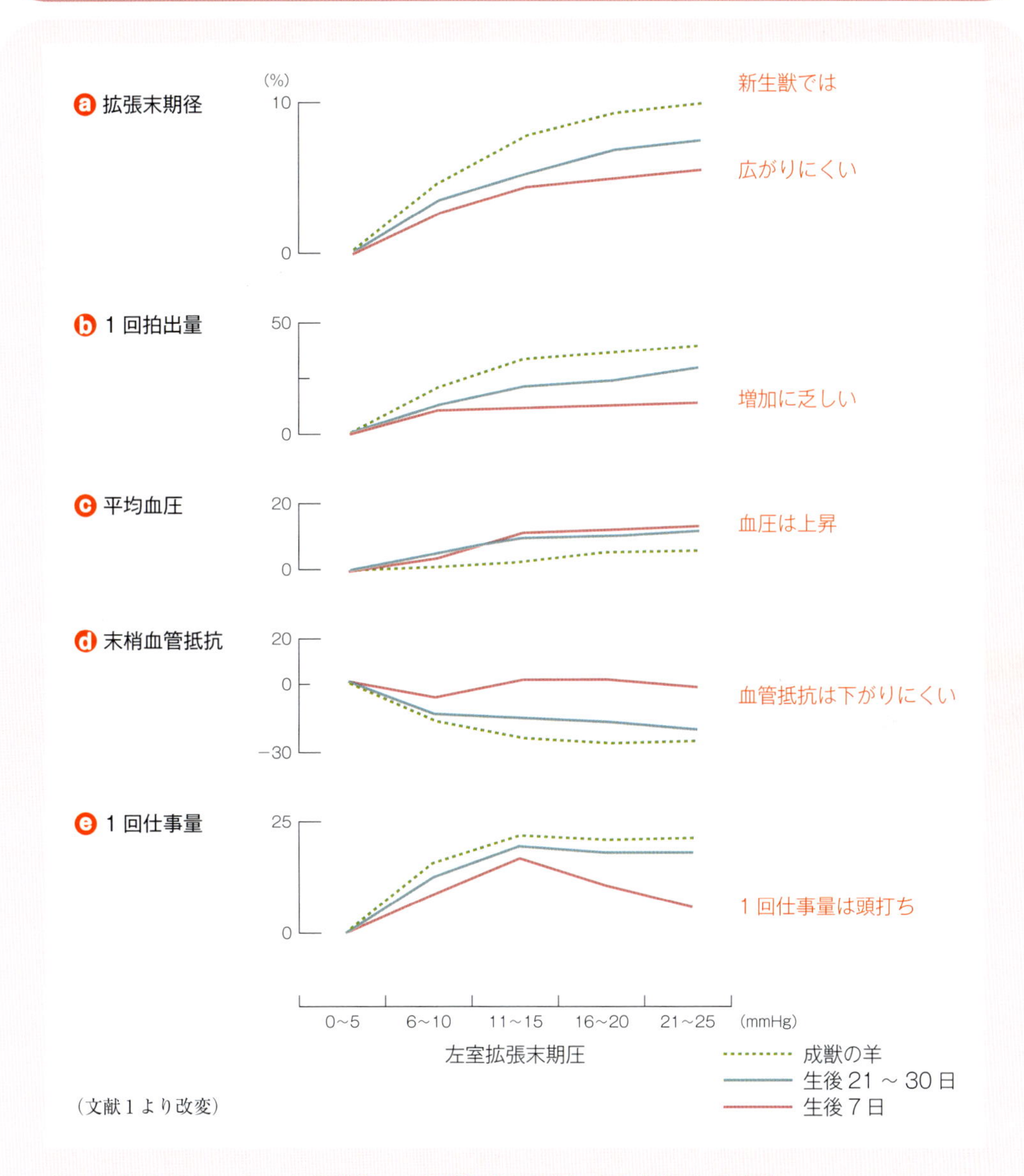

(文献 1 より改変)

羊の前負荷変化による血行動態への影響(%変化)の年齢による変化

新生児・早産児の心臓は小児や成人とどう違うのだろう? 上図は羊の実験により未熟心筋の特性を検討したもので、心拍数を一定に保って生理食塩水を急速注入し、血行動態への影響を調べている[1]。成獣と比較して新生獣では、左室拡張末期圧の上昇に対して、ⓐ左室拡張末期径の増化に乏しく、硬くて広がりにくい、つまり拡張能が悪いということが分かる。その結果、ⓑ 1 回拍出量の増加もわずかである。

新生児・早産児の心臓の特性

未熟な児の心臓の特性を理解しておくことは、合併症のない生存を目指す循環管理[2]のために重要である。本項では、新生児の心臓の特性を成人と比較し、心拍数、負荷条件、心機能[3, 4]における特色を拡張能を中心にまとめ、カルシウム調節についても言及したい。

1 前負荷の変化の血行動態への影響

まず、p.29の図の解説の続きである。心拍数を一定に保ち、生理食塩水を急速注入した羊の実験において[1]、成獣に比較して新生獣の心臓では、生理食塩水の急速注入による前負荷の急速な増大に対して、ⓐ硬くて広がりにくく、ⓑ1回拍出量の増加に乏しい。心拍数を一定にしているので、心拍出量の変化はⓑと平行し、新生獣で増加に乏しい。また、ⓒ平均血圧が新生獣でより増大したのは、容量負荷に対するⓓ末梢血管抵抗の低下反応が減弱していることが一因である。前負荷上昇に対するⓔ1回仕事量の予備も乏しい。生後21〜30日の羊は、生後7日と成獣の中間を示した。

同じ割合だけ心室を膨らませるのに必要な**心室拡張末期圧**は、新生獣の方が成獣よりも大きかったというこの実験が示すように[1]、新生児の心臓は広がりにくい。つまり新生児の心筋は、引き伸ばすのに力がいる硬いバネだと考えられる。さらに、新生児の心室は**収縮**にも**予備能が少ない**ために、1回拍出量の調節性が乏しい。カテコラミンに対する反応も悪い（ただし、効果がないと考えるのは誤りである）。

こうした特徴を理解すると、新生児循環の病態が見えてくる。例えば、肺出血は未熟児動脈管開存症の重要な合併症である。拡張の悪い左室は増大した肺静脈還流血に対応できず、左房圧、肺静脈圧は上昇しやすい。さらに、血管壁も脆弱であるために肺出血が発症しやすいと考えらえる。未熟児動脈管開存症では、左室の拡大も伴うが、容積変化は左房においてより顕著であり、左房の拡大が病勢判断により頻用されることは[5]、新生児期の左室の**拡張能の乏しさ**を考えると合点がいく。反対に、前負荷不足から容易に低血圧に至ることもよく経験する。このような前負荷の減少に伴う低血圧から、前負荷の過多によるうっ血に至る前負荷の調節の幅が小さいことは、心室の拡張性の悪さにより説明され得る（**図5-1**）（2章17「心室圧容積関係で何が分かる？」をお読みいただいた後で、この図から読み取っていただければ幸いである）。

一方、p.29の図のⓒは、前負荷増大に対して、平均血圧（後負荷の一つ）が容易に上昇してしまう、と見て取れる。前負荷の変動に対する、循環における調節予備の幅は小さい。このように、新生児・早産児では、1回に心臓が拍出する血液量（1回拍出量）の調節に制限があるため、**心拍出量（＝1回拍出量×心拍数）が心拍数に大きく左右される**ことも重要な特徴である。ここで、Apgarスコアの「P」の採点基準を思い出していただきたい。心拍数が毎分

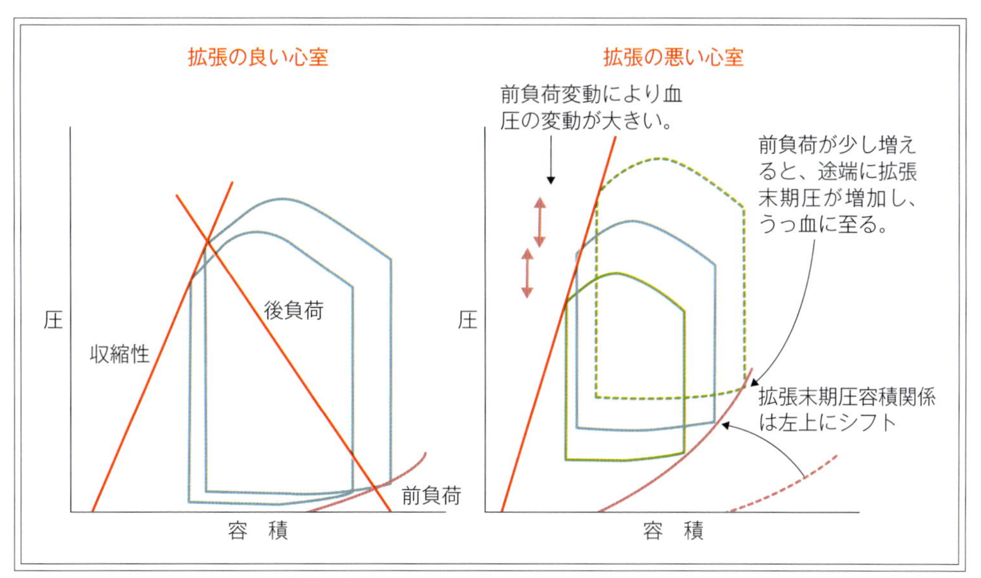

図5-1 心室の拡張能と前負荷予備能との関係

100を切ると減点されてしまうのである。成人であれば、心拍数が毎分40であっても問題ないこともあるが、新生児で40だと、ほぼ間違いなくショック状態である。

2 未熟心筋におけるカルシウム調節

次に、未熟心筋におけるカルシウム調節の特徴について簡単に触れる。**心筋収縮**は心筋内のカルシウム濃度上昇によって起こる。未熟心筋では、小胞体と呼ばれるカルシウム貯蔵庫の働きが未熟なため、細胞外からのカルシウムの流入に頼るところが大きい。このため、低カルシウム血症が低血圧や心拍出量の低下に直結しやすいのも新生児ならではの特徴である。未熟心筋においては適切なイオン化カルシウム濃度の維持が循環管理において殊に重要である。

●

新生児循環管理では、全身状態、バイタルサイン、尿量、検査所見などから、心拍数、負荷条件（前負荷、後負荷）、心機能（収縮能、拡張能）がそれぞれの適正作動域にあるか、あるいは問題があるか、あるとすれば問題は何かを見極め、未熟心筋の特性を理解した上で病態に見合った治療戦略を立て[6]、その後の経過を再評価して次の治療を再考していくことが重要である。

引用・参考文献

1）Romero TE, et al. Limited left ventricular response to volume overload in the neonatal period : a comparative study with the adult animal. Pediatr Res. 13, 1979, 910-5.

2）豊島勝昭．Stress-Velocity 関係を基にした早産児の急性期循環管理．小児科診療．70（4），2007，609-15.

3）増谷聡．新生児の心機能の適応生理．Neonatal Care．21（5），2008，420-8.

4）齋木宏文ほか．小児循環器領域における循環生理学の基礎：圧容積関係から見た血行動態の解釈．日本小児循環器学会雑誌．27（2），2011，76-87.

5）Toyoshima K, Masutani S. et al. Left atrial volume is superior to the ratio of the left atrium to aorta diameter for assessment of the severity of patent ductus arteriosus in extremely low birth weight infants. Circ J. 78 (7), 2014, :1701-9.

6）増谷聡．新生児に対する新しい抗心不全療法．周産期医学．39（12），2009，1677-81.

増谷　聡

●● レベル2

6 前負荷・後負荷って何？ 新生児ではどんな特徴がある？

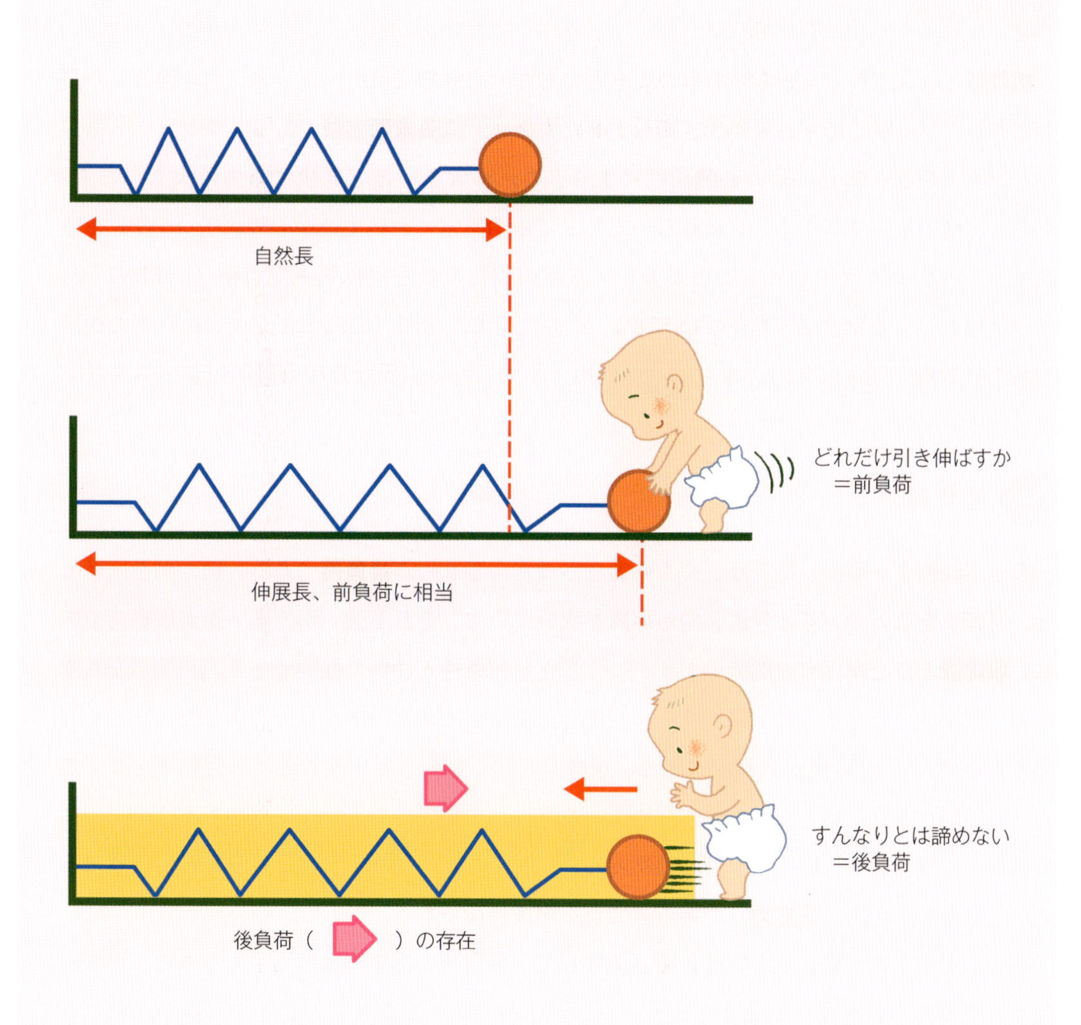

心臓の負荷条件を考えるために、バネを例に考えてみる。バネは長く引っ張るほど多くの力を発生する。引っ張った長さが前負荷に当たる。心臓では心室の拡張末期容積に当たる。次にそのバネから手を放すと、バネは収縮するが、現実にはそうやすやすと収縮させてもらえない。そこに立ちはだかるのが後負荷である。後負荷は、血管抵抗・血管の硬さや、血圧、血液粘稠度、心室壁応力などで表される。

前負荷・後負荷とは何か？

心室の挙動は、心拍数のほかに、負荷条件（前負荷、後負荷）、心機能（収縮能、拡張能）に分けて評価する。これらを個別に、かつ統合的に考えていくことが大切である[1, 2]。本項では、前負荷、後負荷とは何かについて、その考え方に焦点を当てる。

1 前負荷

前負荷とは、広がったときの心室の大きさである。心筋をばねに例えると、引き伸ばした長さである。ゴム風船にたとえれば、膨らませた大きさが**拡張末期容積**である。フランク・スターリング（Frank-Starling）の心臓法則により、これが大きいほど発生する力は大きくなる。ただし容積の連続モニタリングは難しいため、集中治療室においては中心静脈圧（CVP）の連続モニタリングで代用されることが多い。左室の前負荷は左室拡張末期容積（LVEDV）で、その代用として左室拡張末期圧（LVEDP）、その代用で左房圧（left atrial pressure）、その代用で肺毛細管楔入圧（PCWP）、さらにその代用として、だいぶ異なる中心静脈圧がモニタリングされる。

2 後負荷

心室が収縮する際に、そうはさせまいと立ちはだかるものが**後負荷**である。別の例を用いると、自転車をこいでいるときに、向かい風が吹いていて、それが強いか、弱いかが後負荷である。**収縮能**とは心室固有の性能であり、こうした負荷条件とは別の性能である。自転車をこぐ能力（収縮能）を見るのに、向かい風の程度を考慮せずにスピードだけで評価したら正しく評価できない。「向かい風がどれくらいで、速度がどれくらい」ということから自転車をこぐ能力（収縮能）を見ないとだまされてしまう。心室からの拍出に対し向かい風に当たるのは、血管抵抗、血管の硬さ、血圧、血液の粘稠度などであり、向かい風に向かう自転車側から見たものが心筋のストレス（**壁応力**）である。これらが後負荷である。

膨らんだ大きさで見ればよい前負荷と比較して、後負荷の捉え方はさまざまである。自転車でも、実は向かい風だけではなく、チェーンがさびていてこぎにくかったり（血液の粘っこさ）、道路の舗装が悪かったり、上り坂が急だったり（血管の硬さ？）、さまざまな後負荷がある。頑張ってこいでいると、太ももがパンパンになるが、それが心臓でいうと壁応力のイメージになるだろうか。

新生児の負荷の特徴と治療との関連

早産児では、頭蓋内出血や肺出血に遭遇することが[3]、小児と比較すると断然多い。一つには末梢の毛細血管の脆弱性が要因として挙げられる。一方、収縮や拡張の性能に限界があるため（1章5「新生児・早産児の心臓は小児や成人とどう違う？」参照)、前負荷や後負荷は、低すぎても高すぎても循環はうまくいかない。例えば拡張能に制限のある新生児の左室では、動脈管開存症のために左房に多く血液が返ってきても、左室の拡張能が悪いため、多くの血液を左室に入れるのが難しくなってしまう。左房から左室に多くの血液を流入させるために、左房圧は上昇し、肺の静脈圧が上がって肺うっ血が生じ、血管がこらえられなくなると肺出血に至ってしまうと考えられる。反対に、前負荷が不足すると容易に低血圧に至ることもよく経験される。このような至適な前負荷の範囲が小さいことは、拡張能の乏しさ（左室の硬さ）からも説明される（1章5「新生児・早産児の心臓は小児や成人とどう違う？」参照)。

収縮・拡張といった心臓の性能の対応できる幅（**予備能**）が十分になく、血管もデリケートなため、前負荷・後負荷を適切に保たなければならない、というのが新生児・早産児における循環管理の特徴であろう。

引用・参考文献

1）増谷聡．新生児の心機能の適応生理．Neonatal Care．21（5），2008，420-8.
2）齋木宏文ほか．小児循環器領域における循環生理学の基礎：圧容積関係から見た血行動態の解釈．日本小児循環器学会雑誌．27（2），2011，76-87.
3）豊島勝昭ほか．極低出生体重児における左室壁応力・心筋短縮速度の経時的変化と肺出血・脳室内出血・脳室周囲白質軟化症の関連性について．日本未熟児新生児学会雑誌．14（2），2002，153-60.

増谷　聡

レベル2

7 新生児の心機能はどんな要素で評価する?

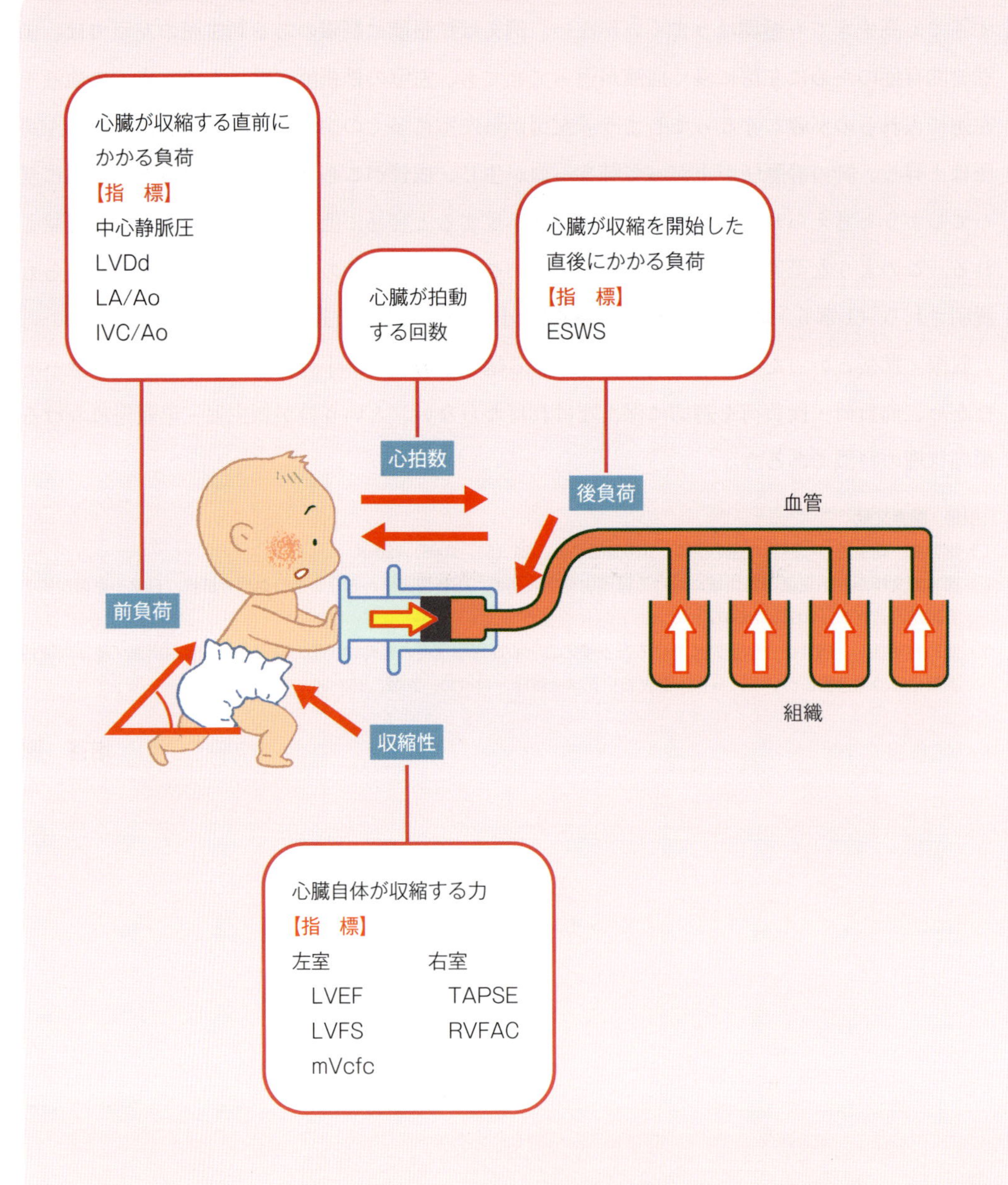

適切な心機能とは、心臓から各臓器に必要十分な血流が供給できている状態をいう。それを評価するために、NICUでは心拍数と血圧の経時的測定が行われる。血圧は前負荷、後負荷、心臓の収縮性より成り立っており、おのおのが適切な状態であることを、心エコー検査などを用いて評価することにより、病態に応じた血圧の目標値を設定することが可能となる。

心拍数

新生児の**心拍数**は成人より高値であり、正常値の範囲が広い。正常値は70〜180bpmとされ、220bpm以上が続く場合は上室頻拍の可能性がある。睡眠時は60bpm未満、覚醒時は80bpm未満が**徐脈**と定義され、極低出生体重児の無呼吸発作時、80bpm未満に心拍数が低下すると脳血流速度が著明に低下することが知られている（**図7-1**）[1]。特に早産・低出生体重児（胎児も含め）では、徐脈が脳室周囲白質軟化症などの脳障害の一因になるため[2, 3]、徐脈を伴う無呼吸発作のコントロールには注意を要する。

循環不全を認める際、特に早産・低出生体重児では心筋の未熟性から1回拍出量を増大させる能力が弱いため、心拍数を増加させることで心拍出量を維持しようとする。しかしながら、空腹、痛み、興奮、高体温、騒音、薬剤の影響（キサンチン誘導体、カフェインなど）でも容易に心拍数が増加するため、病的な頻脈なのかどうかを見極めることは難しい。180bpm以上の**頻脈**が持続する場合、循環不全を常に念頭に置き、心拍数以外の指標により循環の評価を行う必要がある。

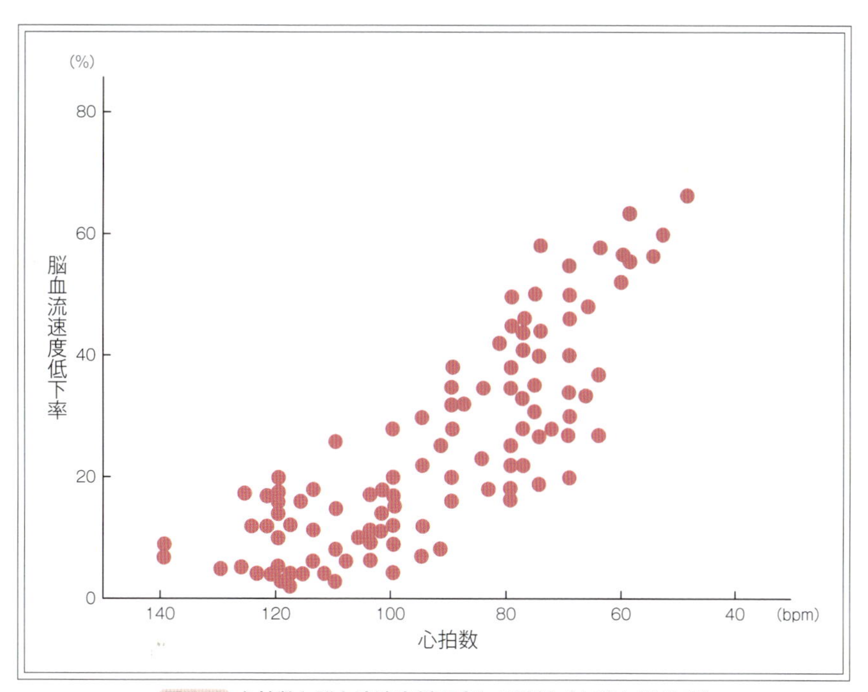

図7-1 心拍数と脳血流速度低下率との関係（文献1より改変）

前負荷

生後早期の新生児は**前負荷**が増大しやすく、輸液量は前負荷に影響を及ぼす。過剰輸液などにより急速に前負荷が増加した場合は血圧も急増する。前負荷を評価するためには、成人領域では中心静脈圧測定を行うことが一般的であり、新生児では臍静脈カテーテルによって**中心静脈圧**を測定することが可能である。8mmHg以上が持続する場合は前負荷過剰と判断する。臍静脈カテーテルが挿入されていない場合は、心エコー検査では左室拡張末期径（LVDd：左室の大きさ）、左房／大動脈径比（LA/Ao：左房の大きさ）、下大静脈／大動脈径比（IVC/Ao：下大静脈の太さ）にて前負荷の評価を行う。

後負荷

前負荷同様に、生後早期の新生児は**後負荷**が増大しやすい。生後24時間以降、早産・低出生体重児に対して過剰な後負荷がかかると心臓の収縮性が低下し、静脈圧の上昇を来す。以上のような病態を**後負荷不整合**と呼んでおり、脳室内出血、肺出血、脳室周囲白質軟化症の一因になると考えられている[4)]。血圧上昇とともに後負荷が増大する場合が多いが、大きな血圧の変動なく後負荷が増大することもあり、通常、心拍数や血圧だけで後負荷を評価するのは難しい。したがって、後負荷の指標である心室壁応力（ESWS）を心エコー検査にて測定することが、後負荷不整合を未然に防ぐために有用である[5)]。

また、敗血性ショック、晩期循環不全、胎児水腫など、末梢血管抵抗が低下し、血管透過性が亢進している病態ではESWSが低下していることが多く、カテコラミンもしくはステロイドに対する反応性が乏しい場合、バソプレシン少量投与が後負荷維持に有効なことがある[6)]。

また、一酸化窒素（NO）吸入療法に効果を示さない肺高血圧において、バソプレシン少量投与は肺血管抵抗を増やすことなく体血管抵抗を上げるため、その治療効果が期待できる[7)]。

収縮性

新生児医療では、血圧低下に応じてドパミン、ドブタミンなどの**カテコラミン**を使用するケースが多い。ドパミン、ドブタミンともにβ_1作用により心臓の**収縮性**を高める。**左室駆出率**（LVEF）、**左室内径短縮率**（LVFS）は心臓の収縮性を求める代表的な指標である。先述したように、新生児は心拍数が成人より高値であり正常値の範囲が広いため、心拍補正左室平均円周短縮速度（mVcfc）を用いると、より正確に収縮性を評価することができる。平均血圧が維持できていても、脈圧（収縮期血圧と拡張期血圧との差）が小さくなってきた場合は、収縮性が低下している可能性があるため、心エコー検査にて実際の心臓の動きを確認する必要がある。現在のところ、選択的に収縮性のみを高める薬剤はなく、カテコラミンは投与量に応じて収縮性のみならず、前負荷、後負荷にも多様な影響を及ぼすことは留意すべき点である。

また、右室は左室と異なり複雑な形態（ふいご状）をしており、三尖弁輪から心尖部への長軸方向の収縮がメインである。三尖弁輪収縮期移動距離（TAPSE）、右室面積変化率（RVFAC）などで右室の収縮性を評価する。

新生児循環管理のポイント POINT

- 心拍数（100bpm〔特に 80bpm〕）未満の徐脈、180bpm 以上の頻脈には注意！
- 平均血圧だけでなく脈圧にも注目！

引用・参考文献

1）Perlman JM, et al. Episodes of apnea and bradycardia in the preterm newborn : impact on cerebral circulation. Pediatrics. 76 (3), 1985, 333-8.

2）Ibara S, et al. The perinatal risk factors and periventricular leukomalacia (PVL) in premature infants--relationship between fetal heart rate decelerations and PVL. No To Hattatsu. 28 (2), 1996, 135-7.

3）Janvier A, et al. Apnea is associated with neurodevelopmental impairment in very low birth weight infants. J Perinatol. 24 (12), 2004, 763-8.

4）豊島勝昭ほか．極低出生体重児における左室壁応力・心筋短縮速度の経時的変化と肺出血・脳室内出血・脳室周囲白質軟化症の関連性について．日本未熟児新生児学会雑誌．14 (2), 2002, 153-60.

5）山本裕ほか．Stress-Velocity 関係に基づく極低出生体重児の循環評価：生後早期におけるインドメタシン静注療法の有効性の検討．日本未熟児新生児学会雑誌．19 (2), 2007, 209-14.

6）山本裕ほか．新生児難治性低血圧に対しバソプレシン少量持続投与を施行した 9 症例の検討．日本未熟児新生児学会雑誌．20 (3), 2008, 528.

7）Tayama E, el al. Arginine vasopressin is an ideal drug after cardiac surgery for the management of low systemic vascular resistant hypotension concomitant with pulmonary hypertension. Interact Cardiovasc Thorac Surg. 6(6), 2007, 715-9.

山本　裕

レベル 1

8 何 mmHg 以下からが低血圧？在胎週数とどう関係する？

低血圧の原因

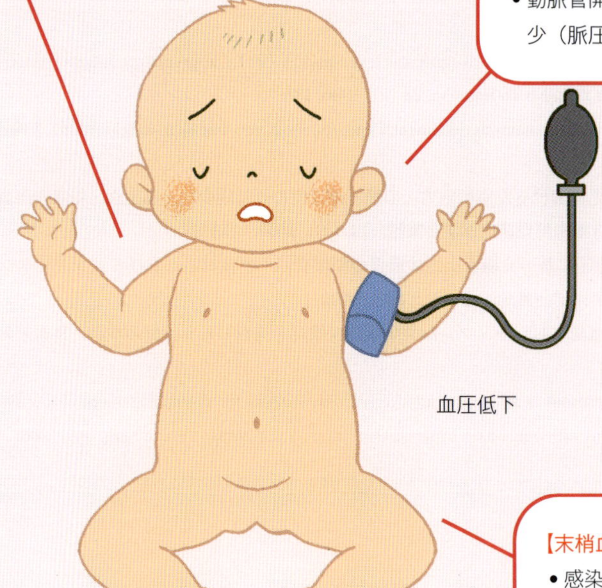

血圧を規定する因子は多くあるが、その中で主なものは、①どれくらい心臓が血液を送り出すことができるか（心拍出量＝1回拍出量×心拍数）、②末梢血管がどのくらい収縮もしくは弛緩しているか（末梢血管抵抗）、③どのくらいの血液が循環系の中にあるのか（循環血液量）、である。

一般的に、早産児や低出生体重児の血圧については「至適血圧＝平均血圧が在胎週数以上」とされ、在胎28週の児であれば平均血圧が28mmHg以上、26週であれば平均血圧が26mmHg以上となる。しかしながら、必ずしもこの基準が絶対というわけではない。

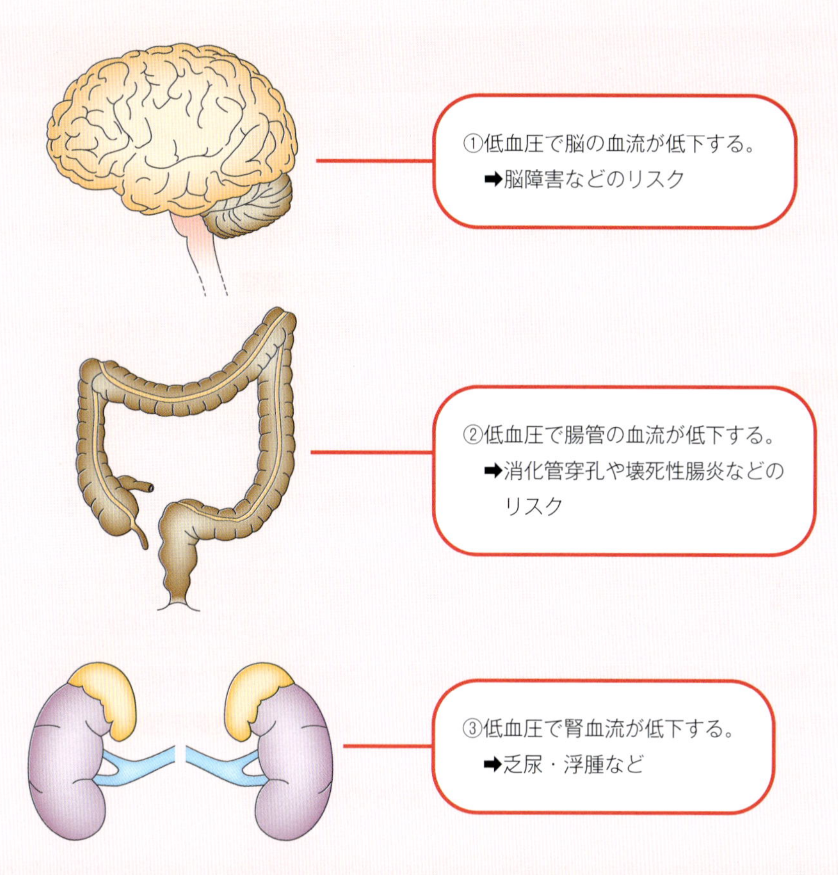

血圧が低いと、どのようなことが生じるのだろうか。血圧が低い＝体への（臓器への）血流が悪い、ということである。体の各臓器は血液により酸素や栄養を供給されているので、過度な低血圧はさまざまな臓器で不都合を生じさせることになる。

血圧が低いと脳への血液の循環量が低下したり、血流が安定しなくなったりする。一定の血圧が保たれないと、脳が虚血を起こして脳細胞に障害を与える。また、血圧が一定に保たれず高かったり低かったりを繰り返すと、超早産児や超低出生体重児では頭蓋内出血を起こすことがある。

消化管への影響はどうだろうか？　血圧が低いと上腸間膜動脈や腹腔動脈への血流が低下する。低血圧＝循環血流の低下は、消化管穿孔や壊死性腸炎の原因にもなる。

腎臓への影響はどうだろうか？　血圧が低くなると腎動脈を流れる血流が低下することになる。低血圧になると腎臓への血流が低下し、その結果、尿量の低下、浮腫という形で現れてくる。

動脈管開存症が重症化してくると、本来ならば体循環に向かうはずの血液が肺動脈の方に流れる。すると、体に向かう循環血液量は減少し、脈圧差が開大し、低血圧が進行する。動脈管開存症の悪化は臓器血流を悪くする。

血圧を規定する因子

1 どれくらい血液を送り出すことができるか

胎盤および臍帯から切り離された新生児の心臓は、自分の体の隅々まで血液を送るためのポンプとしての仕事を始める。このときに心臓がうまく**収縮／拡張**できないと、適切な血液量を臓器に供給することができない。早産児、超低出生体重児の心筋はまだ未成熟であるため、必要な**心拍出量**を保つことができず、血圧の維持ができなくなることある。ポンプが力不足であることは、末梢の臓器血流が低下し、**臓器障害**を生じる可能性があるということでもある。

2 末梢血管がどれくらい収縮もしくは弛緩しているか

末梢血管の状態によっても血圧は変化する。血管が拡張して虚脱しているような場合は血圧が低下する。また過度に血管が収縮しているような場合、血圧は見かけ上維持されるが、血流は不足し、臓器還流が悪い状態であることがある。末梢血管の過度な収縮は早産児や低出生体重児の未成熟な心臓にとっては過剰な負荷となり、いわゆる「**後負荷不整合**」の状態に陥る。

3 どのくらいの血液が循環系の中にあるのか

胎盤早期剝離など出血を伴った場合や、血管の透過性亢進のために血液成分が血管外に漏れ出してしまうような場合は、血管内の循環血液量が減少するため、血圧は低下する。

早産児・低出生体重児の血圧

早産児や低出生体重児の心臓（心筋）は収縮／拡張についてはまだ未成熟であり、血圧の制御機能（神経系）も未発達なので、児の血圧は非常に不安定である。児の周りの環境や児に対するケアなどによっても血圧は大きく変動する。一般的に早産児・低出生体重児の（生後数日の）血圧については「**至適血圧＝平均血圧が在胎週数以上**」と言われることが多い。つまり、在胎 28 週の児であれば、平均血圧が 28mmHg 以上、26 週であれば平均血圧が 26mmHg 以上ということである。しかしながら、必ずしもこの基準が絶対というわけではないことは知っておくべきである。**図8-1** は在胎週数と血圧との関連を表したものである。在胎週数が短いほど血圧も低いことが分かっているが、その幅は広い。臨床においては、単純に在胎週数相当の平均血圧が維持されればよいというわけではない。全身の状態、心拍数、血圧の経時的変化、尿量、乳酸値、心エコー検査での評価などさまざまな側面から児の状態を判断し、適切な治療がなされなくてはならない。

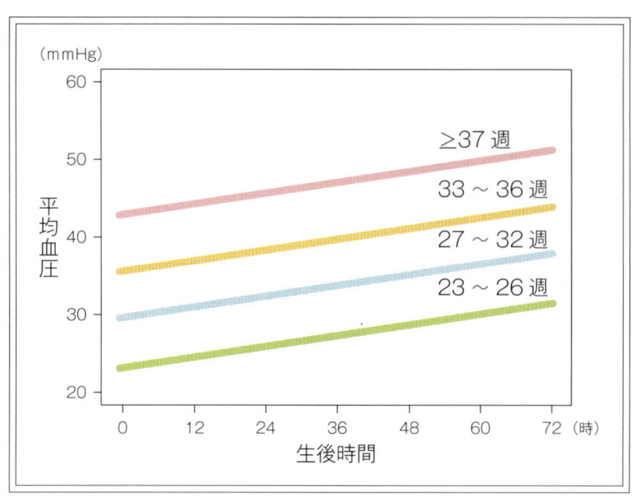

図8-1 在胎週数、生後時間による平均血圧の下限の目安
(文献1より改変)

新生児集中治療において、循環管理の指標として「血圧」は非常に大切なパラメータである。特に早産児・低出生体重児の血圧については、まだ議論がなされ続けている領域でもある。どのくらいの血圧が「至適」なのか、血圧のコントロールはどのようにされるべきなのかの標準的治療について、まだ結論は出ていない。Permissive hypotension (どのくらいの低血圧が許容されるか) という点についても、議論がなされている最中である。血管作動薬の使い方、ステロイドの使用方法、人工呼吸器管理時の鎮静の深さ、水分量など具体的な治療についても、これから議論されていくべきポイントだと考える。

新生児循環管理のポイント

POINT

- [ ] 心拍数、呼吸数などのバイタルサインを経時的に記録する。
- [ ] 尿量、浮腫の有無、程度などを記録する。
- [ ] 血圧の経時的変化を記録する。
- [ ] SpO_2を記録する。
- [ ] 皮膚色を記録する。

引用・参考文献

1) Nuntnarumit P, et al. Blood pressure measurements in the newborn. Clin Perinatol. 26 (4), 1999, 981-96.

嶋岡 鋼

レベル 1

9 出生後も肺高血圧が続くとどうなる?

新生児遷延性肺高血圧症の血行動態

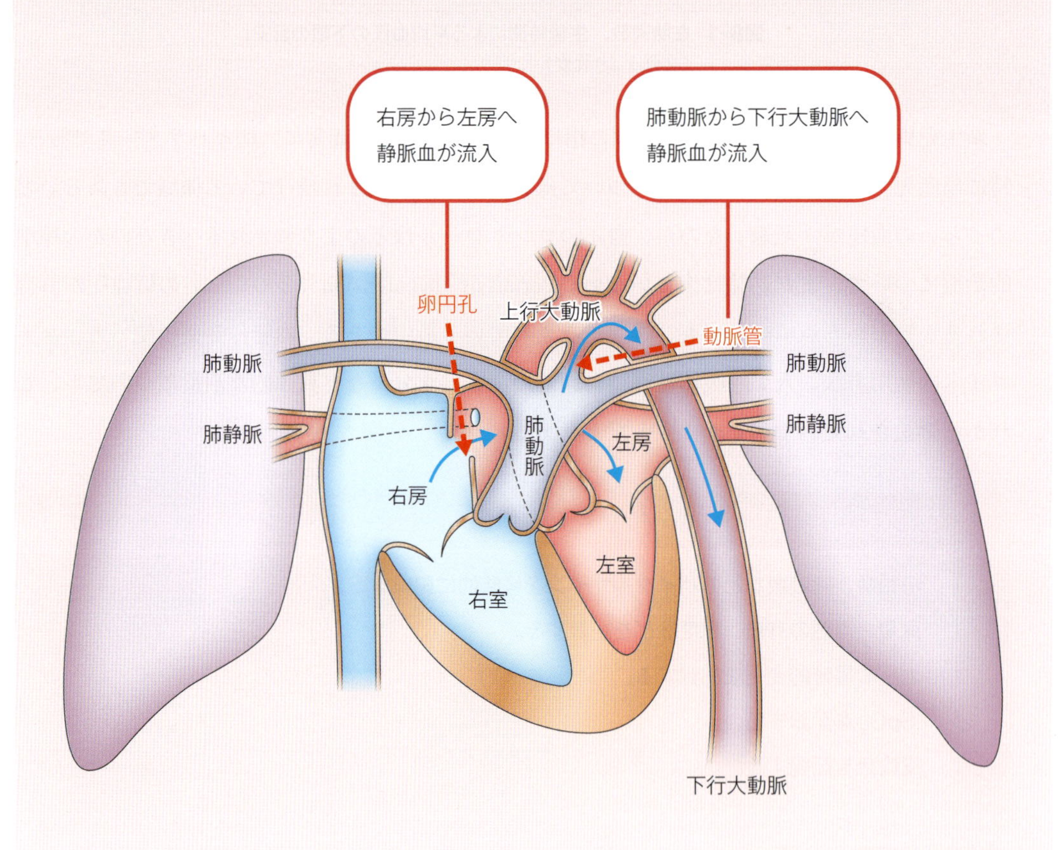

新生児遷延性肺高血圧症では、胎児循環と同様に、卵円孔により右房内の静脈血が左房内に流入する（卵円孔開存：PFO）。動脈管が開存している場合は、肺動脈の静脈血が下行大動脈へ流れ、上半身（pre-ductal）に比し下半身（post-ductal）の酸素化が不良となる（differential cyanosis）。

肺血管平滑筋の収縮・増殖機構

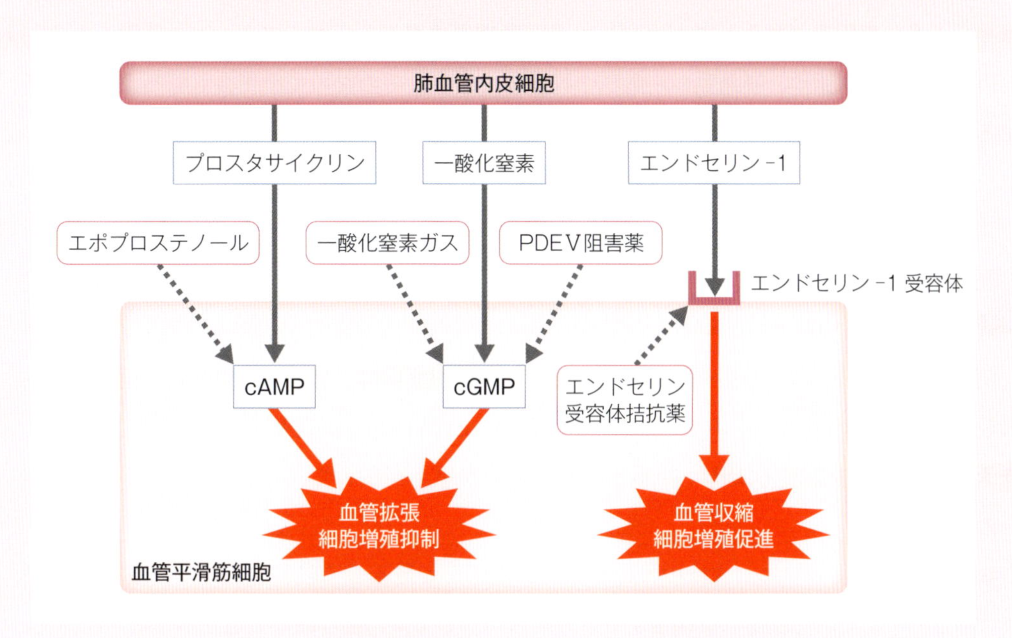

肺血管平滑筋の収縮・増殖機構は、プロスタグランジン（PG）I_2（プロスタサイクリン）-cAMP経路のエポプロステノール、一酸化窒素（NO）-cGMP経路を介するNO吸入療法やホスホジエステラーゼ（PDE）V阻害薬（シルデナフィル、タダラフィル）、そしてエンドセリン（ET）経路（エンドセリン受容体拮抗薬：ボセンタン、アンブリセンタン）の3つに分類される。それぞれ、作用機序の違う血管拡張薬がある。

出生後も肺高血圧が続くとどうなる？

出生後も肺高血圧が続くことを、**新生児遷延性肺高血圧症**（PPHN）という。PPHNを理解するに当たっては、胎児期からの延長として捉える必要がある。子宮内では、胎児の肺動脈圧は高い肺血管抵抗のために体血圧と同等である。胎盤がガス交換を担っており、胎児肺ではガス交換は行われず、肺血流量は心拍出量のわずか7%であるといわれる。正常新生児では出生後、第一啼泣とともに肺でのガス交換が始まり、急速に肺血管抵抗と肺動脈圧が低下することで**肺循環が成立**する。さらに臍帯血流が遮断され、**新生児循環が確立**する。

正常新生児では出生後、肺循環が成立すると動脈管は胎児期とは逆の**左右短絡**となってやがて閉鎖し、卵円孔も肺血流還流による左房圧の上昇で胎児期とは逆の左右短絡となり、数週で機能的にも解剖学的にも閉鎖する。しかし、さまざまな原因で胎児期と同等の**肺高血圧**が続くと、胎児循環と同様に卵円孔または動脈管を介して**右左短絡**を呈し、別名「胎児循環持続症(PFC)」とも呼ばれる。血行動態的にはこの2つのチャンネルでのdesaturation（還元ヘモグロビンが多い静脈血が酸化ヘモグロビンの多い動脈血に混ざる）がチアノーゼの原因となる。

PPHNの基本病態は、肺動脈の小動脈中膜肥厚であり、そのために出生後も肺高血圧が遷延する。低酸素、アシドーシス、エンドセリン-1（ET-1）やトロンボキサンなどの炎症メディエータが肺血管収縮作用を持つとされる。

遷延性肺高血圧の原因疾患（表9-1）

明らかな肺病変を認めない一次性のものと、**胎便吸引症候群**（MAS）や重症新生児仮死、呼吸窮迫症候群（RDS）、ドライラング症候群（dry lung syndrome）、先天性肺炎、気胸、敗血症、**先天性横隔膜ヘルニア**（CDH）、肺低形成などの原疾患が存在して、それに起因する二次性のものとがある。

頻度としては圧倒的に二次性のものが多く、臨床上で最も多く経験するのは、重度のMASによるものである。胎便が肺を傷害するメカニズムとしては、物理的な気道閉塞、化学性肺炎、サーファクタントの不活性化、肺血管の収縮などがある。MASほど多くはないが、高い確率でPPHNを合併するものとして、CDHがある。CDHは2,000～4,000出生に1人の割合で生じる、横隔膜の欠損で起こる異常で、腹部臓器の胸腔内への脱入による肺圧迫と、それによる肺低形成が特徴的である。多くは左側で発生し、重度な場合、健側肺への圧迫も問題となる。気管分支とともに肺血管床の発達も不良で、肺血管抵抗も高い。

表9-1 新生児遷延性肺高血圧症の原因疾患

- 胎便吸引症候群（MAS）
- 呼吸窮迫症候群（RDS）
- 先天性肺炎
- 気胸・胸水
- 羊水過少によるdry lung syndrome
- 重症新生児仮死
- 横隔膜ヘルニアなどによる肺低形成

遷延性肺高血圧の診断

呼吸障害やチアノーゼなどの臨床症状は極めて重篤で、重症なPPHNに陥ると、100%酸素投与でもSpO_2やPaO_2の上昇が不良となる。動脈管レベルでの右左短絡があれば、上半身(pre-ductal)に比し下半身（post-ductal）のSpO_2がさらに低下する（**differential**

cyanosis)。臨床症状に加え、心エコーにより動脈管や卵円孔レベルでの右左短絡を証明することで確定診断を行う（p.44の図参照）。もし、これらの所見がなければ、肺実質病変による低酸素血症（肺内短絡）と診断できる。また、PPHNを診断する際には、総肺静脈還流異常、大動脈縮窄・大動脈弓離断など血行動態上でPPHNとの鑑別が必要な先天性心疾患がないことが前提となる。

遷延性肺高血圧の治療

詳しくは、6章4「肺血管抵抗を下げるにはどうすればよい？」および6「肺血管拡張薬の使用で注意することは？」、5「一酸化窒素（NO）吸入療法って何？」を参照いただきたい。

▶…一般的管理

ミニマルハンドリングを心掛け、原疾患の治療、鎮静、酸素投与などを行う。

▶…人工呼吸療法

通常の人工換気のほか、過換気療法、特に高頻度振動換気（HFO）が効果的である。呼吸管理にあたっては、急速に換気条件（酸素分圧や換気圧）を下げすぎることにより酸素化が急激に下がる**flip-flop現象**に注意を要する。

▶…一酸化窒素（NO）吸入療法

NOの登場はPPHNの治療を飛躍的に向上させた。吸入療法のため体血圧を下げることなく、選択的に肺血管拡張作用をもたらし、PPHNに対する特効治療として期待できる。2010年よりPPHNに対して保険適用となった。PPHNに対する**NO吸入療法**導入により、膜型人工肺（ECMO）の使用頻度が減少したとの報告があり[1]、最近のコクランデータベースでも、term/near-termの低酸素性呼吸不全児の死亡率とECMO導入率を減じることから、NO吸入療法の有効性を認めている[2]。

▶…薬物療法

炭酸水素ナトリウム（メイロン®）はアシドーシスを補正し、アルカリ化させる。アルカリ化で肺血管の血管抵抗が減少し、肺高血圧が緩和する。

血管拡張薬として、PGI_2製剤（エポプロステノール：静注用フローラン®[3]、ベラプロスト：ドルナー®錠）、ニトログリセリン（ミリスロール®注）、PGE_1製剤（リプル®注、パルクス®注）、PDE Ⅲ阻害薬（ミルリノン：ミルリーラ®注射液、オルプリノン：コアテック®注）[4]、PDE Ⅴ阻害薬（シルデナフィル：レバチオ®錠、タダラフィル：アドシルカ®錠）[5]、エンドセリン受容体拮抗薬（ボセンタン：トラクリア®錠、アンブリセンタン：ヴォリブリス®錠）がある。それぞれの薬剤の作用機序をp.45の図に示した。相対的に体動脈圧を上げる目的でカテコラミンの持続静注も有効である。

▶…膜型人工肺（ECMO）

以上の治療が無効で、低酸素血症が持続する場合に適応となる。

肺高血圧における御法度

①総肺静脈還流異常や大動脈縮窄などの心疾患は肺血管抵抗を下げると悪化するので、心エコー診断でこれらを除外しておく。

② PPHN を招きやすい CDH では、出生時のマスク・バッグによる蘇生は胸腔内の腸管にガスが入り込み、肺や心臓を圧迫するため禁忌であり、気管挿管した方がよい。

③ NO 使用にあたっては、メトヘモグロビン血症のチェックが必要である。NO、NO_2 のモニタリングも必要である。

新生児循環管理のポイント　POINT

- □ 分娩歴に胎便による羊水混濁がないか？
- □ 新生児仮死はないか？
- □ 心雑音など心疾患を疑う要因がないか？
- □ SpO_2 は上肢で記録したか？　下肢で記録したか？
- □ SpO_2 の変化は？　徐々に低下しているか？　最初からか？
- □ 血圧の低下とともに SpO_2 が低下しているか？

引用・参考文献

1）Clark RH, et al. Low-dose nitric oxide therapy for persistent pulmonary hypertension of the newborn. N Engl J Med. 342 (7), 2000, 469-74.

2）Finer N, et al. Nitric oxide for respiratory failure in infants born at or near term. Cochrane Database Syst Rev. 1 (1), 2017, CD000399.

3）Bronen M, Prostacyclin treatment for persistent pulmonary hypertension of the newborn. Pediatr Cardiol. 18 (1), 1997, 3-7.

4）Bassler D, et al. Milrinone for persistent pulmonary hypertension of the newborn (Protocol). Cochrane Database Syst Rev. 2, 2009, CD007802.

5）Shah PS, et al. Sildenafil for pulmonary hypertension in neonates. Cochrane Database Syst Rev. 8 (8), 2017, CD005494.

水書教雄・与田仁志

● レベル 1

10 動脈管が自然閉鎖しないとどうなる?

未熟児動脈管開存症

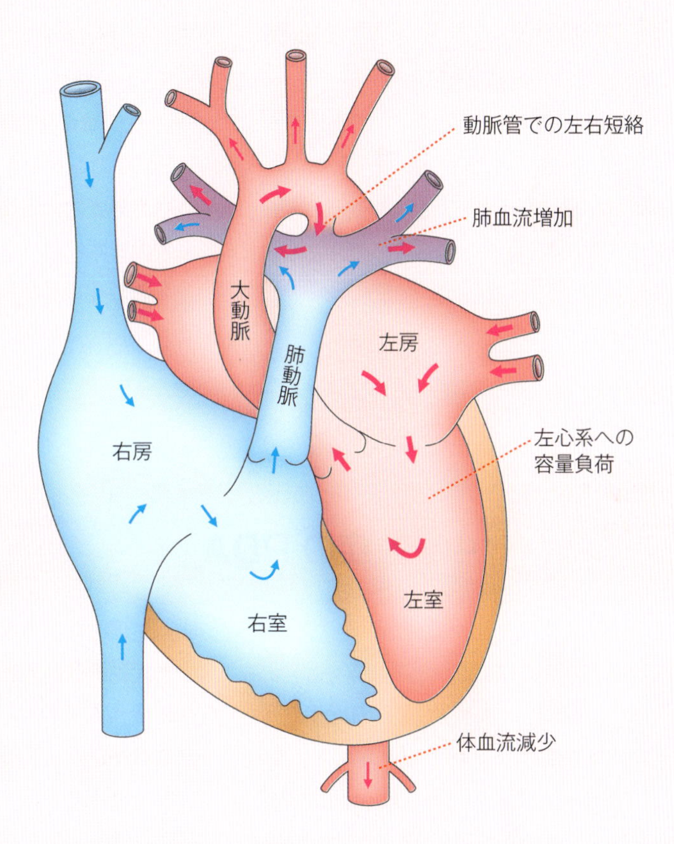

（文献１より改変）

早産・低出生体重児に認められる動脈管閉鎖遅延を、未熟児動脈管開存症（未熟児 PDA）と呼ぶ。大動脈から肺動脈へ動脈血が流れることにより症状が出現するが、動脈管の太さや大動脈と肺動脈の圧の違い（圧較差）により症状が異なり、心雑音が聴かれても症状が認められないこともある。動脈管を通る血流量（短絡血流量）が増えると、多呼吸や SpO_2 のふらつきなどの呼吸症状が認められるようになり、さらに進行すると尿量減少や肺出血などが認められ、最終的には左心不全に至る。

軽症の PDA

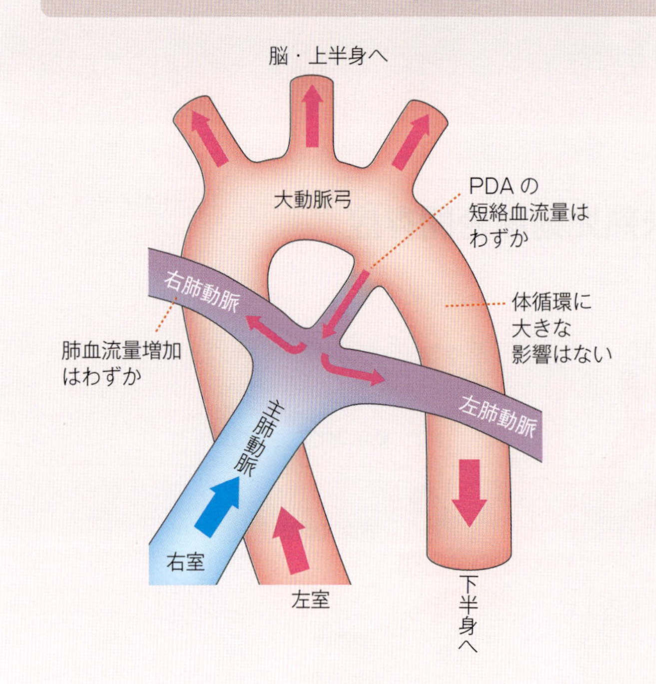

出生直後の大動脈と肺動脈との圧較差が少ない PDA や細い PDA では、短絡血流量は少なく、症状が認められないこともある。心エコーにより診断されたり、心雑音の出現により気付かれることもある。何らかの症状が認められるものを症候性 PDA と呼び、初期症状として肺血流量増加による多呼吸や SpO_2 のふらつきなどの呼吸症状や気管内分泌物の増加、分泌物の性状変化（血漿成分）などを認めることがある。

中～重症の PDA

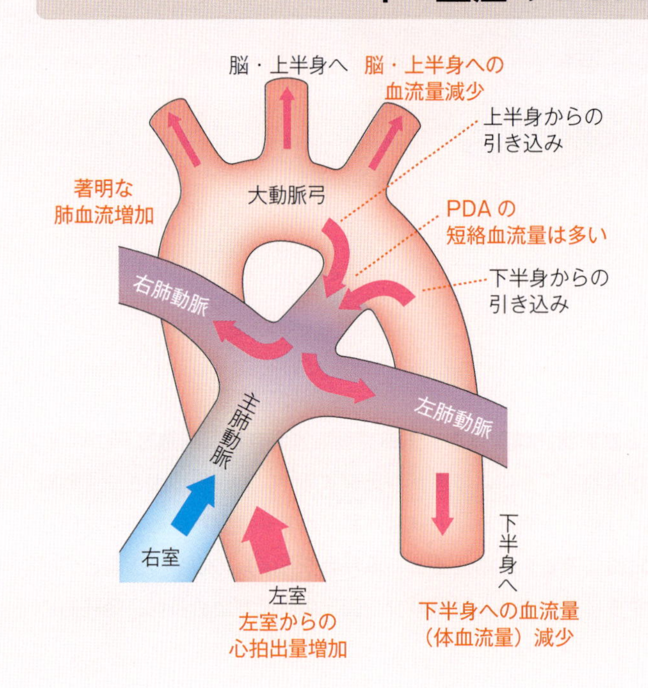

生理的な肺高血圧が改善すると大動脈と肺動脈との圧較差が大きくなるため、PDA の短絡血流量が増加する。下半身に流れる血液が PDA を通り肺動脈へ逃げてしまうため（体血流量減少）、腎血流低下による尿量減少や腸管血流低下による腸管蠕動運動抑制などが生じる。さらに進行すると、左心系の容量負荷による左心不全や肺出血、頭蓋内出血などの原因となることがある。

動脈管が閉じない理由

胎児期に**動脈管**が開いている機序には、いくつかの要素が関与している。主なものは動脈管拡張作用のあるプロスタグランジンE（PGE）と一酸化窒素（NO）の存在、動脈管収縮作用のある酸素の濃度が低いこと（胎児は低酸素状態である）が大きな要因になっている。出生後、主に胎盤で産生されるPGEの供給がなくなり肺から代謝されることや、動脈管を流れる血液が大動脈から肺動脈（**左右短絡**）へ流れ酸素濃度が上昇することで成熟児の動脈管は生後24時間以内に収縮が始まり、通常2〜3日以内に自然閉鎖する。

しかし、早産・低出生体重児における未熟な動脈管は、動脈管を構成する平滑筋の構造や呼吸窮迫症候群などの呼吸障害によりPGEの代謝・排泄が遅れることなどから、収縮および閉鎖が起こりにくい。また、一度閉鎖が確認されても再度開いてしまう（**再開通**）ことがしばしば認められる。

早産・低出生体重児に認められる動脈管の閉鎖遅延を**未熟児動脈管開存症**（未熟児PDA）と呼ぶ。また、後述する症状が出現した状態を**症候性動脈管開存症**（症候性PDA）と呼ぶ。

未熟児動脈管開存症の症状

未熟児PDAの症状は、血行動態により大きく3つに分類できる（**表10-1**）。生後早期は動脈管が開いていても肺の血管抵抗が高いために大動脈と肺動脈の圧の差（圧較差）が少なく、左右短絡による血流量は多くならない。徐々に肺の血管抵抗が低下し始めると動脈管を介した血流量（短絡血流量）が上昇し、呼吸症状（多呼吸、陥没呼吸、無呼吸発作）、気管内分泌物の増加、分泌物性状変化（血漿成分）や肺出血などの「**肺血流量増加**」による臨床症状が見られ、胸部X線検査では肺血管陰影の増強が認められる。

左右短絡により本来は下行大動脈から下半身に流れる血液が肺動脈へ逃げてしまうため、「**体血流量減少**」による症状が出現する。体血流を維持するために心拍数の増加が認められ、拡張期血圧の低下により脈圧の拡大と下肢動脈でのバウンディングパルスが触診される。腎血流減少による尿量の減少、腸管血流減少による腸管蠕動運動抑制や壊死性腸炎、腸管穿孔の合併にも注意が必要となる。

動脈管を通り肺へ流れた血液は、再び左房へ還流するため、「**左心系の容量負荷**」による症状が認められる。皮下脂肪の少ない低出生体重児の胸部では心尖拍動が著明となり、胸部X線では心拡大が認められる。この状態が続くと左心不全（うっ血性心不全）に陥り、肺出血や頭蓋内出血を合併し、さらに多臓器不全へ移行する。

表10-1 血行動態（病態）から見た症状・所見分類

血行動態（病態）	症状・所見
肺血流量増加	• 心雑音（動脈管内血流による） • 呼吸症状（多呼吸、陥没呼吸、無呼吸発作） • 気管内分泌物増加と性状変化（血漿成分） • 肺出血 • 肺血管陰影増強（胸部X線）
体血流量減少	• 心拍数増加（頻脈） • 血圧低下（拡張期血圧の低下）、脈圧の拡大 • 下肢動脈でのバウンディングパルス • 尿量の減少（乏尿） • 腸管蠕動運動抑制（消化不良、胆汁様胃内残渣、腹部膨満、腹壁色の悪化、腸蠕動音減退） • 腸管ガスの消失（胸腹部X線） • 壊死性腸炎や腸管穿孔の合併
左心系の容量負荷	• 心尖拍動 • 心拡大（胸部X線） • 左心不全（うっ血性心不全） • 肺出血、頭蓋内出血、多臓器不全への移行

新生児循環管理のポイント

POINT

- 「肺血流量増加」による症状として、気管内分泌物の量・性状の変化や呼吸数の増加、SpO_2 のふらつきなどに注意する。
- 「体血流量減少」による症状として、心拍数の増加（160回／分以上）や血圧の変化（特に拡張期血圧の低下）に注意する。尿量減少、水分出納や浮腫の程度、体重推移にも注意が必要である。さらに消化不良、胆汁様胃内残渣、腹部膨満、腹壁色の悪化、腸蠕動音減退にも留意する。
- 「左心系の容量負荷」による症状として、心尖拍動に注意する。

引用・参考文献

1）髙橋長裕．図解先天性心疾患：血行動態の理解と外科治療．第2版．東京，医学書院，2007，232p.

2）Rudolph AM, “The ductus arteriosus and persistent patency of the ductus arteriosus”. Congenital Diseases of the Heart. 2nd ed. New York, Furura, 2001, 155-96.

3）高見剛．新生児の動脈管開存症（PDA）．小児看護．33（12），2010，1669-71.

4）高見剛．“心不全”．周産期医学必修知識．第7版．周産期医学41増刊．東京，東京医学社，2011，555-7.

近藤　敦・高見　剛

11 心雑音はどんなときに出る？どう評価する？

心雑音

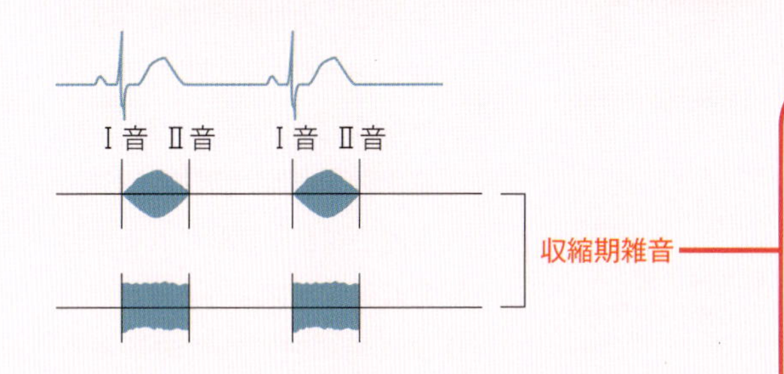

収縮期雑音：Ⅰ音とⅡ音との間に聞こえる心雑音だが、心拍数の速い新生児ではⅠ音とⅡ音との判別は困難である。心周期の途中で途切れる心雑音がはっきり聞こえる場合には、ほとんどが収縮期雑音と考えてよい。

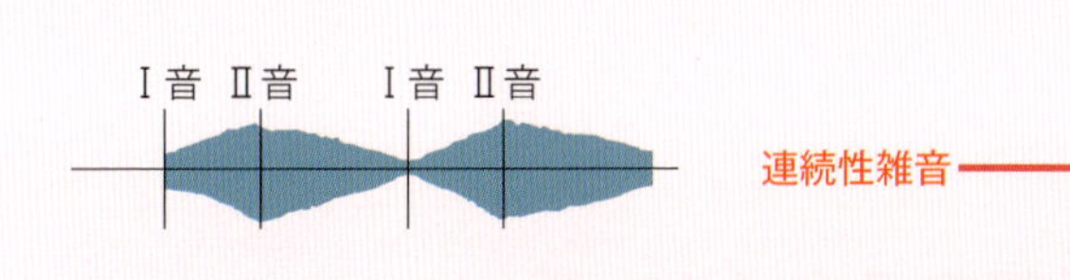

連続性雑音：収縮期から拡張期に連続する雑音である。Ⅱ音の前後で途切れないのが特徴である。動脈管開存が代表的な疾患だが、収縮期の方が拡張期より強く聞こえる。石臼を回すような感じで聞こえる。

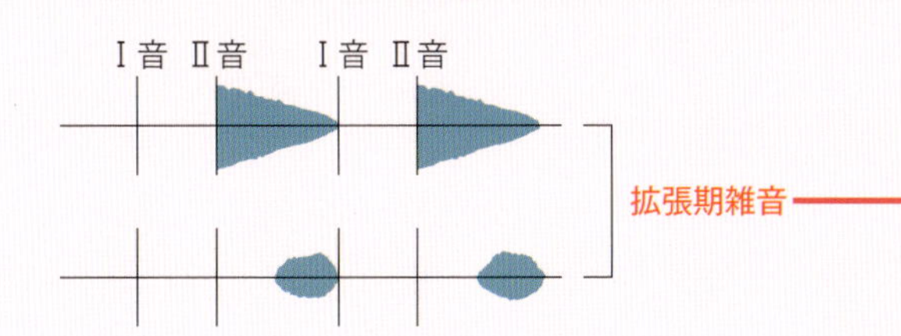

拡張期雑音：新生児で拡張期雑音だけが単独で聞こえることはほとんどない。雑音の由来にもよるが、低い小さい音であることが多く、聴取は困難である。

まず大切なことは、心雑音＝心臓病ではないということである。新生児期の多くの重症先天性心疾患（完全大血管転位、総肺静脈還流異常、左心低形成症候群）では心雑音が聞こえず、逆に心雑音があっても異常のないこともある。ただ、心雑音が心疾患を発見するきっかけになったり、心雑音の変化が病態を反映することもあるので、見逃すことのできない所見であることは確かである。NICUでは心エコーが気軽に使用できるので、心雑音があれば、とりあえず心エコーを行ってみよう。

心雑音の最強点

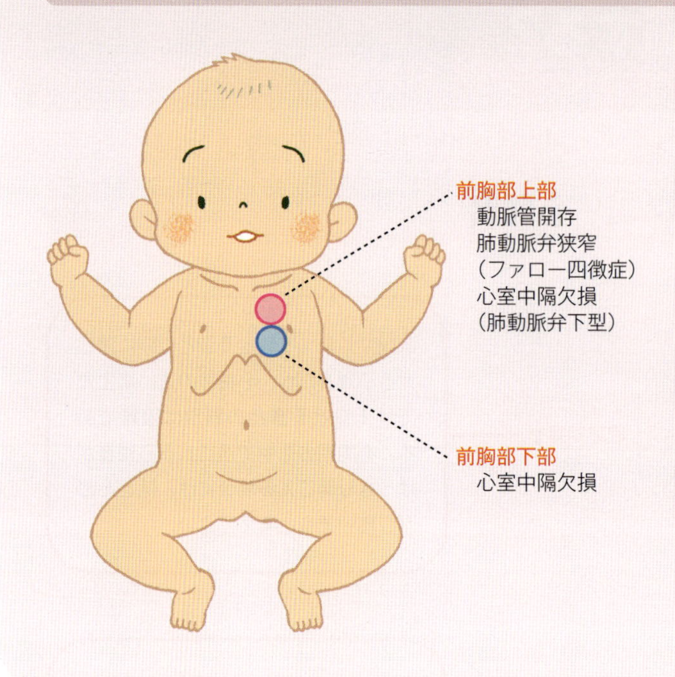

心雑音の最強点を示す。前胸部の上の方で聞こえるか、下の方で聞こえるかに注意しよう。前胸部上部で聞こえる代表的な心雑音には、動脈管開存、肺動脈弁狭窄、大動脈弁狭窄（胸骨の右の方が強い）、肺動脈分岐部狭窄などがある。下部では、心室中隔欠損が代表的である。生理的心雑音が聴取される肺動脈分岐部狭窄では、心雑音が側胸部（特に左）でも聞こえる（放散）。

心雑音の出現するタイミング

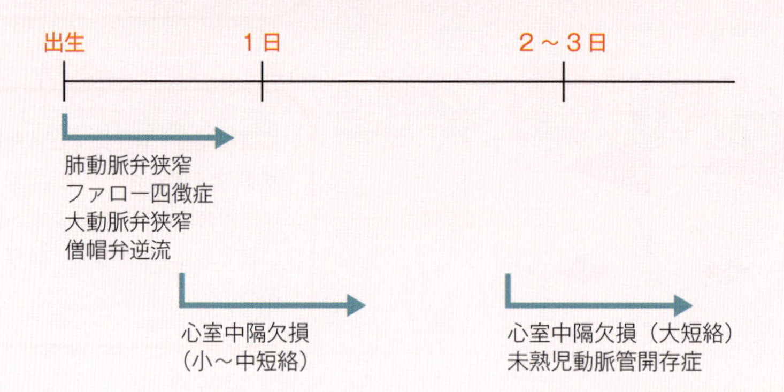

心雑音は原因によって出現するタイミングが異なる。弁由来の雑音、例えば房室弁逆流などは、出生直後から聴取される。動脈管開存や心室中隔欠損など左右短絡による心雑音では、肺血管抵抗が下がる、つまり肺に血液が流れやすくなる生後数日から心雑音が聞こえてくる。肺動脈弁狭窄やファロー四徴症の場合には、心雑音の由来は肺動脈弁だが、出生直後は肺血管抵抗が高く、右室と肺動脈との間で血圧の差が生じにくいため、心雑音が聞こえないこともある。

新生児の心雑音の特徴

新生児の心雑音は学童期の小児や成人に比較し、聴取が困難である。その理由を述べる。

①新生児は心拍数が速く、収縮期と拡張期とが判別しにくい。したがって、**収縮期雑音**と**拡張期雑音**との鑑別が困難と言える。しかし、新生児用の聴診器ではっきり聞こえる収縮期雑音のほとんどは収縮期雑音または**連続性雑音**であり、拡張期雑音が明瞭に聞こえることは少ない。逆に拡張期雑音はすべて病的な雑音であり、聴取された場合には何らかの心疾患である可能性が濃厚である。

②保育器内に収容されているような新生児には、心臓聴診専用の聴診器ではなく、新生児用の聴診器が使用されることがほとんどであろう。新生児用の聴診器はチューブが長く、チェストピースが小さいことから、小さい音、低調な音を聞き取ることは困難である。あまりに小さい聴診器は、心雑音の評価には勧められない。

③ NICU ではモニタのアラーム音や人工呼吸器の音などの雑音が多い。

以上のように聴取を困難にする事項を考慮の上、日常の NICU の診療で頻度が高く、新生児用の聴診器でも聞き取れる重要な心雑音にポイントを絞って述べる。

心雑音が聴取される頻度が高い新生児の心疾患

1 動脈管開存

▶…未熟児動脈管開存症

NICU において最も重要な心雑音と言える。出生直後は肺血管抵抗が高い、つまり肺に血液が流れにくいため雑音は聞こえない。**1～2 日経過**して心雑音が出現する。基本的には大動脈から肺動脈に収縮期、拡張期を通して血液が流れる。動脈管が大きく肺高血圧がある場合には、拡張期の血流速度は遅くなるため**収縮期雑音**として聴取される。動脈管がある程度狭くなり、肺高血圧が軽くなってくると**連続性雑音に変化**する。したがって、短絡が多い動脈管ほど収縮期にしか心雑音は聞こえないということになる。生後 1～2 週間して突然心雑音が出現した場合には、**動脈管の再開通**が疑われる。

▶…動脈管依存性心疾患

肺動脈閉鎖を伴う心疾患でプロスタグランジン製剤を投与している場合には、**生後数日**で**連続性雑音**が聴取されるようになる。SpO_2 の低下とともに心雑音が小さくなるような場合には、**動脈管の狭小化**が疑われる。一方、左心低形成症候群、大動脈縮窄、大動脈弓離断など、体循環が動脈管に依存する疾患群では、動脈管の血流速度は遅いため、動脈管由来の連続性雑音は聞こえない。

2 心室中隔欠損

新生児期早期に心不全症状が出現することは少ないが、比較的頻度の高い重要な疾患である。**前胸部下部に最強点**を持つことが多いが、肺動脈弁下の心室中隔欠損では、**前胸部上部に最強点**を持つ（3章11「欠損孔の部位と大きさで心室中隔欠損の管理は変わる？」参照）。動脈管と同様に、肺血管抵抗が低下する**生後数日で収縮期雑音が出現**する。高調な強い雑音の場合には、小〜中等度の短絡であり、新生児期における臨床的意義は少ない。大きな短絡ほど、低調な柔らかい雑音となる。

3 肺動脈弁狭窄

単独で起こる場合と他の心疾患に合併して起こる場合とがある（単心室、大血管転位、両大血管右室起始など）。単独の場合には重症なほど収縮期雑音が大きいが、他の疾患に合併する場合には肺動脈弁を通過する血流が減少し、逆に収縮期雑音が小さくなる。

4 ファロー四徴症

心室中隔欠損と右室流出路狭窄を特徴とするチアノーゼ性心疾患で、心雑音は肺動脈弁狭窄を含む右室流出路狭窄に由来する。**前胸部上部に最強点**がある収縮期雑音は、チアノーゼ発作（低酸素発作）が起これば、その急速な悪化とともに小さく短くなる。

5 肺動脈分岐部狭窄

動脈管の閉鎖とともに左肺動脈分岐部に軽い狭窄が起こる。生理的なもので、生後数カ月で自然軽快するため臨床的意義が小さいが、かなり頻度は高い。**前胸部上部**に柔らかい低調な収縮期雑音として聴取され、**側胸部（特に左）や背部に放散**する。

新生児循環管理のポイント　POINT

- ☐ 心雑音がいつ出現したか？
- ☐ 心雑音の性質：最強点、強さ、収縮期か拡張期か連続性か（可能なら）？
- ☐ 心疾患の診断が付いている場合は、心雑音の強さに変化がないか気を付ける。
- ☐ 他のバイタルサインにも注意を払う（SpO_2、心拍数、努力呼吸の有無、尿量など）。

引用・参考文献

1）中澤誠．CDによる聴診トレーニング．小児心音編．東京，南江堂，1994，108p.

田中靖彦

第2章

検査・モニタリング方法を理解しよう！

● レベル 1

1 SpO_2 モニタリングから何が分かる？

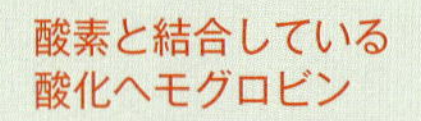

酸素と結合していない
還元型ヘモグロビン

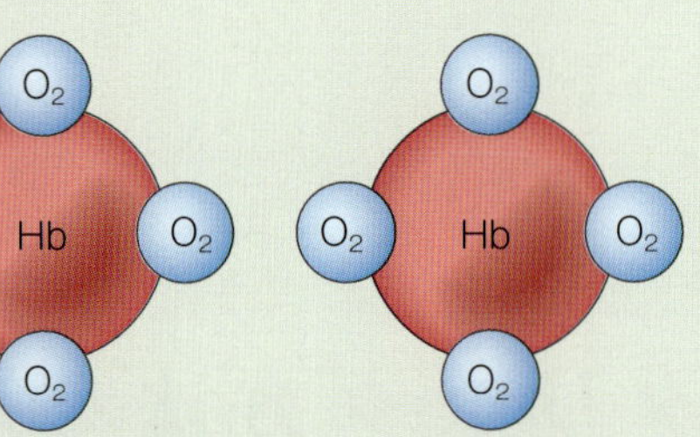

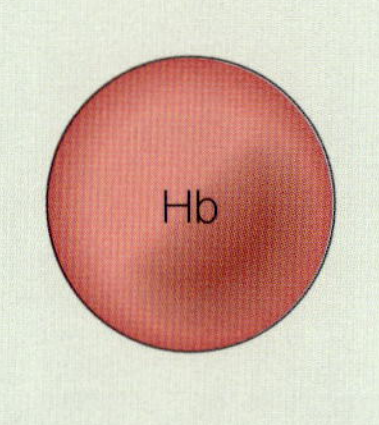

酸素飽和度とは

赤血球中のヘモグロビンは１分子当たり４つの酸素分子を結合する能力がある。ちなみに、酸素分子が１～３個結合した状態である中間体は生理学的に不安定であり、実際には上記の２つに分けられる。酸素飽和度とは、血液中のヘモグロビンのうち、酸素と結合している酸化ヘモグロビンの割合である。また、経皮的にパルスオキシメータで測定した酸素飽和度を SpO_2 値と表示する。

$$\text{酸素飽和度（\%）} = \frac{\text{酸化ヘモグロビン}}{\text{酸化ヘモグロビン} + \text{還元型ヘモグロビン}} \times 100$$

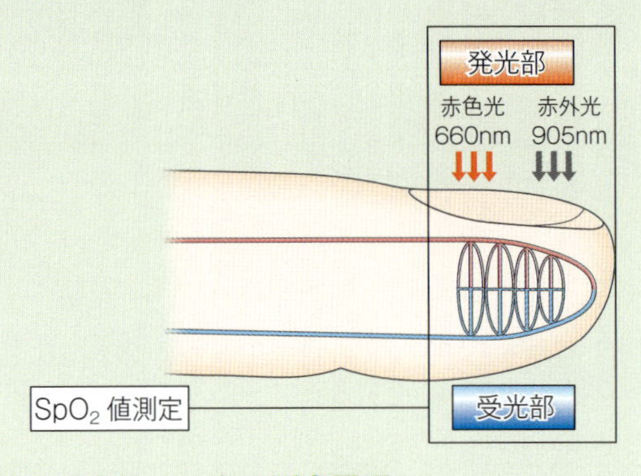

光を透過しやすい手掌・手首や足背などのなるべく平らな部位に、プローブの発光部と受光部が平行になるように装着する。プローベを強く締めすぎると、血管が圧迫されて測定できないことがある。

パルスオキシメータの測定原理

酸化ヘモグロビンと還元型ヘモグロビンの吸光度が異なることを利用して、透過した光を分光分析して、酸化ヘモグロビンが占める割合を算出する。体動時には振動による測定不可や誤表示となることがあるため、表示される脈波の描出や脈拍数が心電図の心拍数と一致しているかを確認することが大切である。プローベの装着が適切に出来ていることを定期的に確認することも必要である。測定部位の熱の上昇による発赤や低温熱傷が起こることもあるので注意する。

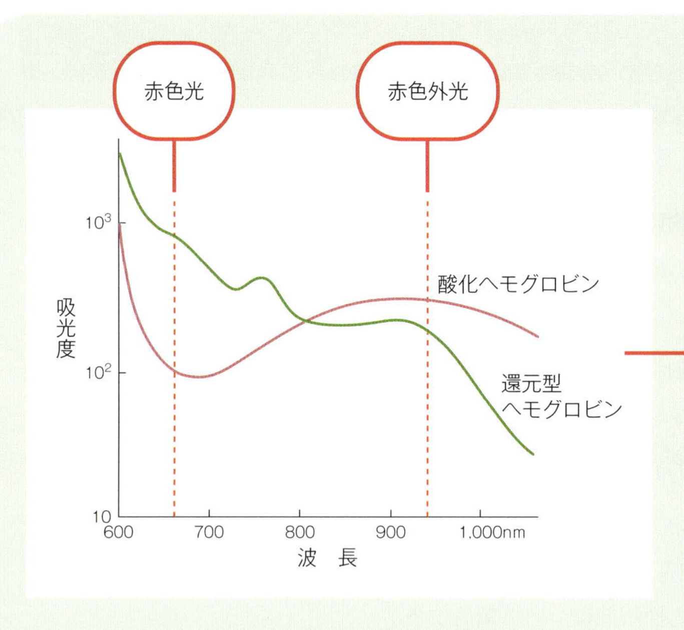

還元型ヘモグロビンは赤色光に、酸化ヘモグロビンは赤色外光に強く吸収されるので、赤色光の脈動が大きければ還元型ヘモグロビンが大きく、SpO_2 は低い。一方、赤色外光の脈動が強ければ SpO_2 は高くなる。この赤色光と赤色外光との比（R/IR）によって SpO_2 を算出する。

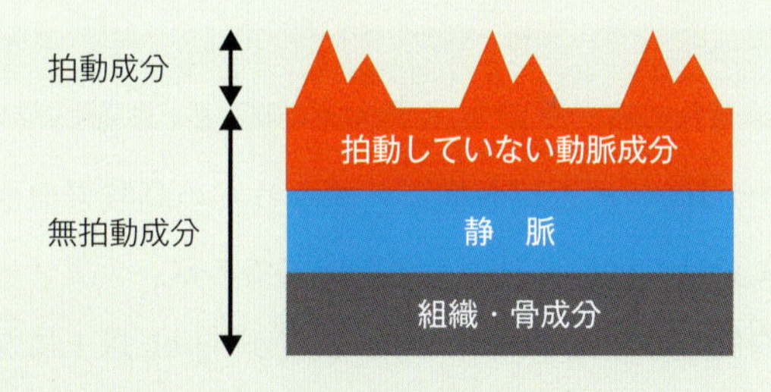

perfusion index（PI）は末梢循環を評価する指標
PI＝拍動成分／無拍動成分
pleth variability index（PVI）は血管内ボリュームを評価する指標
PVI＝（PI max－PI min）/PI max）×100

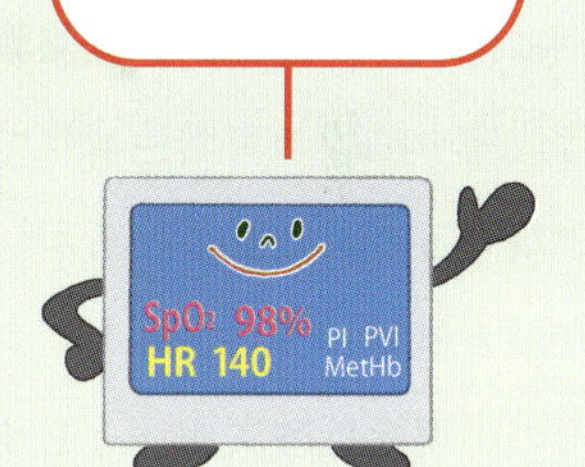

パルスオキシメータから得られる酸素飽和度以外の情報は何？[1)]

近年、一部のパルスオキシメータでは灌流指標（PI）、脈波変動指標（PVI）、メトヘモグロビン（MetHb）、一酸化炭素ヘモグロビン（COHb）などが評価可能になっている（MASIMO社、Radical-7®）。PIは拍動成分（動脈）を非拍動成分（静脈、筋、脂肪など）で割ったもので、末梢循環が良好であれば拍動成分が大きくなり、値が上昇する。特に、PIは心拍出量と相関があり、心エコー検査を実施しなくても、循環が良好に保たれているかどうかを評価することが可能である。

パルスオキシメータによる酸素飽和度の測定

パルスオキシメータはさまざまな医療分野に普及しているが、新生児医療においても有用な医療機器として広く使用されている[2)]。その装着・使用は比較的簡単で非侵襲的である。また、その反応速度は速やかで、**連続的に動脈血酸素飽和度と脈拍数を測定**できる。酸素飽和度は血液中のヘモグロビンがどのくらい酸素と結合しているかの割合を表している。酸素と結合している酸化ヘモグロビンと結合していない還元ヘモグロビンは各波長で吸光度が異なることを利用して、パルスオキシメータは動脈血酸素飽和度を測定しており、その測定値は経皮的動脈血酸素飽和度（SpO_2）と呼ばれている。日本周産期・新生児医学会の新生児蘇生法（NCPR）普及事業では、チアノーゼの肉眼的評価には限界があるため、パルスオキシメータを使用して正確に評価することを推奨している[3)]。また近年、パルスオキシメータによる**先天性心疾患のスクリーニング**の有用性が報告されている[4, 5)]。本項では、新生児のチアノーゼを評価するためのパルスオキシメータの有用性と使用法について概説する。

SpO_2 低値の原因と病態

酸素分圧がある程度上昇すると、SpO_2 値は100％に近づき横ばいになるため高酸素血症の評価には限界があるが、**低酸素血症の評価**においては最も有用な医療機器である。チアノーゼとは皮膚や粘膜の青紫色変化で、毛細血管内血液の還元ヘモグロビン濃度が5g/dL以上になると出現すると言われているが、新生児は多血症であるため3g/dL以上で観察可能である。酸素飽和度と酸素分圧の関係は、体温やpH、胎児ヘモグロビンなどに影響を受けるため、チアノーゼの出現は低酸素血症と必ずしも同義ではない。しかし、ベッドサイド臨床においてチアノーゼを疑った場合には、パルスオキシメータを装着して SpO_2 値低下の有無を確認することは、**チアノーゼ性心疾患**を見逃さないために必要である。

出生から早期新生児期に SpO_2 低値の原因となり得る疾患や病態を**表1-1**に示す。出生後のチアノーゼの原因として頻度が最も高いのは、肺水吸収遅延による新生児一過性多呼吸であり、症状としてチアノーゼ以外にも何らかの努力呼吸症状（陥没呼吸、多呼吸、呻吟）を伴う。新生児仮死による中枢性の呼吸障害でもチアノーゼを呈することがある。また、チアノーゼの原因となり得る先天性疾患の鑑別が必要であり、その中にはチアノーゼ性心疾患以外にも神経筋疾患、先天性気道病変、先天性横隔膜ヘルニア、早期敗血症に代表される感染症、先天性代謝疾患などがある。対応が遅れると急変する疾患もあるため、原因疾患の鑑別を進め、原因に応じた迅速な対応が求められる。

新生児遷延性肺高血圧症は急変リスクの高い疾患であり、先天疾患の合併がなくても出生後

表1-1 SpO_2値低下の原因となり得る疾患や病態

呼吸性	肺疾患	新生児一過性多呼吸（肺水吸収遅延）、エアリーク、呼吸窮迫症候群（サーファクタント不足）、胎便吸引症候群、肺炎、先天性横隔膜ヘルニア、肺低形成
	肺以外	新生児仮死、無呼吸発作、先天性気道病変、神経筋疾患、先天性代謝性疾患
心血管系	チアノーゼ性先天性心疾患	ファロー四徴、完全大血管転位、両大血管右室起始、総肺静脈還流異常、三尖弁閉鎖、肺動脈閉鎖、総動脈幹、左心低形成、単心室、大動脈離断、大動脈縮窄
	出生後の適応障害	新生児遷延性肺高血圧症、心不全、新生児仮死、先天性横隔膜ヘルニア、肺低形成
循環不全		敗血症、代謝疾患、多血症
血液性		多血症、メトヘモグロビン血症

の呼吸障害への対応が遅れて低酸素血症が持続することでも発症することがあるため、新生児仮死の蘇生後のケアを適切に行うことが大切である[6]。1～4％の新生児では、ヘマトクリット値65％以上の多血症を認めて過粘稠度症候群による末梢循環不全を引き起こすことがある[7]。また、稀な疾患ではあるが、ヘモグロビン異常症のメトヘモグロビン血症でもチアノーゼを呈するため鑑別が必要である。

四肢末端および口唇周囲に認められる末梢性チアノーゼは生後24時間ぐらい持続することがあり、必ずしも病的ではなくSpO_2値も低下していない。一方、顔面全体や体幹に認められる中心性チアノーゼは例外なく異常所見であり、直ちに検査・治療を要する。

SpO_2値の測定部位：右手vs下肢

NCPR普及事業では、分娩室の新生児蘇生では**SpO_2値は右手で測定**することを推奨している[3]（1章4「新生児蘇生法では右手にSpO_2モニタを付けるのはなぜ？」を参照）。胎外環境への適応が良好であり、出生後に速やかに肺血管抵抗が下がり、肺血流が増加している新生児では、動脈管血流は大動脈から肺動脈への左右短絡優位になるが、新生児遷延性肺高血圧症や動脈管依存性のチアノーゼ性先天性心疾患の症例では右左短絡が優位となるため、下肢のSpO_2値の測定が有用である。このような症例では、右手と下肢のSpO_2値を同時にモニタリングすることは病態の把握に役立つ。また、分娩室での蘇生処置が終了したら、SpO_2値を下肢で測定することは、新生児遷延性肺高血圧症やチアノーゼ性先天性心疾患の鑑別のために有用である。本章2「重症先天性心疾患（critical CHD）はSpO_2モニタでどうスクリーニングする？」では、パルスオキシメータによる重症先天性心疾患のスクリーニングについて解説する。

新生児循環管理のポイント

POINT

- 酸素飽和度とは、血液中のヘモグロビンのうち、酸素と結合している酸化ヘモグロビンの割合である。
- 光を透過しやすい手掌・手首や足背などのなるべく平らな部位に、プローブの発光部と受光部が平行になるように装着する。
- 体動時には振動により測定不可や誤表示となることがあるため、表示される脈波の描出や脈拍数が心電図の心拍数と一致しているかを確認することが大切である。

引用・参考文献

1）髙橋重裕."SpO_2 モニタリングから何が分かる？". ステップアップ新生児循環管理. 与田仁志編著. 大阪, メディカ出版, 2016, 56-60.

2）仁志田博司."新生児の養護と管理". 新生児学入門. 第４版. 東京, 医学書院, 2012, 102-3.

3）細野茂春."新生児蘇生法の実際". 日本版救急蘇生ガイドライン 2020 に基づく新生児蘇生法テキスト. 細野茂春監修. 東京, メジカルビュー社、2021, 56.

4）Kemper AR, et al. Strategies for implementing screening for critical congenital heart disease. Pediatrics. 128（5）, 2011, e1259-67.

5）小野博ほか. パルスオキシメトリーによる重症先天性心疾患の新生児スクリーニング. 日本小児科学会雑誌. 123（3）, 2019, 558-65.

6）Gomella TL, et al. "Persistent pulmonary hypertension of the newborn". Gomella's Neonatology: Management, Procedures, On-call Problems, Diseases, and Drugs. 8th ed. New York, McGraw-Hill, 2020, 1032-40.

7）Gomella TL, et al. "Polycythemia and hyperviscosity". 前掲書 5. 1040-43.

中野玲二

●●レベル2

2 重症先天性心疾患(critical CHD)は SpO_2 モニタでどうスクリーニングする?

パルスオキシメータによる重症先天性心疾患の出生後スクリーニングの標準プロトコール案

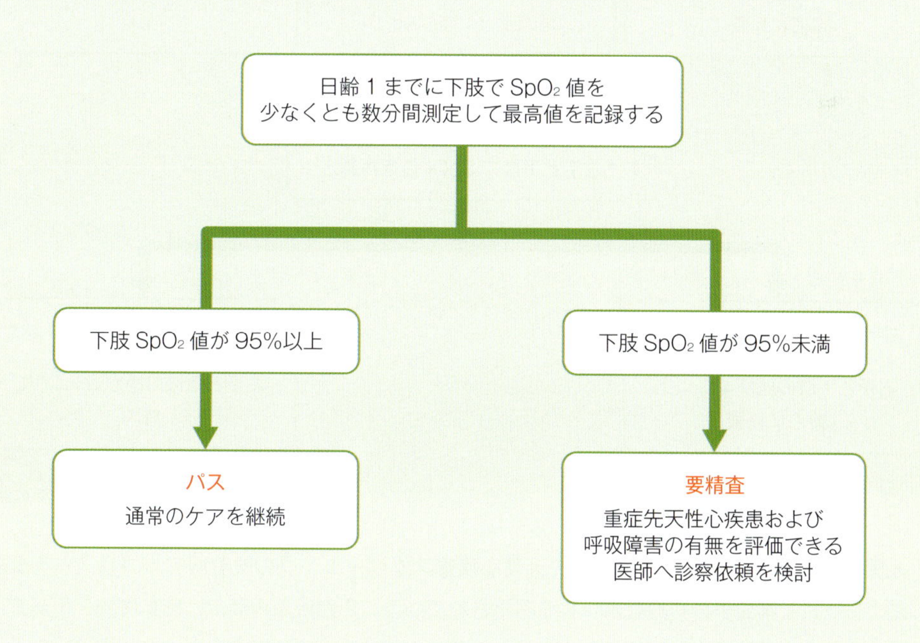

(文献1より転載)

本プロトコール案では、SpO_2 測定の部位を下肢のみとしている。下肢のみの測定でもほぼ同等のスクリーニング効果を示している研究[2)]もあることに加えて、普及しやすさを考慮して下肢のみの測定としている。このため、先天性心疾患以外のチアノーゼ性疾患がスクリーニングされる数が増えることが予想されるが、SpO_2 95%未満のすべての新生児は精査されて適切な早期対応がなされるべきである。

米国での重症先天性心疾患スクリーニングの改訂版アルゴリズム

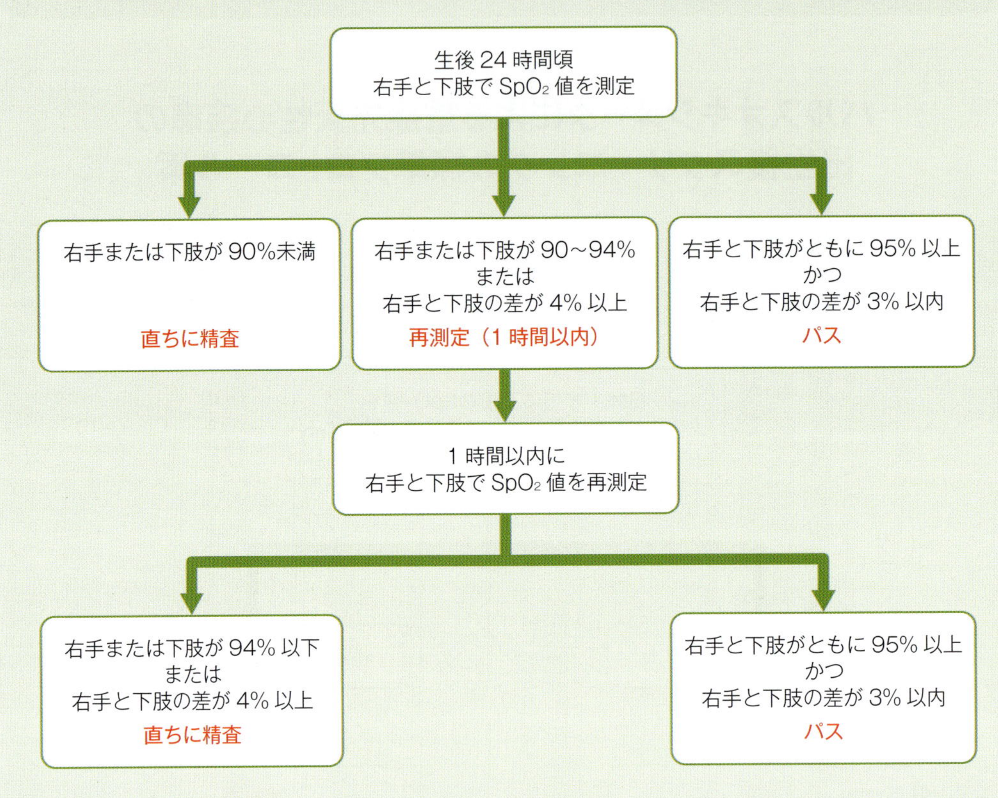

（文献 3 より転載）

米国小児科学会は 2020 年に重症先天性心疾患スクリーニングの改訂版アルゴリズムを公表した[3)]。2011 年公表の初回版よりも簡略化されている。2 回目の再測定は廃止され、再測定は 1 回のみとなり、精査の必要性が早く判断されるアルゴリズムに改訂された。

測定のタイミングも変更された。初回版では生後 24 時間から 48 時間だったが、改訂版では生後 24 時間頃となった。変更理由として、ほとんどの重症先天性心疾患の症例では生後 24 時間以内に症状が出現していること、新生児遷延性肺高血圧症や肺炎などの新生児を早期発見する意義もあることの 2 点が挙げられている。また、米国では生後 24 時間未満に退院する新生児も一部いるが、その場合には退院までに測定するように勧められている。

新生児遷延性肺高血圧症

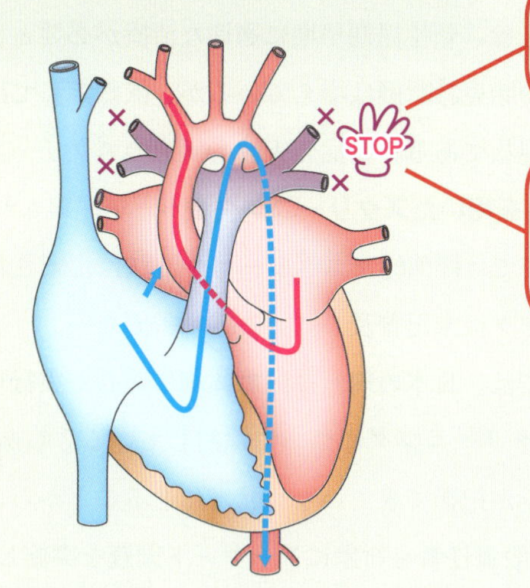

大動脈弓離断

これらの疾患は、動脈管より中枢側から動脈血が供給される臓器の SpO_2 は高く、動脈管より末梢側より栄養される臓器は SpO_2 が低くなる。

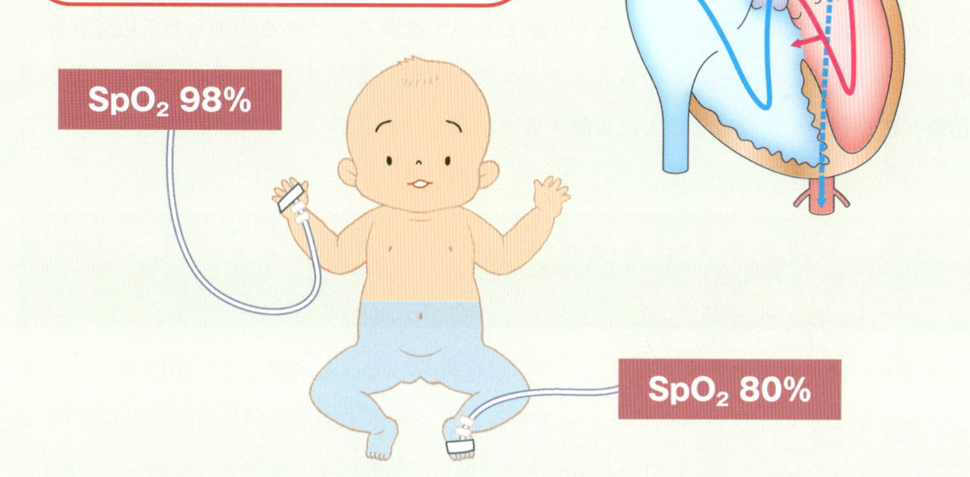

新生児領域特有の SpO_2 モニタリング：SpO_2 上下肢差って何？[4)]

新生児期に発症する疾患として、上肢と下肢とで SpO_2 に較差が出現する病態（differential cyanosis）がある。新生児遷延性肺高血圧症、大動脈縮窄・離断は上肢の SpO_2 が下肢よりも高値となる。また、これらに完全大血管転位が合併した場合は、上肢の SpO_2 が下肢よりも低くなることがある。呼吸障害や上半身のチアノーゼが見られないのに下肢の SpO_2 が低い場合には、大動脈縮窄や離断を疑わなくてはならない。また、遷延性肺高血圧症の原因となりやすい胎便吸引症候群や先天性横隔膜ヘルニアなどの疾患の場合には、上下肢にパルスオキシメータを装着して遷延性肺高血圧症の発症に注意する必要がある。

重症先天性心疾患の出生後スクリーニングの必要性

重症先天性心疾患（critical CHD；CCHD）は、新生児期早期に適切な治療が必要とされる重篤な疾患である。近年、そのような心疾患の胎児診断例は増えているが、依然として出生後に重篤化して診断される例が少なくないのが現状である。重症先天性心疾患のスクリーニング法の一つとして、欧米では**パルスオキシメータを用いたスクリーニング法**が近年提案され[5]、死亡症例減少が報告されている[6]。しかし、国内では標準的なスクリーニング法は提案されておらず、パルスオキシメータによるスクリーニングは未だ普及しているとは言えない。

そのため、日本新生児成育医学会診療委員会では、日本の周産期医療体制に適した実行可能性の高い簡易な方法での重症先天性心疾患のスクリーニングについて検討している。しかし、その前提となる国内の分娩施設の現状や取り組みが把握できていない状況にあることから、日本産婦人科医会と共同で2017年に全国の分娩施設責任者を対象にアンケート調査を実施した。実行に向けての課題として、人的コストや経済的コスト、紹介先医療機関の確保などが挙げられたが、CCHDのパルスオキシメータによるスクリーニング導入の必要性については約90%が肯定的回答であった。また、実行可能性については、すでに実行している施設が23%、実行可能であり実行したいとの回答が50%であったことを報告している[7,8]。CCHD症例の中には明らかな心雑音や肉眼的なチアノーゼが主訴となって診断されている症例もある程度存在しているが、パルスオキシメータによるスクリーニング普及によって、より多くの症例がより適切な治療ケアを速やかに受けることに貢献すると推測される[5]。

パルスオキシメータによるCCHDスクリーニングの実際と日本での取り組み

パルスオキシメータによるスクリーニングが現在普及している米国では、2011年にパルスオキシメータによるCCHDのスクリーニングアルゴリズムが米国小児科学会から提案され[5]、各州でほぼ同様のアルゴリズムでのスクリーニング施行が条例により制定されている。しかし、このアルゴリズムは右手と下肢のSpO_2値の測定を全例に求めており、段階的な評価が必要な複雑なアルゴリズムとなっている。そのため、テネシー州では足のみのSpO_2値測定へ簡略化したアルゴリズムの実施もされており、その有効性も報告されている[2]。2020年に米国小児科学会は専門家委員会での議論を基にして、少し簡略化した改訂版アルゴリズム（p.64を参照）を発表しているが[3]、依然として右手と下肢のSpO_2値の測定を全例に求めており、人的コストが比較的高いものとなっている。

日本において、パルスオキシメータによるCCHDのスクリーニングを普及させるために、日本新生児成育医学会診療委員会では、欧米からのスクリーニング法を比較検討し、日本の周産期医療体制に適した、実行可能性の高い簡易な方法での重症先天性心疾患のスクリーニングについて検討している。国内でもスクリーニングを独自に進めている施設が増えているが、分娩施設の約半数が産婦人科クリニックであり、小児科医が常駐しない場合がほとんどである現状では、複雑なプロトコールの普及は難しいと考えられる。これらの点を考慮して、日本新生児成育医学会診療委員会は標準プロトコール案を 2019 年に提案している（p.63 を参照）[1]。足のみの測定のため、右手と下肢の SpO_2 値が逆転しているような一部の CCHD（例：肺血管抵抗の高い完全大血管転位など）は見逃される可能性があるが、ほとんどの CCHD はスクリーニングされると推測される[3]。また、下肢のみの測定であるため CCHD 以外にもチアノーゼを起こす呼吸障害症例が同基準に該当する可能性があるが、これらの症例も含めて適切な評価治療ができる医師の診察を受けることは有意義と考えられる。実際の普及に向けての課題として、人的コストや経済的コスト、紹介先医療機関の確保などが挙げられるが、今後さらなる検討を加えて日本新生児成育医学会診療委員会・医療の標準化委員会を中心に日本周産期新生児医学会や日本小児循環器学会などとも連携して標準化していく予定である。

小児科医コンサルトや新生児搬送のタイミング

各施設の新生児医療の対応可能範囲には違いがあるが、チアノーゼを呈する症例は急変リスクの高い場合が多いので、速やかに呼吸障害や CCHD の評価と初期対応のできる小児科医にコンサルトするのが望ましい。中心性チアノーゼがある症例は、原因が何であれ精査が必要である。日本では周産期医療の地域化として、各医療圏に周産期センターが配置されているので、NICU 勤務の小児科医に搬送などについて相談することができる。判断に迷うときは躊躇なく何時でも相談すべきである。

新生児循環管理のポイント

POINT

- チアノーゼ性疾患は急変リスクが高く速やかな対応が求められるため、判断に迷うときは躊躇なく何時でも各医療圏の NICU 医師に相談すべきである。
- 出生後に下肢の SpO_2 値で重症先天性心疾患をスクリーニングすることにより、重症先天性心疾患の死亡症例を減少させることが期待されている。
- 分娩室での新生児蘇生では右手で SpO_2 値を測定するが、分娩室での蘇生処置終了以降は SpO_2 値を下肢で測定することが重症先天性心疾患スクリーニングのために有意義である。

引用・参考文献

1）中野玲二ほか．パルスオキシメータによる重症先天性心疾患の出生後スクリーニングの標準化プロトコール案．日本新生児成育医学会雑誌．31（3），2019，715．

2）Mouledoux J, et al. A novel, more efficient, staged approach for critical congenital heart disease screening. J Perinatol. 37（3），2017, 288-90.

3）Martin GR, et al. Updated strategies for pulse oximetry screening for critical congenital heart disease. Pediatrics. 146（1），2020, e20191650.

4）髙橋重裕．"SpO_2モニタリングから何が分かる？"．ステップアップ新生児循環管理．与田仁志編著．大阪，メディカ出版，2016，56-60．

5）Kemper AR, et al. Strategies for implementing screening for critical congenital heart disease. Pediatrics. 128（5），2011, 1259-67.

6）Abouk R, et al. Association of US state implementation of newborn screening policies for critical congenital heart disease with early infant cardiac deaths. JAMA. 318（21），2017, 2111-8.

7）中野玲二ほか．重症先天性心疾患の出生後スクリーニングに関するアンケート結果．日本周産期・新生児医学会雑誌．55（2），2019，493．

8）中野玲二ほか．重症先天性心疾患の出生後スクリーニングに関するアンケート結果の報告．日本産婦人科医会報．2019年11月号，8．

中野玲二

●● レベル2

3　血液ガス分析から何が分かる?

例

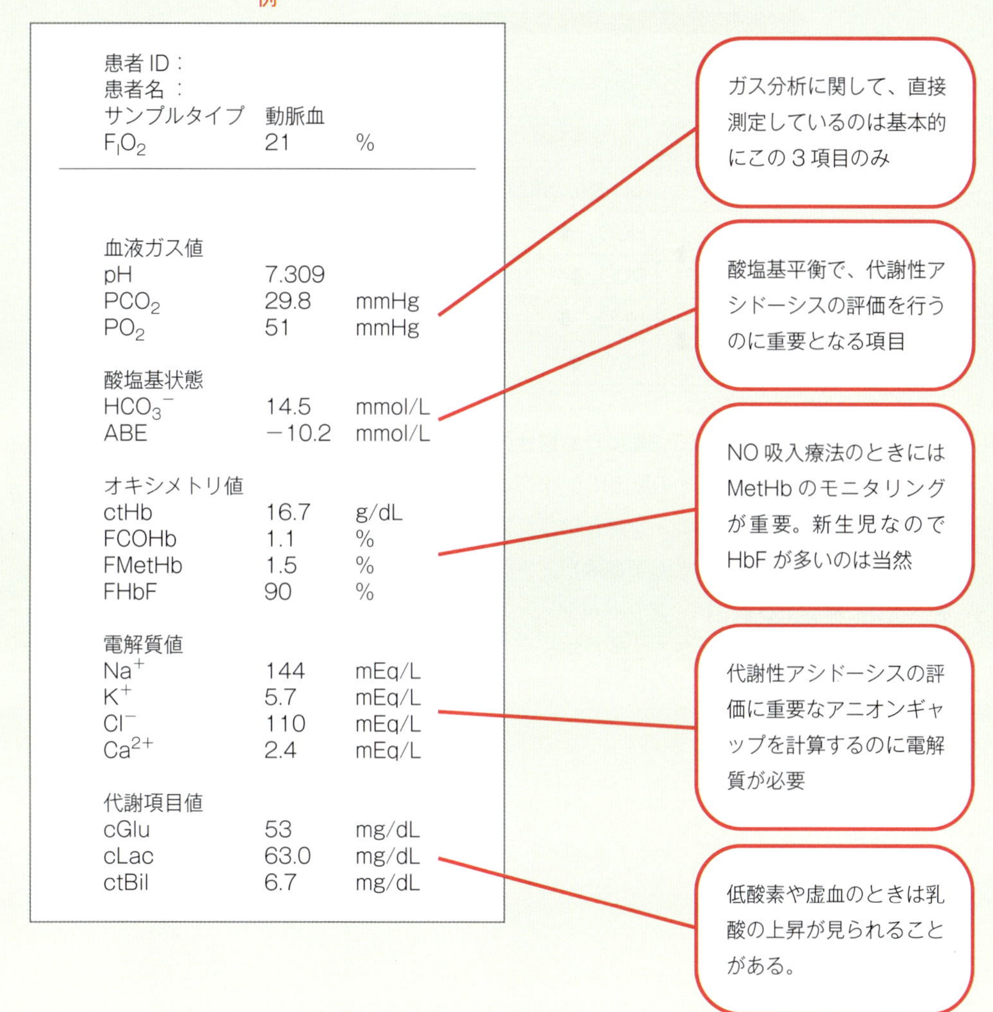

患者 ID：
患者名 ：
サンプルタイプ　動脈血
F_IO_2　21　%

血液ガス値		
pH	7.309	
PCO_2	29.8	mmHg
PO_2	51	mmHg
酸塩基状態		
HCO_3^-	14.5	mmol/L
ABE	−10.2	mmol/L
オキシメトリ値		
ctHb	16.7	g/dL
FCOHb	1.1	%
FMetHb	1.5	%
FHbF	90	%
電解質値		
Na^+	144	mEq/L
K^+	5.7	mEq/L
Cl^-	110	mEq/L
Ca^{2+}	2.4	mEq/L
代謝項目値		
cGlu	53	mg/dL
cLac	63.0	mg/dL
ctBil	6.7	mg/dL

最近の器械では、血液ガスの分析を行うと、本来の酸塩基に関する情報だけでなく、たくさんの項目が結果として得られる。これらの中から必要な情報を抽出し、臨床症状と合わせて児の状態把握に活用してゆくことが重要である。上図は当院での血液ガス分析の一例を示している。この結果から、何が分かるのか順番に見ていこう！

アシデミアとアルカレミア

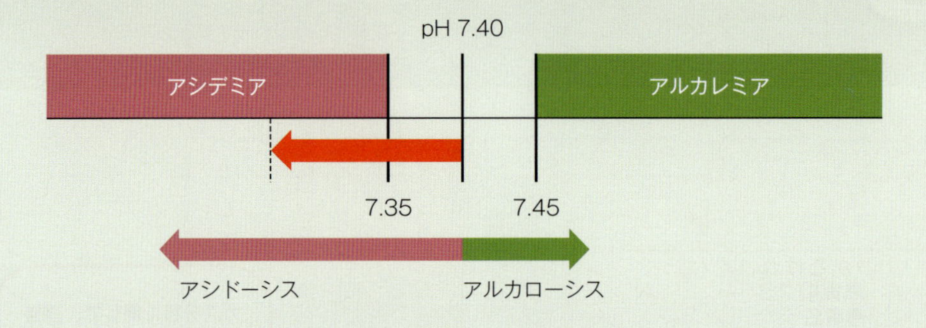

酸塩基平衡の４つの基本型

	pH 変化の原因	分　類
pH ⬆	HCO_3^- ⬆	代謝性アルカローシス
	PCO_2 ⬇	呼吸性アルカローシス
pH ⬇	HCO_3^- ⬇	代謝性アシドーシス
	PCO_2 ⬆	呼吸性アシドーシス

上図のように血液の pH が 7.35 よりも酸性の場合をアシデミア、7.45 よりもアルカリ性の場合にアルカレミアと呼ぶ。その原因になっている病態として、酸性化する病態をアシドーシス、アルカリ化する病態をアルカローシスという。アシドーシスとアルカローシスは、ほとんどの場合に混在しており、その総和として血液がアシデミアになったりアルカレミアになったりする。

次ページで解説するように、アシドーシス・アルカローシスには４つの基本形があり、PCO_2 と HCO_3^- の変化として捉えることができる。

血液ガス分析で何が分かる？

近年の血液ガス分析機は、本来のガス分析値以外にも、非常に多くの情報を与えてくれる。p.69に示した例は、大血管転位（TGA）の患児の初診時のものである。シェーマに示すように、実際に測定して得られたデータだけでなく、さまざまな演算によって得られた情報もある。

このような多くの情報の中で、どの部分が重要なのかは、その児の状態によって変化するが、それぞれのパラメータが何を意味しているのか、またその増減の示す病態は何かということを知っておかなければならない。

最も大切なのは呼吸機能の評価であるとともに、**アシデミア**、**アルカレミア**になっているかどうかの評価であり、臨床上多くは、アシデミアが問題になることが多いと思われる。アシデミアは循環不良のために**アシドーシス**を来して生じることは周知の事実だが、いったんアシデミアに至ると、さらに循環へ悪影響を及ぼし、悪循環に陥ってしまう。この悪循環を断ち切るためには、原因を知り、治療のターゲットを明らかにしてアプローチしなければならない。以下に、血液ガスの読み方の基本的な部分を具体的に解説する。

呼吸機能の評価

呼吸機能の評価の基本は**酸素化**と**換気**である。PO_2は酸素化の指標であるが、そのままの血液ガス分析の値のみでは評価は難しい。第一に、その血液ガス分析が動脈血で採取されたものか静脈血で採取されたものかが重要である。静脈血で採取されたものであれば酸素化の評価として使用することはできない。次に、どのような呼吸補助を受けた状態での値なのかが大切になってくる。大気下で陽圧呼吸補助なしでの値であるのか、nasal CPAPなどのNPPV（non-invasive positive pressure ventilation）で酸素投与を受けつつの値なのか、挿管管理・人工呼吸器下での値なのかの情報が必要である。人工呼吸器下での酸素化評価に使われるのがOI（oxygenation index）である。血液ガス分析で得られたPaO_2と人工呼吸器のMAP（平均気道内圧）、F_IO_2（吸入酸素濃度）を用いて以下のように計算する。

OI：酸素化指数＝平均気道内圧（cmH_2O）× F_IO_2（%）÷ PaO_2（mmHg）

OIの値が高値であればあるほど、酸素化としては悪いということになる。

またPCO_2は換気の指標であるが、PO_2と同様に、検査された状態によって解釈に注意する。ただしPO_2は静脈血では全く参考にならないが、PCO_2は末梢循環不全がない状態では、ある程度動脈血酸素分圧と相関があり、一定の換気の指標として用いることは可能である。

アシデミア・アルカレミアと基本的な酸塩基の4つのタイプ

p.70に示したように、アシドーシスとアシデミアは異なる意味で用いられる。アルカレミアとアルカローシスも同様である。アシドーシス、アルカローシスは酸性側、アルカリ側にシフトさせるような病態を指し、それぞれ**呼吸性**と**代謝性**とがあるので、4つの基本タイプが存在する。その基本タイプによってトータルとして血液の**pH**が決定されているのである。よくある例は代謝性アシドーシスが先行し、それを呼吸性に代償する（呼吸性アルカローシス）パターンである。どちらが先行しているのかを見極めるにはpHが重要であり、過剰な**代償機能**は働かないという大前提で判断することが必要である。

具体的な酸塩基の読み方

図3-1に具体的な**酸塩基**の読み方を示す。まずpHの値からアシデミアかアルカレミアかを判断する（Step 1）。本例ではpH 7.309であり、アシデミアである。次にその異常が代謝性のものか呼吸性のものかを判断する（Step 2）。p.69の症例では、HCO_3^-が14.5mmol/Lと低下しており、代謝性のものである。代謝性の場合には**アニオンギャップ**（anion gap；AG）を計算し、アニオンギャップが増加している場合には補正HCO_3^-を計算する（Step 3）。今回はアニオンギャップ＝（Na^+）－（Cl^-＋HCO_3^-）＝144－（110＋14.5）＝19.5と増加しており、補正HCO_3^-は19.5－12＋14.5＝22である。この補正HCO_3^-が正常範囲内であるので、代謝性アシドーシスのみで代謝性アルカローシスは存在しないことになる。次にPCO_2が低下しているのは代償性変化と考えられるが、この変化が適切な代償かどうかを確認する（Step 4）。この場合は、$\Delta PCO_2 = 1.2 \times \Delta HCO_3^- = 1.2 \times (22 - 14.5) = 9$であり、測定値$PCO_2$ 29.8に加えると38.8となり、正常範囲内なので適切な代償と考えられる。以上より得られた情報は、TGAのために低酸素および臓器の虚血が存在し、おそらく乳酸の蓄積によって代謝性アシドーシスを来しており、それを呼吸性に代償している状態といえ、この状態が患児の臨床症状と矛盾しないことを確認する（Step 5）。

今後の展望

今回紹介した方法は、Henderson-Hasselbalchの公式による酸塩基平衡の解釈である[1]。しかし呼吸性の酸としての$PaCO_2$、代謝性の塩基としての［HCO_3^-］が互いに独立したものではないことや、代謝性の因子の原因が明らかではないことなどの問題がある。そこでわれわれは、Fencl-Stewart Approachを用いて酸塩基平衡を解釈することによって、代謝性因子の原因がよ

Step1　pH の値からアシデミアかアルカレミアかを見る

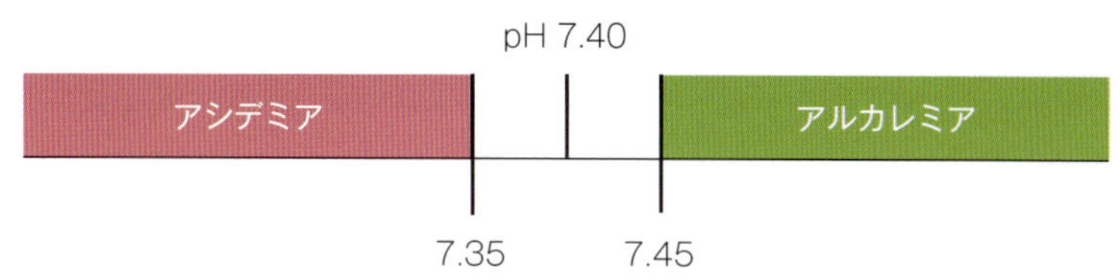

Step2　pH の変化が HCO_3^- によるものなのか PCO_2 によるものかを見る

$$pH = 6.1 + \log \frac{[HCO_3^-]}{0.03 \times PCO_2}$$

$[HCO_3^-]$：代謝性因子

PCO_2：呼吸性因子

Step3　代謝性因子によるアシドーシスであれば、アニオンギャップを計算する

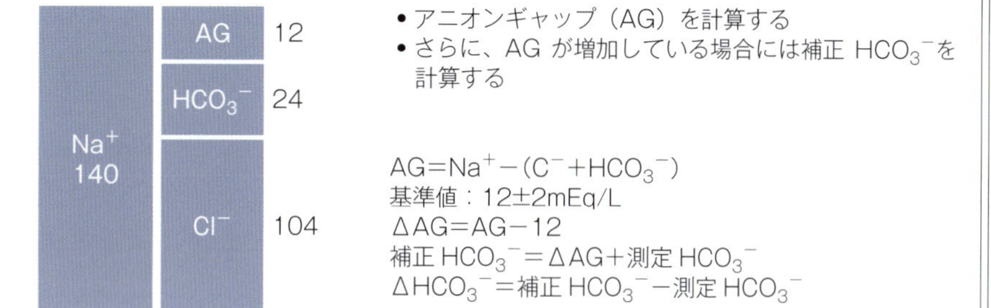

- アニオンギャップ（AG）を計算する
- さらに、AG が増加している場合には補正 HCO_3^- を計算する

$AG = Na^+ - (C^- + HCO_3^-)$
基準値：12±2mEq/L
$\Delta AG = AG - 12$
補正 HCO_3^- ＝ ΔAG ＋測定 HCO_3^-
ΔHCO_3^- ＝補正 HCO_3^- －測定 HCO_3^-

Step4　呼吸性と代謝性障害の合併（混合性障害）を、代償性変化を計算して判断する

$H^+ = 24 \times PCO_2 / HCO_3^-$

pH (nM/L)	H^+
7.80	16
7.70	20
7.60	26
7.50	32
7.40	40
7.30	50
7.20	63
7.10	80
7.00	100

- 代謝性アシドーシス（max.15）
  $\Delta PCO_2 = 1.2 \times \Delta HCO_3^-$
- 代謝性アルカローシス（max.60）
  $\Delta PCO_2 = 0.7 \times \Delta HCO_3^-$

- 呼吸性アシドーシス
  急性：$\Delta H^+ = 0.75 \times \Delta PCO_2$
  慢性：$\Delta H^+ = 0.35 \times \Delta PCO_2$
- 呼吸性アルカローシス
  急性：$\Delta H^+ = 0.75 \times \Delta PCO_2$
  慢性：$\Delta H^+ = 0.50 \times \Delta PCO_2$

Step5　得られた情報を臨床症状と合わせて判断する

図3-1 酸塩基平衡の具体的な読み方

り詳細に解析できることを報告している[2, 3]。項の都合により詳細は割愛するが、興味のある方は参考文献を参照していただければ、新たな酸塩基の考え方が理解できると思う[4]。

新生児循環管理のポイント

POINT

- 代謝性アシドーシスを来している場合には、呼吸性に代償していることが多い。よって児の呼吸状態を詳細に観察することで代謝性アシドーシスの存在が分かる。
- 皮膚色の変化や呼吸数の変化は非常に重要なサインであるので、注意深い観察と記録が大切！

引用・参考文献

1）前川信博．酸塩基平衡入門：酸っぱさと苦さの絶妙なバランスが好きです．LiSA．16（2），2009，1124-30．

2）池上等ほか．超早産児の急性期酸塩基平衡における Stewart approach を用いた検討（第一報）：正常対象での検討．日本周産期・新生児医学会雑誌．47（2），2011，352．

3）池上等ほか．超早産児の急性期酸塩基平衡における Stewart approach を用いた検討（第二報）：代謝性アシドーシスの検討．日本周産期・新生児医学会雑誌．47（2），2011，352．

4）森松博史．"酸塩基平衡の新しい考え方：Stewart Approach"．臨床麻酔誌上セミナー'09．臨床麻酔 33 臨時増刊．2009，431-40．

池上　等

レベル 1

4 観血的・非観血的血圧から何が分かる?

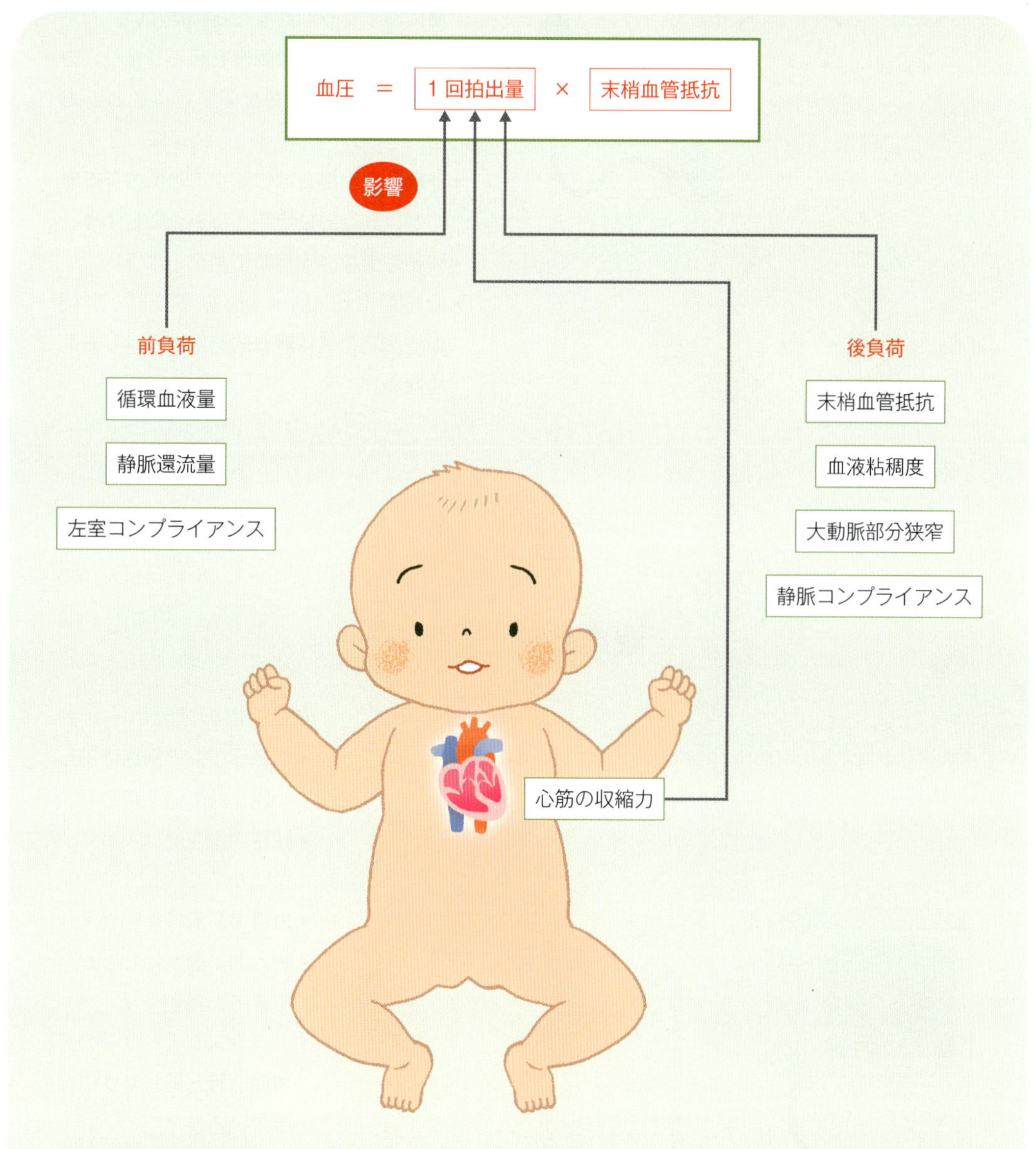

血圧を規定する因子

血圧は「1 回拍出量」×「末梢血管抵抗」で決定される。一般に、血圧は全身臓器への血流の指標として用いられるが、「末梢血管抵抗」の影響を大きく受けるため、必ずしも臓器血流そのものを反映しない。また、「1 回拍出量」は「心筋の収縮力」「循環血液量」「静脈還流量」などで決まり、後負荷の影響も受ける。血圧とこれらの各要素を合わせて評価することで、おのおのの病態を推測することができる。

非観血的血圧測定

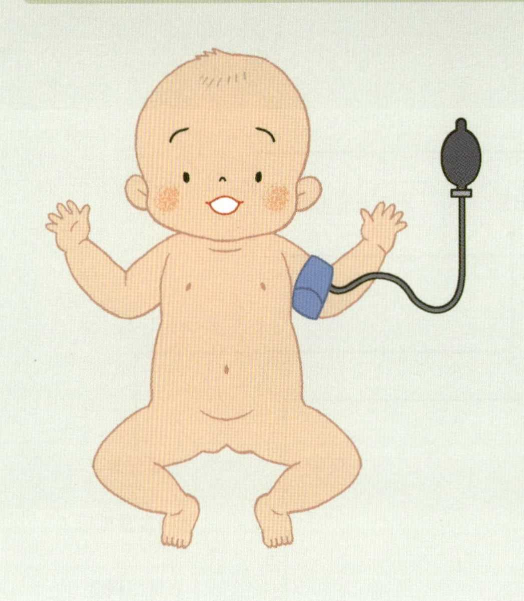

測定の際のポイント

- カフ装着は、巻いたときに腕の周りを容易にゆっくり回せるくらいがよい。
- きついと末梢循環障害を起こしたり、カフ装着部位の皮膚を傷つけることがある。
- 連続測定の場合は、測定ごとにカフを巻くか、測定部位を変えるようにしよう。
- 体動の少ない安静時に測定しよう。
- 収縮期血圧 40mmHg 以下では、非観血的測定の値は観血的測定の値よりも高くなる。

観血的血圧測定

測定の際の確認ポイント

- 動脈ラインの回路は正しく組まれているか？
- 回路内に空気は入っていないか？
- 血液の逆流はないか？
- 刺入部の固定はしっかりできているか？
- トランスデューサーの高さは心臓と同じ高さになっているか？
- ゼロ点較正は適宜行っているか？
- 採血後のフラッシュは忘れていないか？
- 動脈血圧波形の変化はないか？

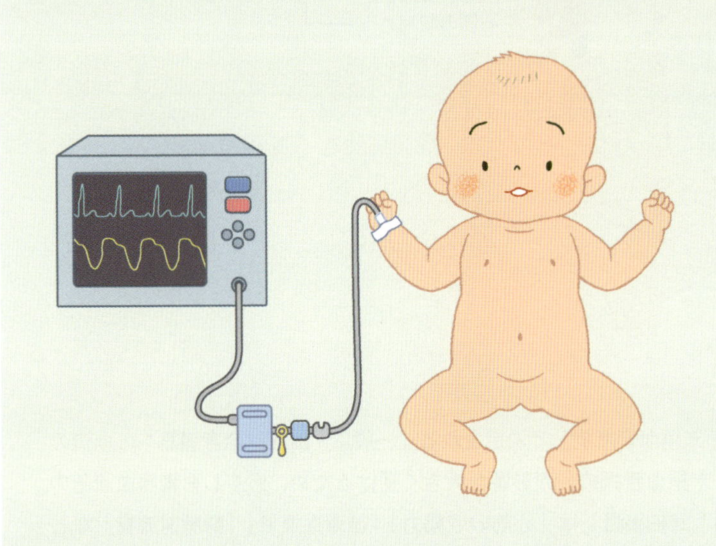

新生児(早産児)における血圧測定の意味

新生児は容易に循環不全に陥りやすい。特に超早産児では、出生後数日の血圧の変動が全身状態や頭蓋内出血の発症に大きな影響を及ぼす。また、晩期循環不全に代表される低血圧によるショックや、昇圧薬などの治療による過度の血圧上昇にも注意を払わねばならない。さらに、未熟児動脈管開存症やチアノーゼ性先天性心疾患などでは血圧異常を捉えることが診断につながる。一方で、血圧が心拍出量や臓器血流そのものを反映しない場合も多く、血圧で循環動態のすべてが評価できるわけではない。

血圧を規定する因子

血圧は、**1回拍出量×動脈の緊張(末梢血管抵抗)**で決まる。心拍出量は**心筋の収縮力**、**循環血液量**、静脈の緊張(**静脈還流量**)で決定される。したがって、血圧の変動を見た場合には、心筋の収縮力、循環血液量、静脈還流量、末梢血管抵抗に注目しなければならない。循環血液量と静脈還流量は、心臓が収縮する直前にかかる**前負荷**で、末梢血管抵抗は、心臓が収縮を開始した直後にかかる**後負荷**である。血圧は心筋の収縮力に加え、これらの前負荷と後負荷により規定され、変動する。例えば、循環血液量が不足した場合、通常、循環血液量減少性ショック(hypovolemic shock)に対して血圧維持と重要臓器組織保護(diving 反射)による血流の再分配が生じ、心拍出量の増加と末梢血管収縮が引き起こされるが、循環不全の程度や病態によっては血圧が維持できない状態が起こる。

血圧測定方法[1, 2]

1 非観血的血圧測定

動脈の拍動による**カフ内圧**の変化を記録するオシロメトリック法(ダイナマップなど)が用いられている。測定には通常、上腕を用いるが、極低出生体重児では大腿、前腕、下腿でも測定可能である。正確な血圧評価には、適切なカフサイズの選択が重要である。カフの長さは全周の1.5倍以上、カフの幅は上腕または大腿の長さの2/3~3/4がよいとされている。

2 観血的血圧測定

橈骨動脈や臍帯動脈内にカテーテルを挿入し、**血圧トランスデューサー**に接続する。最高血圧、最低血圧、平均血圧の連続モニタリングが可能で、測定値の信頼度は非観血的血圧測定よ

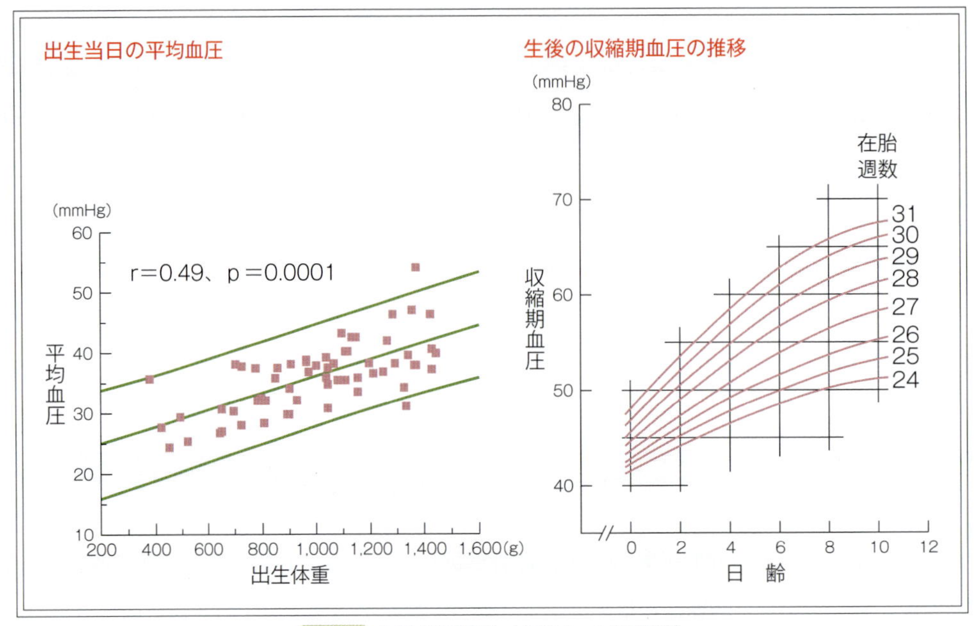

図4-1 血圧の正常域（文献 3、4 より転載）

り高い。しかし、ルート内の空気、屈曲、閉塞、体の高さの違いで測定値に容易に誤差が生じるため、細やかな管理が欠かせない。また、動脈ラインの留置は侵襲的で感染のリスクも高いため、その適応は必要最小限にとどめる。重症呼吸障害児（呼吸窮迫症候群、胎便吸引症候群、新生児遷延性肺高血圧症など）や循環動態が不安定かつ採血の機会も多い超低出生体重児の急性期、交換輸血が必要な敗血症や重症黄疸の児などが主な対象となる。

3 血圧の基準値（図4-1）

新生児の血圧は出生時には低めで、その後徐々に上昇する。正期産児では、血圧の標準値は収縮期血圧でおよそ **60～80mmHg** である。早産児の血圧は正期産児より低く、さらに在胎期間や出生体重、日齢により異なる。これまで海外を含めいくつかの報告がある[3, 4]。これらの基準値を考慮し、全身状態と合わせて血圧の変動を評価する。

4 血圧評価のポイント

先天性心疾患が疑われる場合、血圧測定は必ず **（左右の）上肢と下肢** で行う。大動脈縮窄では動脈管が収縮すれば下肢の脈は微弱となり、血圧も低下する。未熟児動脈管開存症を始め動脈管が開存した病態では脈圧が大きくなる。早産児において血圧が上昇し、尿量も増加する日齢 1～ 2 は、一見、循環の適応が順調なようにも思えるが、血圧は上昇しても、後負荷の上昇により、かえって心収縮性が低下して静脈還流が悪くなり、出血を起こしやすい状態に陥っている場合がある。血圧や心拍数などに大きな変化が見られないことも多いので、生後 72 時間までの脳室内出血のリスクが高い時期は慎重な観察が必要である。

新生児循環管理のポイント POINT

- □ 血圧測定の部位を意識しよう！
- □ 動脈ラインのトラブルに気を付けよう！
- □ 血圧変動時には他のバイタルサインの動きも見逃さないように！

引用・参考文献

1）横山直樹．“血圧測定（観血的・非観血的）”．新生児の検査・基準値マスターブック．楠田聡編．Neonatal Care 春季増刊．大阪，メディカ出版，2006，113-6.

2）藤巻英彦．“血圧計（非観血式・観血式）”．NICU でよく使う ME 機器．中村友彦編．Neonatal Care 春季増刊．大阪，メディカ出版，2008，222-32.

3）Lee J, et al. Blood pressure standards for very low birthweight infants during the first day of life. Arch Dis Child Fetal Neonatal Ed. 81 (3), 1999, F168-70.

4）Northern Neonatal Nursing Initiative. Systolic blood pressure in babies of less than 32 weeks gestation in the first year of life. Arch Dis Child Fetal Neonatal Ed. 80 (1), 1999, 38-42.

横山直樹

● レベル 1

5 尿量から何が分かる?

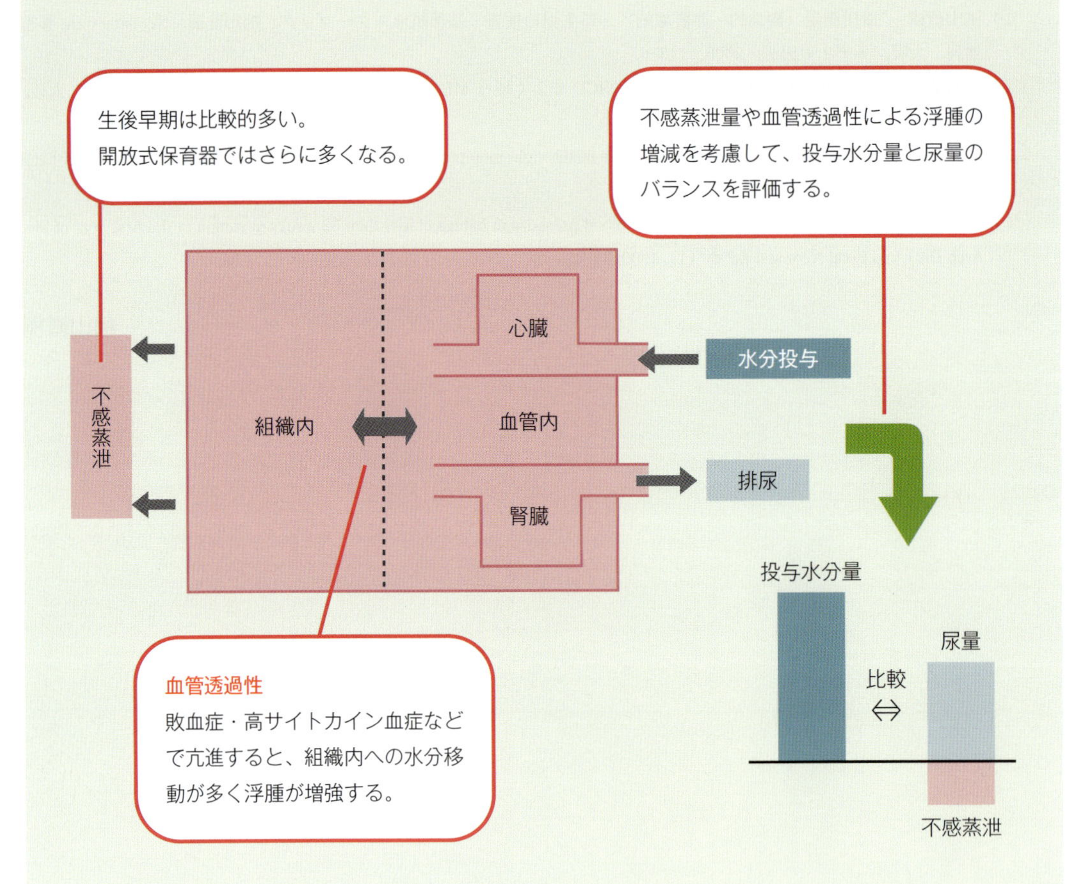

尿量は新生児のバイタルサインのチェックの中でも、時間的要素を含んだ重要な項目である。乏尿（2mL/kg/時）であっても、利尿期前の腎機能不全状態であるのか、利尿期の脱水による腎前性の乏尿であるのかによって、対処の方法が大きく異なる。経時的変化を把握することで、正確な評価を行い、適切な対応へつながるようにしたい。

指標としての尿量

水分バランスを考えるにあたって、**尿量**は非常に簡便で重要な指標の一つである[1]。腎機能のみならず、**腎前性の要因**、すなわち心機能、血圧、投与水分量、不感蒸泄、血管透過性などにより大きく変化する[2, 3]。特に、生後早期はいずれの因子も大きく変化する時期であり、尿量はそれらの総合的な結果として評価することができる。

一般的に尿量の目安としてはおおむね2mL/kg/時以上とされるが、**投与水分量**とのバランスで評価されることが多い[4, 5]。早期新生児期においては、初期水分投与量が60〜80mL/kg/日とすると、2mL/kg/時すなわち48mL/kg/日の尿量は、**不感蒸泄**を考慮すれば、水分バランスとしてはほぼ平衡状態である（**図5-1**）。利尿状態が改善すると投与水分量に相当する尿量、さらに投与水分量以上の尿量が得られるようになる。その結果、生理的体重減少、あるいは浮腫の軽減へとつながる。

5〜8mL/kg/時以上、すなわち120〜200mL/kg/日の尿量であれば、水分バランスはアウトオーバーとなる（**図5-2**）。一方、心機能不全や腎機能不全があると尿量が減少し、不自然な体重増加や浮腫の増強となる（**図5-3**）。また、血管透過性の亢進した状態や浮腫の強い状態では、血管外水分が残存し、血管内水分のみが排泄され、血管内脱水の状態に陥る危険性もある（**図5-4**）。

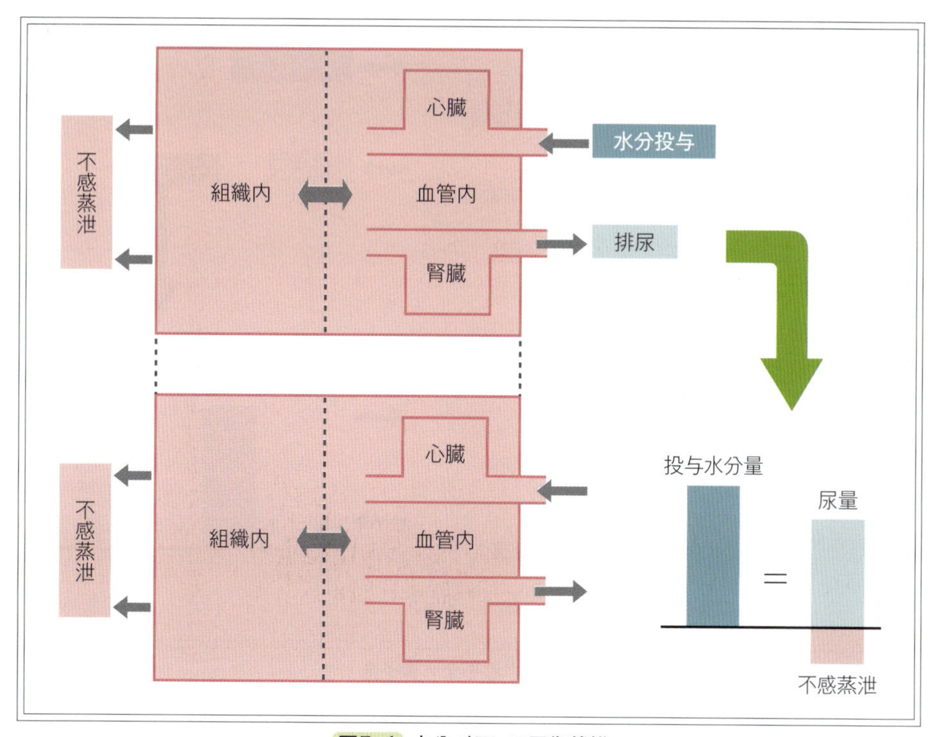

図5-1 水分バランス平衡状態

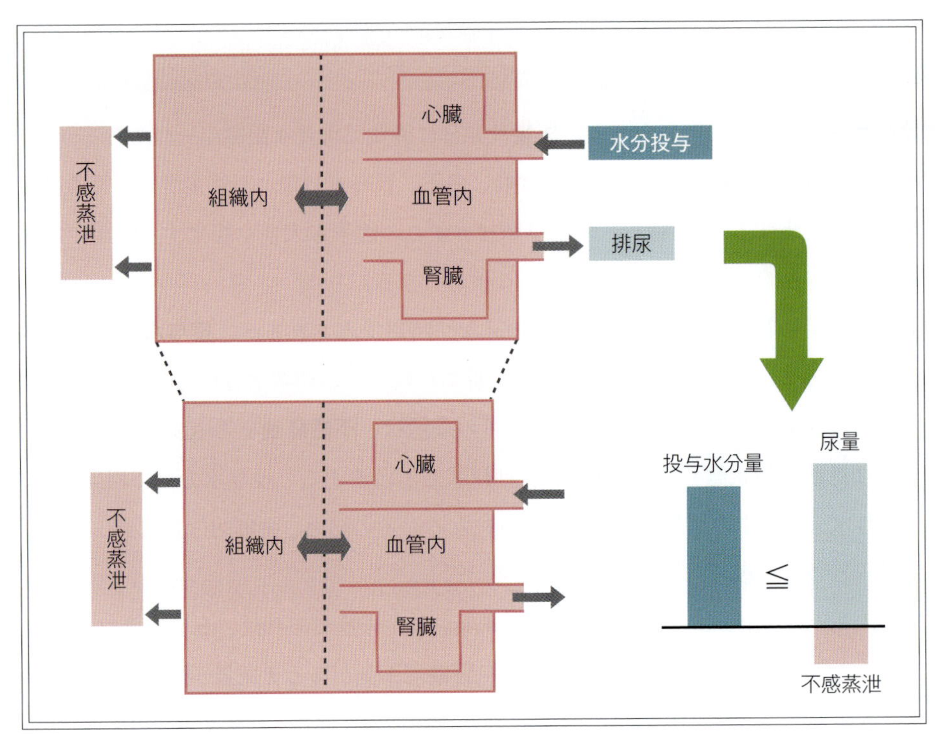

図5-2 浮腫軽減

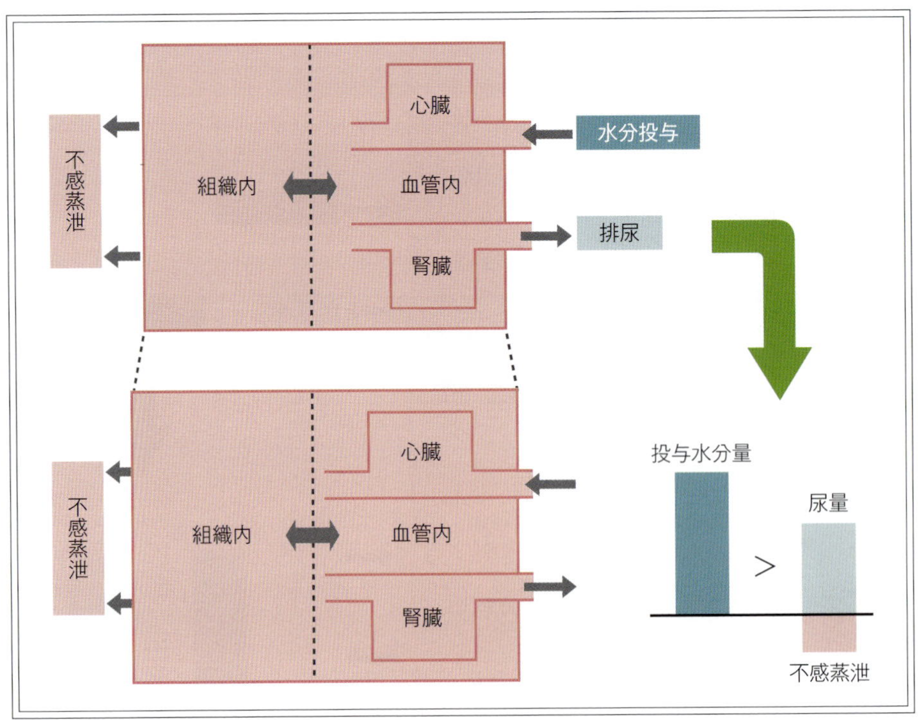

図5-3 心不全／腎不全

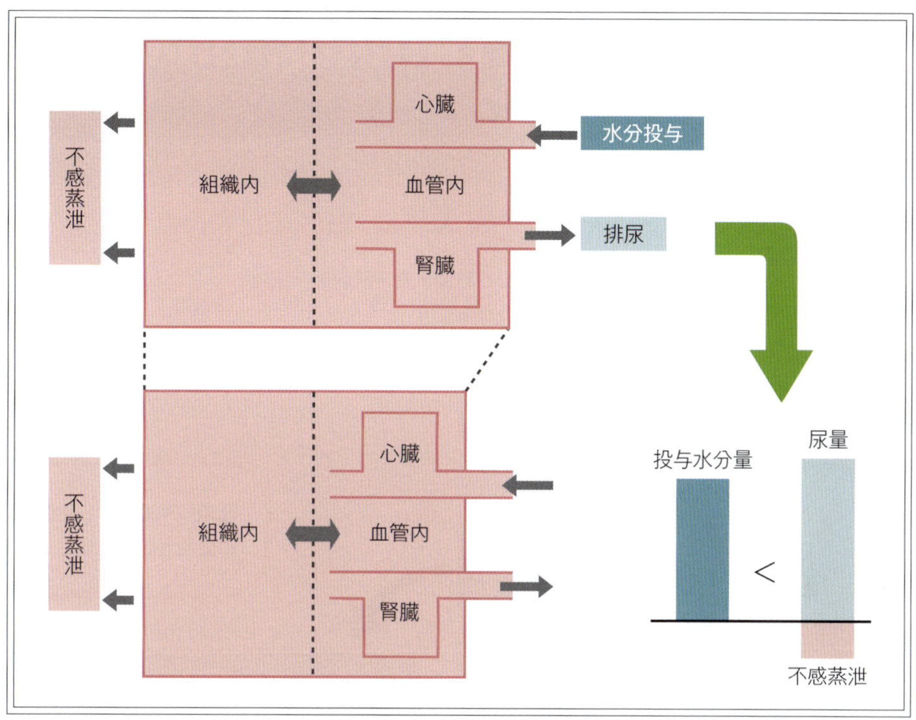

図5-4 血管内脱水状態

このように尿量は新生児期の循環管理において重要な総合的指標である。したがって、最低、8時間ごとに評価を行い、水分バランスを調整することが重要である。

新生児循環管理のポイント

POINT

- 尿量は増加しているか、減少しているか？
- 尿量は 2mL/kg/ 時以上なのか、以下なのか？
- 尿量は投与水分量以上なのか、以下なのか？
- 浮腫は軽減しているのか？　増強しているのか？　変化がないのか？

引用・参考文献

1）O'Brien F, Walker IA. Fluid homeostasis in the neonate. Paediatr Anaesth. (1), 2014, 49-59.
2）Oh W. Renal function and fluid therapy in high risk infants. Biol Neonate. 53 (4), 1988, 230-6.
3）Kluckow M, Evans N. Low systemic blood flow and hyperkalemia in preterm infants. J Pediatr. 139 (2), 2001, 227-32.
4）Oh W. Fluid and electrolyte management of very low birth weight infants. Pediatr Neonatol. 53 (6), 2012, 329-33.
5）Sulemanji M, Vakili K. Neonatal renal physiology. Semin Pediatr Surg. 22 (4), 2013, 195-8.

芳本誠司

レベル 1

6 Capillary refilling time から何が分かる？

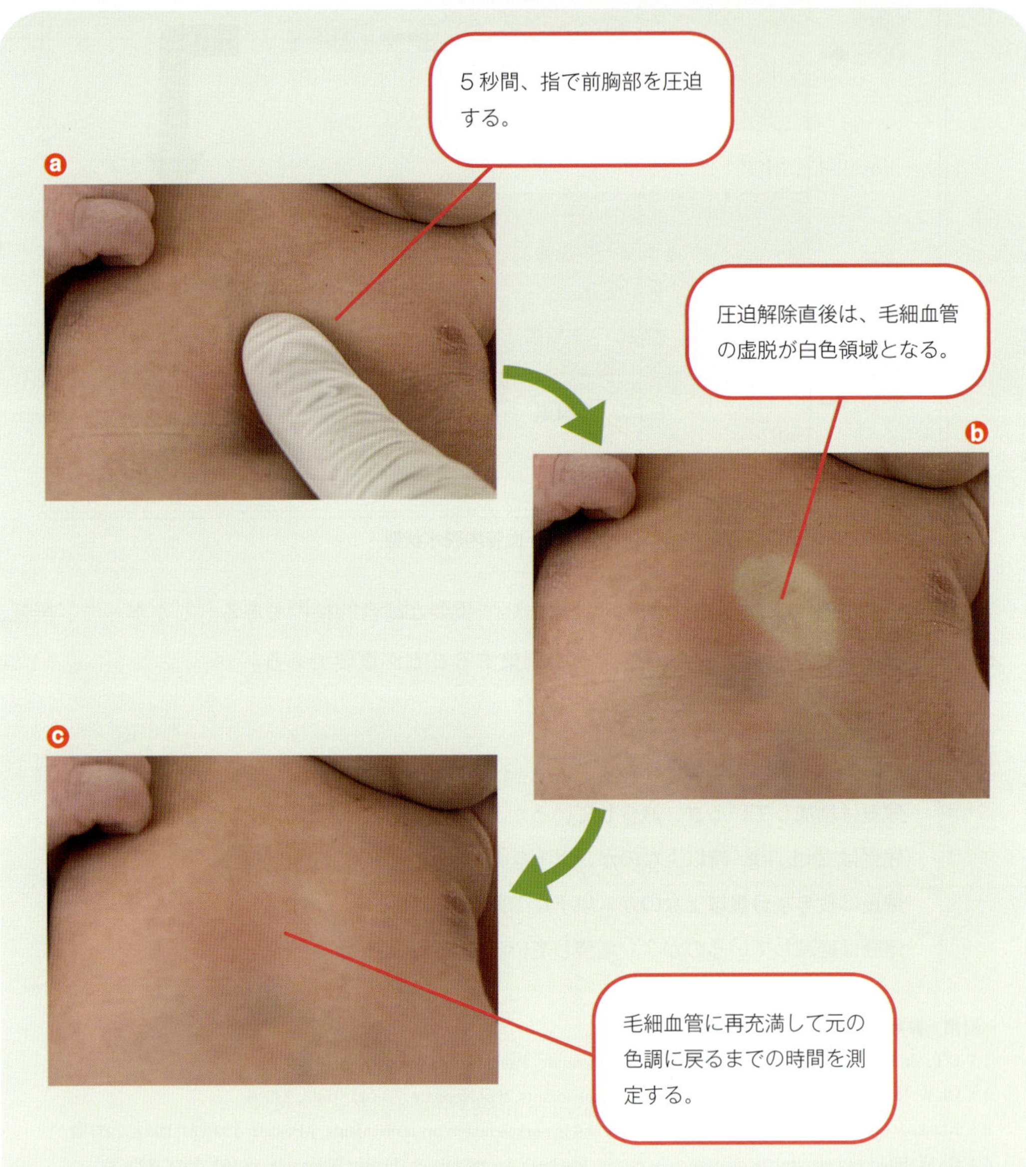

Capillary refilling time（CRT）は小児～成人領域で広く用いられている、末梢循環を評価する簡便な指標である。局所を 5 秒程度圧迫し、解除直後から圧迫部位の皮膚色調が元に戻るまでの時間を測定する。つまり、再充満までの時間が短ければ循環が良いことを示し、遅延していれば循環が悪いことを示す。

小児・成人領域では指の皮膚で測定されることが多いが、新生児では胸骨部や前額部での所見に信頼性が高いとの報告もある。上図は前胸部での所見を示す。

新生児の循環評価とCRT

新生児の循環評価の指標として血圧、心拍数などが一般的であるが、重要なのは「全身の組織に酸素化された血液がどれだけ流れているか」ということである。血圧＝心拍出量×血管抵抗であり、この式から、血圧は心拍出量が増えれば高くなるが、心拍出量が少なくても血管抵抗が高いと血圧は維持される。血圧のみでの循環管理では「血圧は維持されているが、全身に流れている血液量は少ない」という状態を見逃してしまう可能性がある[1)]。よって、血圧は心拍出量と parallel に相関するわけではないことを意識して循環管理を行う必要がある。

新生児領域において、心拍出量の減少が早産児の脳室内出血に関連するという報告もある[2)]。心拍出量を最も正確に評価する手段は心臓カテーテル検査であるが、侵襲を考えると現実的な評価方法とは言えない。低侵襲な検査方法として心エコー検査がスタンダードとなっているが、近年は電気的に心拍出量を測定できる AESCLON mini® といったモニタリング機器も心エコーによる測定と良好な相関を示すことが知られており、連続的なモニタリングも可能である[3)]。

心拍出量を間接的に反映する末梢循環は還流の変化を鋭敏に反映し、**Capillary refilling time**（CRT）は**組織低灌流の早期マーカー**となり得る。具体的な方法としては、前額、前胸部などを5秒程度圧迫し、圧迫を解除した直後から圧迫部位の皮膚色が改善（白色→ピンク）するまでの時間を測定する方法である。健常新生児の平均は約2秒程度とされ、3秒以上は遅延であると判断される。ただし手指や足底など末梢部位での測定では健常児でも4秒程度と遅延することもあるとされ、ばらつきが大きい。そのため、成人領域では爪部などでの評価が一般的であるが、新生児において信頼性が高いのは前胸部や前額部であるとされている[4)]。また環境温などいくつかの因子がその結果に影響を及ぼすことにも注意が必要である（**表6-1**）[5)]。

CRT は医療機器を使用せずに、ベッドサイドで簡便に末梢循環を評価できるという点で、古典的ではあるが優れた指標として用いられる。ただし、単独の指標とせず、気道の開通性、呼吸数、呼吸パターン、呼吸音、脈の触知、皮膚色、心拍数、SpO_2、血圧、各種モニタリングや超音波検査などさまざまな指標と詳細な身体診察によって総合的に判定がなされるべきである。

表6-1 Capillary refilling time に影響する因子

	短縮＜遅延
保育環境	保育器（閉鎖型、開放型）＜ コット
光線療法	有 ＜ 無
圧迫部位	前額部 ＜ 前胸部
性　別	男性 ＝ 女性
出生体重	＜2,500g ＝ ＞2,500g

新生児循環管理のポイント　POINT

- CRT は組織低灌流の早期マーカーであり、新生児において信頼性が高いのは前胸部や前額部である。
- CRT を単独の指標とせず、さまざまな指標と詳細な身体診察によって総合的に判定すべきである。

引用・参考文献

1）高橋重裕. “Capillary refilling time から何が分かる？”. ステップアップ新生児循環管理. 与田仁志編著. 大阪, メディカ出版, 2016, 76-8. 6

2）Osborn DA, et al. Clinical detection of low upper blood flow in very premature infants using blood pressure, capillary refill time, and central-peripheral temperature difference. Arch Dis Child Fetal Neonatal Ed. 89 (2), 2004, F168-73.

3）Noori S, et al. Continuous non-invasive cardiac output measurements in the neonate by electrical velocimetry: a comparison with echocardiography. Arch Dis Child Fetal Neonatal Ed. 97 (5), 2012, F340-3.

4）Gale C. Is capillary refill time a useful marker of hemodynamic status in neonates ? Arch Dis Child. 95 (5), 2010, 395-7.

5）Strozik KS, et al. Capillary refilling time in newborn babies: normal values. Arch Dis Child Fetal Neonatal Ed. 76 (3), 1997, F193-6.

緒方公平

●●レベル2

7 BNPなどのバイオマーカーから何が分かる？

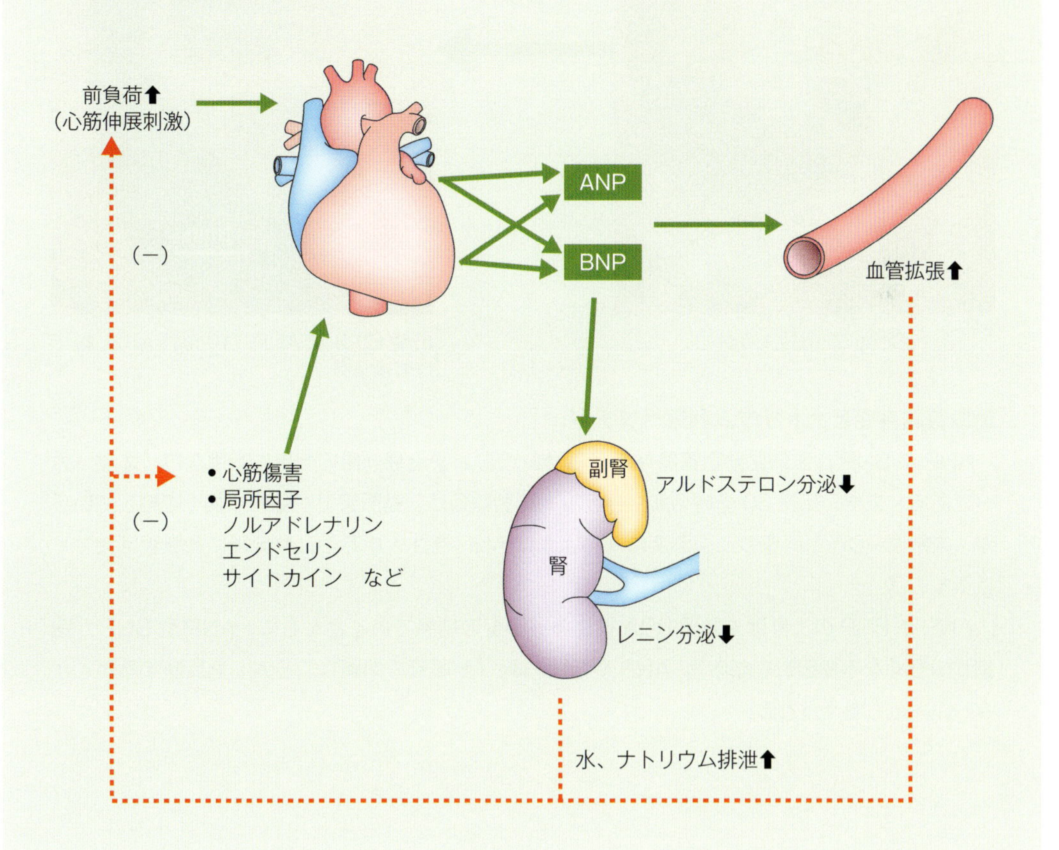

心臓のストレスマーカー：ANP & BNP

心房性ナトリウム利尿ペプチド（ANP）やB型ナトリウム利尿ペプチド（BNP）などのナトリウム利尿ペプチドは、循環血液量の増加による心筋伸展刺激や心筋傷害などにより、心筋細胞が産生して血液中に分泌するホルモンである。血管拡張、尿量増加、心臓や腎臓の保護作用などを有する「心臓を癒すホルモン」である。心エコーで検出される心拡大や心収縮力低下などの所見は、それが心臓にとって過剰なストレスとなっているのかまではよく分からない。ANPやBNPは「心臓の悲鳴」と言われ、高いほど心臓がストレスに負けずに頑張ろうとしている状況を反映している。心不全の重症度評価、循環管理が適切か否かの評価に有用な、心臓にかかるストレスを知るバイオマーカーである。

a ANP：9pg/mL 未満

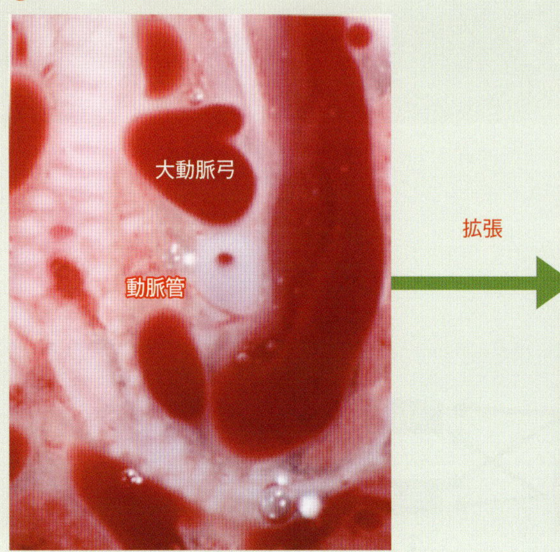

Control（出生 60 分）

拡張

b ANP：740pg/mL（高 ANP 状態モデルラット）

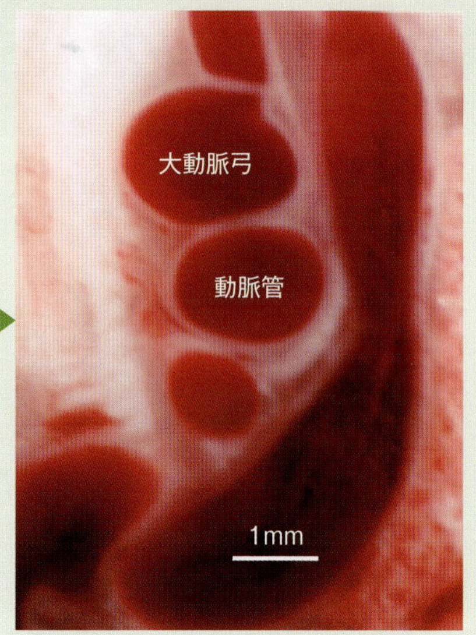

出生 60 分に ANP（10mg/kg）を皮下注射後 7 分

動脈管開存症とナトリウム利尿ペプチド

ANP や BNP は未熟児動脈管開存症（PDA）の診断や治療効果の判定に有用なバイオマーカーである。また、出生 60 分時の新生仔ラットの動脈管は、動脈管壁が肥厚し強く収縮しているが、未熟児 PDA と同様の血中濃度になるように ANP を注入すると、数分後に動脈管は大きく拡張する。

ANP や BNP の上昇は未熟児 PDA による心不全の結果であるとともに、ANP や BNP が閉鎖しづらくなる要因にもなる[1)]。ANP や BNP は、「動脈管の閉鎖しづらさ」を反映するバイオマーカーとも考えられる。

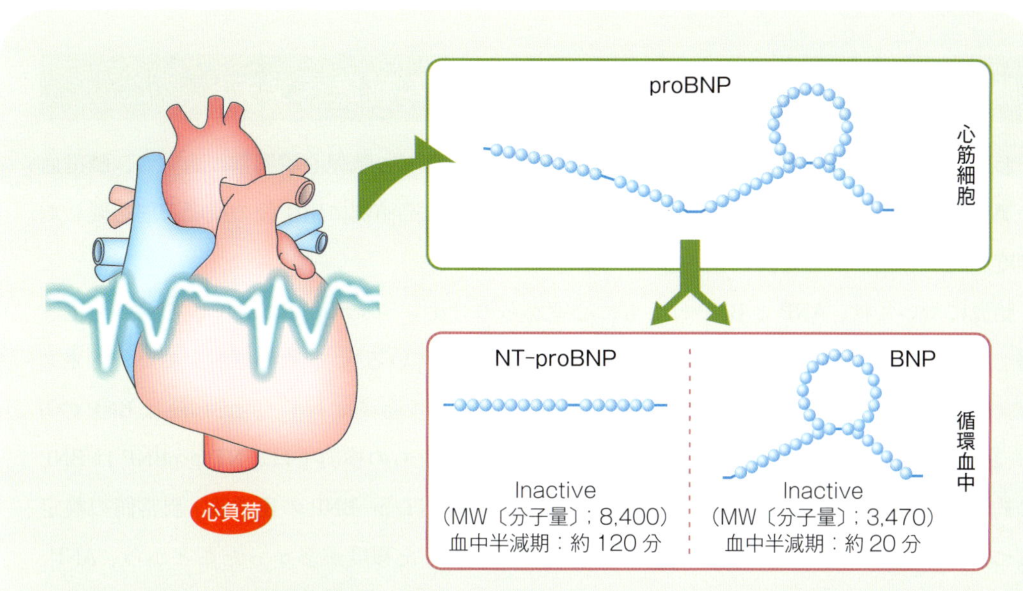

BNPとNT-proBNPの違い

心負荷の増大で心筋細胞にてproBNPが産生され、蛋白分解酵素により生理活性を持つBNPと生理活性を持たないNT-proBNPに1：1に分解されて、血中に分泌される。NT-proBNPの血中半減期は約120分と、BNPの半減期（約20分）より長いため、BNPより血中濃度は高値を示す。NT-proBNPはBNPと同様に、心機能評価のバイオマーカーである。NT-proBNPは血漿BNPに比して微量採血量（約20μL）で測定でき、残血清から検査することも可能である。新生児医療では、臨床的意義が大きい心不全バイオマーカーになる可能性がある。

バイオマーカー（BNPなど）から何が分かる？

尿や血清中に含まれる生体由来の物質で、生体内の生物学的変化を定量的に把握するための指標をバイオマーカーと呼ぶ。心不全や心筋傷害を評価する**バイオマーカー**として、ナトリウム利尿ペプチドファミリーや血性クレアチニンキナーゼ心筋型（CK-MB）、トロポニン、ミオシン軽鎖、アドレノメジュリン、ヒト心臓由来脂肪酸結合蛋白（H-FABP）など多数あり、心エコー検査などとは異なる側面から循環を評価する検査として、近年、臨床的有用性が確認されつつある。本項では**ナトリウム利尿ペプチド**について解説する。

胎児・新生児の心不全におけるナトリウム利尿ペプチド

われわれは先天性心疾患、不整脈、双胎間輸血症候群などの胎児心臓異常において、臍帯血の**ANP**や**BNP**が重症度に一致した上昇を認めたこと、高値例に出生後の循環管理を要した頻度が高かったことを報告している[2)]。

胎児においては、ANPとBNPはともに心室からの分泌レベルが高いことや、心臓の発生段階でBNPが重要な役割を果たしている可能性が示唆されている[3)]。成人の心不全のカットオフ値より高いことが予想される。また、成人では半減期の違いから、**NT-proBNP**はBNPの5〜10倍の値となるといわれているが、臍帯血による私たちの検討では、NT-proBNPはBNPの約30倍の値を示した[4)]。臍帯血におけるANP、BNP、NT-proBNPの正常値・異常値の設定についての言及は難しいが、生後早期の循環管理を要した頻度が多かったことから、ANP、BNPともに200〜300pg/mL以上[2)]、NT-proBNPでは9,000〜10,000pg/mL以上[5)]は循環管理を要する可能性が高まる要注意レベルだと考えられる。

新生児心不全におけるナトリウム利尿ペプチド

生直後にNT-proBNPを経時的に測定すると、生後早期は未熟児PDA、胎児発育不全、感染症、新生児仮死、後負荷過剰に伴う心ポンプ不全など、さまざまな要因で上昇し、症状の軽快と共に低下する。

新生児心不全においては、一測定値の高低以上に、経時的変化を重要視している。経時的に上昇する場合には**心臓へのストレス**が高まっていると考え、循環が破綻する予兆である可能性がある。BNPなどが経時的に低下するように循環管理を再考することが必要である。

未熟児動脈管開存症におけるナトリウム利尿ペプチドホルモン

ANP、BNP、NT-proBNPは**未熟児動脈管開存症（PDA）**の診断と重症度評価、治療の必要性の予測に有用であるという臨床報告は多数ある[6〜13)]。プロスタグランジンEが細胞内セカンドメッセンジャーであるサイクリックAMP（cAMP）を介して血管を拡張するのに対して、ANPやBNPはサイクリックGMP（cGMP）を増加させて血管を拡張する。未熟児PDAの症候化により心不全に陥り、ANPやBNPの分泌が亢進すると動脈管が閉鎖しづらくなる。心不全が増悪して、さらにANPやBNPが上昇するという、動脈管が閉じづらくなるサイクルが生じる（**図7-1**）[1)]。

インドメタシンやイブプロフェンといった**シクロオキシゲナーゼ（COX）阻害薬**はcAMP

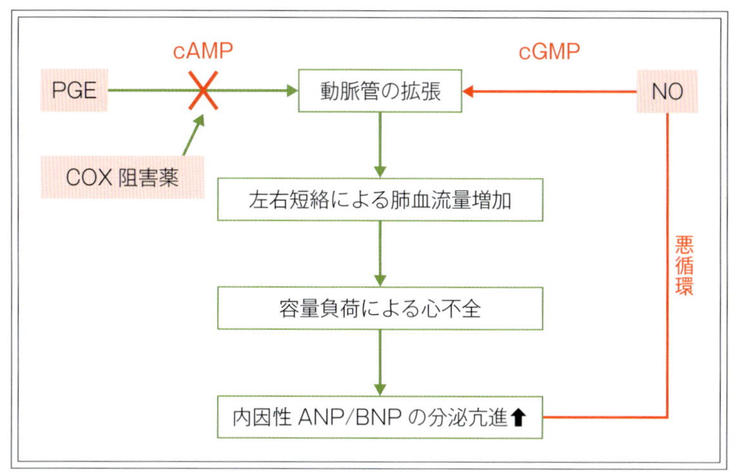

図7-1 未熟児動脈管開存症の重症化の心臓血管内分泌学的要因

系の動脈管拡張機序を阻害する薬剤であるが、ANPやBNPが関与するcGMP系の血管拡張機序への作用はないため、COX阻害薬の効果が弱い可能性がある[1)]。

生後早期にはNT-proBNPが高値でも、低下傾向があれば自然閉鎖も多く、NT-proBNPの一測定値からCOX阻害薬や結紮術の適応を判断せず、経時的変化に注目することが重要だと考える[14, 15)]。慢性期の未熟児PDAでは、COX阻害薬を投与してもNT-proBNPが9,000pmol/L未満に低下せずに再上昇を繰り返す場合は、結紮術が必要になる可能性が高い。NT-proBNPが低下傾向にある場合は、自然閉鎖を期待して保存的治療で経過観察する[16)]。ANPやBNP、NT-proBNPは「動脈管の閉鎖しづらさ」や「COX阻害薬の効きづらさ」を推測する、「動脈管閉鎖に近づいているか否かを占うバイオマーカー」だと考えている[1)]。

NT-proBNPは腎臓代謝されるため、腎機能が未成熟な早産児やCOX阻害薬による腎機能障害が認められる症例では高値を示しやすく、純粋に心不全を示しているとは限らないが、COX阻害薬の腎障害を含めて、結紮術の適応を考える指標になると考える。

新生児循環管理のポイント

POINT

- ☐ 胎児心不全が疑われていた児では、臍帯血や入院時のBNPやNT-proBNPの値を記載し、胎児心不全の評価や生後の新生児循環管理の必要性の予想に活用する。
- ☐ 心不全や未熟児PDA治療中の児では、BNPやNT-proBNPの値や経時的変化の傾向を記載して、治療方針を考えていく上での参考にする。

引用・参考文献

1）Toyoshima K, et al. In vivo dilatation of the postnatal ductus arteriosus by atrial natriuretic peptide in the rat. Neonatology. 92 (2), 2007, 139-44.

2）豊島勝昭ほか．胎児心機能障害におけるナトリウム利尿ペプチドホルモンの臨床的意義．日本小児循環器学会雑誌．21（2），2005，123-9.

3）Cameron VA, et al. Minireview : natriuretic peptides during development of the fetal heart and circulation. Endocrinology. 144 (6), 2003, 2191-4.

4）小谷牧ほか．臍帯血 NT-proBNP 測定の臨床的意義：血漿 BNP との比較．日本小児循環器学会雑誌．25，2009，183.

5）小谷牧ほか．臍帯血 NT-proBNP 測定による生後早期の心不全の予測．日本周産期・新生児医学会雑誌．44（2），2008，408.

6）Weir FJ, et al. Atrial natriuretic peptide in the diagnosis of patent ductus arteriosus. Acta. Paediatr. 81 (9), 1992, 672-5.

7）Holmstrom H, et al. Plasma levels of natriuretic peptides and hemodynamic assessment of patent ductus arteriosus in preterm infants. Acta. Paediatr. 90 (2), 2001, 184-91.

8）坂野公彦ほか．迅速キットを用いた血中 B 型ナトリウム利尿ペプチド（BNP）値の経時的測定および極低出生体重児の未熟児動脈管開存症診断における有効性についての検討．日本未熟児新生児学会雑誌．20（2），2008，233-40.

9）Flynn PA, et al. The use of a bedside assay for plasma B-type natriuretic peptide as a biomarker in the management of patent ductus arteriosus in premature neonates. J. Pediatr. 147 (1), 2005, 38-42.

10）Sanjeev S, et al. Role of plasma B-type natriuretic peptide in screening for hemodynamically significant patent ductus arteriosus in preterm neonates. J. Perinatol. 25 (11), 2005, 709-13.

11）Farombi-Oghuvbu I, et al. N-terminal pro-B-type natriuretic peptide : a measure of significant patent ductus arteriosus. Arch. Dis. Child. Fetal Neonatal Ed. 93 (4), 2008, F257-60.

12）Nuntnarumit P. N-terminal-pro-brain natriuretic peptide : a guide for early targeted indomethacin therapy for patent ductus arteriosus in preterm Infants. Acta. Paediatr. 100 (9), 2011, 1217-21.

13）Martinovici D, et al. Early NT-proBNP is able to predict spontaneous closure of patent ductus arteriosus in preterm neonates, but not the need of its treatment. Pediatr. Cardiol. 32 (7), 2011, 953-7.

14）豊島勝昭ほか．生後早期の未熟児動脈管開存症の治療方針における NT-proBNP の臨床的意義．日本周産期・新生児医学会雑誌．47（2），2011，365.

15）豊島勝昭ほか．新生児内分泌調節と動脈管．日本周産期・新生児医学会雑誌．49（1），2013，168-71.

16）豊島勝昭．“未熟児動脈管開存症（未熟児 PDA）”．新生児の心エコー入門．大阪，メディカ出版，2020，154-82.

豊島勝昭

● レベル 1

8 胸部X線から何が分かる？

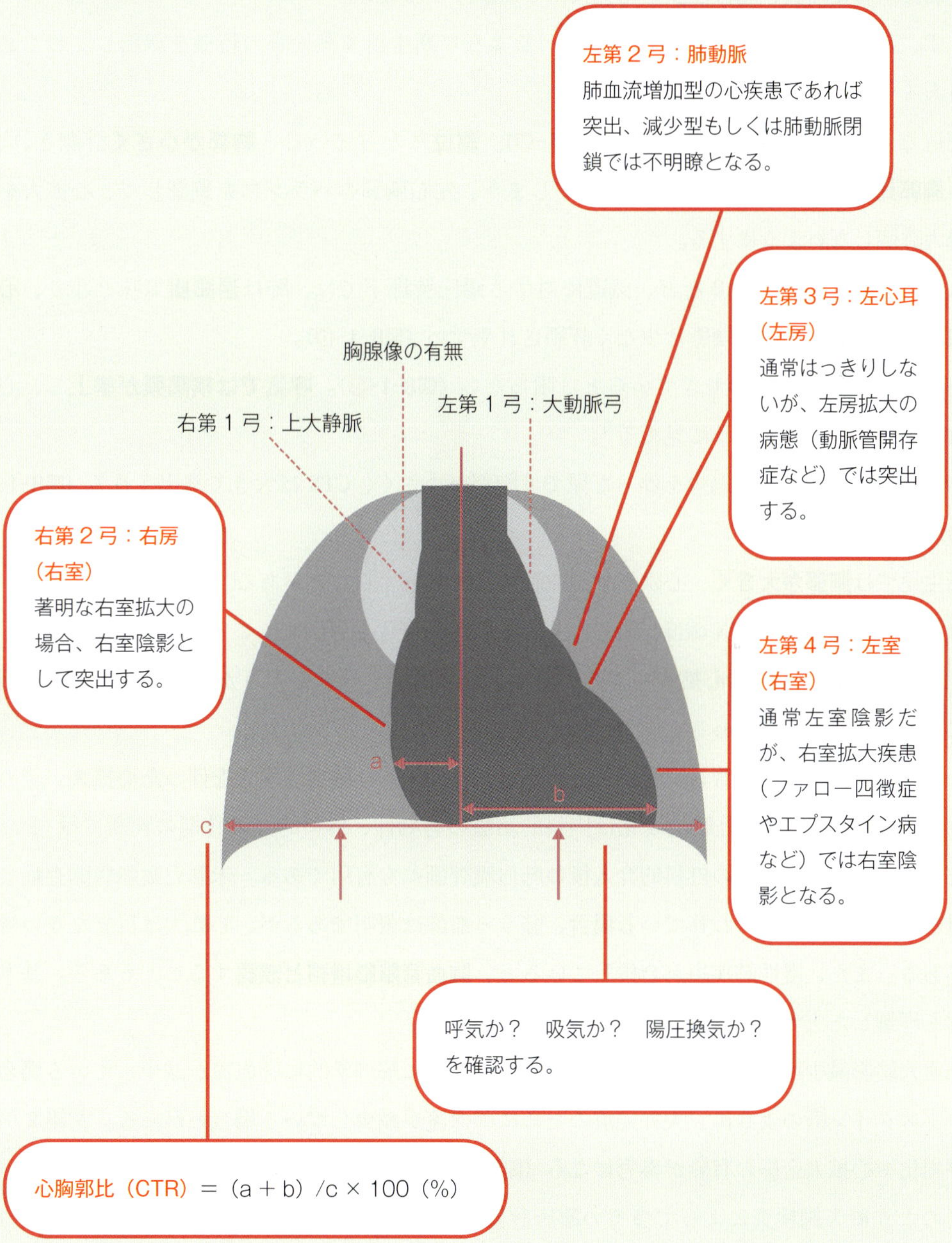

左第２弓：肺動脈
肺血流増加型の心疾患であれば突出、減少型もしくは肺動脈閉鎖では不明瞭となる。

左第３弓：左心耳（左房）
通常はっきりしないが、左房拡大の病態（動脈管開存症など）では突出する。

胸腺像の有無

左第１弓：大動脈弓

右第１弓：上大静脈

右第２弓：右房（右室）
著明な右室拡大の場合、右室陰影として突出する。

左第４弓：左室（右室）
通常左室陰影だが、右室拡大疾患（ファロー四徴症やエプスタイン病など）では右室陰影となる。

a

b

c

呼気か？　吸気か？　陽圧換気か？を確認する。

心胸郭比（CTR）＝（a＋b）/c × 100（%）

解釈に影響を及ぼす撮影条件を確認した後、心拡大（心胸郭比：CTR 増大、おおむね 60%以上が目安となる）の有無、肺血管陰影増強・減少の評価を行う。また、心陰影の各構成部分の突出の有無・程度から、心臓形態の特徴を把握する。

新生児領域における胸部X線検査の特徴と読み方

胸部X線検査は新生児領域において日常的に行われる検査であり、患児への負担、被曝量も比較的少なく、多くの情報を得ることができる[1]。ただ、せっかくの検査も適切に解析されなければ無駄な検査、時には誤った介入につながりかねない。

まず、正確な評価のために、以下に述べるような新生児X線検査の特徴を認識しておく必要がある[2]。

①正確な正面像でないことがある（**図8-1-ⓐ**）。**斜位**になっていると**胸郭が小さく**計測され、**心胸郭比（CTR）は大きく**評価されてしまう。左右胸郭のバランスを確認して、心拡大を過大評価しないようにする。

②人工呼吸器、nasal CPAPなど、気道に対する陽圧管理下では、肺は**過膨張**気味となり、**心陰影は小さく**、肺血管陰影は少なく評価されやすい（**図8-1-ⓑ**）。

③必ずしも**吸気時に撮影**できているとは限らない（**図8-1-ⓒ**）。**呼気では横隔膜が挙上**し、心陰影は拡大しているように見える[3]。

④胎児発育不全児や羊水過少を伴った児では胸郭が小さく、CTRは大きく算出される（**図8-1-ⓓ**）。

⑤新生児では**胸腺が大きく**、心陰影や肺血管陰影と誤解することがある（**図8-1-ⓔ**）。

以上の特徴に注意してX線像を読む。また、経時的変化を評価することが大事である。

CTRの増大は基本的に**心拡大**を意味するが、**心筋肥大**を伴うかどうかは心疾患の種類、病態により解釈する必要がある。

心室中隔欠損、両大血管右室起始などの左右短絡疾患では**肺血流増大を伴った心拡大**が認められる（**図8-2**）。特に、経時的変化は内科的治療の有効性、外科的介入時期の判断に役立つ。また、肺動脈絞扼術などの外科的介入後の肺血流評価にも有用である。未熟児動脈管開存症で厳重な水分制限管理が行われている場合、肺うっ血像は著明であるが、心拡大は目立たない場合がある。また、慢性肺疾患が合併していると、**肺血管陰影増強と誤認**することもある。基本病態を理解した上で評価しなければならない（**図8-3**）。

肺血管陰影減少所見がある場合、肺動脈狭窄のように解剖学的に肺血流が減少している場合とエプスタイン病のように三尖弁逆流のために肺血流が減少している場合とがある。左第2弓の平坦化や心拡大合併の有無が参考になる（**図8-4**）。

このようにX線検査によって多くの臨床評価が可能であり、適切な読影を心がけたいものである。

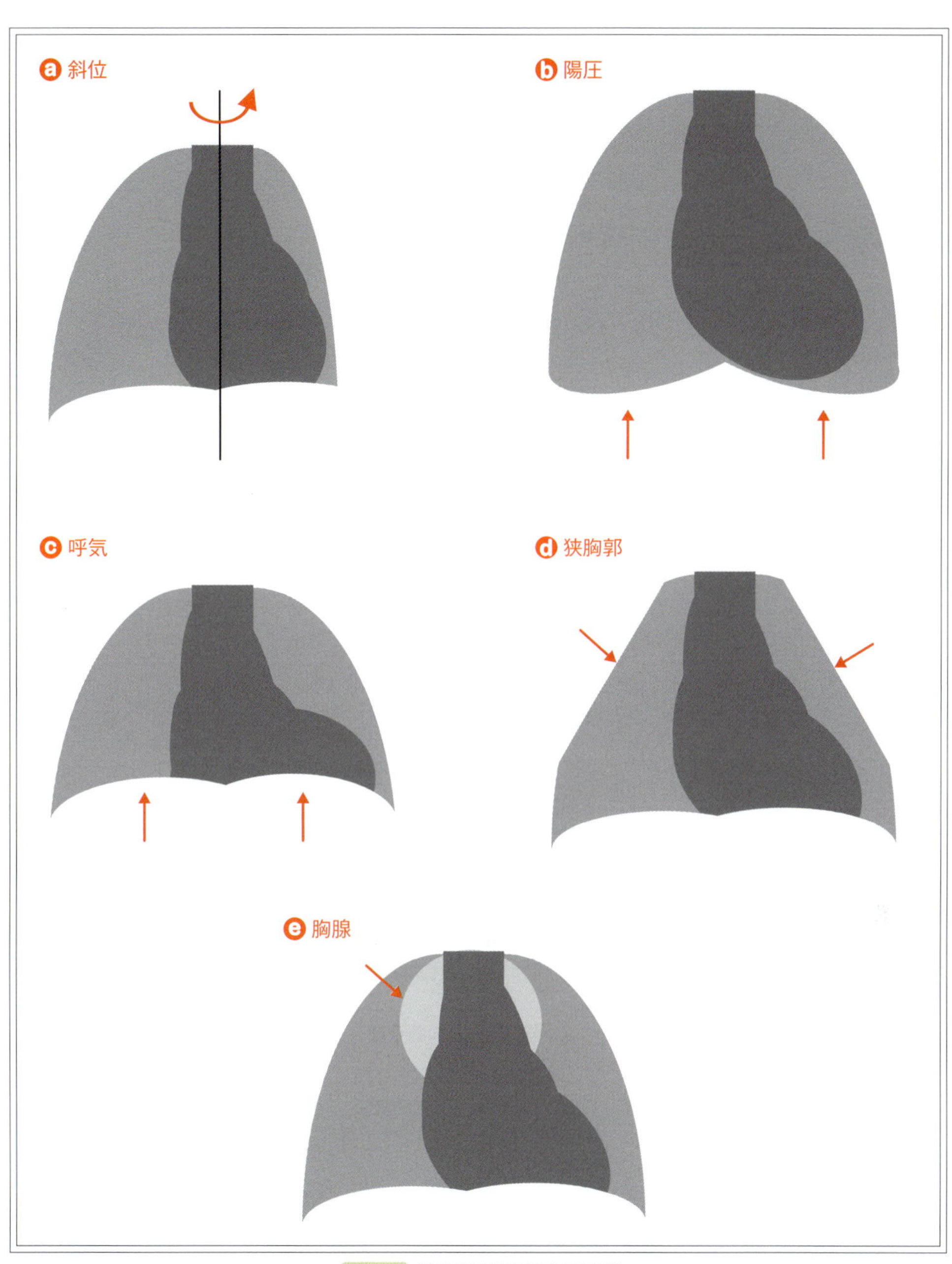

図8-1 新生児X線検査の特徴

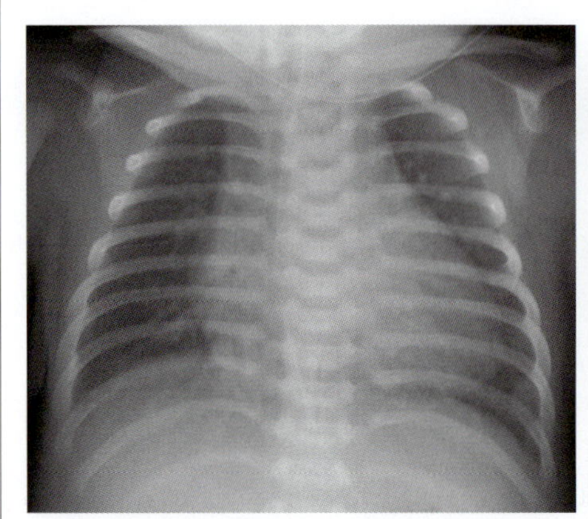

術前（肺血管陰影増強、CTR67%）

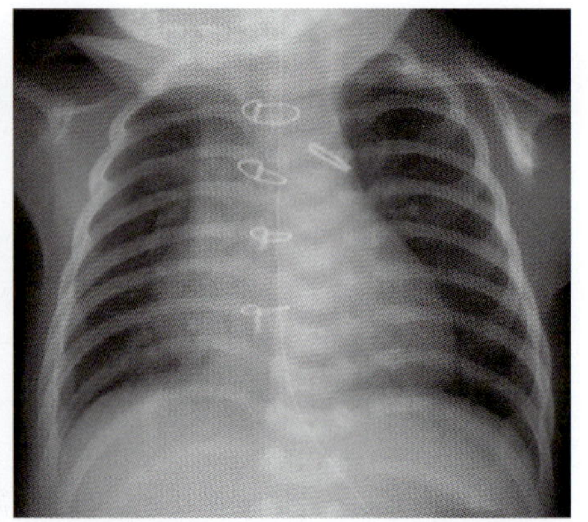

肺動脈絞扼術、動脈管閉鎖後（CTR60%）

図8-2 房室中隔欠損、動脈管開存

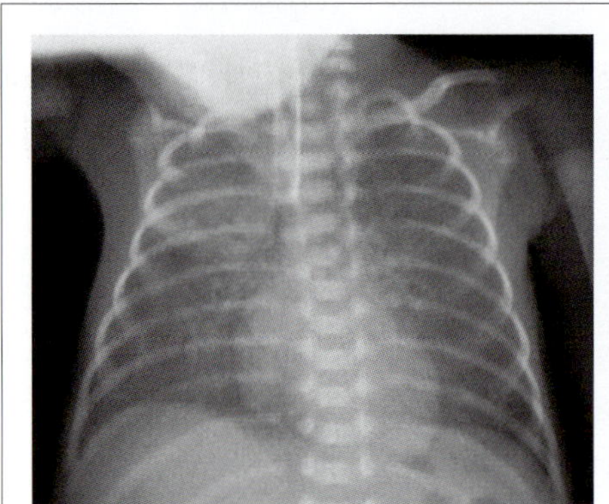

術前（CTR43%）

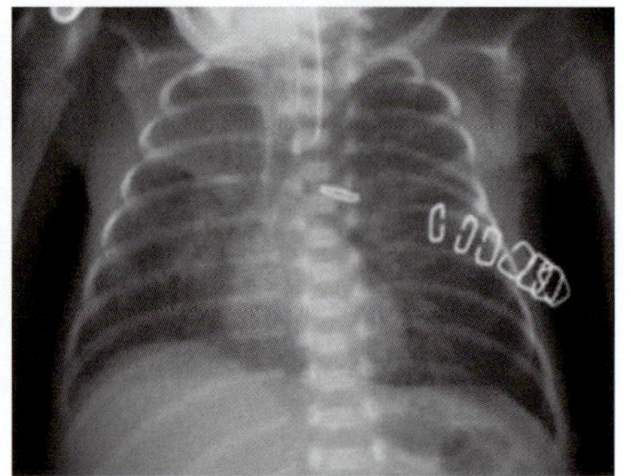

閉鎖術後（CTR38%、慢性肺疾患像は残存）

図8-3 未熟児動脈管開存症

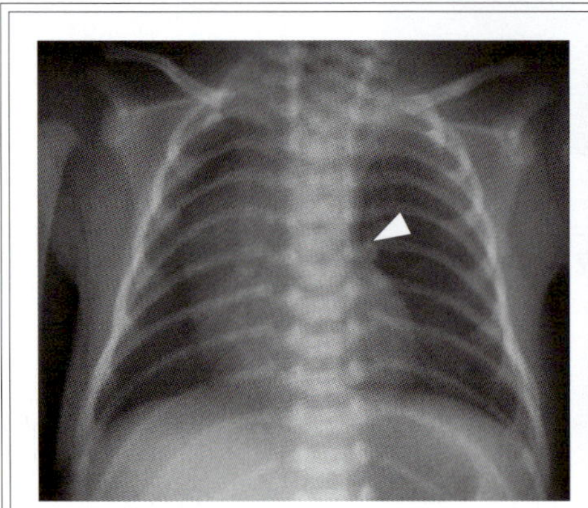

三尖弁閉鎖、肺動脈弁狭窄
（CTR43%、左第２弓平坦〔▲部〕）

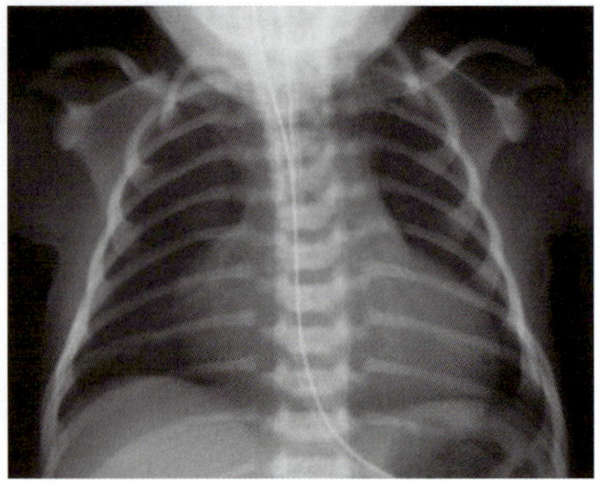

エプスタイン病（CTR66%）

図8-4 肺血流減少

新生児循環管理のポイント

POINT

- 撮影は正確な正面像か？　斜位になっていないか？
- 陽圧補助換気中かどうか？
- 吸気／呼気いずれのときの撮影か？
- 狭胸郭の有無はどうか？
- CTR はどうか？
- 肺血管陰影増強・減少は見られないか？

引用・参考文献

1）Sulieman A, et al. Radiation doses to paediatric patients and comforters undergoing chest X rays. Radiat Prot Dosimetry. 147 (1-2), 2011, 171-5.

2）Davidson A, et al. Cardiomegaly : what does it mean? A comparison of echocardiographic to radiological cardiac dimensions in children. Pediatr Cardiol. 11 (4), 1990, 181-5.

3）Schultz K, Weisenbach J. Cardiomegaly in hypoglycaemic small-for-gestational-age infants. Acta Paediatr Acad Sci Hung. 23 (1), 1982, 69-73.

芳本誠司

● レベル 1

9 心電図モニタはどんなふうに見ればよい？

操作方法

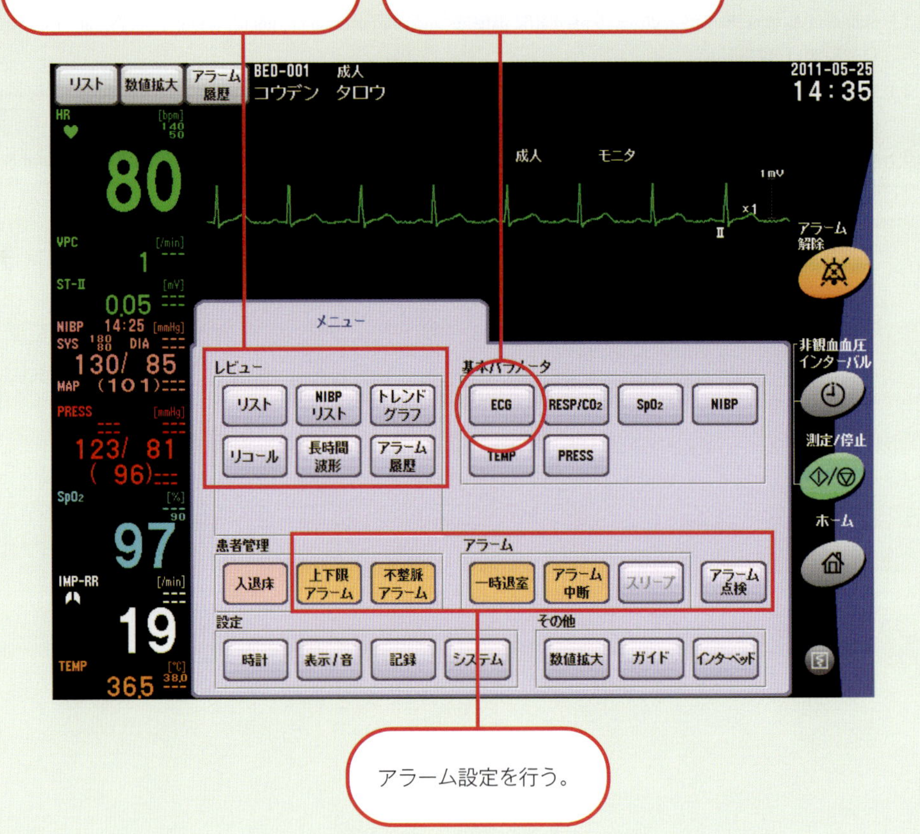

心電図モニタの特徴

呼吸心拍モニタは心電図から得られる心拍数、呼吸波形から得られる呼吸数のほかに、モジュールを増やせば血圧や SpO_2 なども一画面で見られる多機能モニタである。心電図波形からは心拍数の異常、不整脈や電解質異常に伴う波形変化などの情報が得られ、呼吸波形からは無呼吸や多呼吸などの呼吸状態の情報が得られる。

また、動脈ラインが確保されている状況であれば、血圧波形も連動させることで、より詳細に循環動態の評価が可能となる。不整脈で管理中の児であれば、心拍モニタと血圧モニタが連動していると、循環動態が破綻している頻脈性不整脈かどうかの鑑別にも非常に有用で、治療方針の決定に役立つ。

心電図モニタは患者管理上、最も基本となるモニタで、心拍数の表示や不整脈の検知に有用である。心拍数は心電図の連続するR波の間隔（R-R間隔）から算出して表示する。例えばR-R間隔が1秒であれば、1分間の心拍数が60回、0.5秒であれば120回となる。R波は心室が収縮するときに出る大きな波である。心拍数は通常、数秒または数心拍数分の平均値として算出される。右下のメニューボタンを押すと、各種設定画面が表示される。

モニタ電極の位置

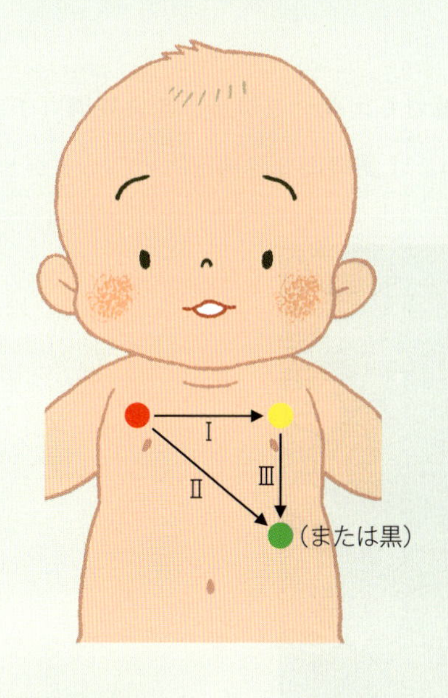

		誘導の極性		
		＋	−	N
誘導切り換えの表示	Ⅰ	黄	赤	緑
	Ⅱ	緑	赤	黄
	Ⅲ	緑	黄	赤

電極の装着法

胸郭表面の3カ所に電極を貼付し、それぞれの電極間での電位変化を捉え、心臓の電気的活動を描出する。これを双極誘導という。これには四肢誘導としてⅠ、Ⅱ、Ⅲ誘導がある。新生児では心臓を挟むように右鎖骨下に赤、左鎖骨下に黄、左前腋窩線上の最下肋骨に緑の電極シールを貼付し、四肢誘導の代わりとする。胎脂や産毛が多いところにシールを貼付すると電気抵抗が上昇するため、明瞭に心電図モニタを出すことができない。貼付部位の胎脂をアルコール綿で除去したり産毛の生えていないところに貼付したりする工夫が必要である。皮膚の未熟な児では小型の電極が好ましく、装着面を小さく切って作成したり、粘着力を弱めて貼付するといった工夫が必要となる。モニタとしてR波が最も高く出る誘導を表示するのがよく、一般的にはⅡ誘導が適切である。また、不整脈を診断するためには、P波がはっきりと検出できる誘導が適している（2章10「心電図モニタから分かる異常な波形にはどんなものがある？」参照）。検出可能な最適の波形が出るように、電極の位置や感度を症例に応じて調整することが重要である。

心電図モニタの実際

❶ モニタの調整

図9-1 の左上の緑色で表示されているのが**心拍数**である。まず心電図モニタが正しく表示されているか（**R 波**が大きく表示されるように調整されているか）を確認する。**T 波**が大きく表示されるような心電図波形だと、モニタが R 波と誤って**ダブルカウント**してしまい、本来の 2 倍の心拍数を表示することがあるので注意しよう。正しく表示されていない場合は、**心電図電極の位置を調節**したり、後述の感度や誘導を変更したりして調節する。

❷ 感度・誘導・フィルタの調整

心電図モニタの**感度と誘導を設定**する（**図9-2**）。3 電極でモニタする場合、四肢誘導（Ⅰ、Ⅱ、Ⅲ誘導）のうちいずれかを選択することが可能である。Ⅰ誘導かⅡ誘導を用いることが一

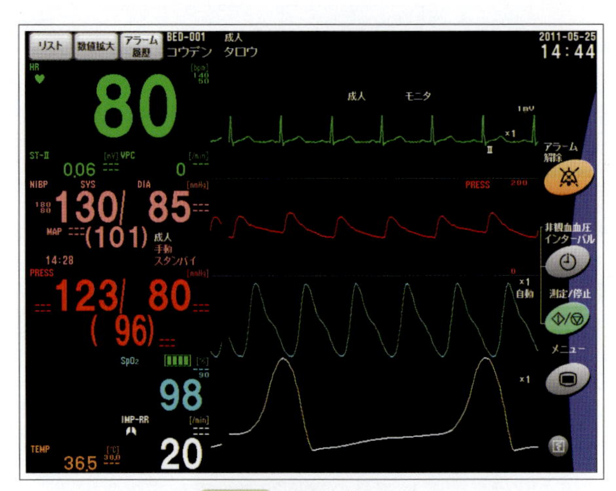

図9-1 呼吸心拍モニタ

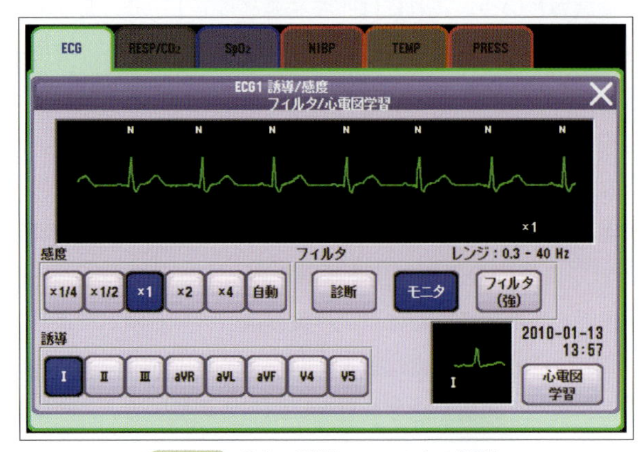

図9-2 感度・誘導・フィルタの調整

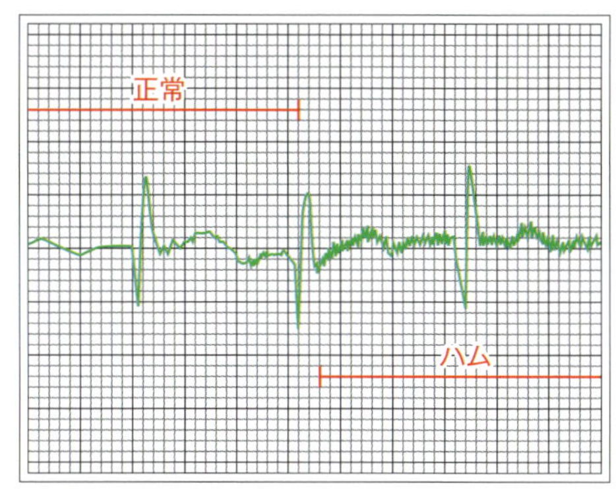

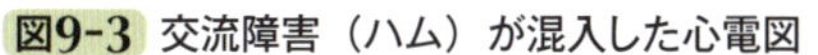

図9-3 交流障害（ハム）が混入した心電図

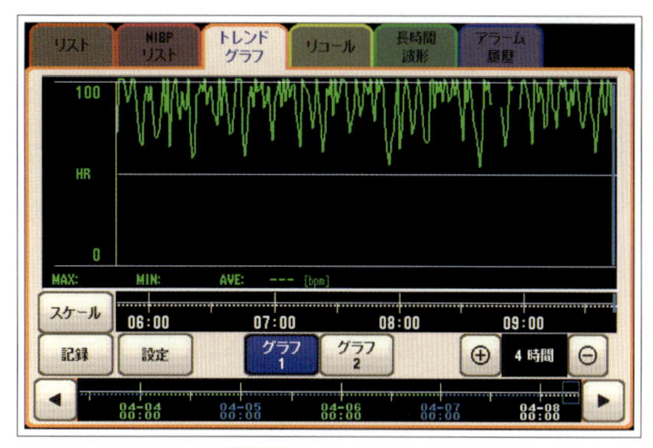

図9-4 トレンドグラフ

番多いが、R波が一番分かりやすい誘導に調整する。

新生児の心電図は小さいため、感度を上げてR波が判別できるようにする。マニュアルで「×1/4」から「×4」まで感度を変更することもできるが、通常は「自動」で設定して調整する。心電図は微弱な電気を増幅するため、新生児の周囲に設置してあるME機器などから交流の**ノイズ**が混入し、心電図波形が**図9-3**のようにギザギザになってしまうことがある。特に感度を上げるとノイズも大きくなり、R波の判別が困難になってしまう。このノイズを除去するのが**フィルタ**である。

3 トレンドグラフ

レビューから**トレンドグラフ**を選ぶと、指定した時間内（過去1時間から24時間程度、120時間まで確認できるモニタもある）での心拍数の推移が表示される（**図9-4**）。特に早産・低出生体重児で**無呼吸発作**から徐脈を来す児、**心拍呼吸リズムに不整**のある児、先天性心疾患の児や全身状態が悪化している児などでは、経時的変化を見ることが現状把握のために非常に有用である。

引用・参考文献

1）松井晃．“心拍・呼吸モニタ”．完全版　新生児・小児ME機器サポートブック．大阪，メディカ出版，2006，10-20．
2）荒堀仁美．“心拍・呼吸モニタ”．NICUでよく使うME機器．中村友彦編．Neonatal Care 春季増刊．大阪，メディカ出版，2008，186-96．

日根幸太郎

●● レベル 2

10 心電図モニタから分かる異常な波形にはどんなものがある?

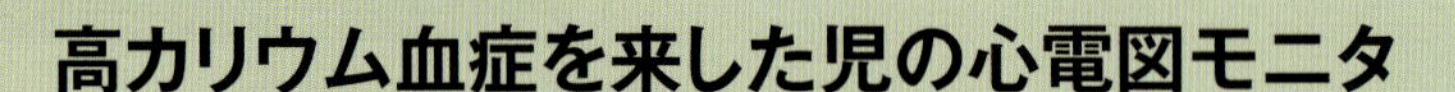

a

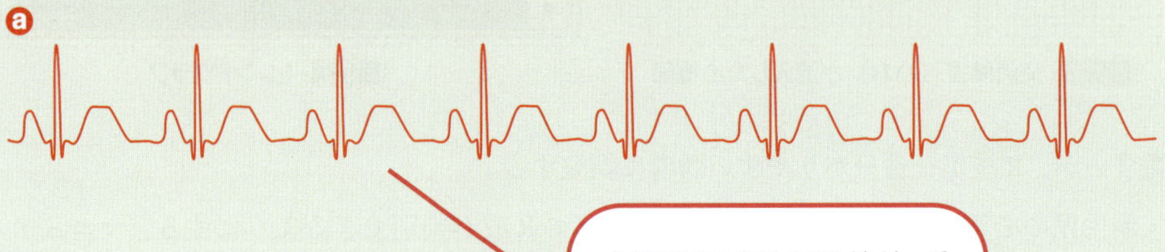

心電図モニタは QRS 波が一番大きく見える誘導にしよう。Ⅱ かⅢ誘導が適切である。

b

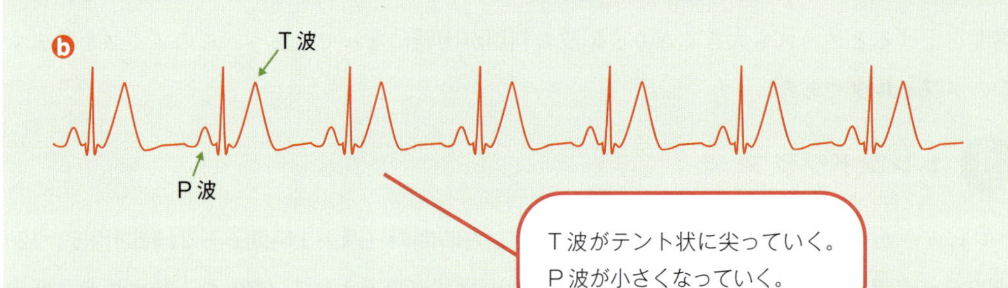

T 波がテント状に尖っていく。P 波が小さくなっていく。

c

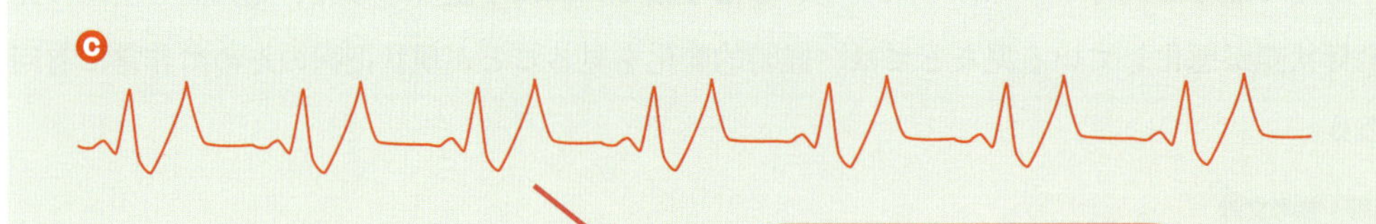

QRS 波が幅広くなり、T 波と区別できにくくなる。P 波が消失する。

上図は高カリウム血症を来した児の心電図モニタの変化である。超低出生体重児の急性期では、早期に高カリウム血症に気付くことが非常に重要である。心エコー検査を頻回に行うことを念頭に置いて電極を貼る位置を考える。QRS 波が一番大きく出る誘導を選択し、電極位置はそこから移動させないことが大事である。特に T 波の高さに注意して、高くなってくるようなら血清カリウム値が上昇してきていると推測する。一番下のcのようなモニタ波形になる前に治療を開始する。

心房粗動

ⓐ

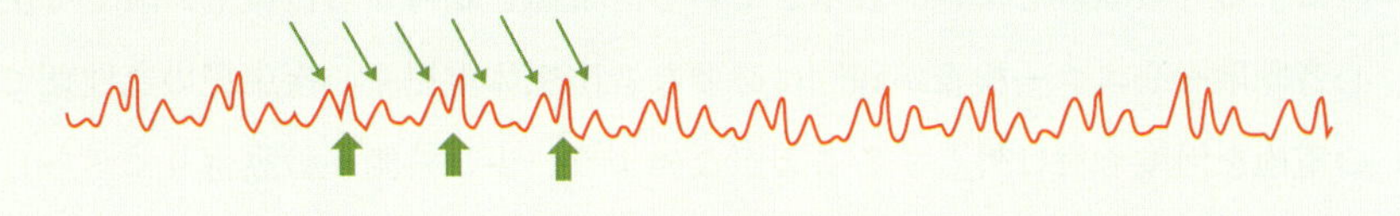

ⓑ

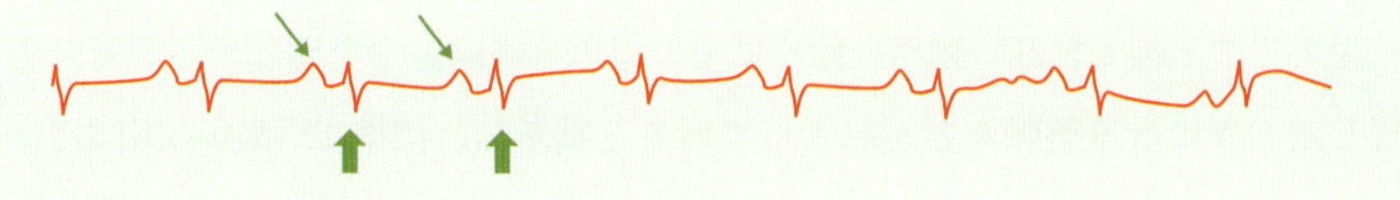

ⓐでは、P 波（↓）を 400 回／分台、QRS 波（⬆）を 200 回／分台で認める。心房粗動により 2 回に 1 回心室に伝導がつながっている。

ⓑでは、除細動後に正常洞調律に戻っている。

心電図モニタでは、基線が揺れて P 波が判読しにくいことが多くある。電極の位置をずらして波形が見やすい場所を探す。基線が揺れ過ぎておかしいと思ったら、きちんと標準 12 誘導心電図を取ることが肝要である。

心室頻拍

ⓐ

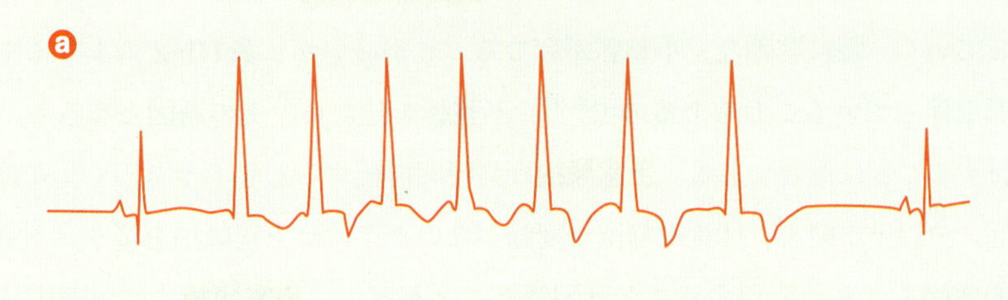

ⓑ

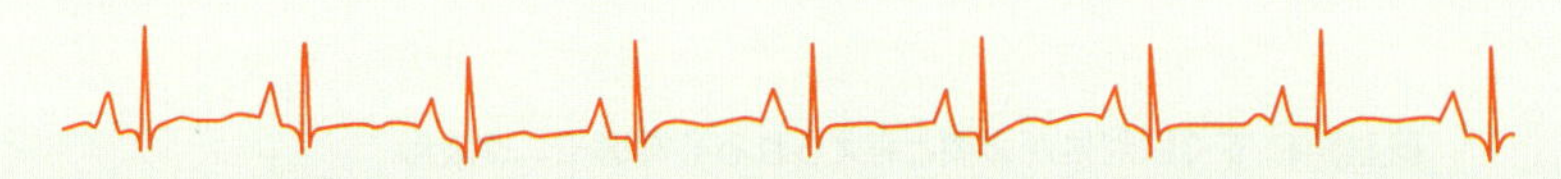

ⓐでは正常な P-QRS 波の後に幅広い QRS 波と T 波の陰性化を認め、よく見ると P 波が見えない。心室側から収縮が始まったことが分かる。

ⓑのように、洞調律に戻ると、ⓐの 1 拍目と同じように P-QRS 波が認められる。

心電図モニタで異常を認めたら？

呼吸心拍モニタは通常、標準12誘導心電図のⅠ、Ⅱ、Ⅲ誘導に近似した波形の一つとインピーダンス法による呼吸曲線をモニタ表示している。電極を貼付する位置もおおよそ決められているが、心音聴取や心エコー検査が頻回に必要な低出生体重児や心疾患児の急性期では、黄色（左胸）の電極を何度も付け外しすることがないよう、少し外側か腋窩寄りにずらしておく方がよい。心電図波形では、**QRS波が最も高く出る誘導**を表示するのがよく、一般的にはⅡかⅢ誘導が適当である。頻脈や徐脈、期外収縮や幅広いQRS波などの**不整脈**は、心電図モニタで十分に捉えることができる。勤務の始めにその児の心電図波形を確認する。それと異なる波形が出現したときには不整脈などが起こっていると判断し、標準12誘導心電図による精査が必要となる。

すぐに対処が必要だと考えられる心電図モニタの異常を**表10-1**に列記した。対処とは、刺激を与えて回復させる、医師に連絡する、標準12誘導心電図を取る準備を行う、抗不整脈薬を準備する、除細動の準備を行うなどを指す。

まず、早産児の無呼吸発作に伴う**徐脈**が見られた場合はすぐに刺激を与え、回復させなければならない。同じ波形のままPP間隔が延長し、心拍数が低下する洞性徐脈に陥る。

電解質異常に伴う心電図異常で臨床上重要なのは、**高カリウム血症**である（p.102参照）。血清カリウム値が上昇していくと、モニタ上、**T波が高くなる**ことで気付かれやすい。超低出生体重児や腎不全の児ではT波によく注意し、p.102図のⓑの段階で血液検査を行い、ⓒの状態に至る前にグルコース－インスリン療法やグルコン酸カルシウムの投与を行うべきである。

新生児の約1％に不整脈を認める[1]。一般的には**上室期外収縮**を最も高頻度に認め、多くは自然に消失していく。特に誘因なく不整脈が起こることが多いが、**表10-2**のように不整脈を来す他の病態を伴っていることもあるので[2, 3]、不整脈を見たら、その誘因となるものがないかどうか検討することは重要である。**上室頻拍**は長時間持続すると心不全を招く。安静時でも心拍数200回／分以上が続き、体動や啼泣で変動がないときには上室頻拍を疑う。上室頻拍と心房粗動を心電図モニタで鑑別することは困難なことが多い。**心室頻拍**では洞調律時のQRS波とは異なる幅広いQRS波が連続する。心拍数は200回／分弱～400回／分とさまざまであ

表10-1 すぐに対処が必要と考えられる心電図モニタ波形

- 早産児の無呼吸発作に伴う徐脈
- 極低出生体重児・腎不全の児の急性期のテント状T波
- 持続する上室頻拍・心房粗動
- 心室頻拍
- 心拍数60回／分未満の完全房室ブロック

表10-2 不整脈から疑う基礎疾患

洞性頻脈	高体温、貧血、低酸素血症、低血圧、感染、甲状腺機能亢進症
上室頻拍	感染、ジギタリス中毒、心臓腫瘍
心室頻拍	電解質異常（高カリウム血症、低カルシウム血症、低マグネシウム血症）、ジギタリス中毒、心臓腫瘍、心筋炎
心房粗動・細動	甲状腺機能亢進症、低カリウム血症
洞性徐脈	低体温、ジギタリス効果、薬物、甲状腺機能低下症、頭蓋内圧亢進
Ⅱ度房室ブロック	低カルシウム血症、高カリウム血症
完全房室ブロック	高カリウム血症、ジギタリス中毒、膠原病、感染

（文献2、3より転載）

るため、標準12誘導心電図で確認する。**完全房室ブロック**では、心拍数が低下してくると分時心拍出量が低下してくるので、薬物療法か人工ペースメーカーが必要となる。

新生児循環管理のポイント

POINT

- □ 1分間に何回くらい、何分間持続するなど、不整脈の頻度を記録する。
- □ QRS波が変わったか、P波は見えているかなど、不整脈の形を記録する。
- □ 体色、血圧、活気、呼吸状態など、児の状態を記録する。
- □ 印刷機能があれば、そのときのモニタをプリントアウトしておく。

引用・参考文献

1）Southall DP. et al. Frequency and outcome of disorders of cardiac rhythm and conduction in a population of newborn infants. Pediatrics. 68 (1), 1981, 58-66.

2）細野茂春．“新生児の不整脈”．周産期医学必修知識．第5版．周産期医学31増刊．東京，東京医学社，2001，456-68.

3）与田仁志．“新生児の不整脈”．周産期医学必修知識．第6版．周産期医学36増刊．東京，東京医学社，2006，507-11.

飯田浩一

●●レベル2

11 新生児の心エコーはどう使う？どう描出する？

四腔断面

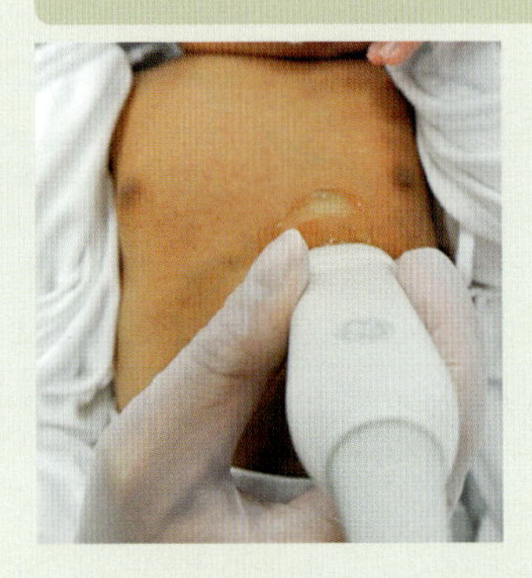

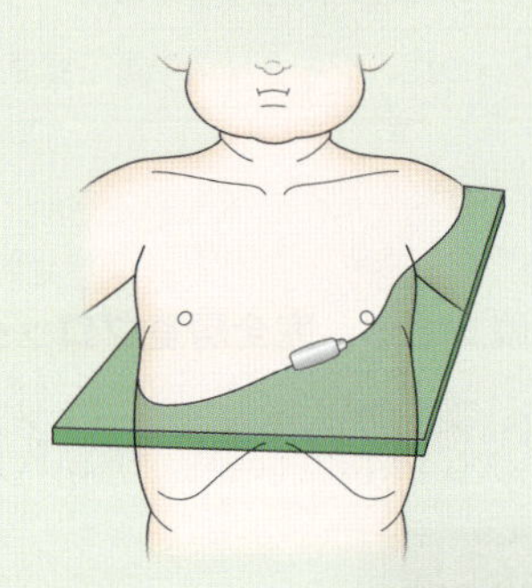

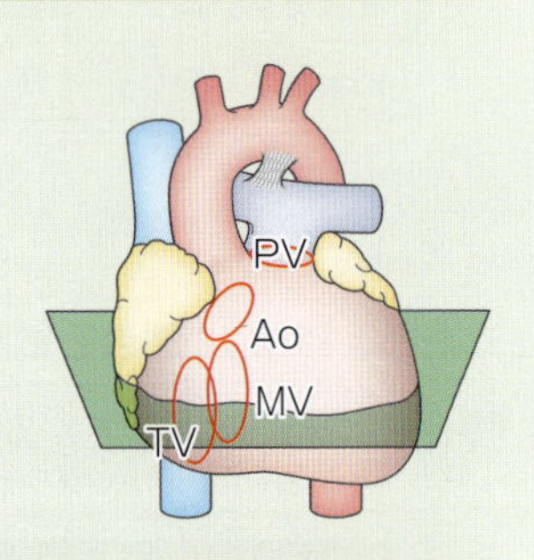

プローブを心尖部に置き、心基部に向かって断面を描出するとプローブに近い方から右室、左室、右房、左房の四つの腔が見える。この場合、プローブのマーカーを体の左（時計軸の２時～３時）に向け、下から見上げた横断面とする。この断面では三尖弁と僧帽弁の動きが観察される。通常、三尖弁の方がわずかに心尖部寄りに心室中隔に付着している（off set）。右室は肉柱形成のため左室より心内腔が粗である。新生児では乳幼児に比べ右心系の割合が大きい。

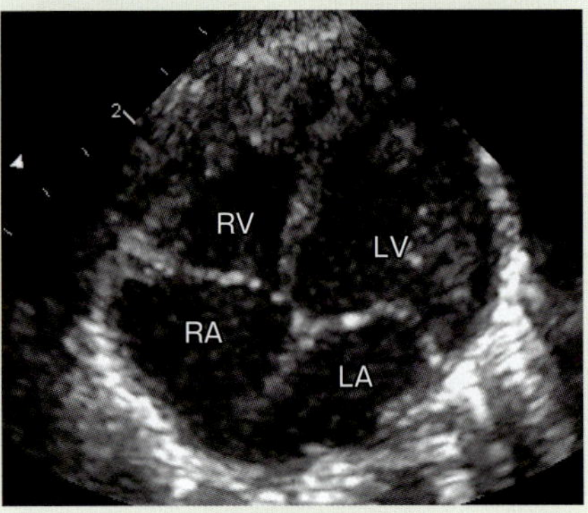

PV：肺静脈弁、Ao：大動脈弁、MV：僧帽弁、TV：三尖弁、RV：右室、RA：右房、LV：左室、LA：左房

左室流出路

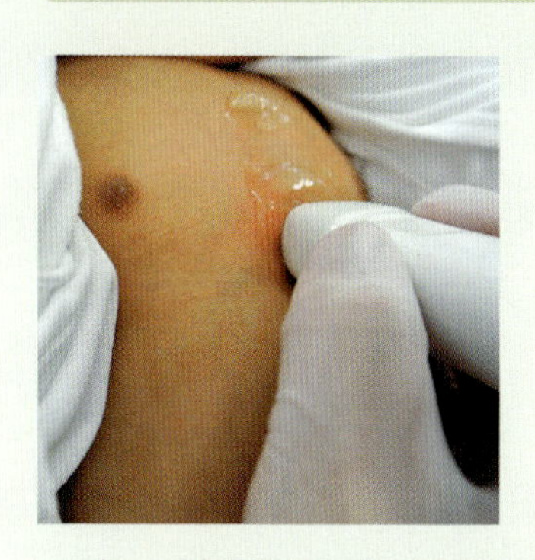
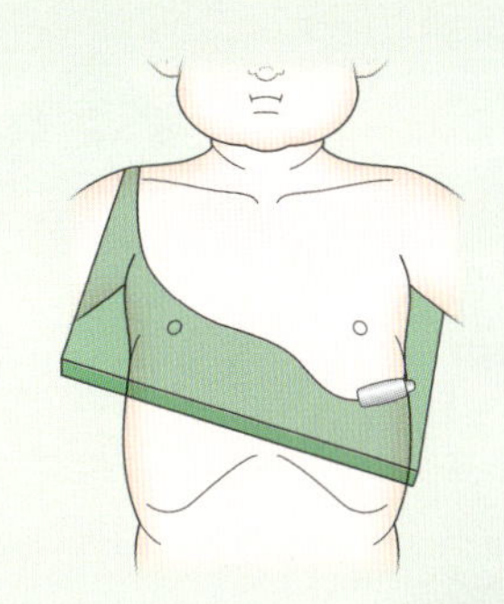
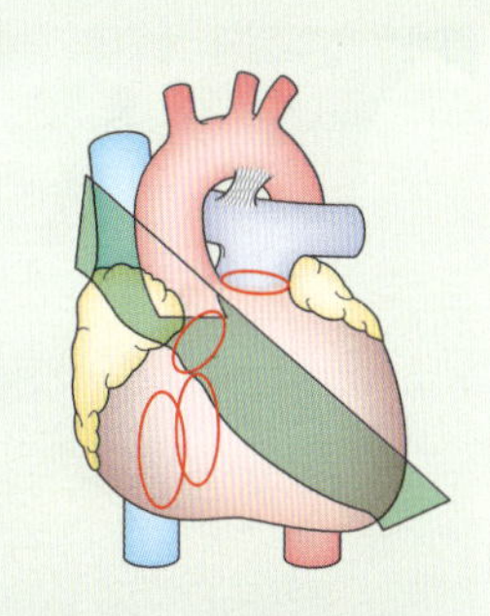

プローブを胸骨左縁（通常３肋間）に置き、プローブのマーカーを体の右方（時計軸の 10 時～11 時）に向けて置くと左室長軸像が得られる。この場合、マーカーが患児の右上方にあるので画面は上から見た断面に近い。左心系は流入路と流出路が鋭角であるため、この断面ではプローブ直下の右室以外はすべて左心系となる。脊椎側から左房、左室、大動脈のつながりが観察できる。大動脈の後壁は線維性連続性を保って僧帽弁の前尖へとつながる。

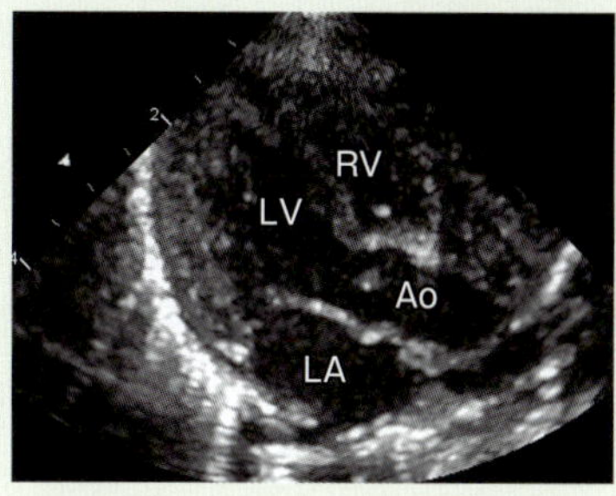

RV：右室、LV：左室、LA：左房、Ao：大動脈

右室流出路

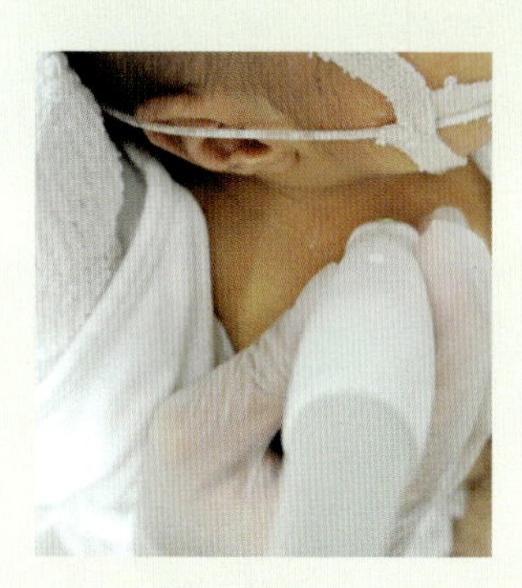
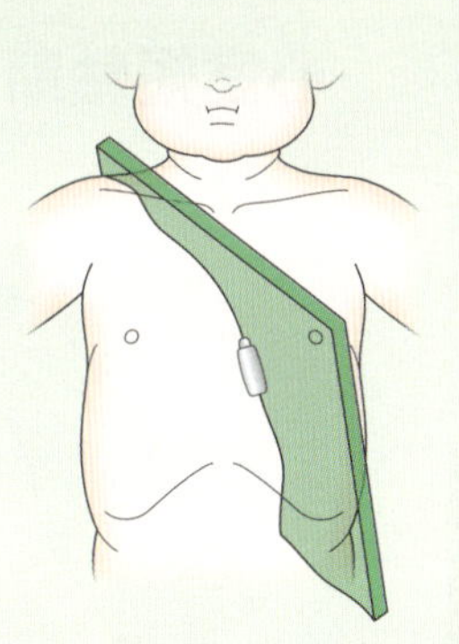
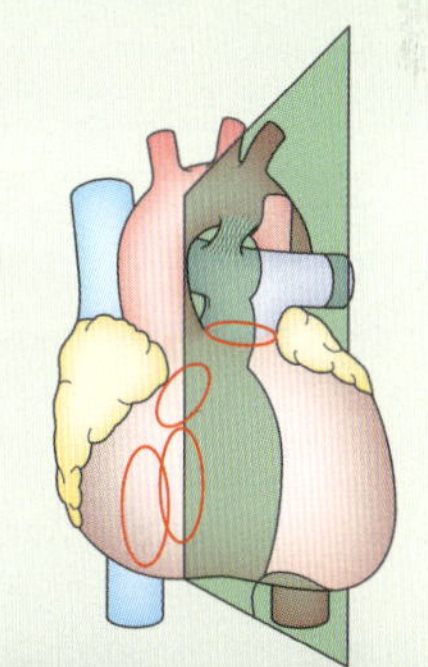

プローブを胸骨とほぼ平行にして矢状断面を得る。この場合、マーカーは頭側で時計軸の 12 時に当たる。この断面では大動脈起始部の横断面の周囲に、脊椎側より左房、右房、右室、肺動脈が描出される。右室の流入部と流出部、肺動脈弁の観察に向いているほか、カラードプラで心室中隔欠損の短絡流の観察にも有用である。肺動脈に注目すれば、肺動脈弁狭窄や逆流、動脈管開存の左右短絡の観察にも有用である。

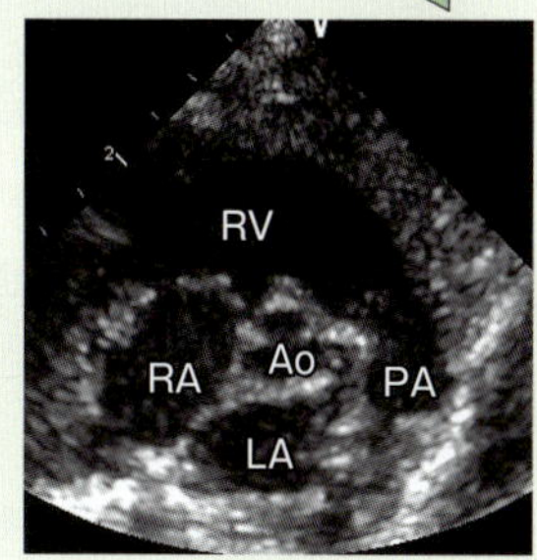

RV：右室、RA：右房、LA：左房、Ao：大動脈、PA：肺動脈

大血管短軸断面

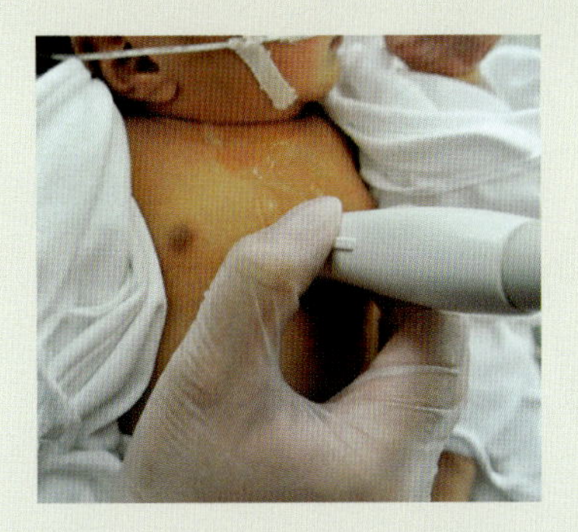

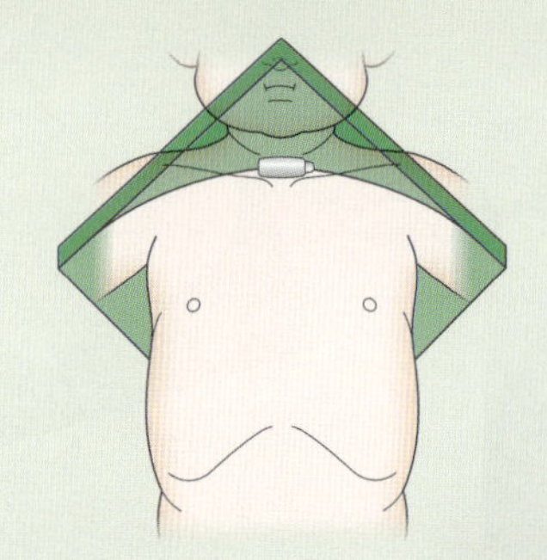

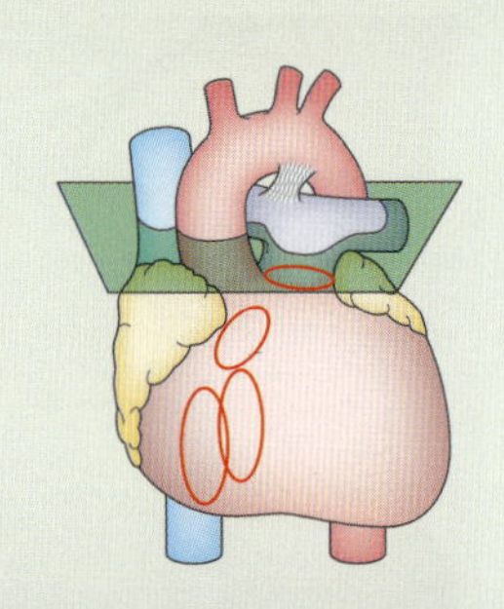

プローブを患児の第３肋間胸骨左縁に置いてマーカーをほぼ真横（時計軸の３時）にし、少し心基部（上方）を描出すると肺動脈弁が左上方、大動脈弁が右下方に位置し、しかも肺動脈の左右分岐部が分かる。カラードプラではやはり動脈管開存の左右短絡血流が肺動脈内で観察されるほか、肺動脈狭窄も診断できる。左右肺動脈の乱流が観察されれば生理的末梢肺動脈狭窄の診断も可能である。

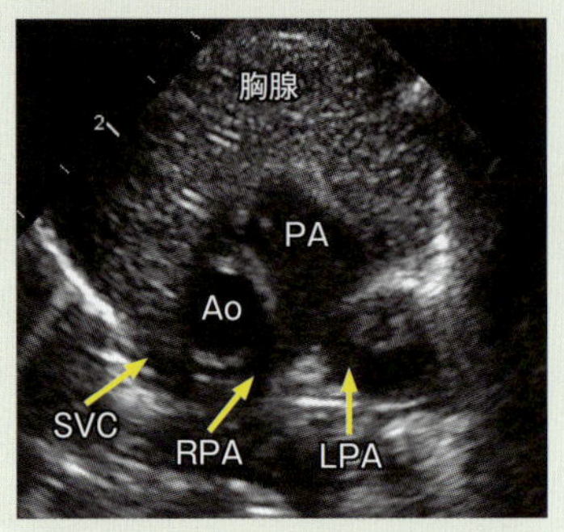

PA：肺動脈、Ao：大動脈、SVC：上大静脈、RPA：右肺動脈、LPA：左肺動脈

心室短軸断面

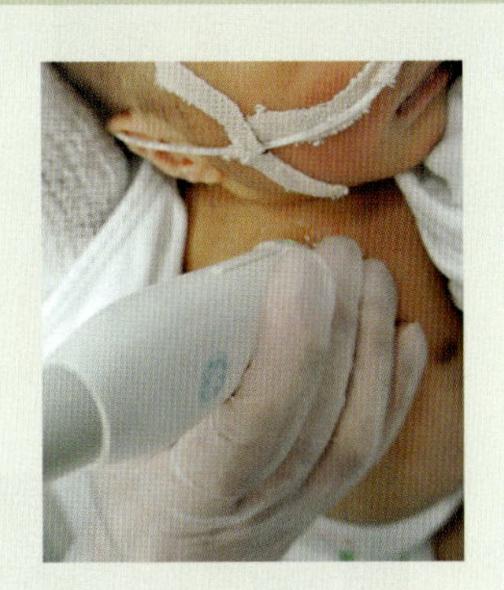

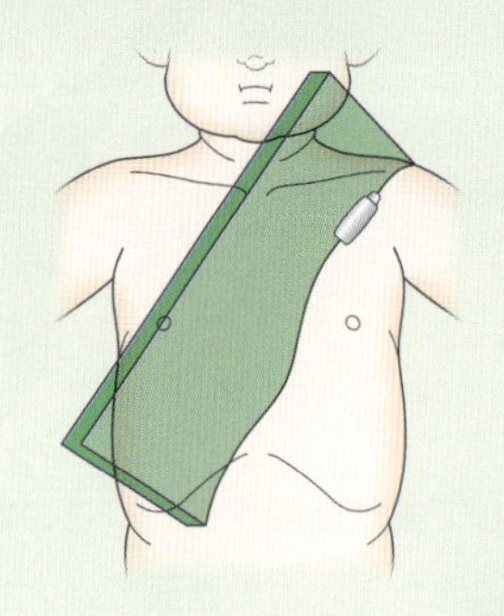

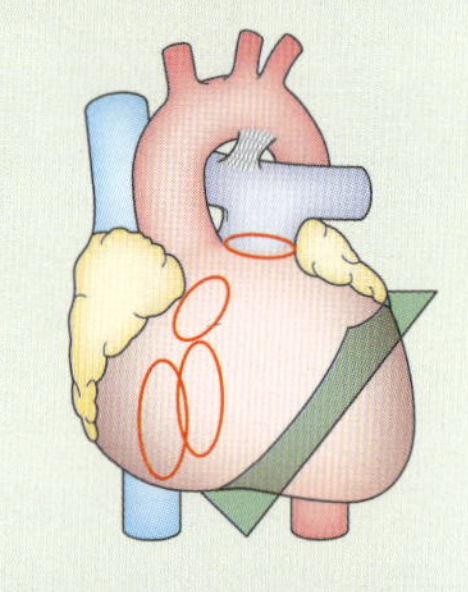

プローブのマーカーを体の左方に向け、胸骨右縁第３肋間に置き、傾きをつけて断面を得る。プローブの傾きを変えないで心尖部からスライドさせるようにすると心尖部レベル、乳頭筋レベル、僧帽弁レベルの左室短軸像が観察できる。Ｍモードで左室短軸の心筋の動きと計測する場合にはこの乳頭筋レベルのＭモードを用いる。

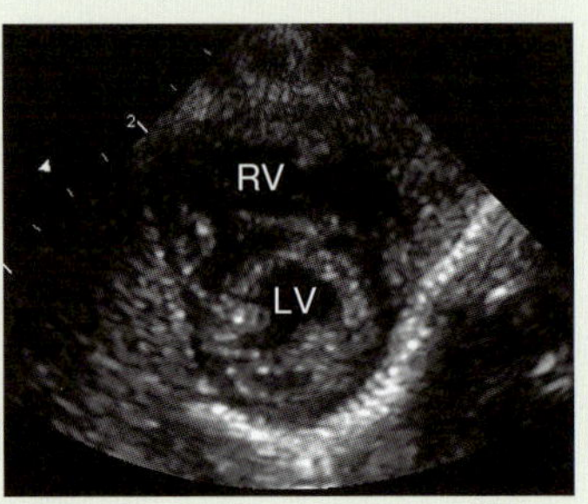

RV：右室、LV：左室

大動脈弓

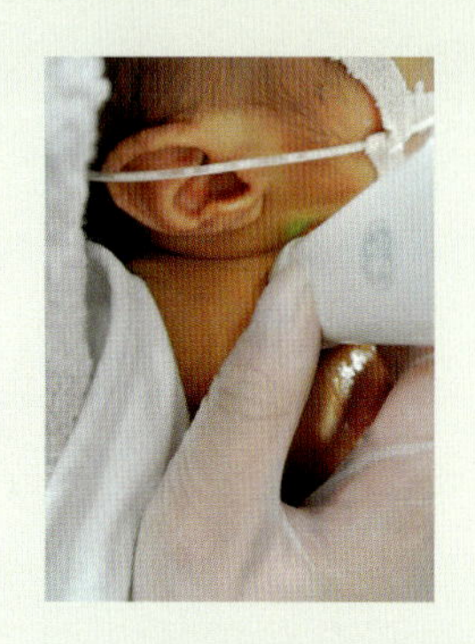

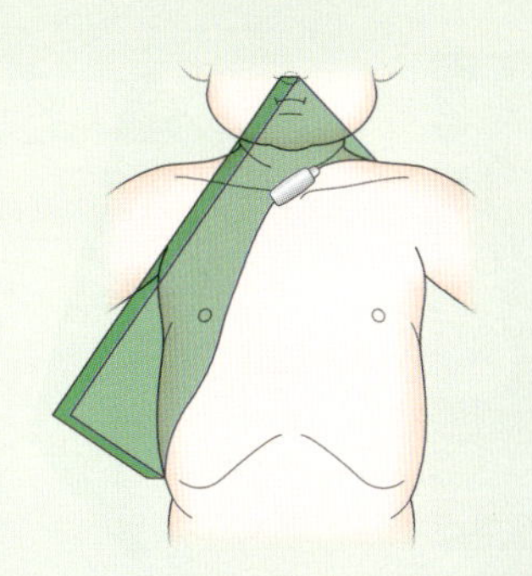

プローブを右側高位の傍胸骨（第 1～2 肋間）または胸骨上窩に当てる。この場合、マーカーは頭側で時計軸の 1 時くらいにすると大動脈弓が描出される。新生児では胸腺が発達しているため、エコービームは肺尖部の障害を受けることなく大血管へのアプローチが可能である。大動脈弓の形態、特に大動脈縮窄や動脈管の大動脈付着部が観察できる。

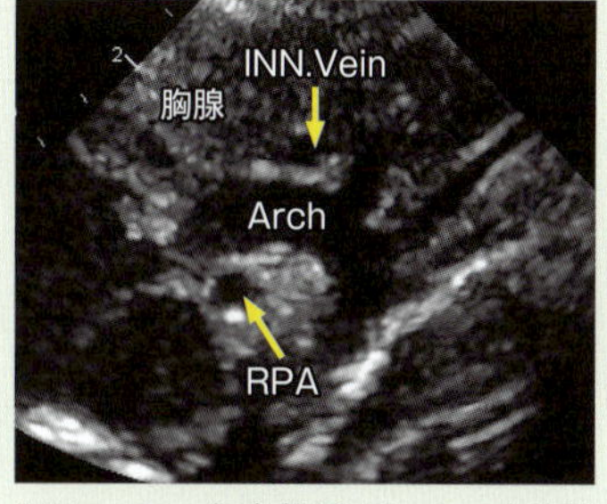

INN. vein：無名静脈、Arch：大動脈弓、RPA：右肺動脈

横隔膜下断面

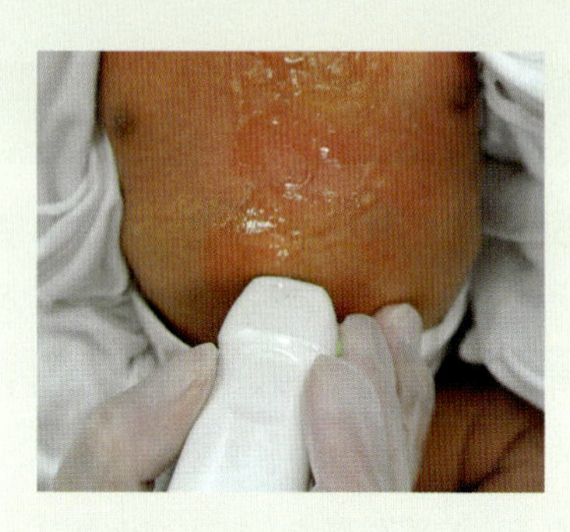

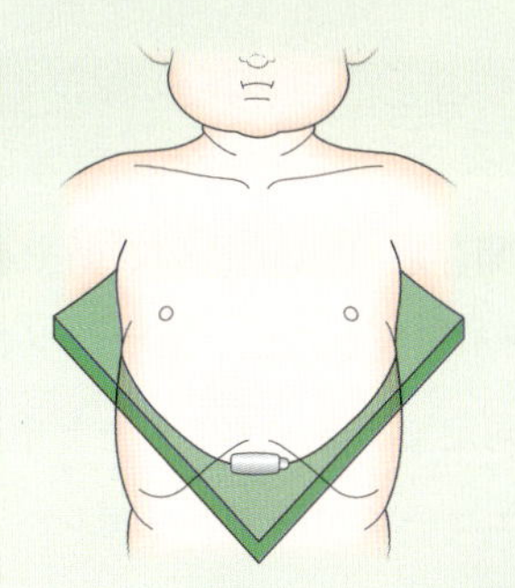

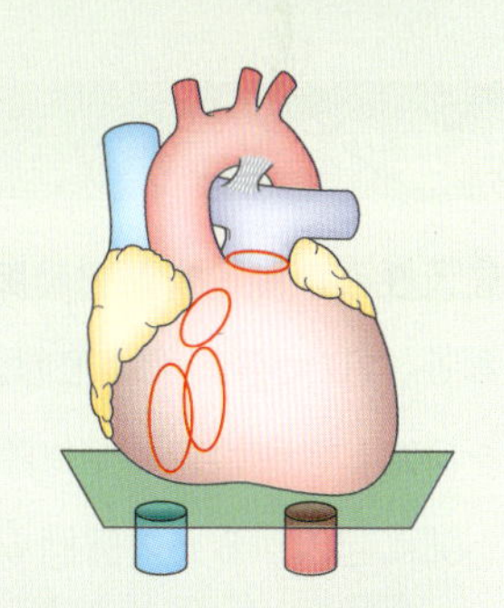

剣状突起下の水平断面のことで、マーカーを時計軸の 3 時方向にして横断面を得る。CT 検査で得られる画像と同じであり、脊椎の左上方に下行大動脈の断面が、右方の大動脈よりさらに浅い場所に下大静脈の断面が描出される。内臓錯位を伴う複雑心疾患では、まずこの断面から開始するとよい。

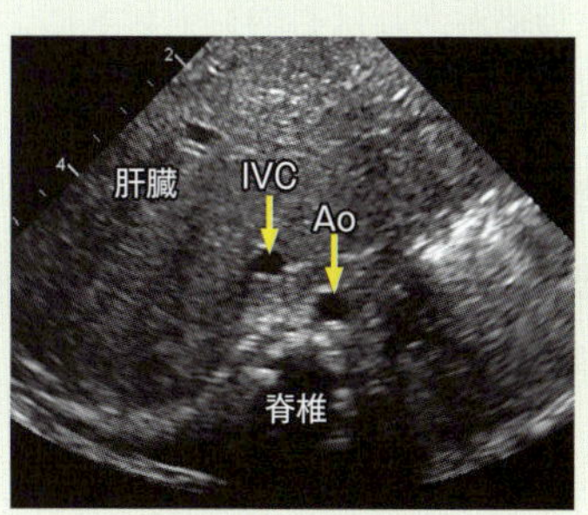

IVC：下大静脈、Ao：大動脈

下大静脈・上大静脈

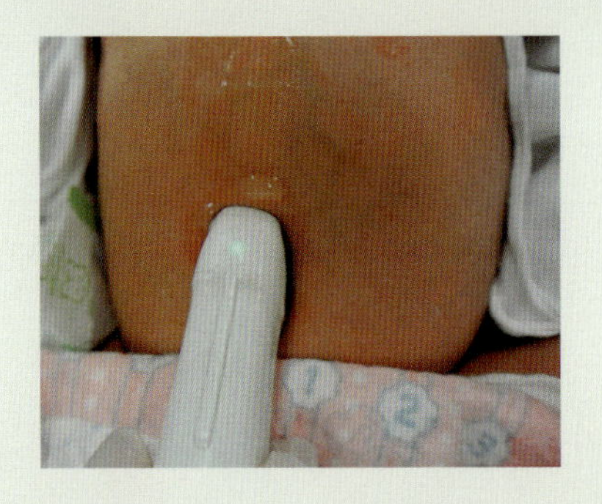

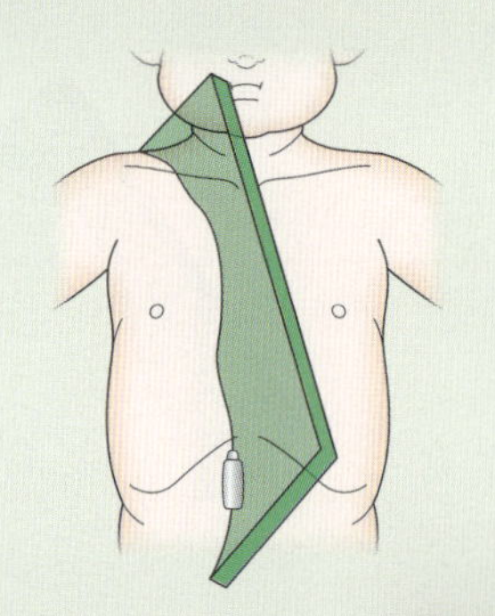

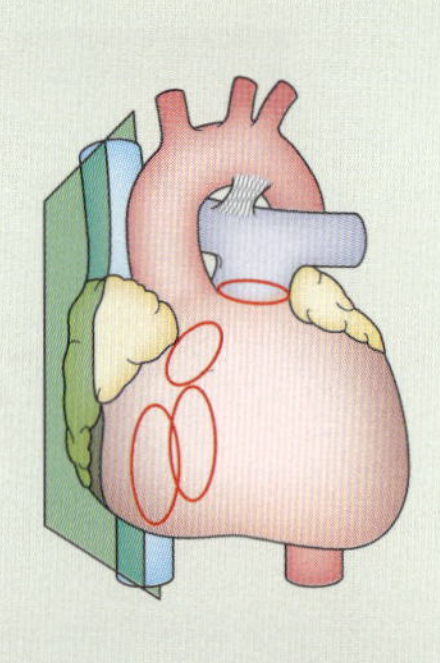

プローブのマーカーを頭側にして剣状突起下やや右方の矢状断面を出し、プローブを寝かせてできるだけ頭側に向ける。プローブの直下は肝臓となり、ビームを患児の右鎖骨下に向ける。カラードプラで下大静脈から右房流入と上大静脈からの右房流入が同時に観察でき、左房と右房との境界も描出できるので、心房中隔欠損や卵円孔の短絡血流も評価できる。しかし、このアプローチは患児の腹部を圧迫するので一層愛護的に行う必要がある。患児が泣いて以降の検査ができなくなるといけないので、最後に施行する方がよい。

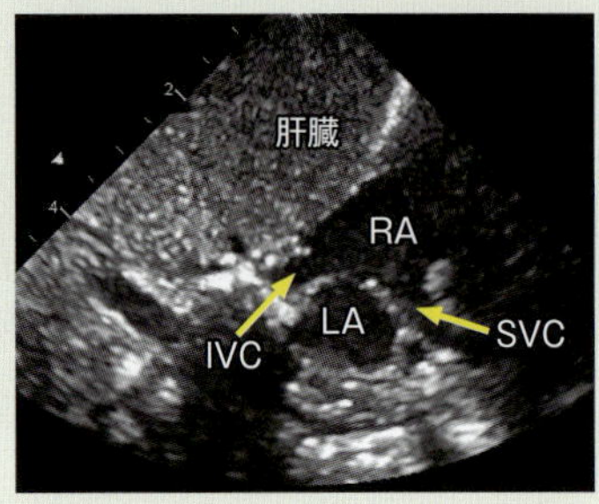

RA：右房、LA：左房、SVC：上大静脈、IVC：下大静脈

検査の適応

先天性心疾患・未熟児動脈管開存症（PDA）の診断や**心機能の評価**に心エコー検査は必須である。2D で各断面の形態診断が可能なほか、カラードプラを使用することにより乱流・速流を検知し、心雑音の発生源が同定できる。チアノーゼを有する児では、それが心臓に起因するか肺に起因するかの評価も心エコーで可能で、心房レベル、動脈管レベル、心室レベルでの右左短絡があれば心内シャントによるチアノーゼと診断できる。X 線写真で心拡大があれば心内腔の拡大なのか心筋の肥厚なのか、心外（胸腺や心嚢水）なのかなどが判別できる。X 線上で肺うっ血があれば、肺血流増加型の心疾患がないかの判定にも有用である。さらに M モード法・ドプラ法を駆使することにより**心機能**、**前負荷・後負荷**、**循環血液量**などを評価することが可能である。

検査の準備

検者が疲れない、無理のない姿勢をとる。コットの児では座っての検査も可能である。そのためには装置の配置や画像ビューアーの高さ調整も無視できない。検査時、児が泣かない工夫も必要で、ゼリーなどは保育器内などであらかじめ温めておく。授乳後などの自然睡眠時を利用したり、人工乳首をくわえさせたり、ショ糖を含ませつつ実施したり、コットの児では誰かに抱っこしてもらったり、慣れた検者なら左手で新生児を抱きかかえて右手で実施する。右手で探触子（プローブ）を操作し、左手でパネルを操作することが多い。プローブは軽く保持し、小指・薬指の一部を患児の体壁に添えて、プローブがそっと皮膚に接触するようにすると児に不快感を与えない（**図11-1**）。腹部での操作は児が嫌がるので最後にした方がよい。

プローブの使い方

経胸壁心エコー検査のアプローチでは代表的な**エコーウインドウ**が限られている。すなわち①胸骨左縁、②心尖部、③心窩部、④鎖骨上窩、⑤胸骨右縁などである（**図11-2**）。心エコー検査の利点の一つは連続的に心内構造が見られることであり、そのためにプローブを連続的に移動させる。移動させる方法として2つあり、一つはCT横断面の移動と同じで平行移動させる「**slide法**」であり、もう一つはプローブの位置は移動させずに、上方ないしは下方に傾けて連続的に画像を得る「**swing法**」または「**tilting法**」である（**図11-3**）。肺が過膨張したような場合には「swing法」「tilting法」でないと見えない場合がある（**図11-4**）。

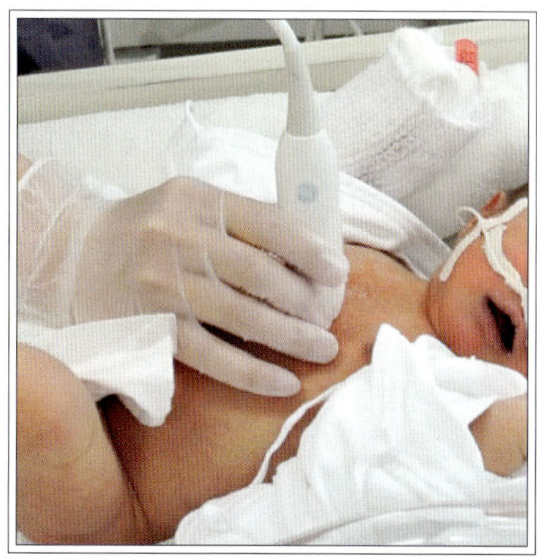

図11-1 プローブの持ち方
プローブは強く押し付けないようにし、実施者の手を患児の体壁に軽く添える。そうすることにより、児の体動にも追随できる。

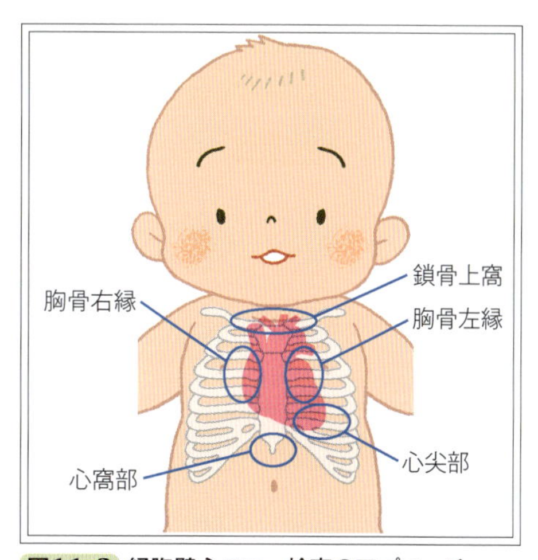

図11-2 経胸壁心エコー検査のアプローチ
経胸壁心エコー検査のアプローチは代表的なエコーウインドウ（①胸骨左縁、②心尖部、③心窩部、④鎖骨上窩、⑤胸骨右縁など）を用いる。

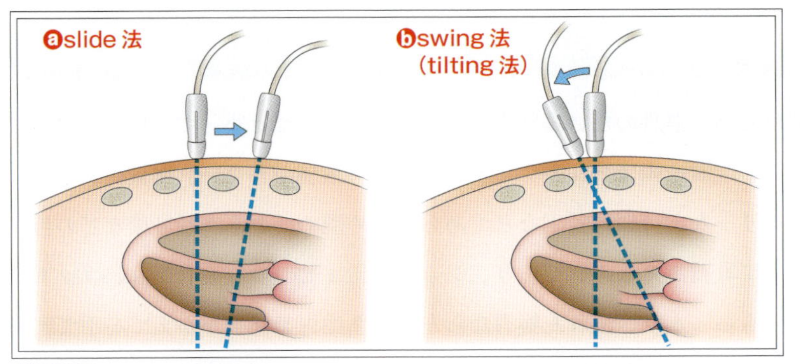

図11-3 プローブの移動方法
「slide 法」は平行移動させて画像を得る方法で、立体構築は容易であるが、途中の肋骨や肺が邪魔になる。「swing 法」または「tilting 法」はプローブの位置はそのままで、上方ないしは下方に傾ける方法で、エコーウインドウが少ない場合に有用であるが、斜めの画像となる。

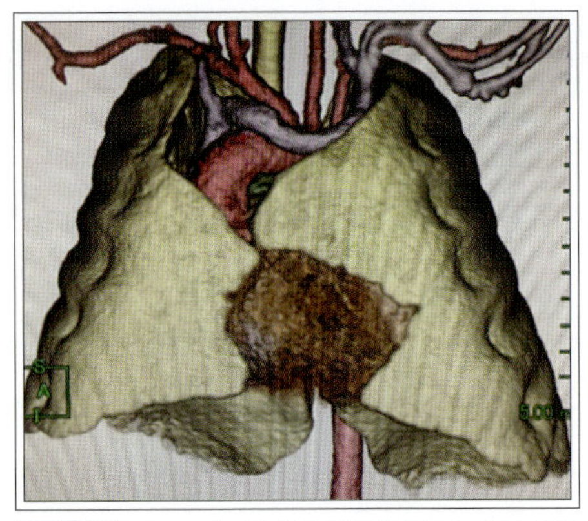

図11-4 エコーウインドウを可視化した 3D-CT

過膨張した肺は心臓を覆うためエコーウィンドウが限られてくる。この場合、エコービームが入るところを探して swing 法などで全体を見るよう工夫する。

プローブ（探触子）の選択

心臓の観察では**セクタ式**（扇形の画面）が主に用いられる。プローブの周波数は新生児では 7.5～12MHz、乳児・幼児では 5～7.5MHz、年長児では 3.5～5MHz あたりが最も見やすい。ドプラ波形が出にくい場合は、画像解像度は少し落ちるが、周波数がワンランク下のプローブを選択する。最近では広帯域の周波数（例えば 8～12MHz など）を受信できるプローブが主流となっている。

種々の設定

1 デプス・ズーム

はじめは広範囲が見えるように深めに観察し、見落としを少なくする。その後、心臓全体が見えるまでデプスを浅くする。重点的にある部位を観察する場合にはズーム機能を用いると第三者に分かりやすい視点となる。

2 ゲイン

2Dでは輝度が調整できる。心内腔はエコーフリーになるように調整する。ドプラゲインは波形のピークがよく出るように調節する。カラーゲインは血管内腔だけにカラーが乗るように調節する。上げすぎると血管外までカラーが乗ってしまう（**図11-5**）。

3 フィルター

パルスドプラ法や連続波ドプラ法では計測する血流速度に応じてフィルターを設定する。フィルターカットで拡張期の遅い流速やノイズをカットできる。

4 フォーカス

画面の側方に三角印で示されており、関心領域にフォーカスが当たるように調節する。最新機種では自動で行っている。

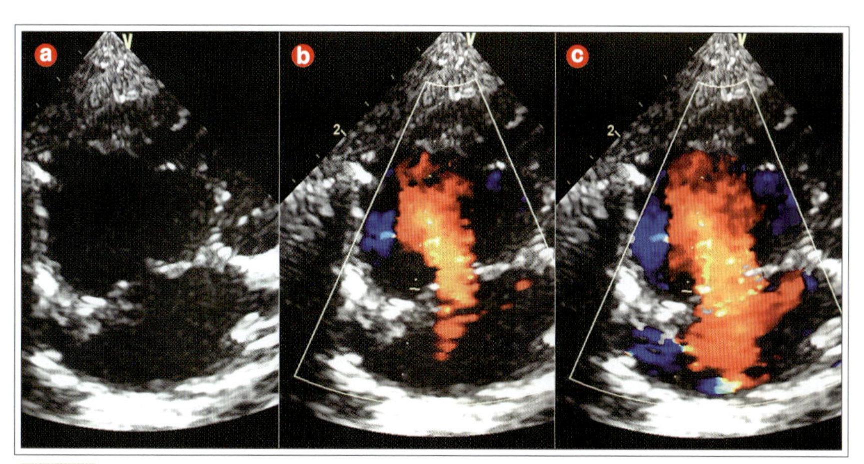

図11-5 カラーゲインの調整
カラーゲインでは血管や内腔だけにカラーが乗るように調節する。ゲインが適性だと2Dの画像（a）と同じ幅の血流となるが（b）、上げすぎると欠損孔を通過する血流の幅が大きくなってしまう（c）。

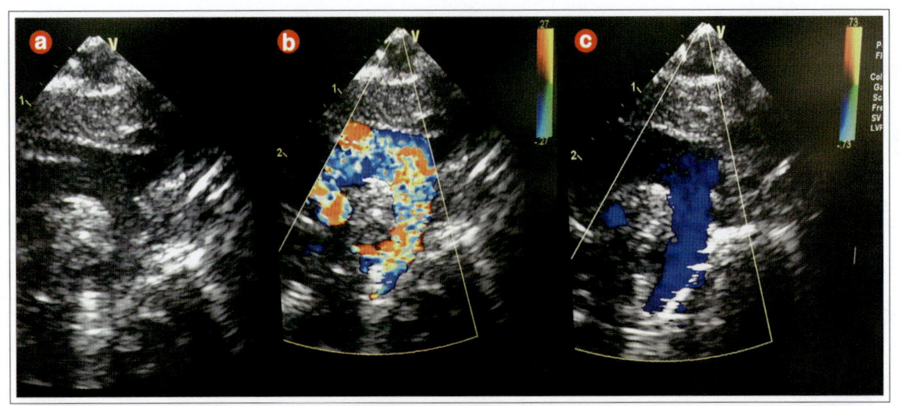

図11-6 ドプラ使用時のスケール（流速設定）の調整
低流速に設定したカラードプラ（ⓑ）と高流速に合わせたカラードプラ（ⓒ）との違い。心エコーではカラードプラのスケール設定は高流速に合わせて高く設定されている（60～70cm/ 秒）。

5 スケール・ベースライン

心エコーではカラードプラのスケール設定は高流速に合わせて高く設定されている（60～70cm/ 秒）（**図11-6**）。低流速の血流を可視化するために画面右上のカラースケールを下げる工夫も必要である（例えば 30～40cm/ 秒）。ドプラ波形では画面内に波形がすべて描出されるようにベースライン調節とともにスケールを調節する必要がある。

検査の手順

心エコー検査では心臓の構造を熟知する必要がある。心疾患が複雑になればなるほど区分診断法が重要になってくる（3 章 3「先天性心疾患は心エコーでどう区分したら理解しやすい？」参照）。**断層心エコー図**で心臓と大血管の形態を観察し、次に **M モード法**で心機能計測を行い、**ドプラ法**（カラードプラ法含む）で血流分析を行うのが一般的である（2 章 12～16「新生児心エコー検査から何が分かる？」参照）。

1 断層心エコー図（2D）

主な基本断面は p.106～110 の図の通りである。

①四腔断面　②左室流出路
③右室流出路　④大血管短軸断面
⑤心室短軸断面　⑥大動脈弓
⑦横隔膜下断面　⑧下大静脈・上大静脈

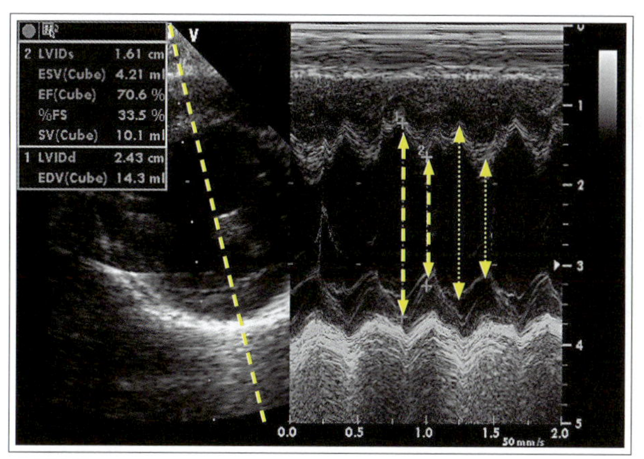

図11-7 Mモードによる心機能計測
左室短軸断面の乳頭筋レベルでのMモードで心機能を測定する際の注意点は、左室内の心筋に近い腱索を壁と間違わないようにすることである。図中の太い点線が正しく、細い点線は左室後壁ではなく腱索の軌跡をとっている。

② Mモード法

Mモード法については、2章13「新生児心エコー検査から何が分かる？ ②心機能評価の実際」を参照のこと。

Mモード法は心内の構造物の動きを経時的に波形変化で表現するもので、心筋の壁厚、心内腔の大きさや壁運動を見るのに適している。弁の動きとそれに対する評価法もあるが、**図11-7**では注意点を記載する。

③ ドプラ法

ドプラ法については2章13「新生児心エコー検査から何が分かる？ ②心機能評価の実際」を参照のこと。

カラードプラを用いて血流信号を出し、パルスドプラ（PW）を使う場合はカラー信号が十分に出ている箇所にサンプルボリュームを置く。プローブから遠ざかる血流（away flow）は青色系で示されドプラ波形は基線より下向きとなり、逆にプローブに近づく血流（toward flow）は赤色系で示されドプラ波形は基線より上向きとなる。カラードプラ反射によるアーチファクトの注意点を**図11-8**に示す。**パルスドプラ（PW）**はサンプルポイントを置いた箇所のみの血流が得られるのに対し、**連続波ドプラ（CW）**はサンプルポイントを含むカーソル線上のすべての血流を表示する。高流速の乱流の検出に優れ、簡易ベルヌーイの法則で圧較差を算出する際にはこちらを用いる。簡易ベルヌーイ式を利用する場合、ドプラ波形の先端は鮮明でなくてはならず、これを誤ると数値だけが独り歩きする。ピットフォールを**図11-9**に示す。

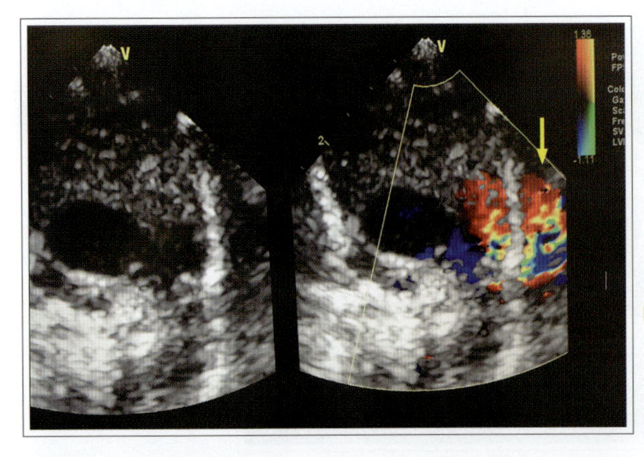

図11-8 反射による胸膜外のアーチファクト
あたかも縦隔内の血管が胸膜を鏡面にして胸膜の外に対称形に見える（↓）。パルス信号が胸膜に反射して生じるアーチファクトで、血管内血流と間違わない。

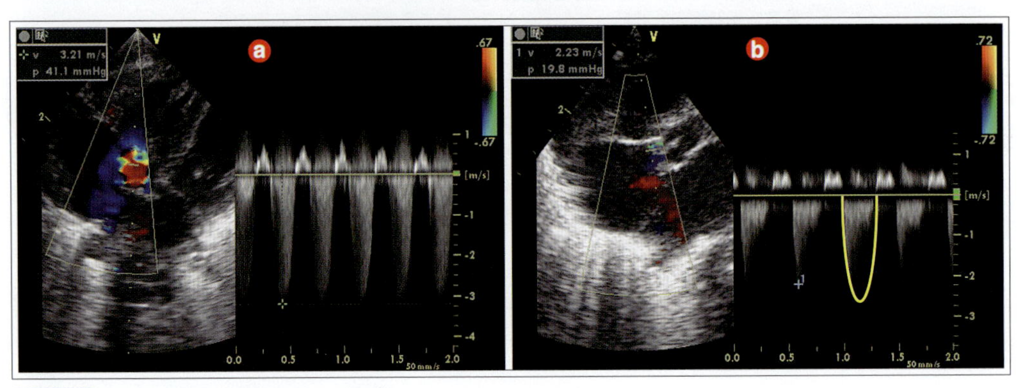

図11-9 ドプラ波形と簡易ベルヌーイの式
三尖弁逆流速度から右室と右房の圧較差を推定している（ⓐ）。簡易ベルヌーイ式は、最高血流速度をVm/秒、推定圧較差をPGmmHgとしたとき、$PG = 4 \times V^2$となる。ただし、ⓑのように波形のピークが不鮮明だと評価を誤る（過少評価）。逆に、ゲインを上げすぎると実際以上にピークが高くなる（過大評価）。

新生児循環管理のポイント　POINT

- 心エコー検査は非侵襲的ではあるが、使用法を誤ると侵襲的な検査となり得る。
- 超音波検査特有のピットフォールがあることを知っておく。
- 心エコー検査は心血管の解剖を熟知した上で施行する。

引用・参考文献

1）与田仁志．診断に使用する描出断面の出し方：きれいな超音波画像を描出するためには．周産期医学．45（10），2015，1428-33．

2）与田仁志．“心臓超音波診断の基本（手技と正常像）”．周産期の画像診断．周産期医学 43 増刊号．東京，東京医学社，2013，382-90．

3）日本超音波検査学会．心臓超音波テキスト．第 2 版．東京，医歯薬出版，2009，10-4．

与田仁志

●●● レベル3

12 新生児心エコー検査から何が分かる？ ① PDA 評価の実際

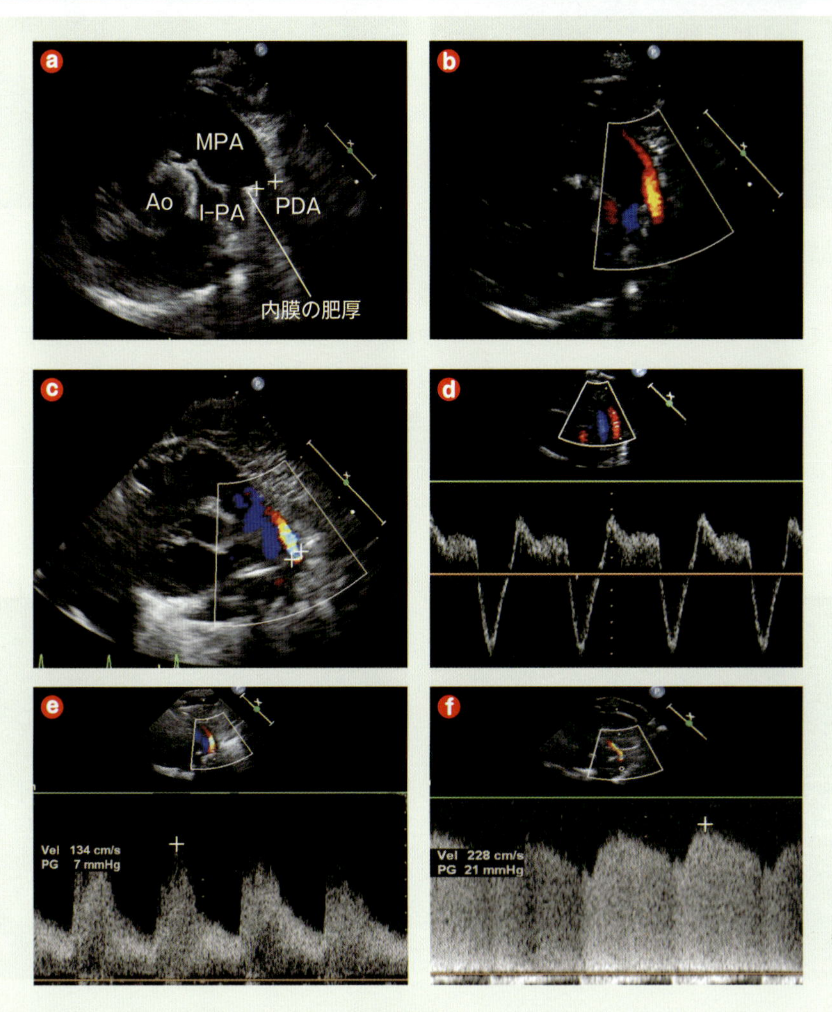

PDA の描出、内腔・血管径・血流・波形評価

動脈管は、主肺動脈（MPA）から分岐した左肺動脈（l-PA）に並走した状態で描出される。動脈管の閉鎖が始まると肺動脈側の内膜の肥厚（intimal cushion）が突起（ridge）として認められる（a）。カラードプラ法で動脈管短絡血流は赤のシグナルとして描出されるが（b）、動脈管の閉鎖が始まり血流の速度が速くなると乱流となるため複数の色からなるモザイク状に描出される（c）。通常、動脈管の血管径は突起部分の最狭部で計測するが（a、＋）、カラードプラによる血流の幅で代用する方法もある（c、＋）。動脈管の血流波形は、生後早期の肺血管抵抗が高い時期に認められる PH パターン（d）、短絡量が多いときに認められる pulsatile flow パターン（e）、閉鎖傾向のときに見られる closing（continuous）パターン（f）に分けられる。

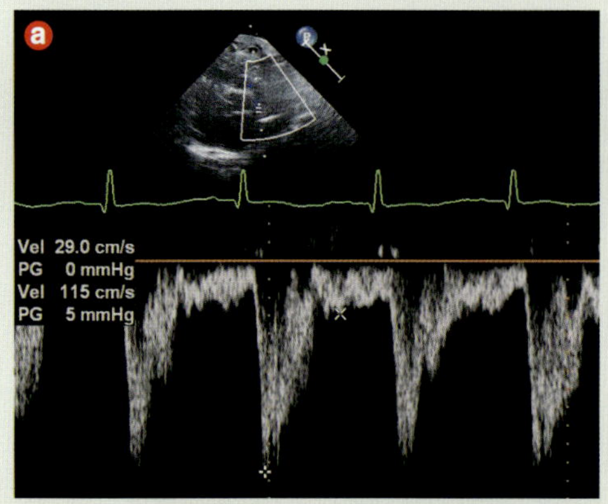

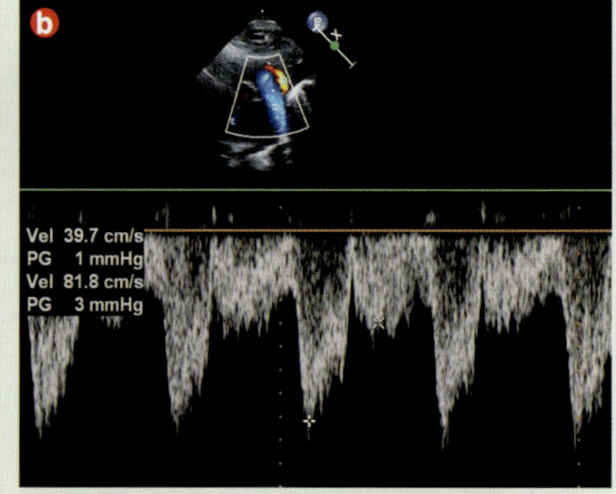

左肺動脈（l-PA）内の血流速度波形評価

l-PA で記録される拡張期血流は主に動脈管を介する血流であることから、左右短絡量の推定法として用いられる。拡張期血流速度 0.2m/ 秒または拡張期血流速度／収縮期血流速度（D/S）＝1/4 ～ 1/3 以上で、ある程度の短絡量（ⓐ）、拡張期血流速度 0.4m/ 秒以上または D/S＝1/2 以上では、かなりの短絡量があると推定できる（ⓑ）。

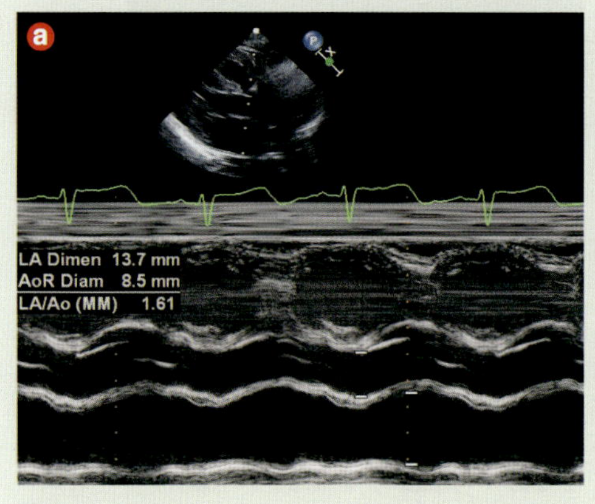

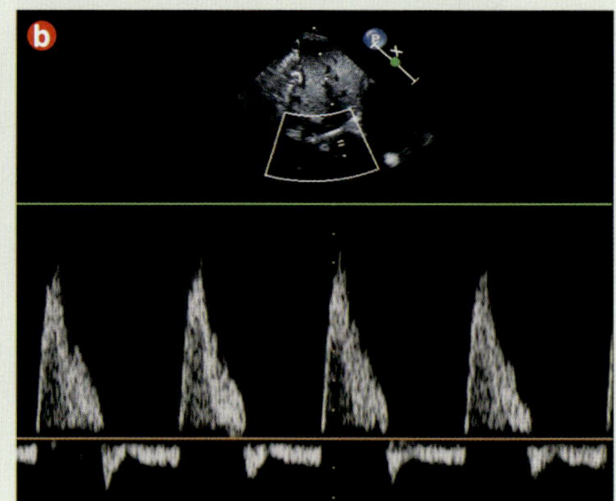

左心系への容量負荷所見、下行大動脈の拡張期逆流

左心系への容量負荷の評価方法の一つとして、左房／大動脈径の比（LA/Ao）が用いられる。左心系への容量負荷が認められると LA/Ao は大きくなり、1.2 以上である程度の短絡量、1.5 以上では有意な短絡量があると推定できる。下行大動脈の血流をパルスドプラ法で計測し、拡張期血流の逆流を認めれば、下半身への血流低下が考えられる。

心エコーによるPDAの診断と評価

1 動脈管の描出、内腔評価、血管径評価

プローブのマーカーを頭側にした長軸断面（矢状断面）から**動脈管**全体を明瞭に描出することができる。このとき動脈管は、主肺動脈（MPA）から分岐した左肺動脈（l-PA）に並走した状態で描出されることが多い（p.117のⓐ）。生後早期の**血管径**は正期産児で6～7mm、極低出生体重児で3～4mm程度の内腔として記録される。動脈管の閉鎖が始まると、まずMPA側の内膜の肥厚（intimal cushion）が突起（ridge）として認められる（ⓐ）。さらに突起は全長にわたって認められるようになり、動脈管自体も細くなり、収縮する。通常、動脈管の血管径は突起部分の最狭部で計測される。動脈管の血管径を最狭部でのカラードプラによる血流の幅で代用することもある（ⓒ）。低出生体重児では血管径1.5～2.0mm以上を有意な**動脈管開存**（PDA）と考えることが多い。

2 血流評価、波形評価

通常、カラードプラ法では、動脈管内**短絡血流**は**左→右方向の赤いシグナル**が主だが（p.117のⓑ）、生後早期の肺血管抵抗が高い時期には**右→左方向の青い血流が交互に認められる両方向性**となる。

肺の血管抵抗が低下し、動脈管の閉鎖が始まると、管内を流れる血流の速度が速く乱流となり、MPA内には複数の色からなるモザイク状の短絡血流が流入するように描出される（ⓒ）。さらに閉鎖が進むとモザイクは強くなり、血流の幅は細くなる。

カラードプラ法で描出された動脈管内にサンプルボリュームを合わせ、パルスドプラ法にて血流波形の評価を行う。肺・体動脈の血管抵抗の差とPDA血管径により血流波形に変化が認められる。ⓓは生後早期の肺血管抵抗が高い時期に認められる**PHパターン**で、収縮期早期に右左短絡（基線より下方向）、収縮期後期から拡張期に左右短絡（基線より上方向）を示す両方向性となる。ⓔは収縮期を中心に一峰性の短絡を認める**pulsatile flowパターン**と呼ばれる波形で、最も左右短絡量が多くなるときに認められる。ⓕは収縮期から拡張期にかけて流速が0.2m/秒以上になったときに連続波ドプラ法にて認められる連続性の波形で、closing（continuous）パターンと呼ばれる。動脈管は閉鎖傾向にあり、短絡量はさほど多くない。

3 左肺動脈（l-PA）内の血流速度波形評価

動脈管を介した左右短絡血流はMPAの左上壁側を肺動脈弁方向に向かって流入した後、反転して左右の末梢肺動脈へ流入する。左右末梢の肺動脈内近位部で記録される拡張期血流は主

に動脈管を介する血流であることから、左右短絡量の推定法として用いられる（p.118 の上図）。一般にサンプルボリュームの入射角の点から l-PA で計測される。

カラードプラ法で描出された l-PA 内にサンプルボリュームを合わせ、パルスドプラ法にて血流波形の評価を行う。拡張期血流速度 0.2m/ 秒または拡張期血流速度／収縮期血流速度（D/S）＝1/4 ～ 1/3 以上で、ある程度の短絡量（p.118 の上図ⓐ）、拡張期血流速度 0.4m/ 秒以上または D/S＝1/2 以上では、かなりの短絡量があると推定できる（ⓑ）。この方法は半定量的指標であるため、動脈管の左右短絡量を推定する最も有効な検査法の一つと考えられる。

4 左心系への容量負荷所見

左右短絡血流量の増加に伴い、左心系に**容量負荷**を生じる。容量負荷の評価方法の一つとして左房／大動脈径の比（**LA/Ao**）が用いられる。一般に長軸像から大動脈弁レベルで M モード法を行い、大動脈径は左室拡張末期の最大径、左房径は左室拡張早期の左房が最大となる径を用いる（p.118 の下図ⓑ）。通常、大動脈径と左房径はほぼ等しいので LA/Ao＝1 となるが、左心系への容量負荷が認められると LA/Ao は大きくなり、1.2 以上である程度の短絡量、1.5 以上では有意な短絡量があると推定できる。

左室拡張末期径（LVDd）も左心系容量負荷の指標としてよく使用される。一般に短軸および長軸断面の乳頭筋レベルで M モード法を行い、左室駆出率（LVEF）や左室内径短縮率（LVFS）計測時に計測される（次項の「②心機能評価の実際」参照）。LVDd のおおよその目安として超低出生体重児では 8 ～ 10mm、極低出生体重児では 10 ～ 12mm 前後が正常範囲となり、左室への容量負荷により増大する。

5 下行大動脈および臓器血流（腎動脈、上腸間膜動脈など）の評価

下行大動脈や腎動脈、上腸間膜動脈などの血流をパルスドプラ法で計測し、拡張期血流の途絶や逆流（基線より下方向）を認めれば各臓器への**血流低下**が考えられる。

肋骨弓下（剣状突起下）からの矢状断面（プローブのマーカーが頭側）で下行大動脈を描出し、パルスドプラ法で血流を計測し、拡張期血流の逆流（基線より下方向）を認めれば、下半身への血流低下が考えられる（p.118 の下図ⓑ）。

引用・参考文献

1）高見剛．目で見る最新の超音波診療：動脈管開存．小児科診療．71，2008，225-30.

2）高見剛．“超音波診断法：胸部”．周産期診療指針 2010．周産期医学 40 増刊．東京，東京医学社，2010，836-41.

3）Takami T. et al. Usefulness of indomethacin for patent ductus arteriosus in full-term infants. Pediatr Cardiol. 28 (1), 2007, 46-50.

高見　剛

●●● レベル3

13 新生児心エコー検査から何が分かる？②心機能評価の実際

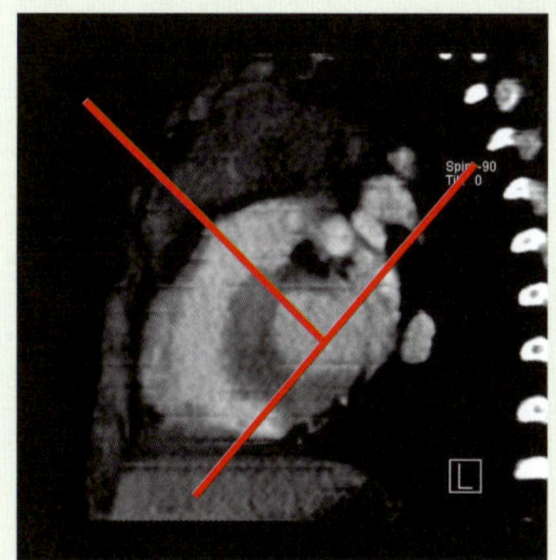

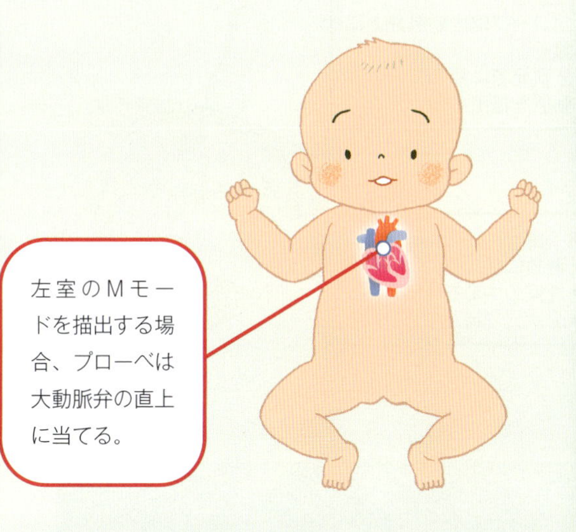

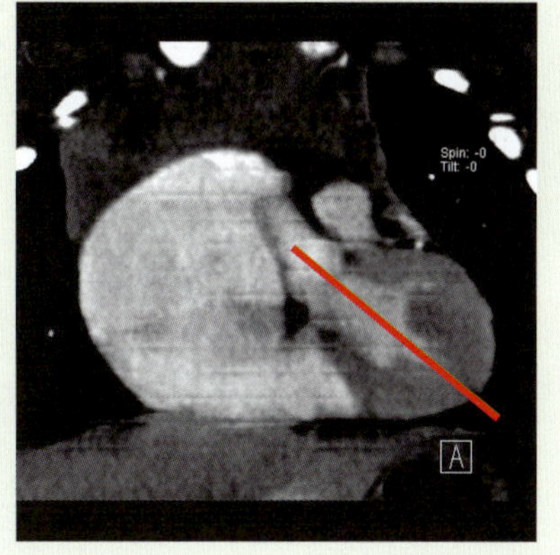

血圧が正常であっても、末梢血管が収縮し、循環不全に陥っていることもあるため、心エコーにより循環状態の全体像を評価することが重要である。心エコーでは実際に、心臓の解剖学的な形態を理解した上で、実際に測定した測定誤差がどのように生じるのか、そして、その測定した指標の限界についても考慮しながら、心機能評価を行う。正確なＭモード画像を描出するためには、いくつかの注意点がある。まず、児に超音波プローブを当てる場所とプローブの角度に注意を払う。

M モード評価の実際（図13-1）

正常心臓で**左室の M モード**を描出する場合、プローブは**大動脈弁の直上**に当てる。その場所から左室乳頭筋が描出されるところまでプローブを頭の方向に傾けていく。これは左室が心基部から心尖部に向かって傾いているのに合わせ、左室に直角に M モードのカーソルラインを入れるためである。

描出のコツとしては、**B モード**（または 2 次元〔2 dimension echo；2DE〕）において**左室長軸断面**を出し、セクタの扇の真下に左室長軸像の大動脈弁を描出することで児に対するプロー

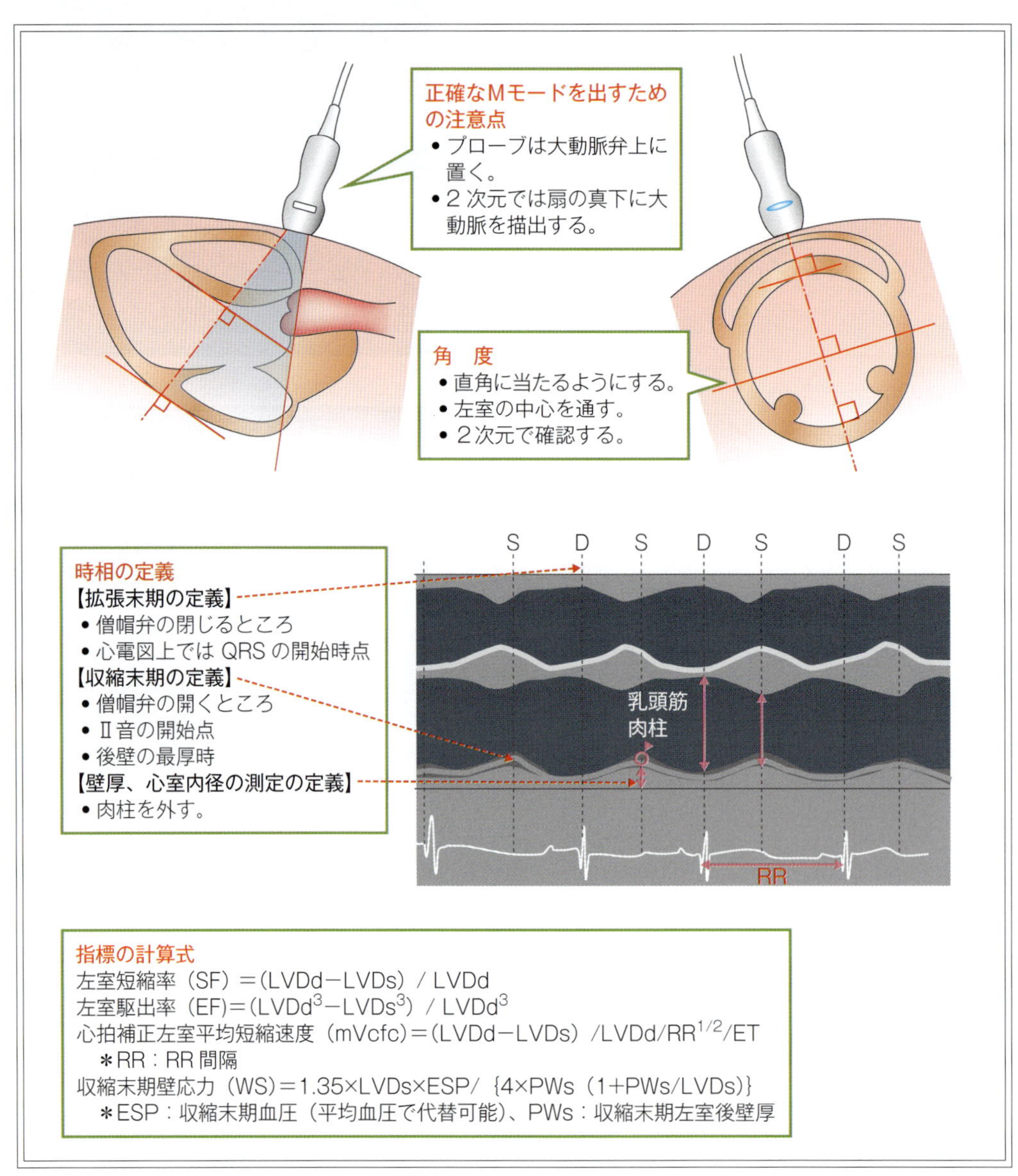

図13-1 M モード評価の実際

ブの位置を確認する。その場所で、プローブを90度時計回りに回して、**大動脈弁の短軸断面**を出す。その際、大動脈弁の三弁構造が分かるように描出する。そのまま、プローブを傾けて左室を描出すると、正確に**左室短軸像**が描出できる。その状態で、Mモードのカーソルラインが左室の中心を通るようにしてMモードの描出を開始すると、正確な画像が描出できる。

Mモード法に限らないが、心臓の収縮・拡張の周期には、各時相の定義がある。**拡張末期は僧帽弁の閉じるところ**であり、生理学的には心電図上におけるQRSの開始時点と定義される。したがって、正確な時相の確認には心エコー検査時に心電図モニタ波形も一緒に描出する必要がある。同様に**収縮末期は、僧帽弁の開くところ**となり、生理学的には心音図上におけるII音の開始点と定義されるが、心音図のマイクを新生児に付けるのは煩雑で現実的ではないので、代わりに後壁の最厚時が使用される。

また、**左室壁厚の測定**の際に大切なのは、乳頭筋や肉柱を壁厚の測定からは外すことである。壁厚はMモードにおいて均質に見える部分を測定し、心室内径はその内側を測定する。

Mモードでの心機能評価の指標

左室拡張末期径（LVDd）、**左室収縮末期径**（LVDs）は、前記の定義に沿ってMモード画像から測定する。LVDdは前負荷の指標とされ、在胎週数別の正常値[2]と比較してその絶対値を評価対象とする。超低出生体重児ではおおざっぱに言って、LVDdが10mmあれば十分であり、8mmの場合は小さいと述べるものもある。また、短縮率（SF）、駆出率（EF）、心拍補正左室平均短縮速度（mVcfc）は収縮能の指標となる。mVcfcと壁応力（WS）は2章18「Stress-Velocity関係で何が分かる？」に解説があるので、そちらを参考にしていただきたい。

ドプラ法による評価の実際（図13-2）

血流速度の測定には**ドプラ法**が使用される。その際、血流方向と超音波ビームの角度とは20度以内になるように調節することが必要である。その理由は、**図13-2**に示したように、超音波ビームで測定される血流速度はベクトルで分解された成分を測定しているからである。したがって、ドプラ法による測定では、器械に装備されている角度補正を用いると、誤差があると血流速度を過剰に測定することになり、注意が必要である。

また、ドプラ法には**パルスドプラ法**と**連続波ドプラ法**とがあり、それぞれの特徴を踏まえて使い分ける必要がある。パルスドプラ法は関心領域の血流速度を測定することが可能であるが、測定できる血流速度には限界が存在する。周波数や装置によって、その限界は異なるが、折り返し現象が認められる場合は、測定可能な速度を超えていると判断される。その場合は、連続

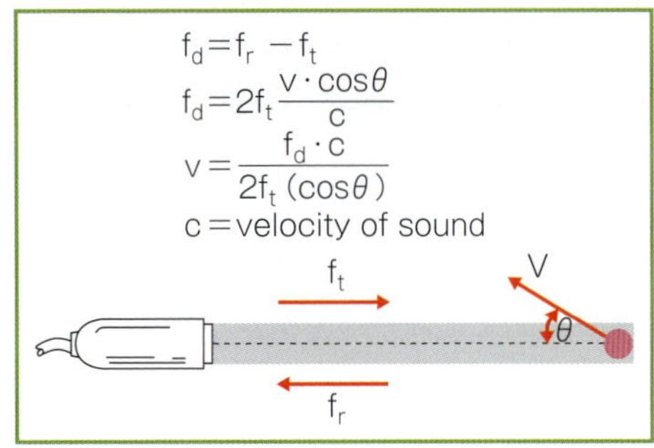

（Braunwald Heart disease. 4th edition より）

fr；観測周波数
ft；発射周波数
θ；血流速度と超音波の入射角
v；血流速度
fd；ドプラ偏移周波数
c；音速

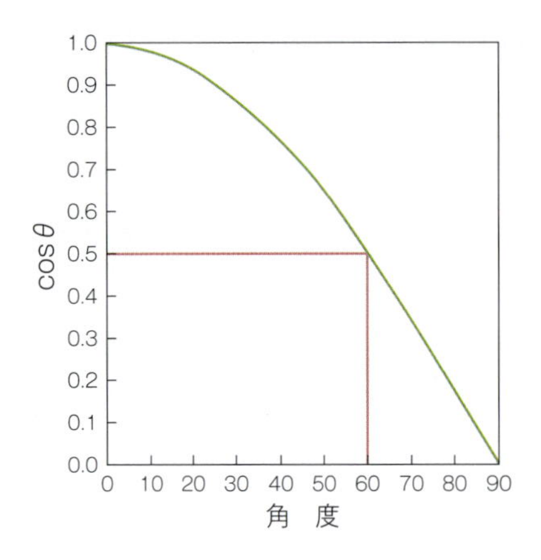

プローブから f_t の周波数で発射した超音波が、v という速度でプローベ方向に移動する血流に当たって戻ってきた音の周波数 f_r をプローブで観測する。戻ってきた音の周波数と、発射した音の周波数の差のことをドプラ偏移周波数という。ドプラ偏移周波数と音速が分かれば、物体の移動速度が分かる。

$f_d = f_t \{2v/(c-v)\}$

血流速度は音速に比べ非常に速いため、先の式は $f_d = 2_{ft}(v/c)$ と書き換えられる。

超音波ビームとθの角度を持って血流が移動している場合は、$f_d = 2f_r\{v(\cos\theta)/c\}$ と計算される。

ドプラによる血流速度の測定では、左の図の解説にあるように、cosθ＝0.9 以下の値になる 20 度以上では、補正する値が大きくなることを覚えておかなくてはならない。ちなみに cos60°≒0.5 であり、1/0.5＝2 となり、測定誤差が生じた場合、誤差も 2 倍になる。したがって、できるだけ血流との角度を 20 度以内にするよう努力することが必要である。

図13-2 ドプラ法による評価の実際

波ドプラ法で測定する必要がある。そして、連続波ドプラ法はパルスドプラ法に比べ、非常に高速の血流を測定できるが、その超音波ビーム上のどれくらいの深さの血流速度を測定しているかを捉えることはできない。

こうして測定された**血流速度**（V）によって、**狭窄部の圧較差**（PG）の測定が行われる。**簡易ベルヌーイの法則**により $PG = 4V^2$ として計算される。この計算方法で測定される圧較差は、弁性狭窄では心臓カテーテル検査による実測値とよく合うが、血管性狭窄では、その狭窄部の形状のために過剰に算定されることがある。また、肺動脈狭窄を認めない疾患で三尖弁逆流がある場合、この流速を測定することによって肺動脈圧を推定することが可能である。

さらに、ドプラ法によって**心拍出量**を測定することができる。これは、左室流出路断面積または上行大動脈の断面積に、左室流出路または上行大動脈のドプラ血流速度の時間積分値を掛けて 1 回駆出量を計算し、それに心拍数を掛けることによって測定される。

カラードプラ法による心機能評価の実際

カラードプラ法は新生児領域では定性的評価に使用されることが多い。その際、**モザイク状血流パターン**を探すことがある。モザイク状血流パターンの存在する場所では、血流の乱流が起こっており、狭窄や逆流、短絡の存在が示唆される。狭窄の場合には、そのモザイク状血流パターンのある場所で流速を測定することにより、狭窄の程度を定量できる。また、弁逆流においては、そのモザイク状血流パターンがどの程度広がっているかで、逆流の程度の定性的評価が実施できる。

2次元心エコー

2DE法は形態診断ばかりでなく、右室圧推定に用いられる。左室の扁平率による右室圧の推定が可能であり、特に慢性肺疾患に合併する肺高血圧については、2章14「③肺高血圧評価の実際」に述べられているので参考にしてほしい。

また、現在進行中の早産児における左房容積および動脈管開存症評価研究グループにおいて、心臓超音波検査計測法についての詳しいマニュアルが作成され、公開されている。参考にしていただきたい（http://square.umin.ac.jp/plase/data/echo_measurement6-26-15.pdf）。

3次元心エコー

3次元（3 dimension echo；3DE）は現在徐々にデータが集積され、その評価法が確立してきている。特に右室機能では2DEでは測定できないものを見ることが可能となってきており、今後の研究の進展が期待される（3次元エコーについては2章16「⑤スペックルトラッキングと3次元エコー」参照）。

組織ドプラ法

左心系の組織ドプラ法は左房圧の推定に有用であるとされ、成人の左心機能評価では頻繁に用いられている。新生児領域では、肺出血で左室の、脳出血例で右室の左室拡張能の指標（E/e'）が高値であり、病態の解析に有用であるとのデータがある。しかし、まだ日々の臨床で応用されるところまでは普及していない。

新生児循環管理のポイント

POINT

- 末梢冷感はないか？
- 心雑音の有無および強弱を記録する。
- 心拍数、血圧、尿量などのバイタルサインの経過を記録する。
- 酸素投与によるSpO_2の変化を記録する。

引用・参考文献

1）里見元義．心臓超音波診断アトラス：小児・胎児編．増補版．東京，ベクトル・コア，1999，240p.

2）Imai T, et al. Normal values for cardiac and great arterial dimensions in premature infants by cross-sectional echocardiography. Cardiol. Young. 5, 1995, 319-25.

3）川滝元良．超音波イメージ：肺高血圧の半定量評価（PH score）を中心にして．日本臨床．59，2001，1099-106.

横山岳彦

14 新生児心エコー検査から何が分かる？ ③肺高血圧評価の実際

rapid PH score＝①＋②＋③

rapid PH score：短期間の肺動脈圧を反映

① RSTI（右室収縮時間）

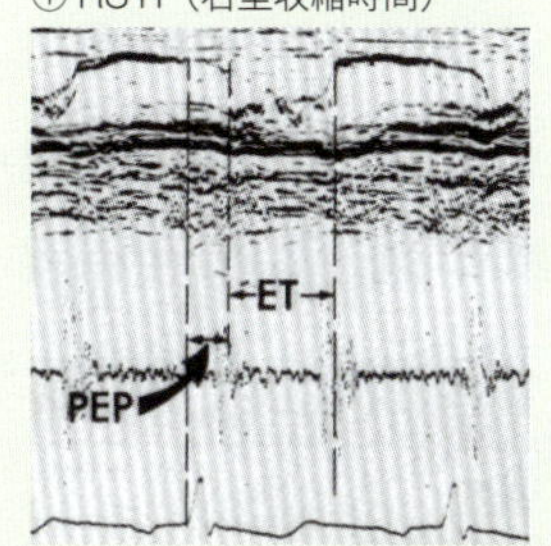

② AcT/ET（肺動脈収縮期流速加速時間／右室駆出時間）

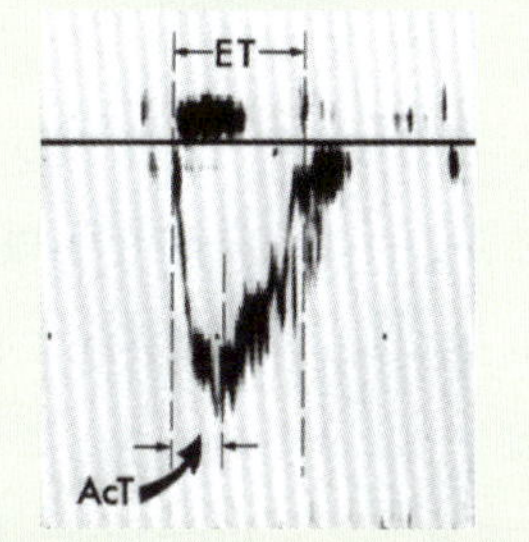

③ LV S/L（左室心室中隔に垂直方向の内径と平行方向の内径の比）

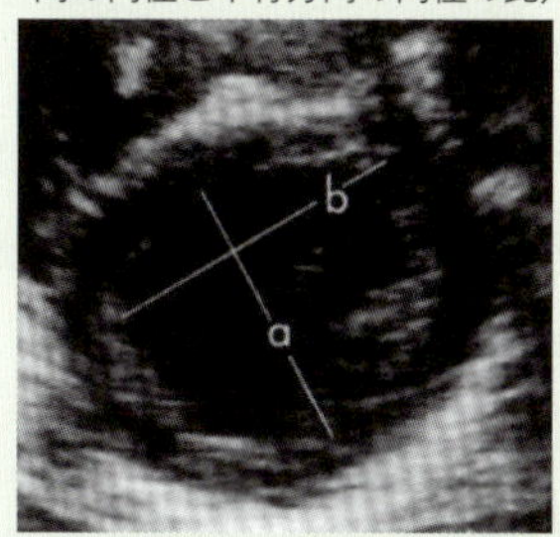

late PH score＝④＋⑤＋⑥＋⑦

late PH score：長期間の肺動脈圧を反映

④ RVaw（d）（右室前壁〔拡張期〕）
⑤ RVaw（s）（右室前壁〔収縮期〕）

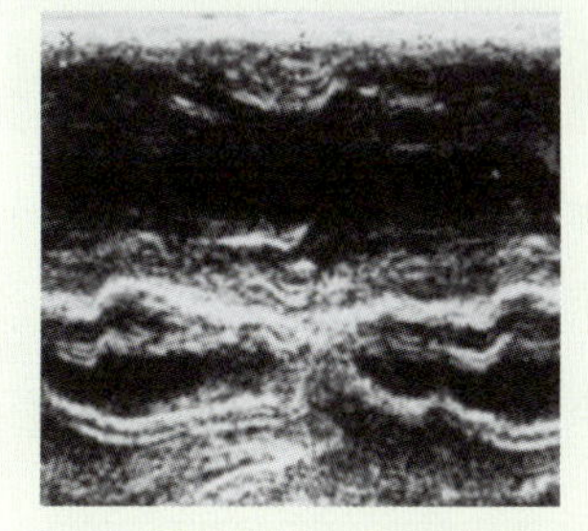

⑥ P/A（肺動脈弁輪径／大動脈弁輪径）

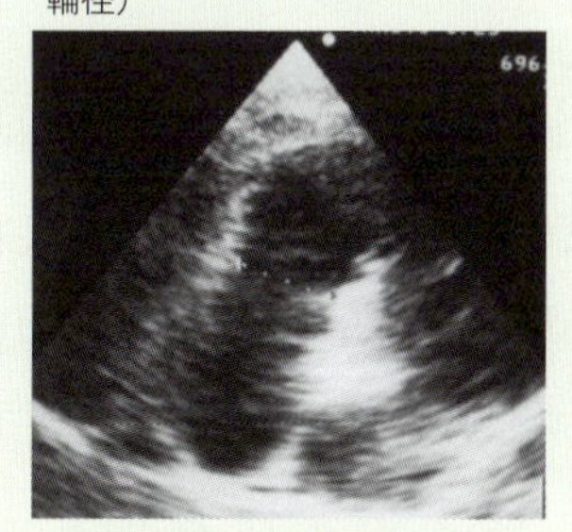

⑦ T/M（三尖弁輪径／僧帽弁輪径）

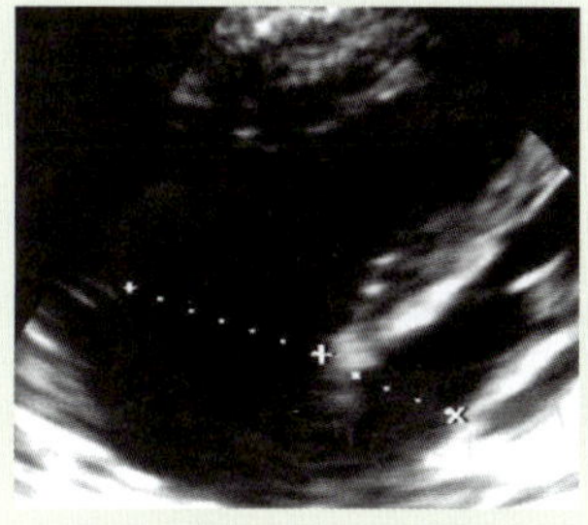

PH score

項目	0点		＋1点	＋2点
	3～5カ月	6カ月以上		
RSTI	≦0.30	≦0.27	≦0.35	＞0.35
AcT/ET	≦0.30	≦0.33	≧0.27	＜0.27
LV（S/L）	≧0.70	≧0.75	≧0.60	＜0.60
Rvaw（d）	≦2.2		≦3.5	＞3.5
Rvaw（s）	≦4.2		≦6.5	＞6.5
P/A	≦1.25		≦1.40	＞1.40
T/M	≦1.20		≦1.40	＞1.40

早産・低出生体重児の慢性肺疾患（CLD）や横隔膜ヘルニア術後には、肺高血圧（PH）の正確な評価が必要とされる。肺高血圧に関係するとされる、超音波の複数の指標を点数化した定量的な評価法がPH scoreである。①在宅酸素療法（HOT）の開始、適切な酸素流量、および中止時期の決定に当たり、PH scoreが参考にされる。肺血管拡張薬を投与している症例では、薬剤の開始、増減、中止などの調節をPH scoreをもとに行う。上気道狭窄症例では、扁桃摘出や気管切開前後にPH scoreを算定し、PHの変化を追跡する。

新生児における肺高血圧の評価

早産児・新生児医療は、単なる救命を目指す医療から、合併症を防ぎ、良好な長期予後を目指す医療へと進歩してきている。長期予後を見る中で、中枢神経系と並んで重要な合併症が**肺高血圧**（PH）である。呼吸窮迫症候群やWilson-Mikity症候群を来した後の**慢性肺疾患**（CLD）、横隔膜ヘルニアや臍帯ヘルニアなどの肺低形成を来す疾患、上気道狭窄などにはPHが合併しやすく、**在宅酸素療法**（HOT）を施行するに当たり、PHの正確な評価、適切な管理が必要となる（**図14-1**）。

しかしながら、簡便で、低侵襲で、正確な評価法はないのが実情である。簡便かつ低侵襲なPH評価法の例としては心電図があるが、心電図は高度のPHのみ評価可能であり、中等度から軽度のPHの評価は困難である。正確なPH評価法として心臓カテーテル検査があるが、侵襲の点から乳児には適応しにくく、また繰り返し実施することは困難である。われわれは、外来における心エコー検査で繰り返し実施できるPHの半定量的評価法（PH score）を開発し、外来診療に応用している。

PH scoreから何が分かる？

心エコー検査で最も肺動脈圧を反映するとされる指標は、三尖弁逆流（TR）の最大流速（V）である。簡易ベルヌーイの法則を応用すると、Vの二乗＋右房圧＝右室圧（肺動脈圧）であり、右房圧を5～10と仮定すれば、Vから肺動脈圧を正確に推定することができる。しかしなが

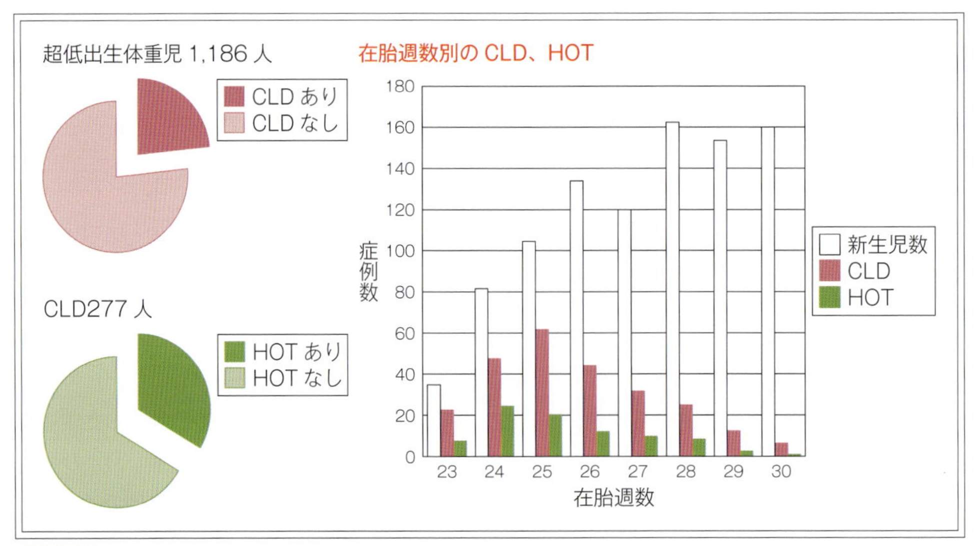

図14-1 低出生体重児における慢性肺疾患罹患数・在宅酸素療法との関係
（神奈川県立こども医療センター、1993～2010年）

ら、パルスドプラまたは連続波ドプラで、全収縮期にわたるTRの波形を明瞭に描出できる症例は限られている。すべての症例で測定可能な複数の指標を収集し、それらを組み合わせて評価する方法がPH scoreである（**図14-2**）。TRのある症例の検討で同時にPH scoreに必要な指標を測定すると、算出された肺動脈圧とPH scoreは、Vの二乗＋右房圧よりも良好な相関を示した。

低酸素血症のある症例では、HOTの開始、適切な酸素流量、および中止時期の決定に当たりPH scoreを参考にできる（**図14-3**）。PH scoreとHOT継続期間は関連していることから（**図14-4**）、NICU退院時にHOT継続期間をPH scoreから推測することができる。さらに気道感染症罹患時のPHの悪化を定量的に評価することができる（**図14-5**）。

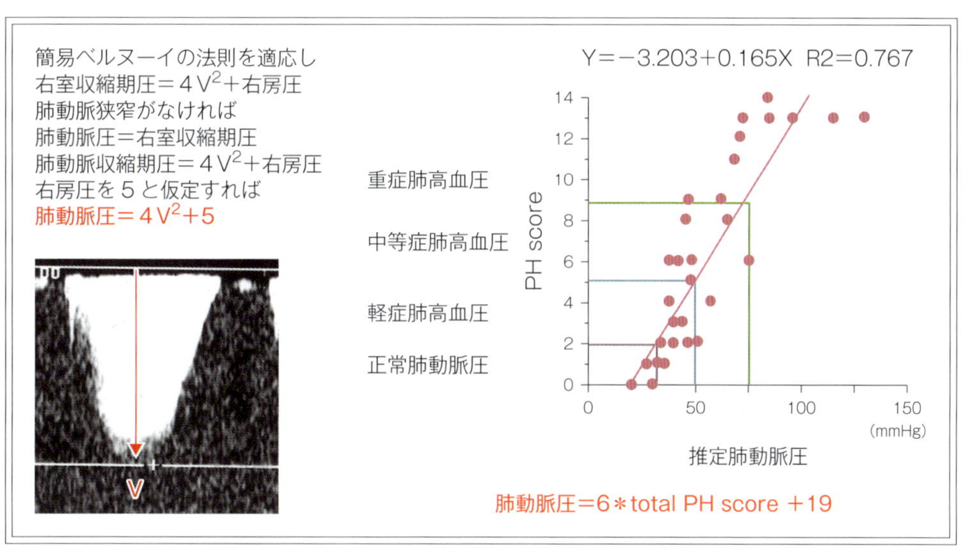

図14-2 心エコー検査による肺動脈圧の測定と肺高血圧の評価
PH scoreより肺動脈圧を推定することが可能である。

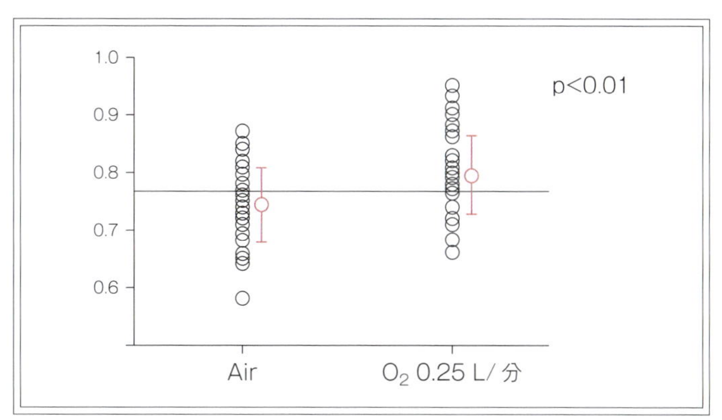

図14-3 酸素投与による左室S/Lの変化（15人、のべ48組の評価）
酸素投与により、肺高血圧は改善することが分かる。

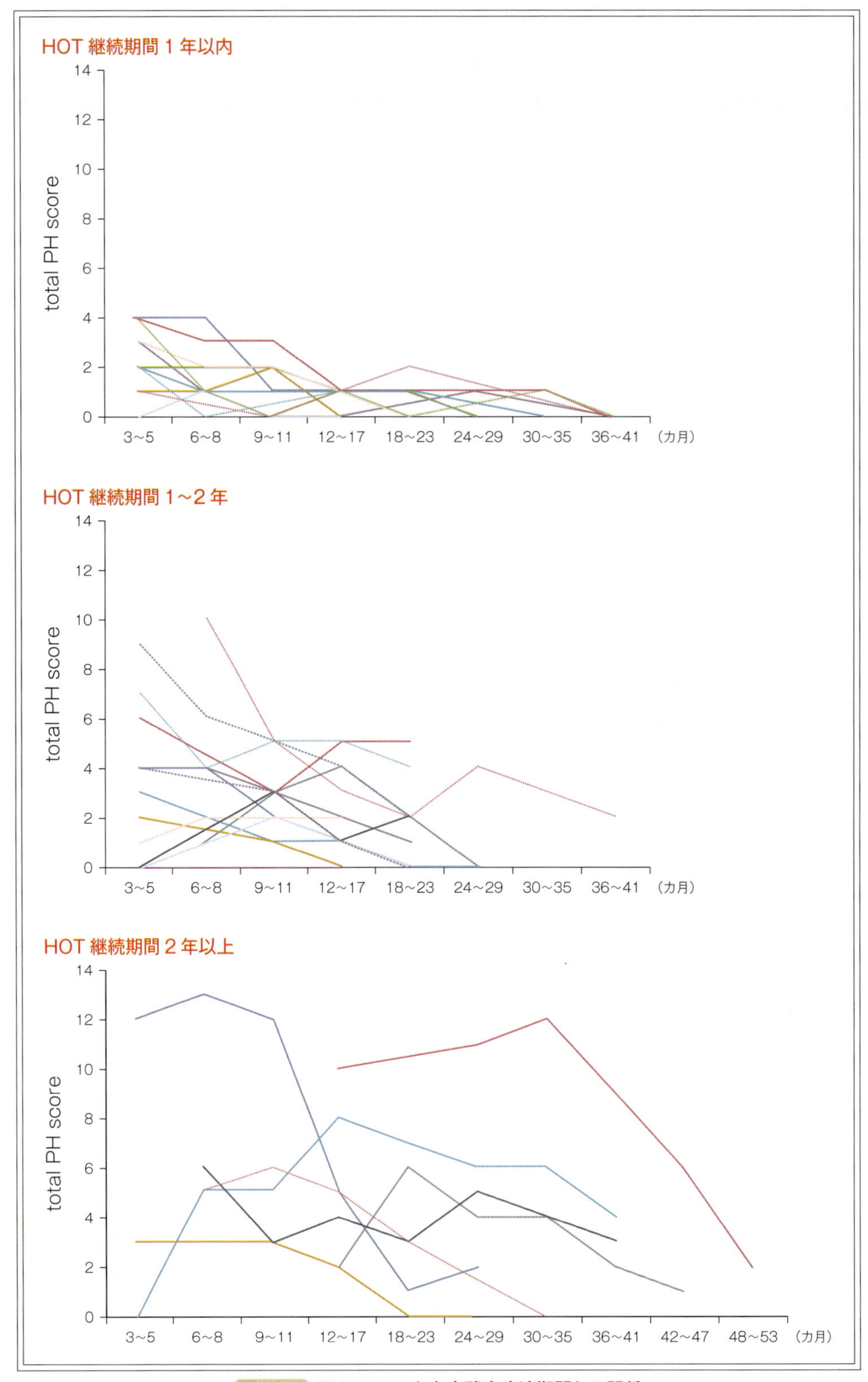

図14-4 PH score と在宅酸素療法期間との関係

HOT 継続期間の長い症例は、PH score が長期間高値をとり続けることが分かる。

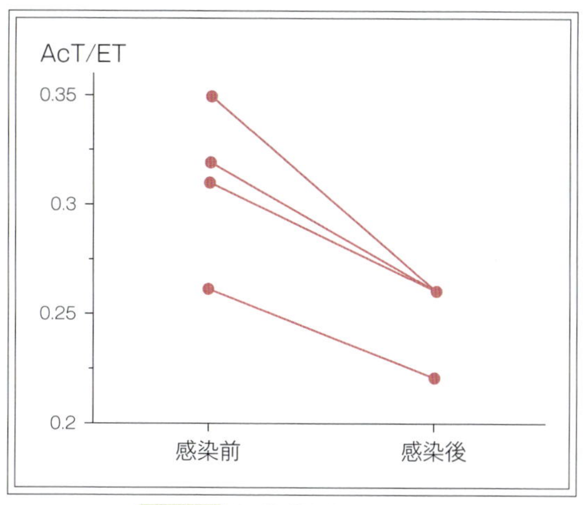

図14-5 **気道感染症と肺高血圧**
AcT/ET の感染症罹患前後の変化を示す。高度の肺高血圧合併例では気道感染症に罹患した際、急激に状態が悪化する。よって PH score の悪化が認められた場合は、酸素流量の増量や薬物投与などで対応する。

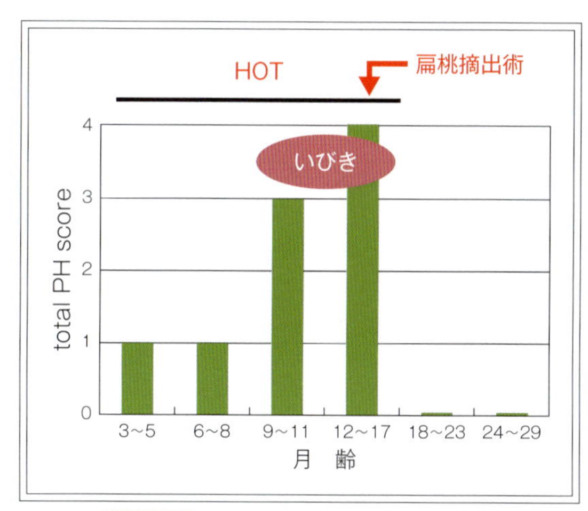

図14-6 **扁桃肥大と PH score の推移**
扁桃肥大とともに PH score が上昇し、扁桃摘出後に PH score は正常化した。

CLD の経過観察中に扁桃肥大を来し、PH が悪化する症例がある。PH score を扁桃摘出術の適応決定に役立てることができる。扁桃摘出後に PH が改善することを PH score から評価できる（**図14-6**）。

川滝元良

●●● レベル3

15 新生児心エコー検査から何が分かる？ ④心拍出量評価の実際

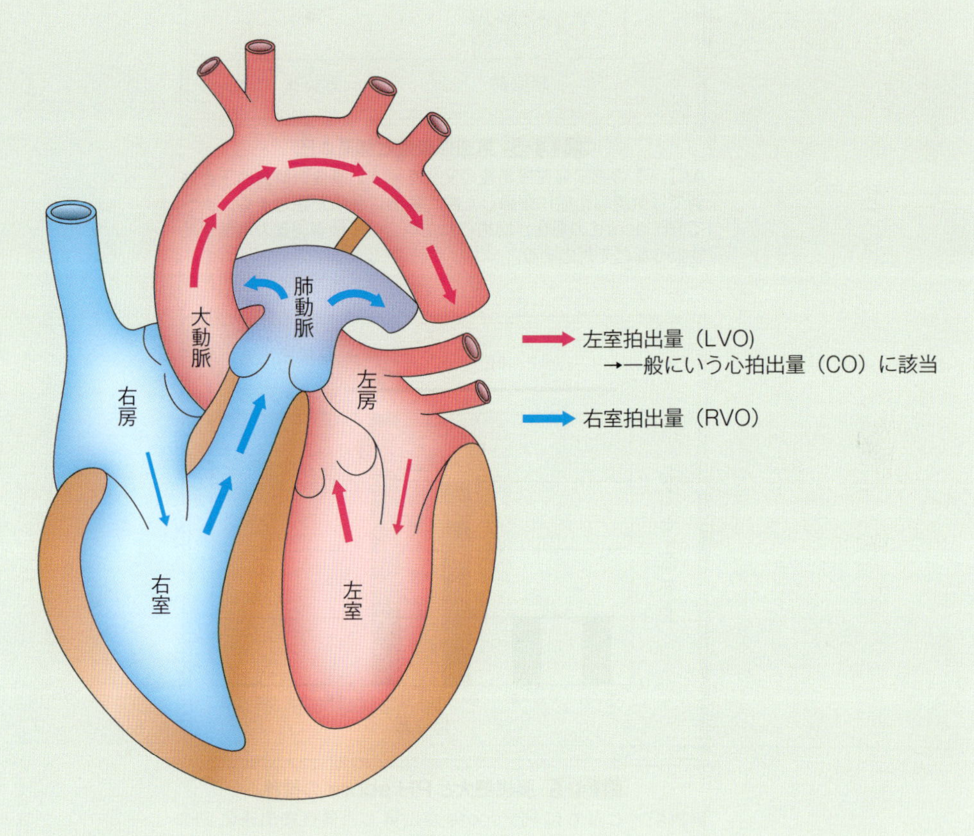

（文献1より改変）

心拍出量（CO）は、一般に左室から大動脈弁を通って大動脈に送り出される、酸素化された血液の量を指す。循環の最終目標は、体組織が必要とする酸素を間断なく安定して供給することなので、心拍出量の増加・減少は適正な循環を保持する上で最も重要である。心拍出量（または左室拍出量：LVO）は従来、心臓カテーテル検査でしか測定できなかったが、心エコー機器と測定法の開発により、現在では心エコー検査で測定することが可能となった。重症新生児・早産児ではエコーによる評価が一般的である。

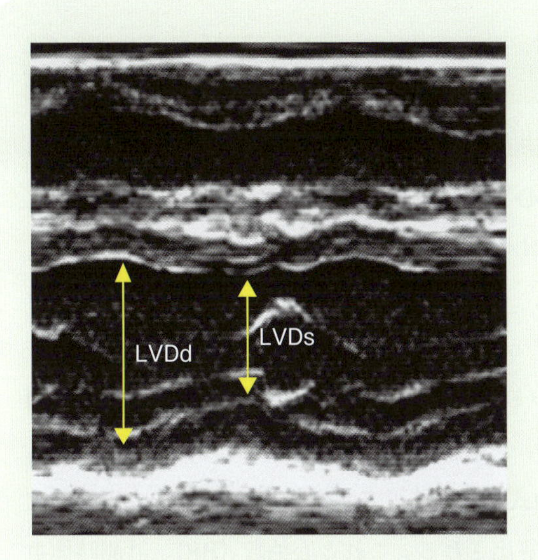

心エコーによる評価法① M モード法

最も簡便な評価法は、左室 M モード法にて[2)]、左室拡張末期径（LVDd）と左室収縮末期径（LVDs）を計測し、これを基に以下の式で算出する方法である。

$LVO\ (mL/kg/分) = (LVDd^3 - LVDs^3) \times 心拍数 / 体重$

＊LVDd：mm

LVDs：mm

心拍数：回／分

体重：kg

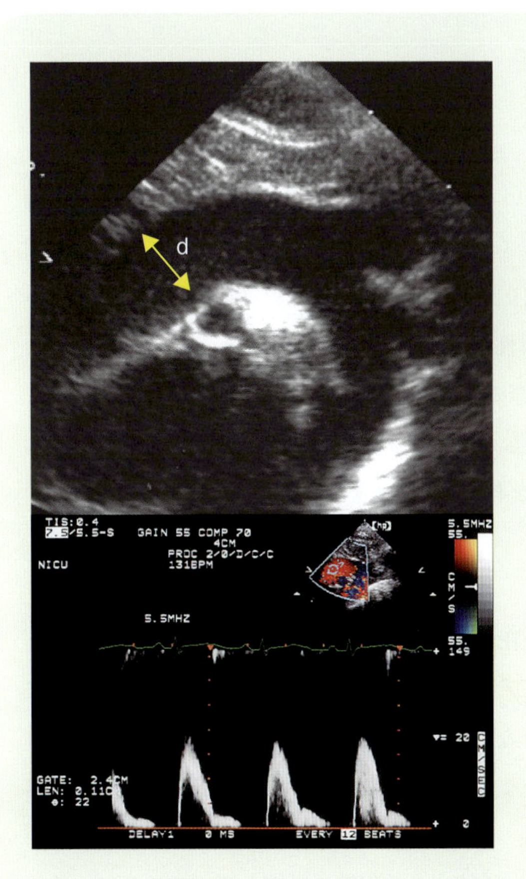

心エコーによる評価法②パルスドプラ法

より正確には、上行大動脈の駆出血流をパルスドプラ法により測定し、上行大動脈内径 d（cm）より、以下の式で算出する[3)]。

$LVO = V_{AO} \times \pi\ (d/2)^2 \times 60 \div 体重$

または

$LVO = VTI \times \pi\ (d/2)^2 \times 心拍数 \div 体重$

＊V_{AO}：上行大動脈平均流速　cm/ 分

VTI：上行大動脈駆出血流積分値　cm

π：円周率

d：cm

心拍数：回／分

体重：kg

新生児に対する心エコー検査

侵襲的な心臓カテーテル検査の施行が困難な新生児において、**心拍出量**を測定しようとする試みは古くからいくつか行われてきたが[4, 5]、心エコー検査が新生児において普及して以来、早期新生児の心拍出量は心エコーによって測定することが一般的である[2, 3, 6〜8]。

1 M モード法による測定

臨床心エコー検査で最も一般的に普及している左室長軸（あるいは短軸）断面における**M モード法**においては、左室拡張末期径（LVDd）、左室収縮末期径（LVDs）が計測可能である。これを基に Pombo らの方法によって[2]、以下の式で左室拡張末期容積（LVEDV）、左室収縮末期容積（LVESV）、左室 1 回拍出量（LVSV）が算出される。これと心拍数（HR）、計測時体重（BW〔kg〕）により、簡便に**心拍出量（LVO）**が算出可能である。

$LVEDV = LVDd^3$

$LVESV = LVDs^3$

$LVSV = LVEDV - LVESV = LVDd^3 - LVDs^3$

$LVO = LVSV \times HR/BW$

この方法は実際の臨床において最も普及していると言えるが、当初から大きな問題点を指摘されている。本法は、左室を完全な回転楕円体（cube）と仮定した上での近似式であり、計測に際しては計測位置によってこの仮定が全く成り立たない。早期新生児（特に早産児）においては、生理的肺高血圧・右室優位性・心筋特異性より、実際に左室が cube と見なせない場合が多く、この方法によって推定した LVO は実際の値と乖離する。しかしながら、一方で児に侵襲を与えず、最も短時間で簡便に検査でき、しかもエコー初心者にもそれほど熟練を要求しない本法は、NICU においていまだに存在意義を有しているといえる。

2 パルスドプラ法による測定

Alverson らによって確立された方法で[3]、現在心エコーによる LVO 測定としては標準的な方法と言ってよい。大動脈駆出血流の**パルスドプラ波形**より流速を計測し、前頁の式によって算出するもので、心臓カテーテル検査との良好な相関も報告されている[3, 6]。新生児における報告は多いが、重症早産児の基準値の報告は少ない。**図15-1** に、われわれが報告した極低出生体重児の早期心拍出量の経時的変化を示す[8]。

本法は優れた方法であるが、問題点は心エコー手技にある程度の熟練を要することで、特に上行大動脈のドプラ波形の描出および内径の計測が明瞭に実施できなければ、過小評価の原因となる。主要な先天性心疾患を独力で診断できる程度のエコー描出能力が必要とされ、また、

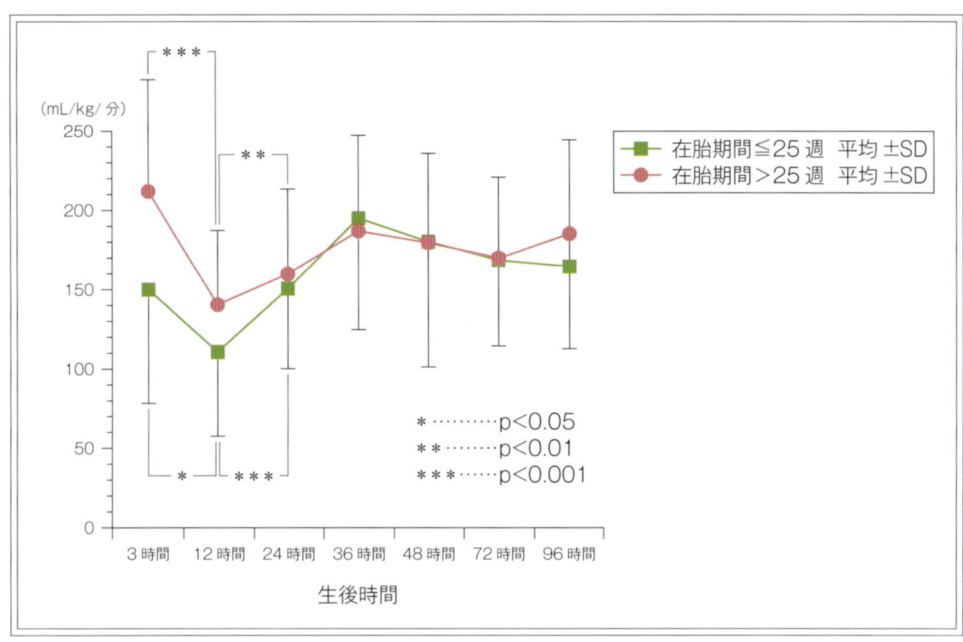

図15-1 極低出生体重児の左室拍出量（LVO）の在胎期間別出生後経時的変化（文献8より転載）

エコー検査時間もMモードよりは長時間を要する。また胸骨上窩よりエコービームを照射するのは、気管挿管児、腹臥位児、また頸部カテーテル挿入児などでは困難で、さまざまな工夫が必要となる。

3 3次元エコーによる測定

3次元（3D）エコーによる心拍出量・心機能計測は、成人・小児においてパルスドプラ法による計測よりも心臓カテーテルやMRI検査との相関が良好とされ、いくつかの報告がある[9, 10]。しかしながら、機器の普及、測定手技の煩雑さ、測定・評価時間の長さなどから、新生児における実際の臨床応用にはまだ課題が多い。

引用・参考文献

1）門間直美ほか．“胎児期の血行動態とその出生時変化”．臨床発達心臓病学．第 2 版．東京，中外医学社，1997，60.

2）Pombo JF, et al. Left ventricular volumes and ejection fraction by echocardiography. Circulation. 43 (4), 1971, 480-90.

3）Alverson DC, et al. Noninvasive pulsed Doppler determination of cardiac output in neonates and children. J Pediatr. 101 (1), 1982, 46-50.

4）Costeloe K, et al. Cardiac output in the neonatal period using impedance cardiography. Pediat Res. 11 (12), 1977, 1171-7.

5）Freyschuss U, et al. Serial measurements of thoracic impedance and cardiac output in healthy neonates after normal delivery and caesarean section. Acta Paediatr Scand. 68 (3), 1979, 357-62.

6）Walther FJ, et al. Pulsed Doppler determinations of cardiac output in neonates : normal standards for clinical use. Pediatrics. 76 (5), 1985, 829-33.

7）Evans N, et al. Early determinants of right and left ventricular output in ventilated preterm infants. Arch Dis Child. 74 (2), 1996, F88-94.

8）Murase M, et al. Seial pulsed Doppler assessment of early left ventricular output in critically ill very low-birth-weight infants. Pediatr Cardiol. 23 (4), 2002, 442-8.

9）Acar P, et al. Three-dimensional echocardiographic measurement of left ventricular stroke volume in children : comparison with Doppler method. Pediatr Cardiol. 22 (2), 2001, 116-20.

10）Pemberton J, et al. Real-time 3-dimensional Doppler echocardiography for the assessment of stroke volume : an in vivo human study compared with standard 2 -dimensional echocardiography. J Am Soc Echocardiogr. 18 (10), 2005, 1030-6.

村瀬真紀

16 新生児心エコー検査から何が分かる? ⑤スペックルトラッキングと3次元エコー

左室ストレイン解析

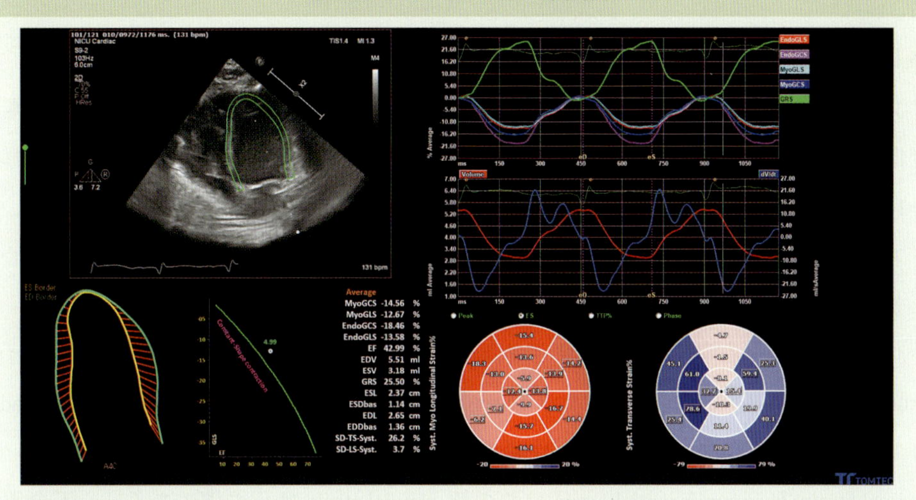

左室全体の長軸方向ストレイン（GLS）は－ 12.7%と表示され、18 領域の GLS が Bull's eye map で表示されている。

3 次元エコーによる左室機能解析

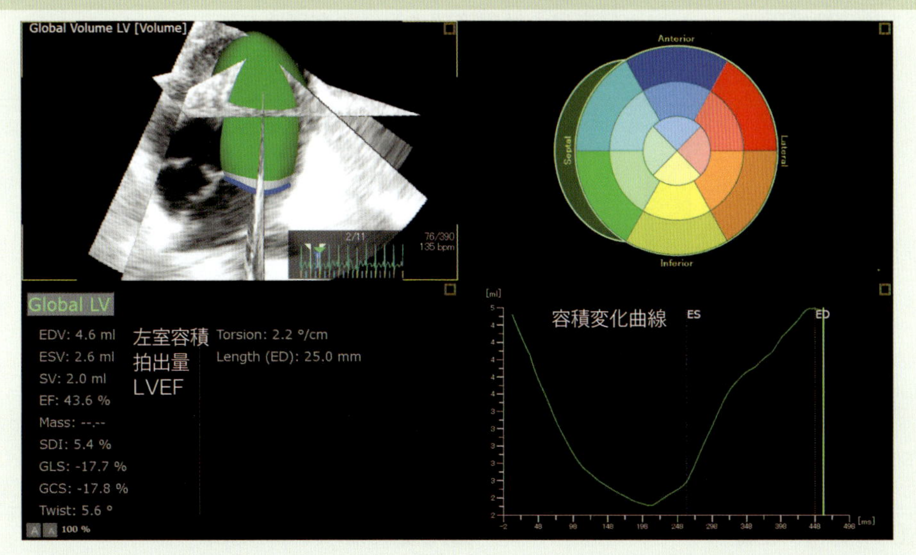

トムテック社汎用画像解析システム（4D LV-Analysis）により、左室容積、拍出量、左室駆出率、容積変化曲線などを半自動で算出できる。

スペックルトラッキング法とは？

スペックルトラッキング法を用いたストレイン解析は、Mモード法やドプラ法を用いず、断層エコー動画から直接、**心臓の壁運動**を定量的に評価できる。

断層エコー像での心筋には高輝度な**小斑点（speckle）**が散在している。speckleの模様のパターンを認識し、追従（tracking）することで関心領域の組織の位置の変化や移動速度を算出する。

ストレイン（strain）は「歪み」と訳される。物体に力が加わった際の変化量である。ストレインは初期長から心筋がどれだけ伸縮したかを示す指標である。変化前の2点間の距離をL_0、変化した後の距離をLとすると、ストレイン（%）は（$L-L_0$）/$L_0 \times 100$で求められる**（図16-1）**。駆出率（EF）や面積変化率（FAC）が心臓の内腔の変化を評価するのに対して、ストレインは心筋壁の変化を評価する。心筋局所の機能、壁運動の協調・同期不全、虚血や心室全体としての機能（global strain）を評価できる。

ストレインは左室・右室・左房のさまざまな部位で算出できる。また、長軸方向ストレイン（longitudinal strain）、円周方向ストレイン（circumferential strain）、中心方向ストレイン（radial strain）などがある**（図16-2）**。左室は長軸方向には短縮、心腔方向には伸展するので、longitudinal strainとcircumferential strainは負の値、radial strainは正の値になる。心不全患者では長軸方向ストレイン（longitudinal strain）の臨床的意義が大きい。角度依存性がない評価法であること、自動解析の技術革新が進むことから、簡便で再現性の高い評価法として期待されている。日常診療で使われている超音波断層装置に解析ソフトは搭載できる。新生児医療においても先天性横隔膜ヘルニアや早産児の循環管理において有用性が報告されている[1~6]。

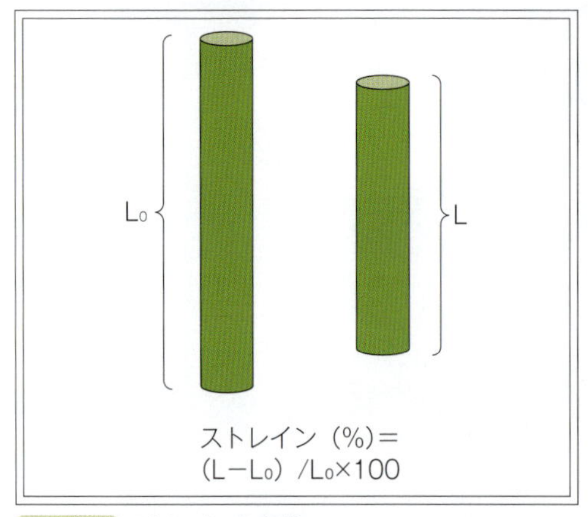

図16-1 ストレインの定義
収縮前の長さ（L_0）が10mm、収縮後の長さ（L）が8mmに縮んだ場合、収縮期ストレイン値は（8－10）/10×100＝－20%となる。

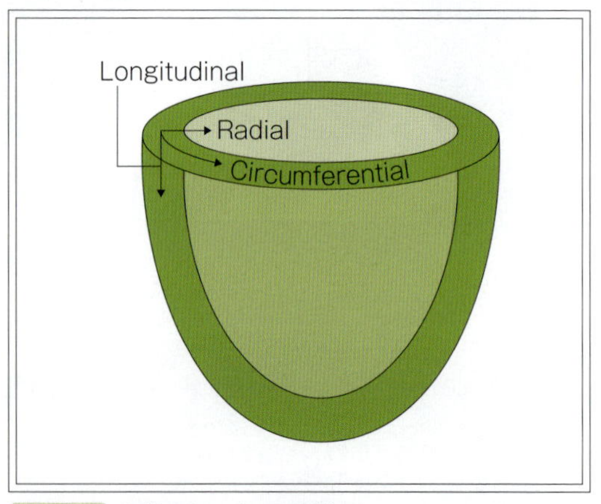

図16-2 心筋ストレインの定義
長軸方向：longitudinal strain、回転方向：circumferential strain、心腔方向：radial strainがあるが、成人心不全患者では長軸方向が重要視されている。

3次元エコーとは?

従来の心エコー検査では、いくつかの断面を描出して、心機能の計測・評価を行うために、検査時間の長さや計測断面の描出力における検査者間差異が懸念されてきた。また、左室を回転楕円体と仮定して、一断面から左室の容積や駆出率（LVEF）を算出してきたが、肺高血圧の影響で左室が必ずしも丸くない新生児期では、左室の計測値の正確さが懸念されてきた。また、三日月型の右室は、従来の心エコー検査では容積や駆出率の評価は不可能であった。

心臓の立体画像記録を可能とするマトリックスアレイプローブの開発により、**3次元心エコー検査**が臨床応用されつつある（**図16-3**）。検査者はプローブを持つ右手を動かすことなくピラミッド型のエコービームにより10秒前後で心臓全体の情報を収集できる。心臓の中を直に見ているような3次元画像で**心内構造**が確認でき、複数の断面を同時描出し、**心臓の容積**やその**変化率**などが仮定式を用いず直接算出できる。成人では、心臓MRIと整合性のある心室の容積、心拍出量やEFを半自動で算出できる。

早産児において、心エコー検査の経験が乏しい小児科研修医でも、検者間差異が少なく測定は可能であった[7]。短時間で、非侵襲的に、検査者間差異の少ない、NICUに適した心機能評価法になることを期待している[8]。

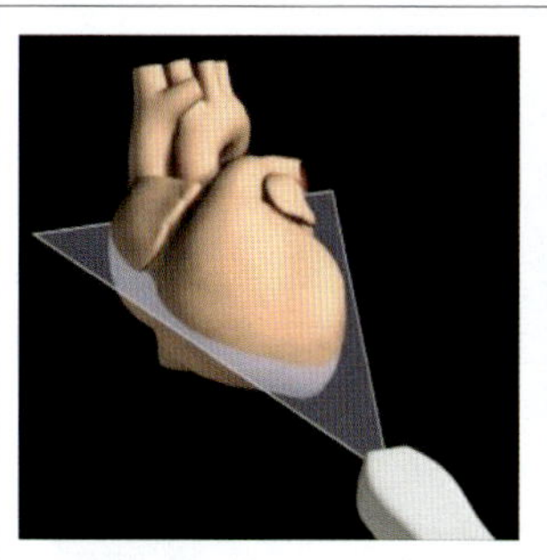
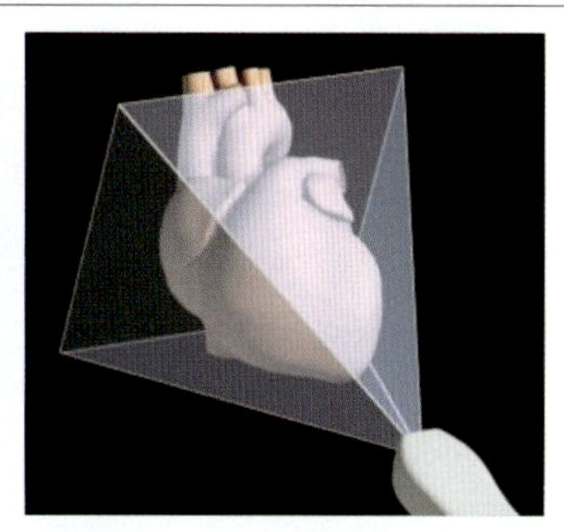

・短時間検査
・自動計測とマニュアル補正（半自動計測）
・プローブは固定：低侵襲性
・仮定を用いない真の計測

図16-3 3次元エコープローブ
マトリックスアレイプローブは平面でなく、ピラミッド状に心臓の情報を取得できる（フィリップス社 X7-2 トランスデューサー）。

スペックルトラッキング法で何が分かる？

1 左　室

成人の健常者における、長軸方向の左室全体ストレイン（global longitudinal strain；GLS）の基準値（絶対値）は20％以上とされる。成人心不全において、左室のGLSはLVEFより先に低下し、LVEFが保たれている心不全（HFpEF）での潜在的な左室収縮機能障害を反映するとされる[9)]。早期の**心機能障害の予測マーカー**として重要である。LVEFの低下した心不全（HFrEF）においてもGLSは独立した予後予測因子とされる[10)]。

心尖部からの四腔断面、二腔断面、長軸断面の3つの断面でGLS解析すると、半自動で左室の18領域の長軸方向ストレインがBull's eye map表示される（p.137上図）。収縮期末期の時相における赤色領域は収縮（ストレインがマイナス値）、青色領域は伸展（ストレインがプラス値）を表す。壁運動以上の全体像を把握できる。左室各分画の収縮期ストレインの比較から局所壁運動異常：asynergy（アシナジー）を評価できる。LVEFと比較して、GLSは検者間の誤差が小さいという報告があり[11)]、経時的な収縮能の変化の指標として有用である。

新生児医療においても、**胎児・新生児仮死**、**未熟児動脈管開存症**（PDA）、後負荷過剰に伴う**左心ポンプ不全**の診療への応用を期待している。

2 右　室

右室全体の長軸方向ストレイン（GLS）の正常値は成人において絶対値で20％以上とされ[12)]、

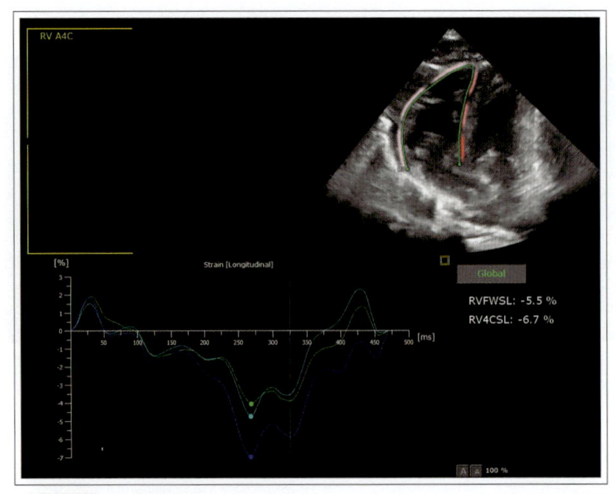

図16-4　右室ストレイン解析
新生児遷延性肺高血圧症。右室自由壁の長軸方向ストレイン（RVFWSL）は－5.5％と低下を認めた。

成人心不全では絶対値で13%未満が予後不良とされる[13]（**図16-4**）。中隔と自由壁の6分画の平均で右室全体のストレインを計測できるが、左室機能の影響を強く受ける心室中隔側は除いて、右室自由壁のみを解析対象とした右室ストレインが右室機能の評価として、より重要とされる[14]。右室のGLSは成人では、肺動脈性肺高血圧や左房圧上昇に伴う肺静脈性肺高血圧などの病態を反映する。

新生児期においても、**新生児遷延性肺高血圧症**（PPHN）や新生児慢性肺疾患に合併する**肺高血圧症**（CLD-PH）の診断や重症度評価、治療の効果判定への活用を期待している。

3 左 房

スペックルトラッキング法を用いた左房の長軸方向ストレイン（GLS）は、左室拡張末期圧と良好な相関を示す。左房のGLSは収縮期に左房の弛緩と伸展で血液を貯留するリザーバー機能や拡張後期に貯留血液を左室へ駆出するブースター機能を評価できる[15]。成人ではGLSが38%未満では左房のリザーバー機能の低下があるとされる[16]。

新生児医療においても**左室ポンプ不全**や**未熟児PDA**の診断や重症度評価に簡便で有用な検査法になることを期待する。

3次元エコー法で何が分かる?

3次元エコーの課題としては、4～6心拍の安静が必要であること、3次元エコープローブは従来のエコープローブに比して空間分解能や時間分解能が低いこと、検査機器や解析ソフトが高価であることなどが挙げられ、これらの課題解決が必要である。しかし、新生児期は心拍数が多い反面、画角が小さいため、成人よりも高いフレームレートの3次元心エコー検査が可能である。

1 左 室

フィリップス社EPIQ-7G CVxで、連続4～6心拍分の立体画像データを収集するフルボリュームモードで撮影し、トムテック社汎用画像解析システムに動画をインポートすると、半自動で四腔断面、二腔断面、左室流出路断面が表示される。各断面で弁や心尖部、心室の中心軸を設定すると、心内膜が自動認識される。拡張期・収縮期の左室トレースをマニュアル補正すると、仮定を用いずに左室の真の容積を測定でき、その変化率から**左室駆出率**（LVEF）や**左室拍出量**が算出される（p.137下図）[8]。

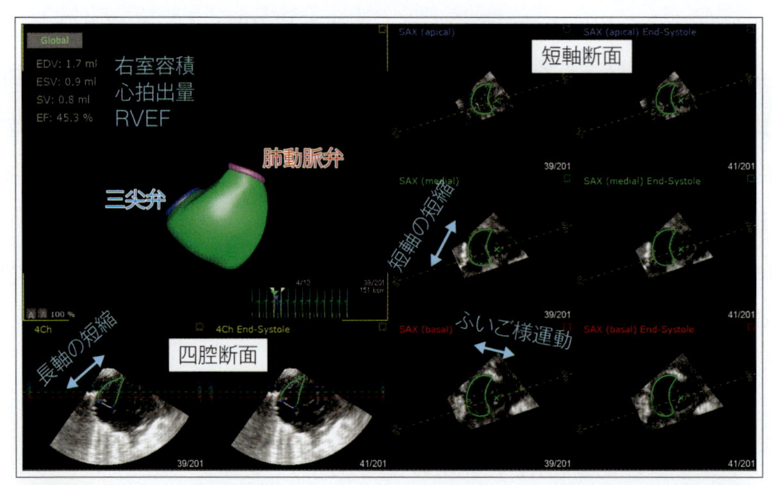

図16-5 トムテック社汎用画像解析システム（4D RV-Function）による右室機能解析

右室の容積・拍出量・駆出率などを半自動で算出している。右室の収縮機序である長軸・短軸方向の短縮と心室中隔へのふいご様運動を可視化する。

② 右　室

3D 心エコー検査とトムテックイメージングシステムの開発により心臓 MRI と同様の精度で**右室の形態**、**容積**、**右室駆出率**（RVEF)、**容積変化曲線**を分析できる（**図16-5**）。右室の長軸・短軸方向の短縮や 心室中隔へのふいご様運動を半自動で可視化する。

3 次元エコーによる右室機能評価によって、PPHN や CLD-PH、超低出生体重児の脳室内出血予防の診療の開発につながることを期待している [8]。

③ 左　房

成人や小児期では、3 次元心エコー検査で、より精確な左房容積の計測や左房の容積変化曲線からの左房機能解析も試みられている [8]。

引用・参考文献

1）Patel N, et al. Early postnatal ventricular dysfunction is associated with disease severity in patients with congenital diaphragmatic hernia. J Pediatr. 203, 2018, 400-7.

2）de Waal K, et al. Speckle tracking echocardiography in very preterm infants: feasibility and reference values. Early Hum Dev. 90（6), 2014, 275-9.

3）de Waal K, et al. Cardiac Function After the Immediate Transitional Period in Very PretermInfants Using Speckle Tracking Analysis. Pediatr Cardiol. 37（2), 2016, 295-303.

4）Castaldi B, et al. Early modifications of cardiac function in preterm neonates using speckletracking echocardiography. Echocardiography. 35（6), 2018, 849-54.

5）Levy PT, et al. Feasibility and reproducibility of systolic right ventricular strain measurement by speckle-tracking echocardiography in premature infants. J Am Soc Echocardiogr. 26（10), 2013, 1201-13.

6）Levy PT, et al. Maturational patterns of systolic ventricular deformation mechanics by two-dimensional speckle-tracking echocardiography in preterm infants over the first year of age. J Am Soc Echocardiogr. 30（7）, 2017, 685-98.

7）神谷雄作ほか．早産児の3次元心臓超音波検査：検者間誤差改善への取り組み．日本新生児成育医学会雑誌．32（1），2020，149-60.

8）豊島勝昭．"3次元エコーとスペックルトラッキング法"．新生児の心エコー入門．大阪，メディカ出版，2020，139-52.

9）Voigt JU, et al. Definitions for a common standard for 2D speckle tracking echocardiography: consensus docu- ment of the EACVI/ASE/Industry Task Force to standardize defor- mation imaging. J Am Soc Echocardiogr. 28, 2015, 183-93.

10）Sengelov M, et al. Global longitudinal strain is a superior predictor of all-cause mortality in heart failure with reduced ejection fraction. JACC Cardiovasc Imaging. 8（12）, 2015, 1351-9.

11）Farsalinos KE, et al. Head-to-Head comparison of global longitudinal strain measurements among nine different vendors: The EACVI/ASE Inter-Vendor Comparison Study. J Am Soc Echocardiogr. 28（10）, 2015, 1171-81.

12）Lang RM, et al. Recommendations for cardiac chamber quantification by echocardiography in adults: an update from the American Society of Echocardiography and the European Association of Cardiovascular Imaging. J Am Soc Echocardiogr. 28（1）, 2015, 1-39.

13）Hamada-Harimura Y, et al. Incremental prognostic value of right ventricular strain in patients with acute decompensated heart failure. Circ Cardiovasc Imaging. 11（10）, 2018, e007249.

14）Fukuda Y. Utility of right ventricular free wall speckle-tracking strain for evaluation of right ventricular performance in patients with pulmonary hypertension. J Am Soc Echocardiogr. 24（10）, 2011, 1101-8.

15）Rimbas RC. Sources of variation in assessing left atrial functions by 2D speckle-tracking echocardiography. Heart Vessels. 31（3）, 2016, 370-81.

16）Pathan F, et al. Normal ranges of left atrial strain by speckle-tracking echocardiography: A systematic review and meta-analysis. J Am Soc Echocardiogr. 30（1）, 2017, 59-70.

豊島勝昭

●●● レベル 3

17 心室圧容積関係で何が分かる?

一心拍の心室圧容積関係

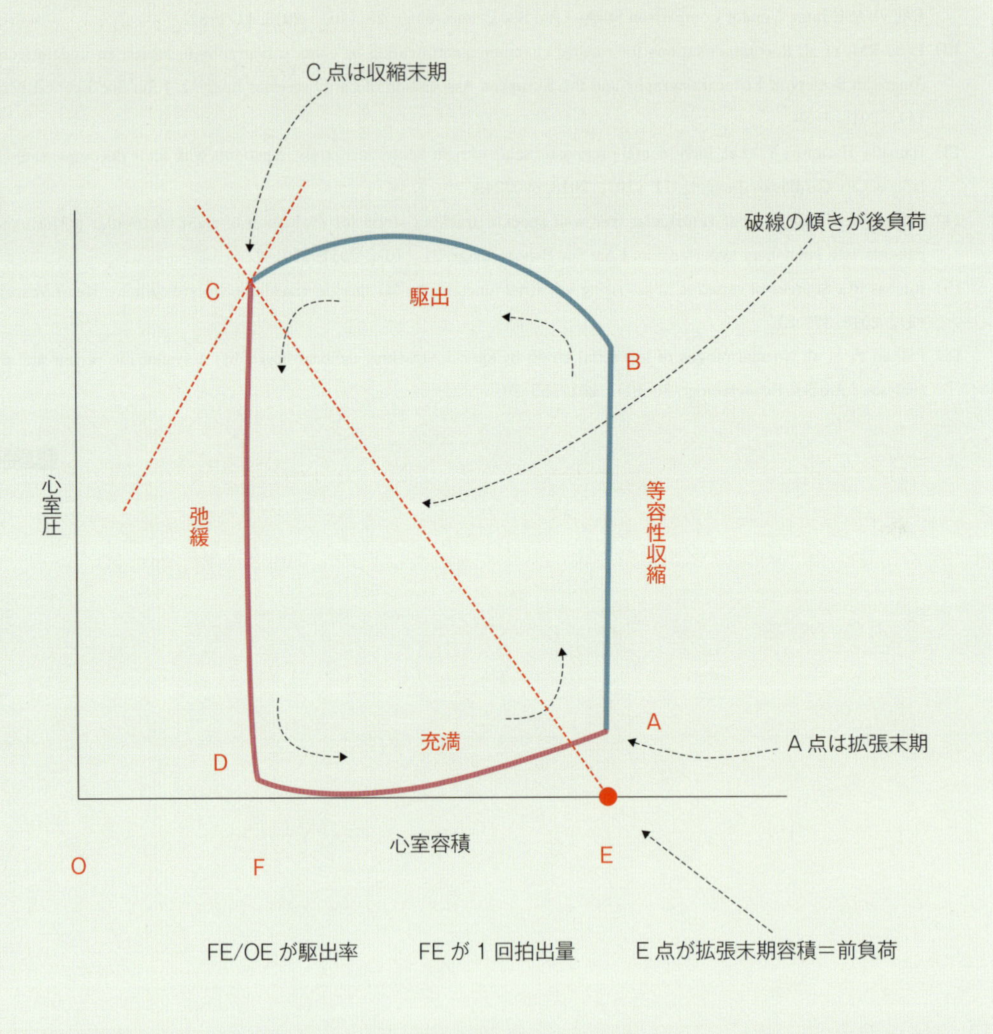

上図は一心拍の心室圧容積関係を示したものである。縦軸に心室圧、横軸に心室容積をとってみると、一心周期で反時計回りに一周するループを描く。心拍数 120 なら、0.5 秒が一心周期となる。一心周期は収縮期（ABC）と拡張期（CDA）とに二分される。もう少し細かく分けると、収縮期は等容性収縮期 AB、駆出期 BC、拡張期は弛緩期 CD、充満期 DA の合計 4 つに分かれる。このループに、前負荷・後負荷・収縮性・拡張性の情報が詰まっている。

心室圧容積関係とは?

NICUは、呼吸・循環の高度な集中治療を行う場でもある。したがって正しく循環を把握し、管理することは、きめ細かな管理を身上とするわが国の新生児科医に課せられた使命であると思われる。循環生理の理解に基づいた正しい血行動態の把握には、**心室圧容積関係**の概念の理解が欠かせない。心室圧容積関係とは聞きなれない言葉かもしれないが、実は生理学の教科書にも載っている基本的な考え方である。以下に、心室圧容積関係の基本と、ベッドサイドでどのように考えたらよいかを述べる。

心機能は、**心拍数**のほか、負荷条件(**前負荷**、**後負荷**)、**収縮能**、**拡張能**に分けられる。心室圧容積関係では、負荷条件と収縮能、拡張能とを個別に、かつ統合的に一平面上で捉えることができる[1, 2)]。詳述は避けるが、p.144の図においてループで囲まれた面積は、**一心周期で心臓が行う仕事量**を表し(圧力×容積=力×距離の次元)、エネルギー効率にも直結する心室血管統合関係(後負荷と心室収縮性のバランス)も一目瞭然である。正確な心室圧容積関係は心臓カテーテル検査を行い、心室圧と心室容積とを同時計測し、負荷条件(前負荷または後負荷)を変化させて解析するものであり、侵襲的な測定を必要とする。NICUではその厳密な測定はできないが、概念を理解すれば、定性的に圧容積関係を把握して循環管理につなげることは以下に述べるように十分に可能であり、病態把握・治療選択および評価に有用と考える。

本項では心室圧容積関係に関して、①基本的な考え方、②血圧測定と心エコーから定性的に評価する考え方、③心室圧容積関係からストレス−速度関係(Stress-Velocity関係)の理解を深める考え方をまとめたい。

1 心室圧容積関係の基本的な考え方

心室圧を縦軸にとり、容積を横軸にとると、一心周期の間に、圧容積関係は反時計回りに一周する。これはp.144のように、大きく4つに分けることができる。右下の点Aは拡張末期で、ここから収縮期が始まる。はじめにABは、容積が変わらずに圧が上昇する**等容性収縮期**である。次に心室圧が大動脈圧を超えると大動脈弁が解放されて**駆出**がなされ、心室容積が減少するのがBC(駆出期)である。やがて駆出が終わると、大動脈弁が閉鎖して、容積は変わらずに圧が低下する**弛緩**と呼ばれる時期がCDである。心室圧が十分に低下して左房圧を下回ると、僧帽弁から血液の流入が起こり、心室容積が増加し、**充満**と呼ばれる時期がDAである。**前負荷**は拡張末期容積、つまりABのX座標(E)で表される。その点と収縮末期の点Cを結んだ直線ECの傾きを実効動脈エラスタンスといい、**後負荷**を表す。これは単位1回拍出量(つまり1mL)を拍出するのにどの程度の収縮末期血圧を要するかを示す。負荷に依存しない収縮能や拡張能を求めるには、さまざまな負荷状態におけるループを得る必要がある。例えば下大静脈を一過性に閉塞させて、前負荷を変えて求める（**図17-1-ⓐ**）。このときの収縮末期の点Cの軌跡の傾きから**収縮末期エラスタンス**という収縮性の指標を、拡張末期の点Aの軌跡の曲線から**心室拡張期スティッフネス**という拡張能の指標を求めることができる。

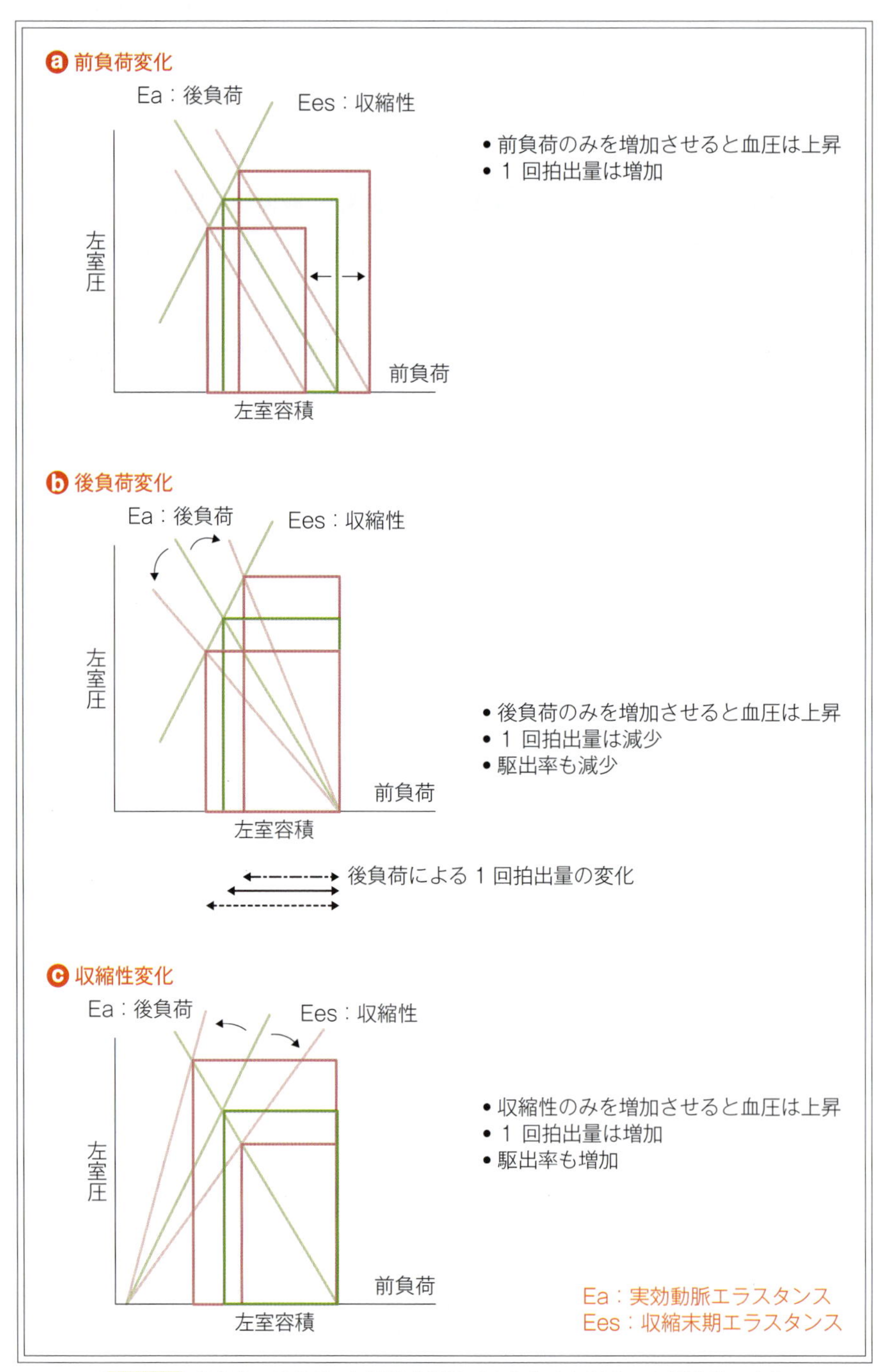

図17-1 前負荷・後負荷・収縮性を単独で変化させた場合の血行動態の変化

2 血圧測定と心エコーから定性的に評価する考え方

では、NICUでは実際に、どのように心室圧容積関係を考えていったらよいであろうか。横軸は**心室の大きさ**であり、心エコーで拡張末期容積（前負荷）、収縮末期容積を求めれば長方形の一辺が定まる（それぞれp.144のE、F）。**1回拍出量**はFEであり、なじみ深い**駆出率**とはFE/OEである。次に、**収縮末期血圧**を平均血圧で近似すれば、Cの高さが分かる。これでおよそのループが書ける。後負荷：実効動脈エラスタンスは直線CEの傾きとして計算できる。平均血圧が高く1回拍出量が小さければ、後負荷は計算せずとも高いことが把握できる。また、高かった平均血圧が低下し、かつ1回拍出量が増加したならば、後負荷が下がっていることが分かる。収縮能に関しては、正確な収縮末期エラスタンスの算出は、負荷を変えなければならないため困難であるが、原点とCとを結んだ直線の傾きで代用して考えても多くの状況ではおよそ悪くない。安静・啼泣による血圧変動が過大であれば、収縮末期エラスタンスは大きいと推測される[2)]。後負荷を念頭に置いて非侵襲的な壁運動の指標を見ても、およそ収縮能がどうであるかは検討可能で、例えば収縮末期容積が小さくなく、血圧が低く、駆出率が悪ければ、収縮能は悪い、ということはいえる。

心臓が良い、悪いという、おおざっぱな捉え方ではなく、心拍数、前負荷、後負荷、収縮性、拡張性の5つの要素のどこが問題かを考えることで適切な治療介入が分かり、治療効果を適切に評価・判断できる（**図17-1**）。例えば、血圧が高く、心室が大きめで、心室の駆出率が低ければ、問題点の本質は後負荷の上昇であり[3)]、臨床的に心拍出量を増やそうとするなら、駆出率が低いという理由でカテコラミン投与を考えるのではなく、まずは血管拡張薬を考えるべきある（**図17-1-c**）。心室圧容積関係の概念をつかむと、こうした思考が容易になる。

3 心室圧容積関係からストレス－速度関係の理解を深める考え方

ストレス－速度関係は[4〜6)]、NICUで定量可能であり、近年、わが国では頻用されている。後負荷はいかほどか、後負荷に見合って心室は動けているか（収縮性）を合わせて評価できる実用的で有用な指標である（2章18「Stress-Velocity関係で何が分かる？」参照）。ただし、ここには前負荷と拡張能の情報は入ってこない。上述した心室圧容積関係の概念をつかんだ上で、前負荷を別途考慮してストレス－速度関係を使用することが、新生児臨床における血行動態把握において大切である。その際、心室圧容積関係はどのようになっているか、どのように変化しているかをともに考えることにより、治療のターゲットがより明確になり[7)]、治療経過も分かりやすく評価できる。本項がその一助になれば幸いである。

引用・参考文献

1）増谷聡．新生児の心機能の適応生理．Neonatal Care．21（5），2008，420-8．
2）齋木宏文ほか．小児循環器領域における循環生理学の基礎：圧容積関係から見た血行動態の解釈．日本小児循環器学会雑誌．27（2），2011，76-87．
3）増谷聡ほか．ハンプ投与が奏功した後負荷不適合の超低出生体重児の2例．日本未熟児新生児学会雑誌．15（2），2003，241-5．
4）豊島勝昭ほか．Stress-Velocity 関係を指標として循環管理した在胎23，24週の超早産児の検討．日本周産期・新生児医学会雑誌．41（3），2005，535-42．
5）豊島勝昭．Stress-Velocity 関係を基にした早産児の急性期循環管理．小児科診療．70（4），2007，609-15．
6）豊島勝昭ほか．極低出生体重児における左室壁応力・心筋短縮速度の経時的変化と肺出血・脳室内出血・脳室周囲白質軟化症の関連性について．日本未熟児新生児学会雑誌．14（2），2002，153-60．
7）増谷聡．新生児に対する新しい抗心不全療法．周産期医学．39（12），2009，1677-81．

増谷　聡

18 Stress-Velocity 関係で何が分かる?

後負荷不整合（afterload mismatch）

心臓の役目＝全身組織に血液を届けること
体血圧＝体血流量×体血管抵抗

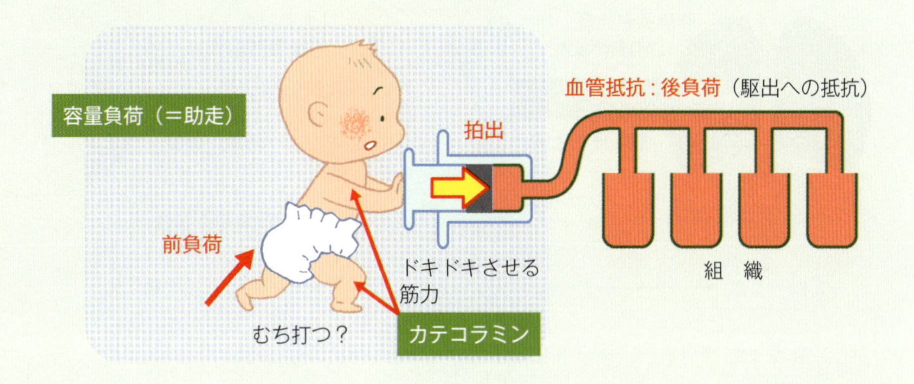

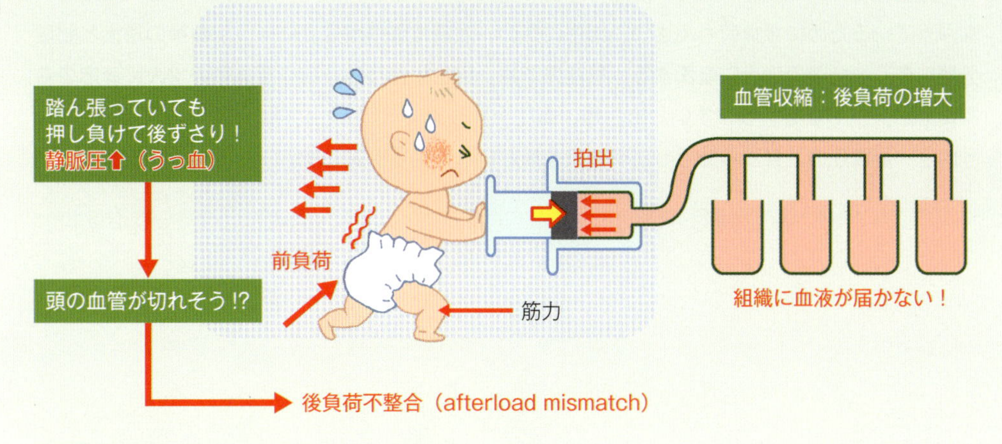

後負荷不整合（afterload mismatch）とは？

心臓は臓器の血管抵抗（後負荷）に対抗して血液を送り出す。心臓が後負荷に対抗して血液を送り出すために、容量注入療法（前負荷動員）によって心臓を大きくしたり、カテコラミンで心臓の筋力を増強するのが強心昇圧治療である。しかし、血圧上昇（後負荷増大）が著しいと、心臓は前負荷動員や心筋力増強の限界に達し、心ポンプ不全を来す。さらに心内圧が上昇し、静脈血流がうっ滞する（うっ血）。後負荷増大に伴う心不全を、後負荷不整合（アフターロードミスマッチ）と呼ぶ。

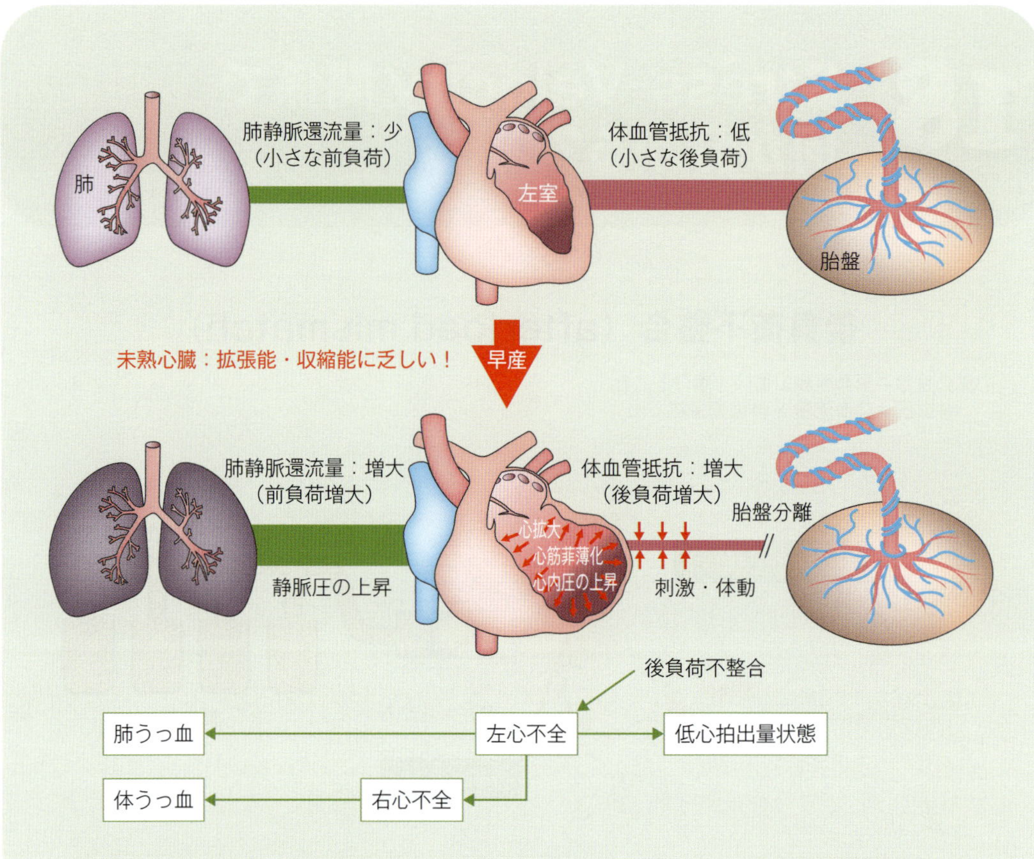

早産児の後負荷不整合の発症機序

胎児循環では肺血流量が少ないため、左室の前負荷は小さい。また、血管抵抗の低い胎盤とつながっているために後負荷も小さい。出生に伴い、左室は肺循環確立に伴う前負荷の増大と胎盤分離に伴う後負荷の増大に直面する。早産児では、出生に伴う前負荷や後負荷の増大に適応できずに心ポンプ不全を来しやすい。出生後、血圧上昇（後負荷増大）に伴い心ポンプ不全を来し、心内圧・静脈圧の上昇から肺うっ血や体うっ血といった症状を起こす。

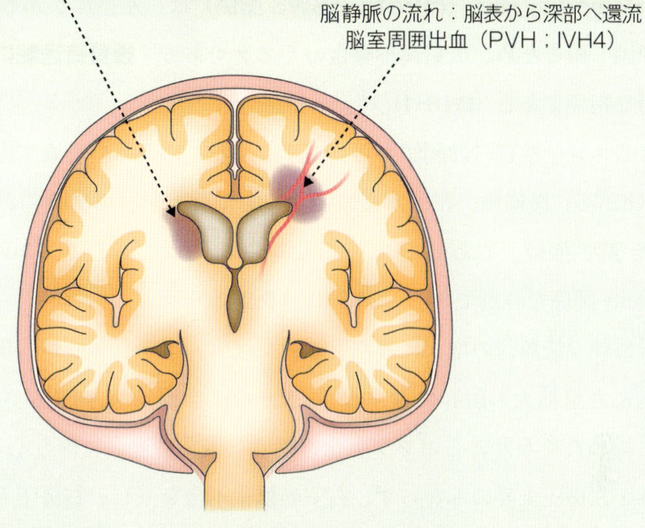

静脈圧 (心内圧) の上昇
脳から心臓へ血液還流⬇ ＋ 徐脈・血圧変動（バルサルバ反応）
心臓から脳への血液拍出⬆ ➡ 脳出血

後負荷不整合と脳室内出血の関連性

早産児の脳室内出血（IVH）の出血部である上衣下胚層は在胎 26 週を最大として以後は退縮し、在胎 34 週頃には消失する胎児特有の組織である。上衣下胚層静脈は支持組織に乏しく、血管壁が薄いため、後負荷不整合などの心ポンプ不全による体うっ血時に静脈出血しやすい箇所である。上衣下胚層で出血が生じると、上衣下胚層静脈が閉塞し、うっ血が波及して脳室周囲実質出血が続発する。後負荷不整合に伴う体うっ血は、早産児の IVH の成因になり得る。

Stress-Velocity 関係で何が分かる？

Stress-Velocity 関係（mVcfc-ESWS 関係）は、左室にかかる後負荷と心ポンプ機能を併せて評価し得るため、後負荷不整合のリスクである「**後負荷過剰に伴う心ポンプ不全**」の診断に有用な指標である（**図18-1**）[1〜3]。

血圧値と心エコー検査の計測値から算出する「左室の後負荷を表す指標」である左室収縮末期壁応力（ESWS）を横軸、左室内径の変化・心拍数・左室駆出時間から算出する「左室のポンプ機能を表す指標」である心拍補正左室平均円周短縮速度（mVcfc）を縦軸にとって、Stress-Velocity 関係を評価できる（**図18-1、18-2**）[1〜4]。

胎盤分離に伴う後負荷の増大には左室拡大で代償しようとするが、早産児では拡張能が低いため、容易に左室拡大の限界に達する（p.150 の図参照）。心内圧がさらに高まると、左室は大きいまま縮めなくなり、心ポンプ不全に陥る（後負荷過剰に伴う心ポンプ不全）。左室内圧が上昇すると左房圧上昇のみならず、右室の拡張不全を来し、右房圧も上昇する。静脈還流障害による肺うっ血や体うっ血の全身症状を示す（**後負荷不整合**）。これが早産児の肺出血や脳室内出血（IVH）の成因の一つと考える[5〜7]（p.151 の図参照）。

「後負荷上昇に伴う心ポンプ不全」は血圧値や尿量だけからは把握できず、血圧と心エコー検査を併せた評価が必要となる。また、うっ血が肺出血や IVH に関連しているならば、容量注入療法やカテコラミンを用いた昇圧・強心中心の NICU 循環管理では、肺出血や IVH の予防はできない可能性がある[5〜7]。

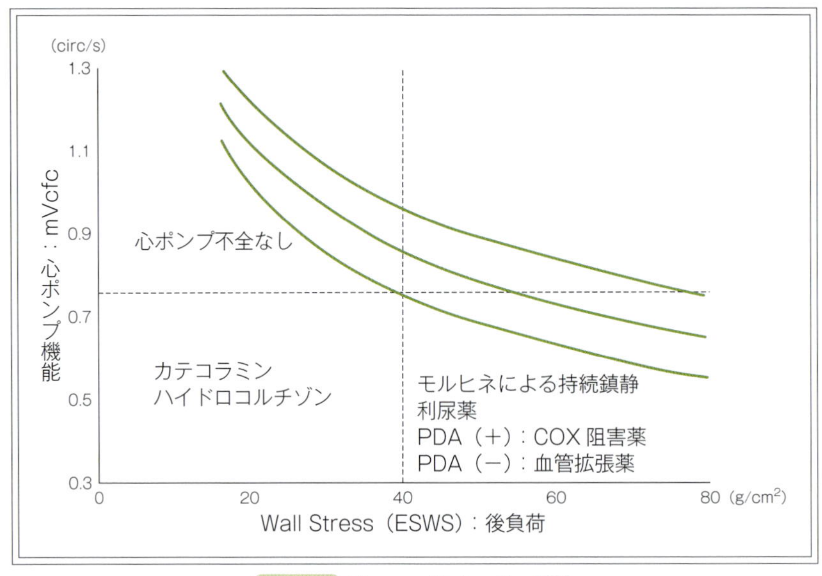

図18-1 Stress-Velocity 関係

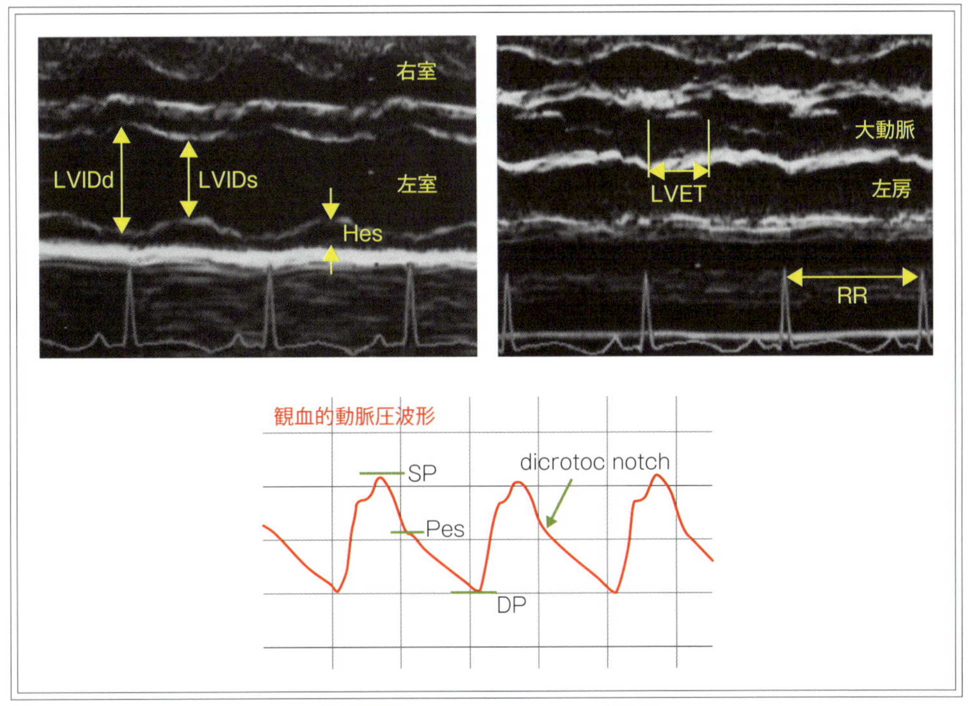

図18-2 ESWS、mVcfc の計算式

mVcfc（circ/秒）＝（LVIDd − LVIDs）/LVIDd/$RR^{1/2}$/ET

ESWS（g/cm^2）＝ 1.35 × LVIDs × Pes/｛4 × Hes（1 ＋ Hes/LVIDs)｝

＊ Pes（収縮末期血圧）は平均血圧値で代用してもよい。

（LVIDd：拡張末期左室内径、LVIDs：収縮末期左室内径、Pes：収縮末期血圧、Hes：収縮末期左室後壁厚、ET：左室駆出時間、RR：RR 間隔、SP：最大収縮期血圧、DP：拡張末期血圧）

早産児の肺出血や IVH を防ぐためには、後負荷過剰に伴う心ポンプ不全に起因する**静脈圧上昇（うっ血）**を予防することを目的とした循環管理が大切であり、Stress-Velocity 関係は有用な指標となり得る。Stress-Velocity 関係を参考にして、**循環作動薬**を選択・調節する（**図18-1**）[6〜9]。カテコラミン（強心治療）の適応は、ESWS 40g/cm^2 未満の心ポンプ不全（EF 50％未満、mVcfc 0.8circ/秒未満）として、2 〜 4μg/kg/分のドブタミン投与を検討する。ESWS が 45g/cm^2 以上の心ポンプ不全、もしくは ESWS が 45g/cm^2 未満であっても ESWS の上昇に伴い mVcfc が低下傾向にある場合は、減負荷療法の適応と考える。動脈管のシャントが大きいときにはシクロオキシゲナーゼ（COX）阻害薬であるインドメタシンやイブプロフェンの、動脈管のシャントが少なければ利尿薬、鎮静薬、低用量の血管拡張薬の投与を検討する[7〜9]。

マニュアル的に一律にカテコラミンを投与するような循環管理はやめて、心臓のストレス状況と心ポンプ機能を患者ごとに把握し、テーラーメイドな循環管理を目指す。これらの管理により、肺出血や IVH を予防できる可能性を報告している[6〜9]。

以上のように、Stress-Velocty 関係は、早産児の至適血圧の予測、循環作動薬の選択と調節などに有用な循環管理の指標の一つである。

新生児循環管理のポイント

POINT

- Stress-Velocity 関係の経時的変化から、後負荷過剰に伴う心ポンプ不全が懸念される血圧値を医師と確認する。
- 後負荷過剰に伴う心ポンプ不全、左房拡大がある状況では、血圧変動や徐脈などは肺出血や脳室内出血のリスクとなる。
- 気管内吸引やX線撮影などの処置時に血圧変動や徐脈発作を起こさないように、医療チームで注意する。

引用・参考文献

1）Colan SD, et al. Left ventricular end-systolic wall stress-velocity of fiber shortening relation : A load-independent index of myocardial contractility. J. Am. Coll. Cardol. 4 (4), 1984, 715-24.

2）Lang RM, et al. Systemic vascular resistance : an unreliable index of left ventricular afterload. Circulation. 74 (5), 1986, 1114-23.

3）豊島勝昭．心エコー検査による超低出生体重児の左心機能評価．周産期医学．35（8），2005，1091-5.

4）Toyoshima K, et al. Tailor-made circulatory management based on the stress-velocity relationship in preterm infants. J. Formos. Med. Assoc. 112 (9), 2013, 510-7.

5）豊島勝昭ほか．極低出生体重児における左室壁応力・心筋短縮速度の経時的変化と肺出血・脳室内出血・脳室周囲白質軟化症の関連性について．日本未熟児新生児学会雑誌．14（2），2002，45-52.

6）豊島勝昭ほか．Stress-Velocity 関係を指標として循環管理した在胎 23，24 週の超早産児の検討．日本周産期・新生児医学会雑誌．41（3），2005，535-41.

7）豊島勝昭．Stress-Velocity 関係を基にした早産児の急性期循環管理．小児科診療．70（4），2007，609-15.

8）豊島勝昭ほか．脳保護を目指した在胎 25 週未満の超低出生体重児の至適血圧の検討．日本周産期・新生児医学会雑誌．45（4），2009，1201-4.

9）豊島勝昭ほか．胎児・新生児の麻酔と鎮静：超低出生体重児の急性期循環管理における塩酸モルヒネ静注療法の有効性と安全性について．周産期学シンポジウム．29，2011，95-102.

豊島勝昭

レベル3

19 脳血流はどう評価する?

脳血流の描出

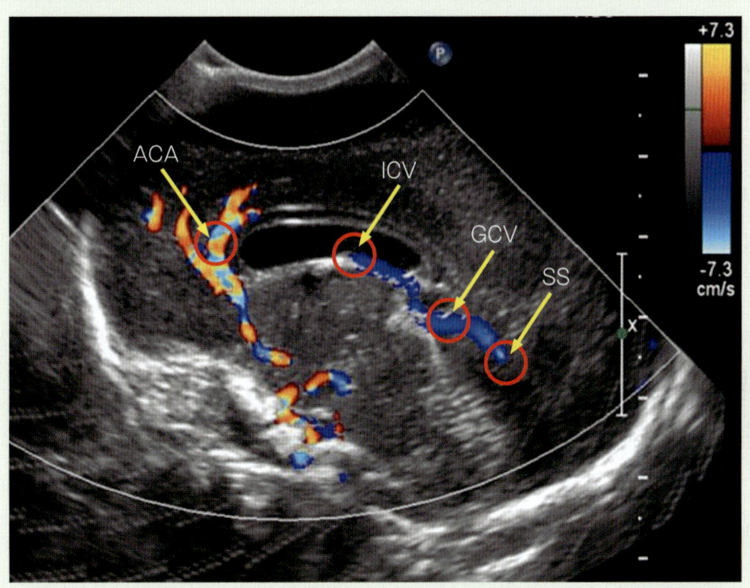

ACA：前大脳動脈、ICV：内大脳静脈、GCV：大大脳静脈、SS：直静脈洞

大泉門からアプローチし、正中矢状断面にて脳梁や透明中隔腔を描出すると各脳血流が描出しやすくなる。カラードプラ法により脳梁に沿い弧を描く前大脳動脈（ACA）が描出される。脳梁膨大部の下に内大脳静脈（ICV）の血流が描出され、大大脳静脈（GCV）、直静脈洞（SS）と続く、静脈血流が描出される。生後早期の早産児などの内大脳静脈（ICV）の測定では流速が2～5cm/秒程度と遅く、脳動脈の測定よりも流速のスケールを下げて測定することで描出が可能となる場合がある。

脳動脈の評価

エコー検査にて評価される主な脳動脈として、前大脳動脈、中大脳動脈などが挙げられる。ここでは**前大脳動脈**（ACA）の血流波形の評価について説明を加える。

新生児ではカラードプラ法にて測定した収縮期最大血流速度と拡張末期血流速度から resistance index（RI）を算出することで循環動態を評価する方法が広く用いられている（**図19-1-ⓐ**）。**RI が正常値であれば脳血流は保たれている**と評価されるが、高値の場合は脳血流が低下し、さらに悪化すると拡張期血流の途絶や逆流を認める。

前大脳動脈の RI 値の考え方

新生児仮死に伴う低酸素性虚血性脳症の重症例では脳血流の自動調整能が破綻し、循環動態にかかわらず収縮期、拡張期の血流速度が上昇して RI が低値となることがあるので、RI 値のみで循環動態を判断することには注意が必要である。新生児仮死で RI が 0.6 未満となる児の神経学的予後は悪くなると言われている[1]（**図19-1-ⓑ-1～2**）。軽症から中等度の新生児仮死では RI は高値になることも多いが、RI が低値となる重症例より脳循環が保たれていることが多い。

動脈管開存症の症候化では ACA などの脳動脈の RI も高値となり、重症例では拡張期の逆流を認める（**図19-1-ⓒ-1～2**）。

晩期循環不全では発症後に ACA の RI の高値や拡張期血流の途絶、逆流を認めることが多いが発症前に RI がすでに高くなる傾向があり、RI の定期的な評価が晩期循環不全の発症の予測につながる可能性が報告されている（**図19-1-ⓓ-1～2**）。

その一方で、脳動脈の RI や血流速度の経時的な評価が脳室内出血（IVH）の予防につながるかどうかについては現在のところ明らかになっていない[2]。ACA の RI は生後早期に高めで、正期産児ではおおむね生後 24～48 時間以降の RI の正常値は 0.7～0.8 程度と言われている。正期産児と比べ早産児では RI 値が高めになることもあるが、おおむね 0.85 前後以上は高値と考えてよいだろう。

脳静脈の評価

エコー検査にて評価される主な脳静脈として、**内大脳静脈**（ICV）や**直静脈洞**などが挙げられる。脳静脈の血流波形の変化には中心静脈圧や胸腔内圧の上昇、静脈うっ滞などが影響している可能性がある。ここでは近年、早産児の IVH との関連が報告されている ICV の血流波形

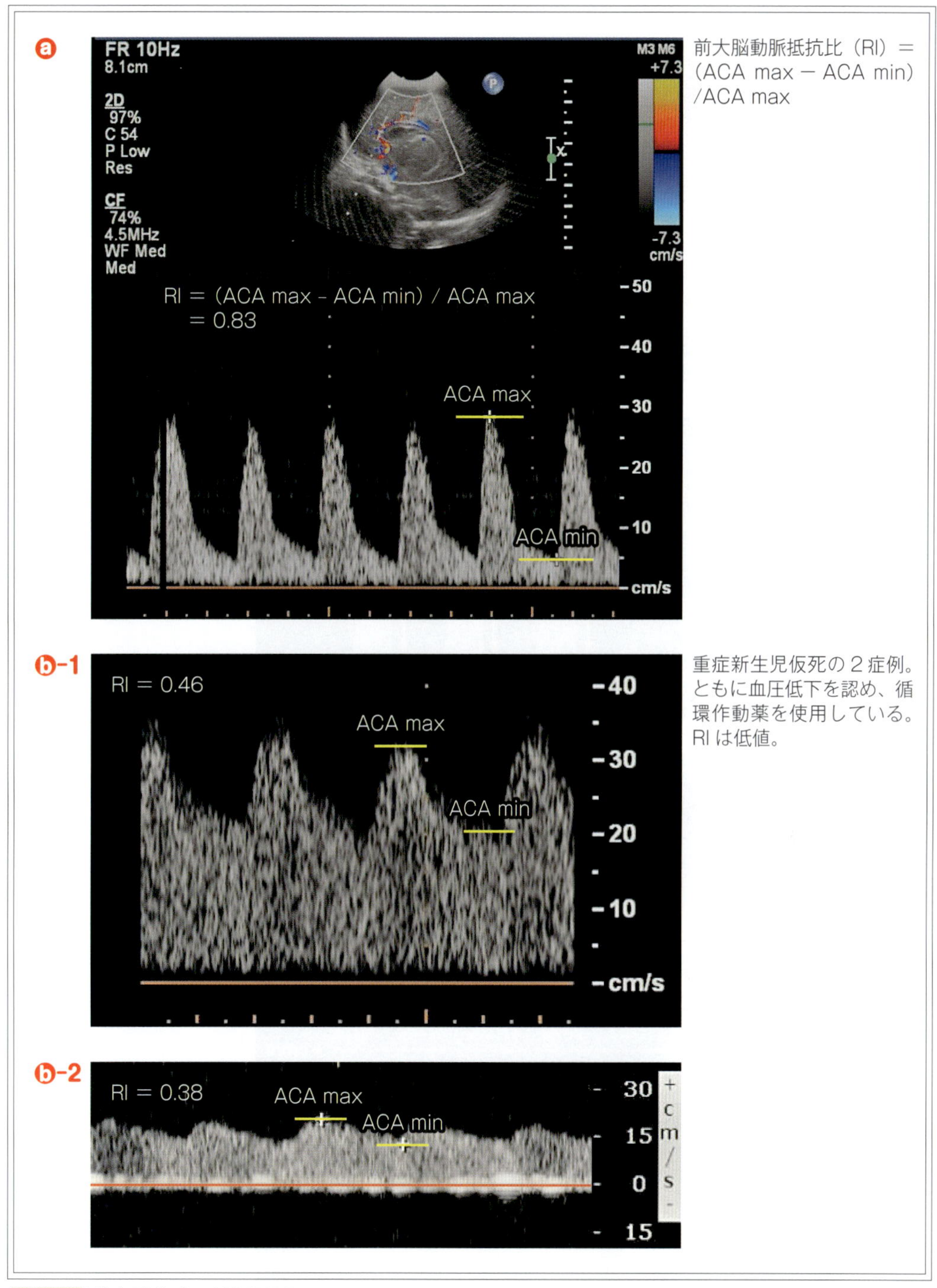

前大脳動脈抵抗比（RI）＝（ACA max − ACA min）/ACA max

重症新生児仮死の２症例。ともに血圧低下を認め、循環作動薬を使用している。RI は低値。

図19-1 前大脳動脈の血流評価①

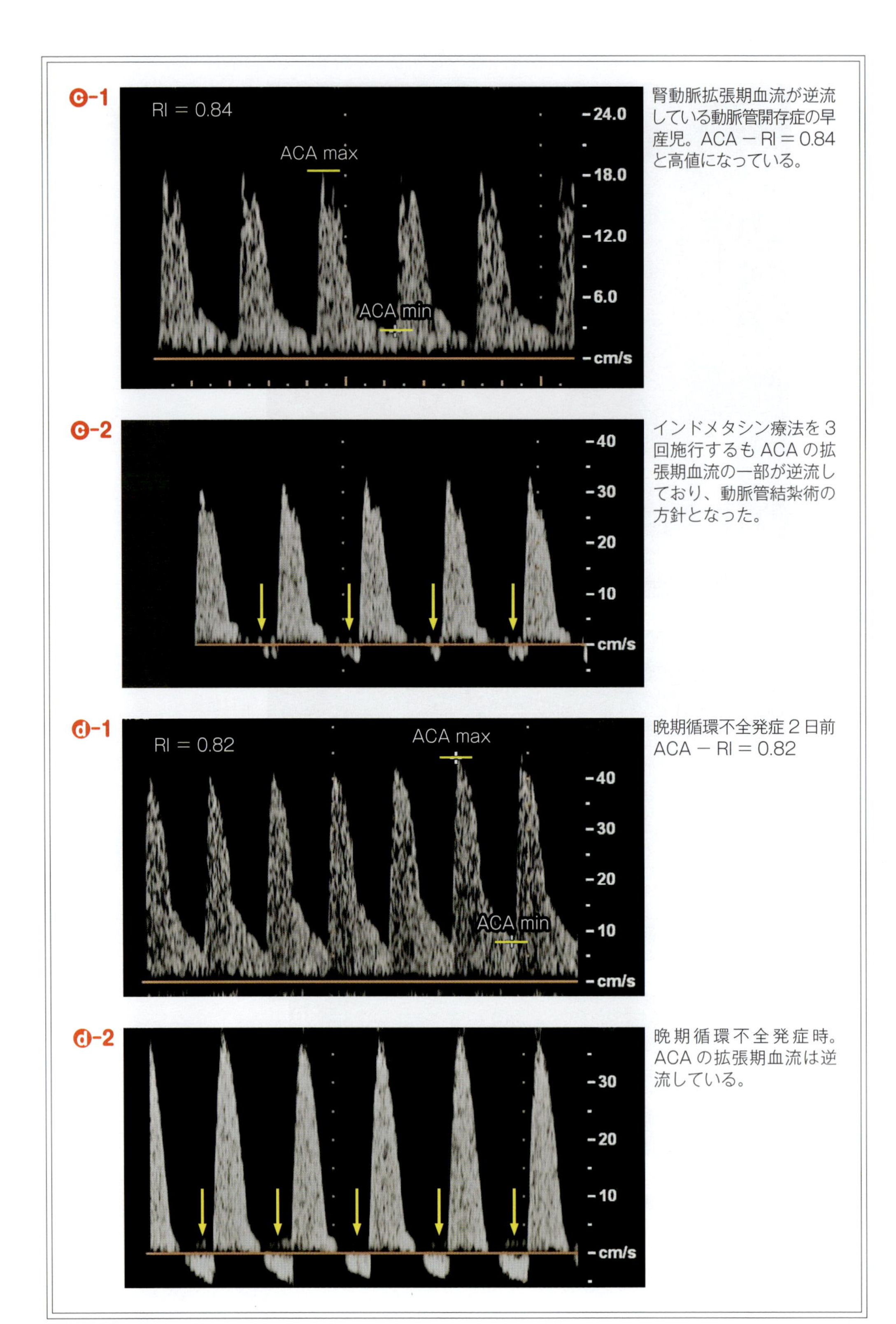

図19-1 前大脳動脈の血流評価②

表13-1 内大脳静脈の血流評価(揺らぎ波形の分類)

Grade0 (low grade)	-cm/s -4.0	血流速度が一定で定常流波形であるもの
Grade1 (low grade)	-cm/s -4.0	血流波形の流速の最低値が最大流速の半分以下とならない範囲で血流波形に揺らぎがあるもの
Grade2 (high grade)	-cm/s -4.0	血流波形の流速の最低値が最大流速の半分未満となるが0cm/秒になることはなく、揺らぎがあるもの
Grade3 (high grade)	-cm/s -4.0	血流波形の流速の一部が0cm/秒になる揺らぎを認めるもの

血流波形を4段階に分類し、Grade2～3のhigh gradeな揺らぎを認めた超低出生体重児では脳室内出血のリスクが高まる可能性が報告されている。

の評価について説明を加える。

IVHの好発部位である左右の上衣下静脈や脈絡叢静脈の血流は左右のICVに流れ込む。ICVはその後、大大脳静脈に流れ込み、さらに直静脈洞に流れ、血流が心臓へと向かっていく(p.155図参照)。このICVの血流波形は通常定常流であるが、超低出生体重児や超早産児の急性期管理において心ポンプ不全を来した症例では、心房収縮と一致すると考えられる**静脈血流波形の揺らぎ**を認める場合があることが報告されている。また、ICVの血流波形を揺らぎの程度が強くなるにつれてgrade 0からgrade 3の4段階に分類し、high grade(grade 2～3)な揺らぎを認めた超低出生体重児ではIVHの合併率が高まることが報告されている[3](**表13-1**)。また、ICVにhigh gradeの揺らぎを認める前に、心臓に近い静脈である直静脈洞や大大脳静脈においてもhigh gradeな強い揺らぎを認めることが多いことから、これらの脳静脈の測定はICVの揺らぎの予測にもつながる可能性がある[4]。high gradeな揺らぎを初めて認めた場合、それ以前のlow gradeな血流波形であったときと比べて、血圧の上昇や動脈管開存症の悪化を認めることが多いことから、定期的なエコー検査によるICVの評価に加え、血圧上昇時や心雑音聴取時にICVを評価することでICVの血流波形の変化を早めに捉えることが可能となる[5]。観血的動脈圧測定を行う児では血圧の上昇が捉えやすいことから、ICVの揺らぎの変化も捉えやすい。

内大脳静脈の揺らぎと脳室内出血予防

超早産児の急性期などのIVHの好発時期にICVのhigh gradeな揺らぎを認めた場合は心エコー検査を行い、心ポンプ不全や動脈管開存症などの循環動態の変化がないかを評価し、IVHのリスクとなる要因を避け、普段よりもミニマルハンドリングを意識したケアが必要となる。血圧の上昇を伴ったICVのhigh gradeな揺らぎを認めた児に対して血圧を下げ、high gradeな揺らぎを防ぐことでIVHの予防につなげる試みも行われている。

脳血流の評価における注意点

脳血流の評価は心エコー検査と並び循環動態の評価に役立つが、呼吸状態や二酸化炭素分圧などの影響を受けることがある。例えば呼吸管理を必要とする児の管理において、SpO_2低下時や努力呼吸を認める場合には脳動脈のRIが高めになることがある。また、呼吸器設定や呼吸器モードを変更することで、ICVの血流波形の揺らぎが消失する症例を経験する。

新生児循環管理のポイント

POINT

- 新生児では大泉門などからエコー検査のカラードプラ法にて脳血流を評価し、循環管理への指標とすることができる。
- 前大脳動脈や内大脳静脈などの脳血流の評価は低侵襲で比較的簡単に測定できる。
- 新生児の脳動脈は血流速度のRIにて評価されることが多い。
- 脳動脈のRIは新生児仮死などで自動調整能が破綻し、低値となる場合があり、循環動態の評価としては注意が必要である。
- 脳静脈の評価として内大脳静脈の血流波形と脳室内出血の関連が報告されている。

引用・参考文献

1）Archer LN, et al. Cerebral artery Doppler ultrasonography for prediction of out come after perinatal asphyxia. Lancet. 15, 1986, 1116-8.
2）Camfferman FA, et al. Diagnostic and predictive value of Doppler ultrasound for evaluation of the brain circulation in preterm infants: a systematic review. Pediatr Res. 87, 2020, 50-8.
3）Ikeda T, et al. Changes in the perfusion waveform of the internal cerebral vein and intraventricular hemorrhage in the acute management of extremely low-birth-weight infants. Eur J Pediatr. 2015, 174, 331-8.
4）Ikeda T, et al. Fluctuations in internal cerebral vein and central side veins of preterm infants. Pediatr Int. 2021. doi: 10.1111/ped.14638. Online ahead of print.
5）Ikeda T, et al. Hemodynamics of infants with strong fluctuations of internal cerebral vein. Pediatr Int. 2019, 61, 475-81.

池田智文

第3章

先天性心疾患を理解しよう！

1 先天性心疾患を疑うのはどんなとき?

心雑音の聴取部位（収縮期雑音）

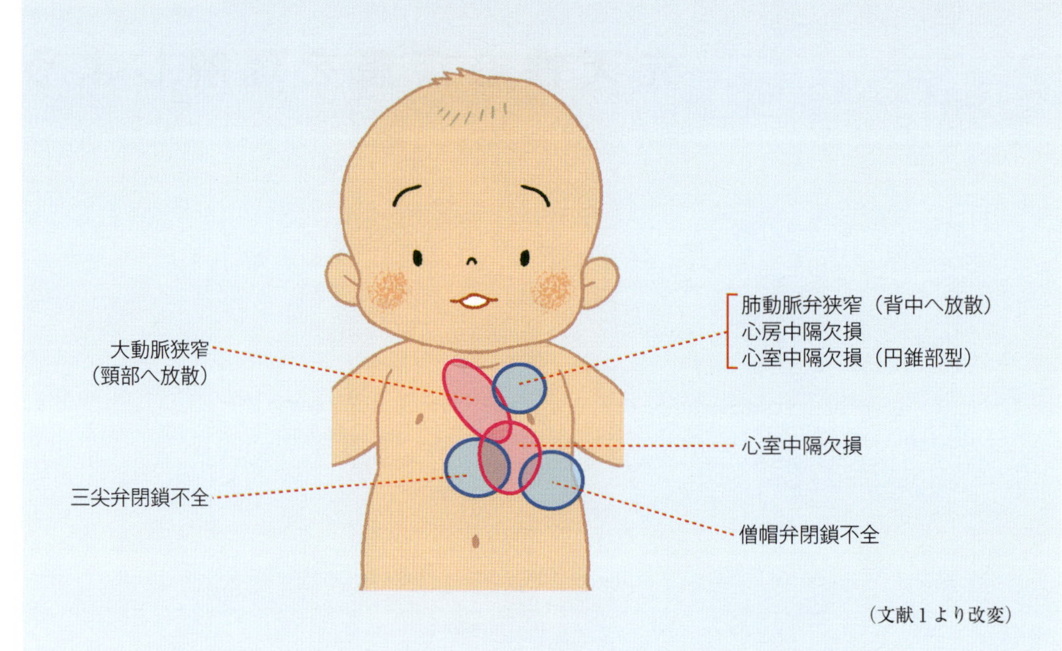

（文献 1 より改変）

心雑音の種類と聴取部位

心雑音の時相（収縮期か拡張期か連続性か）や最強点が聴取される部位、さらにはその大きさ（Levine 分類）、音質などでいくつかの心疾患が想定される。収縮期雑音は心室中隔欠損や大動脈・肺動脈の狭窄、三尖弁・僧帽弁の逆流で聴取され、拡張期雑音は逆に大動脈・肺動脈の逆流、三尖弁・僧帽弁の狭窄で聴取される（新生児では稀）。収縮期雑音には病的なものと機能性のものがあるが、拡張期雑音の存在は明らかに異常である。連続性雑音の典型例は動脈管開存で聴取される。上図に頻度の高い収縮期心雑音について示す[1)]。

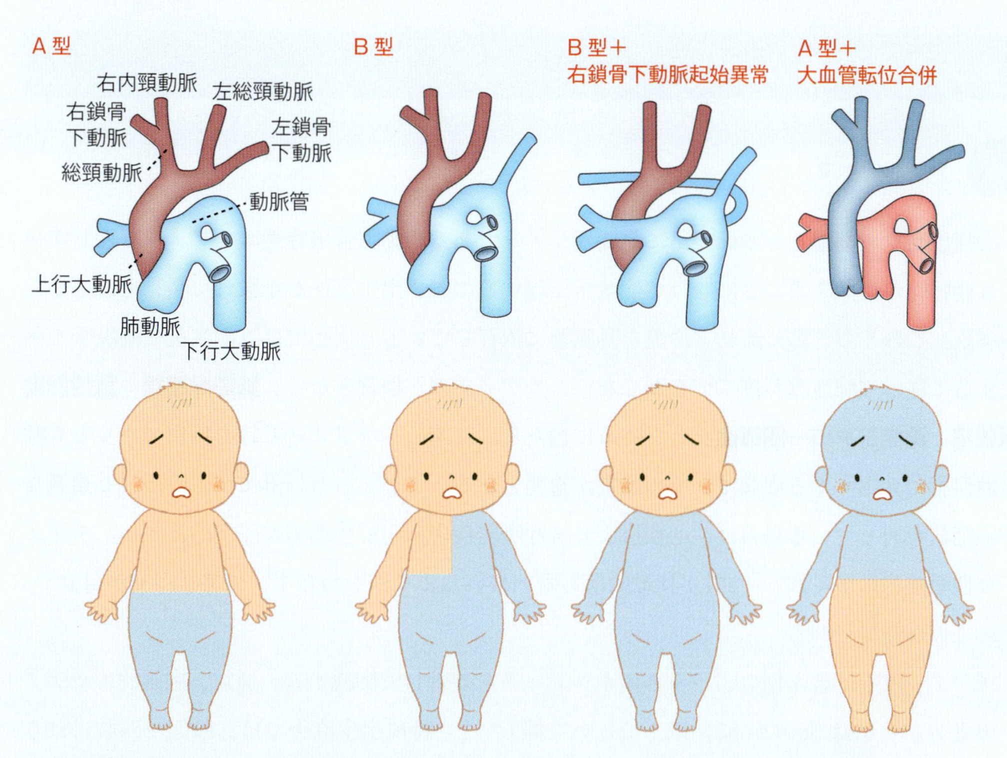

大動脈弓離断を例にした解離性チアノーゼ（differential cyanosis）の種類

チアノーゼなど心疾患の疑いがある場合には、パスルオキシメータの装着部位にも注意が必要である。上図のように大動脈弓離断や大動脈縮窄では離断（縮窄）部位により単に上下肢差だけでなく、左右差が出現する場合もある。さらに大血管転位に大動脈離断や縮窄があると、SpO_2は上肢の方が低くなる（reversed differential cyanosis）。

先天性心疾患の発見の契機と診断のポイント

産婦人科医が施行する胎児エコー検査の普及と進歩により、いくつかの先天性心疾患が出生前に診断されることが増えてきた。しかし現状では、まだ多くの先天性心疾患児は出生後に発見されることが多い。新生児期に心疾患発見の手がかりとなる臨床症状・徴候としては、以下に挙げるように、①チアノーゼ、②心雑音、③呼吸障害、④哺乳不良、⑤ショックなどが代表的なものである。重要なことは、症状から「先天性心疾患をまず疑う」ことである[2)]。

先天性心疾患の症状

1 チアノーゼ

心疾患発見の契機としては非常に重要なサインである。動脈管依存性のチアノーゼ性心疾患では動脈管が自然閉鎖するにつれて症状が出現するので、出生直後から数日に発見されることが多い。このうち、肺に流れる血流を動脈管に依存している心疾患では、出生後に動脈管が閉鎖するに従って肺血流が維持できなくなり、チアノーゼが顕著となる。**肺動脈閉鎖**や**重症肺動脈狭窄**、**重症ファロー四徴症**などがこれに当たる。しかし、チアノーゼは心疾患でなくとも呼吸器疾患でも出てくる症状で、その鑑別が重要となる。チアノーゼ以外に出生直後より重篤な呼吸症状を有している場合は、心疾患よりも呼吸器疾患の可能性の方が圧倒的に高い。チアノーゼ性心疾患の多くは、「呼吸が比較的落ち着いているにもかかわらず、チアノーゼが目立つ」というのが特徴である。

チアノーゼを認めた場合、パルスオキシメータを装着して確認する。通常、肉眼的にチアノーゼと分かるには SpO_2 が85%以下でないと難しい[3)]。特に出生直後では、顔面や四肢にはうっ血があり、末梢性チアノーゼを病的な中心性チアノーゼと見誤る。呼吸器疾患と心疾患との鑑別に酸素投与試験が有用であり、高濃度酸素により SpO_2 が95%以上に上昇する場合は、新生児一過性多呼吸（TTN）や胎便吸引症候群（MAS）、肺炎、呼吸窮迫症候群（RDS）などの呼吸器疾患であることが多く、チアノーゼ性心疾患では95%を超えることは少ない[4)]。ただし、肺血流増加型の心疾患では、過剰な酸素負荷により肺血管抵抗の低下を早め状態の悪化を招く危険性があり、長時間にわたって確認する必要はない。直ちに心エコー検査で心形態異常の有無を確認すべきである（3章7「酸素を投与してはいけない心疾患があるのはなぜ？」参照）。**表1-1** に心疾患と呼吸器疾患の鑑別点を示す。

2 心雑音

1章11「心雑音はどんなときに出る？　どう評価する？」を参照いただきたい。心雑音は心疾患を疑う際に非常に重要な徴候であるが、むしろ「重篤な心疾患では必ずしも心雑音を有するとは限らない」ということを知っておくべきである。例えば、**完全大血管転位**、**総肺静脈還流異常**や**左心低形成症候群**では聴取されないことが多い。ただし、これらでは心音の異常が認められることが多く、一般的にⅡ音の亢進やⅢ音、Ⅳ音を含むギャロップリズムなどがあると心疾患の可能性が高い。また、頻度の高い**心室中隔欠損**でも欠損孔が大きいと、むしろ心雑音は聴取されにくい。肺血管抵抗が自然に低下する1週間を過ぎてから、徐々に心雑音として聴取されるようになる。同様な理由で**肺動脈弁狭窄（を含む心疾患）**も心雑音が徐々に増強する。

表1-1 心疾患と呼吸器疾患との鑑別

	心疾患	呼吸器疾患
早産児、羊水混濁、新生児仮死		○
出生直後からの呼吸障害		○
多呼吸だが陥没呼吸が目立たない	○	
陥没呼吸、鼻翼呼吸、呻吟呼吸	△	○
明らかな心雑音	○	
心拡大、肝腫大	○	
強いチアノーゼで PaO_2 低値(< 25mmHg)、$PaCO_2$ 正常	○	
チアノーゼ(PaO_2 < 35mmHg)で $PaCO_2$ > 45mmHg		○
100%酸素で PaO_2 < 150mmHg	○	
100%酸素で PaO_2 > 150mmHg		○
全身チアノーゼで PaO_2 の上下肢差	○	△
血圧・脈の上下肢差	○	
肺血管陰影の明らかな増減	○	
肺野の網状顆粒状陰影・気管支透亮像・スリガラス状陰影		○
気胸	△	○
心電図異常	○	
心エコー異常	○	

また出生後、一過性に聴取される無害性の心雑音も多く、**動脈管の自然閉鎖**の過程で聞かれる連続性心雑音や、一時的な**三尖弁逆流**などによる収縮期心雑音もよく経験する。この場合は、次第に雑音が消失していくので、病的な心雑音とは全く経過が逆である。また、注意深く聴診すれば、心雑音の性質と周期、聴取される部位でいくつかの心疾患が想定される[2)]。心雑音の種類と部位による心疾患の鑑別は p.162 の図に示した。

3 多呼吸

平熱にもかかわらず、安静時に毎分60回以上の多呼吸が、生後2〜3日を経過してもなお続く場合には、肺血流増加型の心疾患(**心室中隔欠損**など)の可能性がある。さらに、呼吸様式を観察して、陥没呼吸や呻吟呼吸を呈する場合は、先天性心疾患よりは肺疾患(RDS、TTN、MASなど)をより考慮する(**表1-1**)。もちろん、心疾患でも重篤な場合(肺静脈狭窄の強い総肺静脈還流異常や肺低形成を伴うエプスタイン類縁疾患など)は呼吸器疾患と同様な呼吸障害が生じる。**図1-1** に肺血流が多いか少ないかによる症状の違いを示した。一般的に肺血流が多いと呼吸障害が主体となり、逆に少ないとチアノーゼが主体となる関係がある。例えば、ファロー四徴症でもいわゆるピンクファローと呼ばれる時期はチアノーゼは目立たず、肺血流が多いため呼吸障害が見られるが、肺血流が減ってくるとチアノーゼが出てくる。

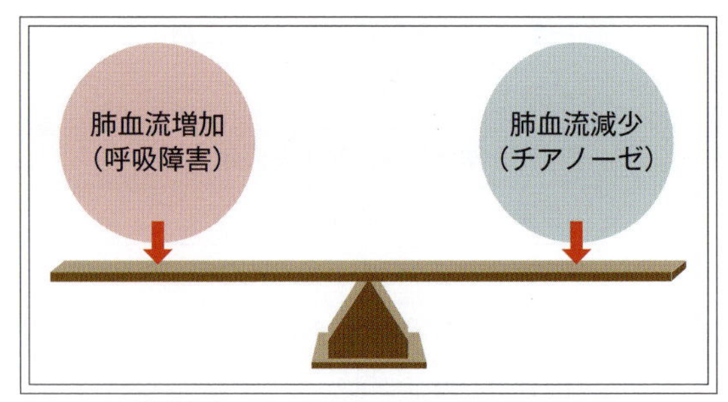

図1-1 肺血流の増減と臨床症状の関係

4 哺乳障害

単独では心疾患を疑いにくい症状であるが、呼吸障害やチアノーゼ、心雑音などの心徴候と共に存在する場合は心疾患も考慮に入れる。また、それまで上手に哺乳できていたものが、急に哺乳困難になるなどの not doing well の症状では、重篤な心疾患のほか、敗血症・髄膜炎、重症な先天性代謝疾患、頭蓋内病変など鑑別すべき疾患が多い。

5 ショック

体血流を動脈管に依存する疾患（**左心低形成症候群**、**大動脈縮窄複合**、**大動脈弓離断複合**、**重症大動脈弁狭窄**など）では動脈管の収縮により腎不全、肝不全などのショック状態に陥る（いわゆるダクタルショック；ductal shock）。動脈管閉鎖によって起こる組織の虚血状態を意味し、全身状態は非常に悪く、呼吸障害だけでなく、皮膚色は不良で、肝腫大のため腹部は膨満している。しばしば、敗血症などの重症感染症や重症代謝疾患などとの鑑別が必要となる。**左心低形成症候群**では、日齢とともに肺血管抵抗が低下することで、大きく開存した動脈管を介して体血流が肺血流に盗流して、動脈管が閉じなくてもショック状態を呈する場合もある（steal-shock）。

心疾患で注意すべきバイタルサイン・モニタ

1 SpO_2・パルスオキシメータ（経皮的動脈血酸素飽和度）

症状にかかわらず、先天性心疾患をスクリーニングする方法として有用性が報告されており、胎内診断や心徴候と合わせると、高率に心疾患を検出できる[5]（2章1「SpO_2 モニタリングから何が分かる？」および2章2「重症先天性心疾患（critical CHD）は SpO_2 モニタでどうスクリーニングする？」参照）。チアノーゼ性心疾患の場合には、下肢での SpO_2 が95％を下回る。先天性心疾患を疑う場合には、上肢と下肢で測定して3～5％以上の差があると診断の手がかりとなることがある。例えば動脈管に依存した**大動脈縮窄・大動脈弓離断**や、心疾患ではないが**新生児遷延性肺高血圧症**では、下肢（post-ductal）の酸素飽和度が上肢（pre-ductal）に比

表1-2 酸素投与試験の評価

	$F_IO_2 = 0.21$		$F_IO_2 = 1.0$
	SaO_2 (%)		SaO_2 (%)
正常	95		100
肺疾患	85		100
大血管転位	< 75		<85
肺動脈閉鎖	< 75		<85
肺うっ血疾患	75～93		<100
	上　肢	下　肢	
解離性チアノーゼ	95	< 75	さまざま
逆解離性チアノーゼ	< 75	> 90	さまざま

（文献6より改変）

し低値となる（解離性チアノーゼ；differential cyanosis）。また、それらに**大血管転位**を合併した場合は、逆に上肢の酸素飽和度が低値となる（reversed differential cyanosis）。**大動脈弓離断のＢ型**や**鎖骨下動脈起始異常**を伴う場合はさらに複雑で、どの部位で測定したのかが重要になる。必要に応じて上肢と下肢とで、さらには右上肢と左上肢とで数値を比較することが診断の手がかりとなることがある（p.163の図を参照）。**表1-2**[6]に酸素飽和度による主な心疾患の鑑別を示した。単心室系の心疾患では、SpO_2が80％台でも肺／体血流量比は適正値であり、90％以上をキープすることに執着しない。

2 経皮的酸素分圧

パルスオキシメータのほかに、経皮的に酸素分圧や二酸化炭素分圧を測定する装置である。特に酸素投与試験でSpO_2が90％後半に上昇しても、酸素分圧は60～80mmHgを超えていない場合もあり、パルスオキシメータのみではチアノーゼ性心疾患を見逃す場合に有用である。

3 呼吸数・心拍数

前述の「多呼吸」を参照してほしい。左右短絡で肺うっ血を来す心疾患では、安定化した後も呼吸数60回／分以上の多呼吸が続く。また、安静時にもかかわらず頻脈が持続する場合も心不全の徴候として重要である。

4 血　圧

先天性心疾患が疑われた場合、四肢の脈の触知は重要で、入院時の血圧測定は四肢で実施するのが原則である。**大動脈縮窄**・**大動脈弓離断**では動脈管が収縮した場合、下肢の脈は触れも微弱となり、血圧も低下する。

 尿　量

新生児では尿量は血圧に依存することは言うまでもない。**左心低形成症候群**や**大動脈縮窄**では動脈管が収縮した場合、血圧の低下に伴って尿量も減少する。**左心低形成症候群**では、特に顕著で動脈管が開存していても肺血管抵抗の低下で肺血流が増えることによって体血流が減少し、腎血流が確保できなくなる。

新生児循環管理のポイント

POINT

- 呼吸状態はどうか？　陥没や呻吟を伴うか？
- チアノーゼはないか？　SpO_2は何％か？　それは上肢での評価か、下肢での評価か？酸素投与でどれほど上昇するか？
- 心雑音はないか？　心音（Ⅱ音）の亢進はないか？　日齢から見て正常か？
- 末梢冷感はないか？　末梢の脈の触知はどうか？　四肢の血圧はどうか？
- 尿量は減少していないか？　体重当たりの時間尿で記載する。

引用・参考文献

1）中澤誠．“適切な治療のための診断のポイント”．先天性心疾患．中澤誠編．東京，メジカルビュー社，2014，16-23.

2）与田仁志．先天性心疾患が疑われる児が出生したら．小児科診療．66（3），2003，405-13.

3）Allen HD, et al. “History and physical examination”. Moss and Adams’ Heart Disease in Infants, Children, and Adolescents. 7th ed. Philadelphia, Lippincott Williams & Wilkins, 2008, 258-66.

4）Marino BS, et al. Diagnosis and management of the newborn with suspected congenital heart disease. Clin Perinatol. 28（1）, 2001, 91-136.

5）Ewer AK, et al. Pulse oxymetry screening for congenital heart defects in newborn infants（Pulse Ox）: a test accuracy study. Lancet. 378（9793）, 2011, 785-94.

6）Barone MA, The Harriet Lane Handbook : a manual for pediatric house officers. 14th ed. St. Louis, Mosby, 1996, 155.

7）与田仁志．“心雑音”．新生児のプライマリ・ケア．日本小児科学会新生児委員会編．東京，診断と治療社，2016，169-71.

8）与田仁志．“チアノーゼ，motteling”．前掲書 7．181-4.

与田仁志

● レベル 1

2 先天性心疾患には どんなものがある?

主な心疾患の新生児・乳児期での症状と発症時期

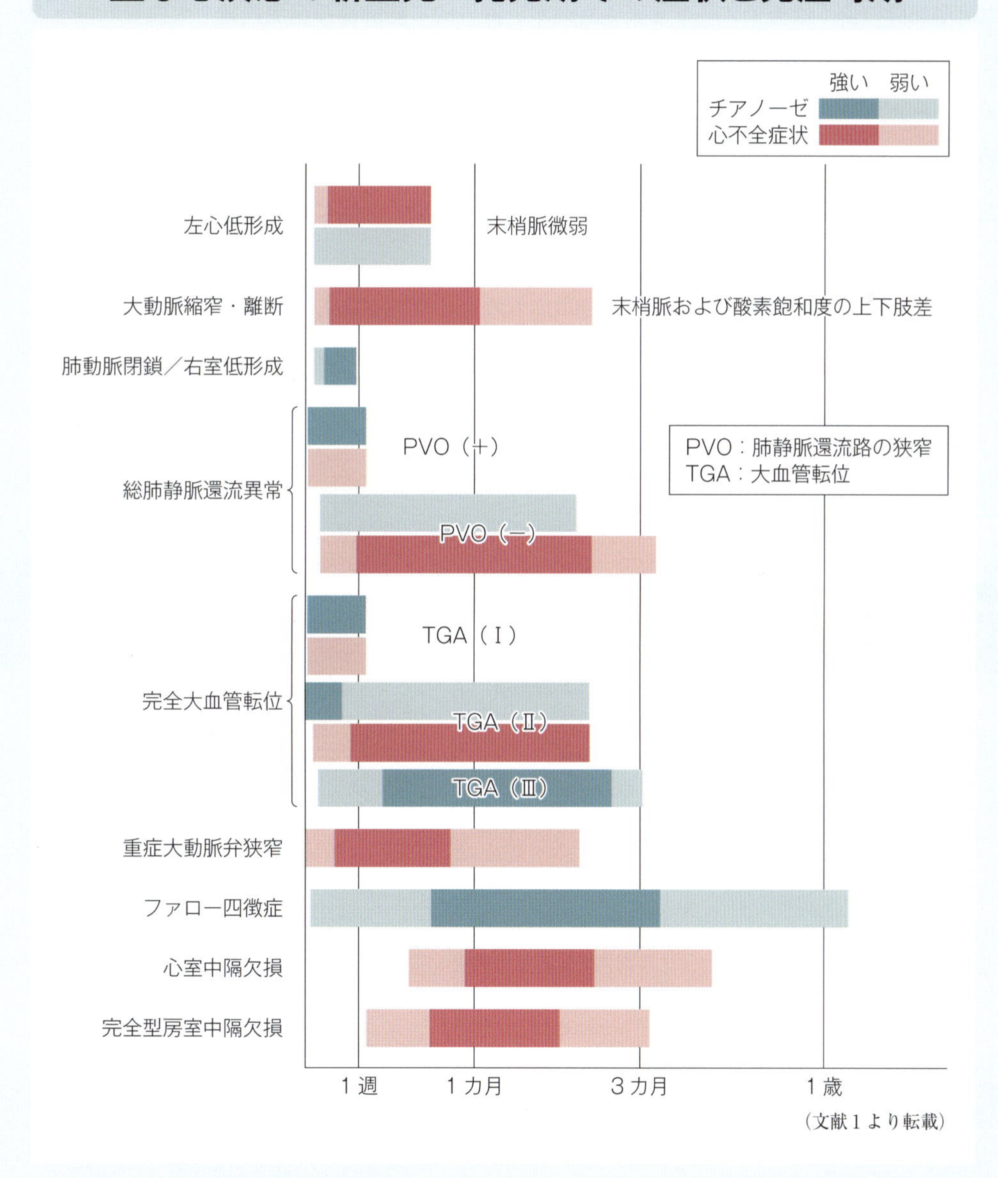

(文献1より転載)

新生児期を中心に、乳児期や幼児期まで、症状が強くなる時期により発見される期間が異なる。上図に代表的な疾患の発症時期と症状の違いを示す[1)]。症状としてチアノーゼと心不全(呼吸障害)を代表的なものとして表してある。

新生児期に遭遇する先天性心疾患

新生児期に遭遇する心疾患には重症なものが多い。3章1「先天性心疾患を疑うのはどんなとき？」（p.162）で説明した、肺血流の過多・過少による症状の違い、すなわち呼吸障害の有無とチアノーゼの有無による心疾患の種類を**表2-1**にまとめる。**肺血流増加群**の症状は呼吸症状が主体であり、日齢とともに肺血管抵抗が低下して症状が強くなり、肺うっ血が増強する。肺血流増加群の多くはチアノーゼを来さないが、例外的に**総肺静脈還流異常**や**大血管転位**などではチアノーゼも出現する。また、**大動脈弓離断や縮窄**では解離性チアノーゼにより下肢のみにチアノーゼが出現する場合もある（3章1参照）。**肺血流減少群**の心疾患はチアノーゼが主体で、中には肺血流を動脈管に依存しないと生存できない疾患（**肺動脈閉鎖**など）も含まれる。動脈管の太さや短絡量が多くなると呼吸障害も生じるので、一概には言えないことも知っておく。

心疾患の代表的な症状である心雑音が聴取されない心疾患がある。中には重篤なものも含まれる。**表2-2**に心雑音が聴取されないことが多い心疾患を、チアノーゼの強さ別に示した。

表2-1 チアノーゼと呼吸障害の有無による心疾患の分類

	呼吸障害あり	呼吸障害なし
チアノーゼあり	• 総肺静脈還流異常 • 大血管転位 • 両大血管右室起始の一部 軽度 • 左心低形成 • 総動脈幹症の一部 下肢のみ • 大動脈縮窄 • 大動脈弓離断	• 純型肺動脈閉鎖 • 肺動脈閉鎖兼心室中隔欠損 • 重症肺動脈狭窄 • 重症ファロー四徴症 • 三尖弁閉鎖に肺動脈閉鎖・狭窄合併 • 両大血管右室起始に肺動脈狭窄合併
チアノーゼなし	• 房室中隔欠損（心内膜床欠損） • 心室中隔欠損 • 動脈管開存 • 両大血管右室起始の一部	

表2-2 心雑音の聞こえない心疾患

チアノーゼを伴う	• 完全大血管転位（心室中隔欠損を伴わない） • 総肺静脈還流異常
軽度のチアノーゼ	• 左心低形成症候群
チアノーゼを伴わない	• 大動脈縮窄・離断複合（心室中隔欠損を伴う） • 房室中隔欠損 • 大きな心室中隔欠損 • 心房中隔欠損 • 修正大血管転位（他に心疾患のないもの） • 心筋疾患（心内膜線維弾性症、肥大型心筋症、拡張型心筋症）

新生児期に遭遇する心疾患の分類

以下に、新生児期に遭遇する心疾患を、さまざまな観点から分類する。

1 動脈管依存性からみた病型

- **肺血流を動脈管に依存する疾患**：肺動脈閉鎖兼心室中隔欠損、純型肺動脈閉鎖（右心低形成)、重症肺動脈狭窄、重症ファロー四徴症、三尖弁閉鎖など
- **体血流を動脈管に依存する疾患**：左心低形成症候群、大動脈縮窄複合、大動脈弓離断複合、重症大動脈弁狭窄など
- **その他**：完全大血管転位

2 肺血流からみた分類

- **肺血流増加群**：左心低形成症候群、大動脈縮窄複合（大動脈弓離断複合)、総動脈幹症、房室中隔欠損（心内膜床欠損)、心室中隔欠損、動脈管開存、心房中隔欠損、総肺静脈還流異常、大血管転位など
- **肺血流減少群**：肺動脈閉鎖と重症肺動脈狭窄を合併する心疾患で、ファロー四徴症も含まれる。両大血管右室起始や三尖弁閉鎖は、肺動脈狭窄・閉鎖の合併があるかどうかで肺血流減少か増加かが決まる。

3 チアノーゼの有無からみた分類

- **チアノーゼ群**：前項で挙げた肺血流減少群が代表的だが、肺血流増加型でも、総肺静脈還流異常や大血管転位ではチアノーゼが出現する。
- **非チアノーゼ群**：前項で挙げた肺血流増加群の多くはチアノーゼを呈さない。左心低形成症候群や大動脈縮窄（離断）複合、房室中隔欠損、大きい心室中隔欠損などはチアノーゼを認めにくい。

病型により病態や治療方針が変わる代表的疾患

先天性心疾患では、病名が同じでもその程度や病型によっては症状に違いがあり、治療法・術式も異なる場合が多々ある。重症度による治療方針の違いはすべての心疾患で言えることだが、ここでは病型により病態や治療方針が変わる代表的疾患を取り上げる[2)]。

❶ 心室中隔欠損（VSD）

欠損孔の大きさだけでなく、部位によっては自然閉鎖や縮小もあり得る。部位による分類には、**Kirklin 分類**や**Soto 分類**（3 章 11「欠損孔の部位と大きさで心室中隔欠損の管理は変わる？」の p.213 の図参照）などがある。Kirklin 分類を以下に示す。

▶…**円錐部中隔欠損（infundibular または doubly committed）**：肺動脈弁下欠損ともいい、室上稜の高位型で、東洋人に多い。大動脈弁逆流の合併で手術適応となることが多い。

▶…**膜様部欠損（perimembranous）**：頻度は最も高く、欠損孔が小さいと自然閉鎖が期待できる。

▶…**流入部中隔欠損（心内膜床欠損型、atrioventricular）**：大欠損で手術が必要な型である。ダウン症候群などでよく見られる。

▶…**筋性部欠損（muscular）**：頻度は高く、小さいと自然閉鎖の可能性が高い。複数の場合もあり、スイスチーズ状に多発欠損となる。

❷ 大血管転位（TGA）

心室中隔欠損の有無と肺動脈狭窄の有無で分類する（3 章 9「大血管転位でプロスタグランジンを使うのはなぜ？」の p.206～207 の図および 4 章 2「新生児期に根治術が必要となる疾患とその術式は？」の p.257～260 を参照)。

▶…**Ⅰ型**：心室中隔欠損がない型で、最もチアノーゼが強い。心房間交通が生命維持に必須である（必要により**バルーン心房中隔切開術〔BAS〕**が必要である)。左室圧が低下しないように、動脈管も開存させる。**大血管転換術（ジャテン：Jatene 手術）**が根治術である。

▶…**Ⅱ型**：心室中隔欠損を合併する型で、チアノーゼは軽いが、呼吸障害がある。大血管転換術（Jatene 手術）と心室中隔欠損閉鎖術が施行される。

▶…**Ⅲ型**：肺動脈狭窄と心室中隔欠損を合併する型で、チアノーゼは強い。**ラステリ**

新生児期に遭遇する重症心疾患として「5T と 1H」という覚え方がある[3]。「5T」とは**完全大血管転位**（TGA）、**総肺静脈還流異常**（TAPVC）、**総動脈幹症**（truncus arteriosus）、**三尖弁閉鎖**（TA）や**エブスタイン類縁疾患**などの三尖弁逆流（TR）のことを言い、「1H」とは**左心低形成症候群**（HLHS）とその類縁疾患（**重症大動脈弁狭窄**、**大動脈縮窄・離断複合**）を指す。また、複雑心疾患と呼ばれる心疾患には心房内臓錯位症候群があり、**無脾症候群**（asplenia）〔右側相同：right isomerism〕や**多脾症候群**（polysprenia）〔左側相同：left isomerism〕などが含まれる。

(Rastelli）手術が施行される。その前に**ブラロック・タウシッヒ（Blalock-Taussig；BT）シャント術**が実施されることもある。

冠状動脈の走行には Shaher 分類があり、冠状動脈移植の際に必須の情報となる。

3 大動脈縮窄（CoA）・離断（IAA）

大動脈縮窄は、大動脈峡部と下行大動脈の間で狭窄があり、大動脈も細い。心室中隔欠損を伴うと大動脈縮窄複合という。大動脈弓離断は離断部位により分類する（Celoria-Patton 分類）（3 章 1「先天性心疾患を疑うのはどんなとき？」の p.163 の図および 4 章 2「新生児期に根治術が必要となる疾患とその術式は？」の p.261 を参照）。

- A 型：第 3 分枝（左鎖骨下動脈）以降の離断で、最も多い（70％）。
- B 型：第 2 分枝（左総頸動脈）以降の離断で、次に多い（30％）。**染色体 22q11.2 欠失症候群**や **CHARGE 症候群**で多い。右鎖骨下動脈起始異常を合併する場合もある。
- C 型：第 1 分枝（右腕頭動脈）以降の離断で、稀である。

4 総肺静脈還流異常（TAPVR/TAPVC/TAPVD）

共通肺静脈からの垂直静脈の還流部位により分類される（Darling 分類、3 章 6「胎便吸引症候群や呼吸窮迫症候群との鑑別が問題となる先天性心疾患は？」の p.192～193 の図および 4 章 2「新生児期に根治術が必要となる疾患とその術式は？」の p.251 および p.260 を参照）。

- Ⅰ型（上心臓型）：Ⅰa は左無名静脈、Ⅰb は右上大静脈に還流する。高頻度に生じる。
- Ⅱ型（傍心臓型）：Ⅱa は冠静脈洞、Ⅱb は右房に還流する。症状は最も軽い。
- Ⅲ型（下心臓型）：横隔膜より下方で、門脈や肝静脈に合流する。肺静脈狭窄が強く、重症型が多い。
- Ⅳ型（混合型）：それぞれの肺静脈還流部位の組み合わせである（Ⅱa＋Ⅰa など）。

5 両大血管右室起始（DORV）

心室中隔欠損の位置と肺動脈狭窄の有無により分類する。

- 大動脈弁下（subaortic VSD）：血行動態は大きな心室中隔欠損と同じで、チアノーゼはない。これに肺動脈弁狭窄（PS）が合併するとファロー四徴症と同じ血行動態になり、チアノーゼを来す。
- 肺動脈弁下（subpulmonic VSD）：血行動態は大血管転位＋心室中隔欠損（TGA Ⅱ型）に似る。チアノーゼを来す。
- 両半月弁下（doubly committed VSD）：頻度は少ない。
- 遠位型（remote または non-committed VSD）：頻度は少ない。二心室修復は困難である。

6 三尖弁閉鎖（TA）

右房から右室への血流がないため、心房間交通と心室中隔欠損を伴う。**心室・大血管の位置関係で分類**する。

- Ⅰ型：正常大血管関係
- Ⅱ型：大血管転位関係
- Ⅲ型：大血管転位以外の関係

さらに肺動脈の狭窄・閉鎖の有無で細分化する。

- a：肺動脈閉鎖
- b：肺動脈狭窄
- c：肺動脈狭窄・閉鎖なし（肺高血圧）

上記の組み合わせによりⅠc、Ⅱaなどと表記する。術式も病型により異なる。

新生児循環管理のポイント

POINT

- □ 呼吸状態はどうか？　陥没や呻吟を伴うか？
- □ チアノーゼはないか？　SpO_2 は何%か？　それは上肢での評価か下肢での評価か？酸素投与でどれほど上昇するか？
- □ 心雑音はないか？　心音（Ⅱ音）の亢進はないか？　日齢から見て正常か？
- □ 末梢冷感はないか？　末梢の脈の触知はどうか？　四肢の血圧はどうか？
- □ 尿量は減少していないか？　体重当たりの時間尿で記載する。
- □ 哺乳状況はどうか？

引用・参考文献

1）中澤誠編．“適切な治療のための診断のポイント”．先天性心疾患．東京，メディカルビュー社，2014，16-23.

2）与田仁志．“先天性心疾患（CHD）”．NICU マニュアル．第５版．新生児医療連絡会編．東京，金原出版，2014，273-8.

3）与田仁志ほか．“心臓”．新生児科シークレット．沢田健ほか監訳．東京，メディカル・サイエンス・インターナショナル，2008，91-128.

4）与田仁志．“新生児の循環器疾患の病態生理と診断・治療”．新生児学テキスト．日本新生児成育医学会編．大阪，メディカ出版，2018，238-68.

与田仁志

レベル2

3 先天性心疾患は心エコーでどう区分したら理解しやすい？

区分診断法の 5 ステップ

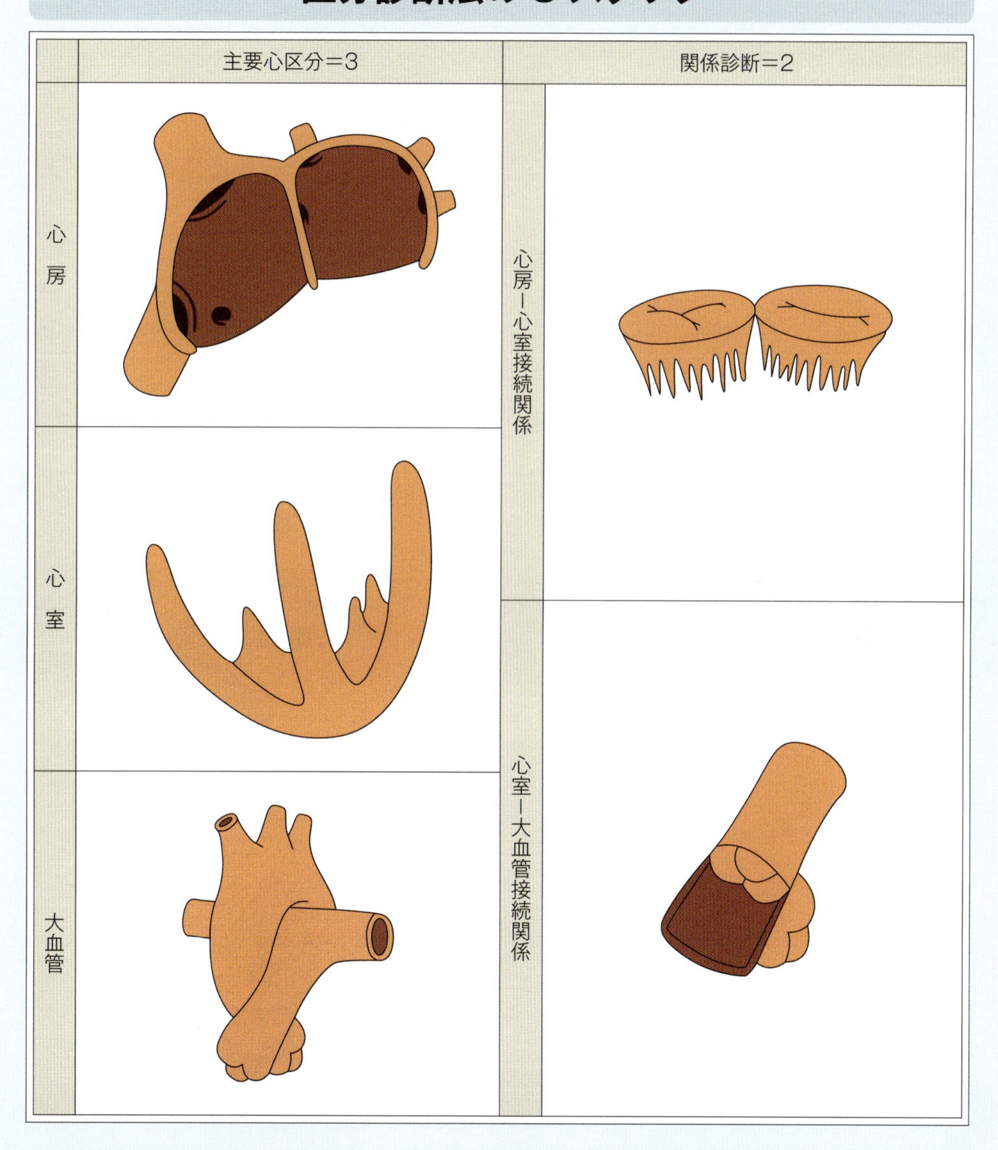

先天性心疾患の区分診断法のステップには、全部で５段階ある。はじめの３つのステップは主要心区分診断と言い、心房、心室、大血管の３つの区分の位置を決定する。つぎの２つのステップで、それぞれの関係診断を行う。すなわち心房－心室接続関係、心室－大血管接続関係を決定する。

区分診断法とは

区分診断法は、先天性心疾患を診断・治療する上で非常に重要なアプローチ法とされている。先天性心疾患の診断に対する医療者間の共通の言語になり得るといってよい。メディカルスタッフの方々も、この診断法を理解できれば、詳細な診断や血行動態の解釈に大きな助けになると思われるので、少しでも知っておいた方がよい。

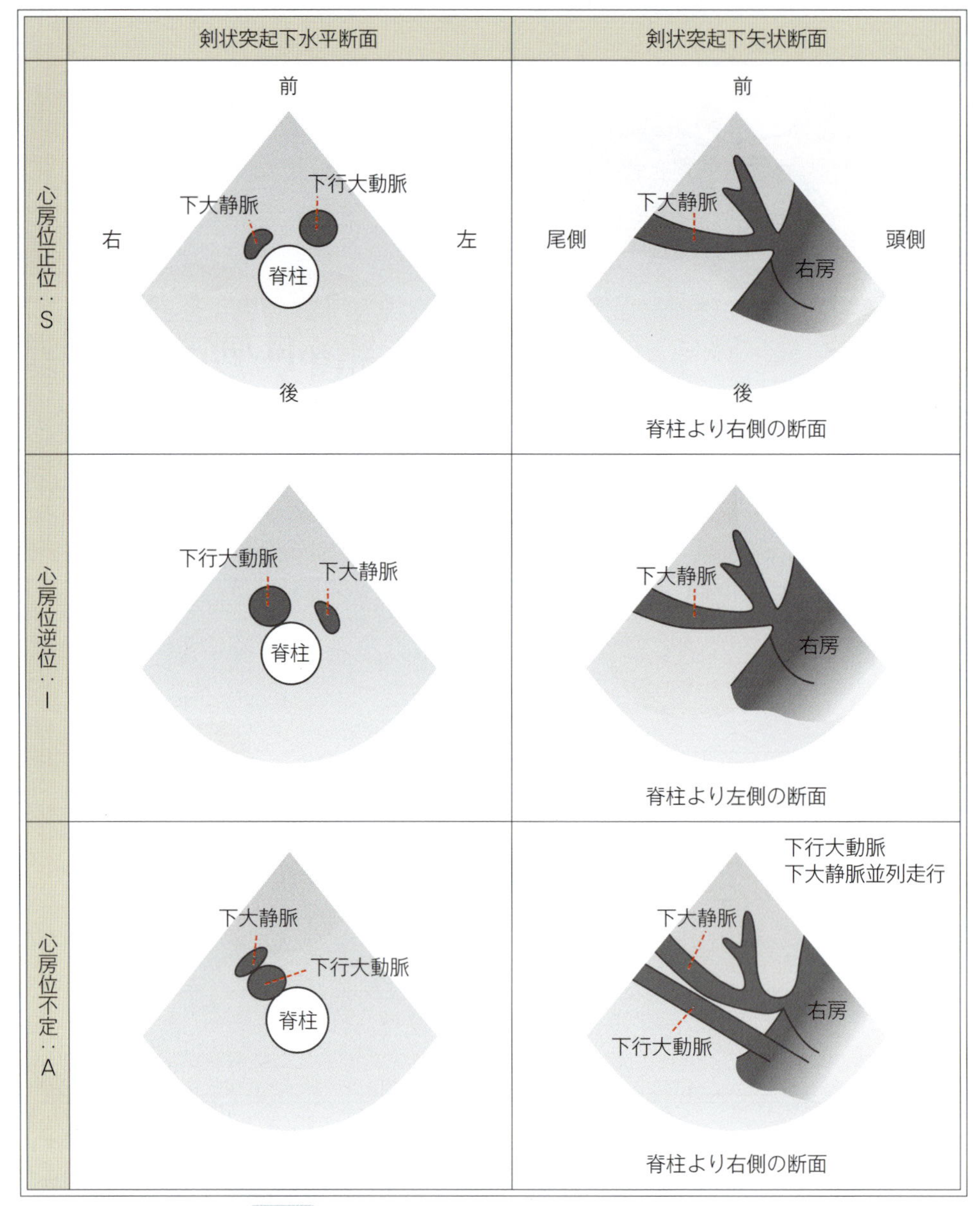

図3-1 心エコーによる心房位の決定（文献1より改変）
剣状突起下水平断面で下大静脈と下行大動脈が脊柱のどちら側にあるかを判断し、矢状断面で下大静脈が実際に還流する心房を右房とする。

1 心房位の決定

右房は必ずしも右側にあるから右房というわけではなく、右房の解剖学的な特徴を持っている心房を右房と呼び、左側にあることも稀ではない。

心房が解剖学的に左右どちらの心房であるかを同定し、そして左右どちらに位置するかを診断する。診断方法は**心耳**といって、心房の特別な解剖形態のどちらを持っているかで判断することが最も信頼し得る方法である。右心耳の形態は三角状で、いわゆるキャッチャーミットのような形態を呈する。一方、左心耳は、狭い管腔状でよく分節した構造を持っている。しかし、心耳の形態診断が難しい場合も多いので、流入する**下大静脈の還流**で右房を決定するのが最も簡便で確実な方法の一つとされる。**図3-1**は、心エコーで診断するときの断面を示したものである。剣状突起下の水平断面（**図3-1**の左側の列）で、脊柱の右側に下大静脈があり、矢状断面で下大静脈が流入する心房を見つけて、その心房を右房と診断する。右房が脊柱の右側にある場合を**心房正位**（situs solitus；S と表す）、脊柱の左側にある場合を**心房逆位**（situs inversus；I）、内臓錯位症候群などで心房の左右が特定できない場合を**心房不定位**（situs ambiguous；A）と表す。

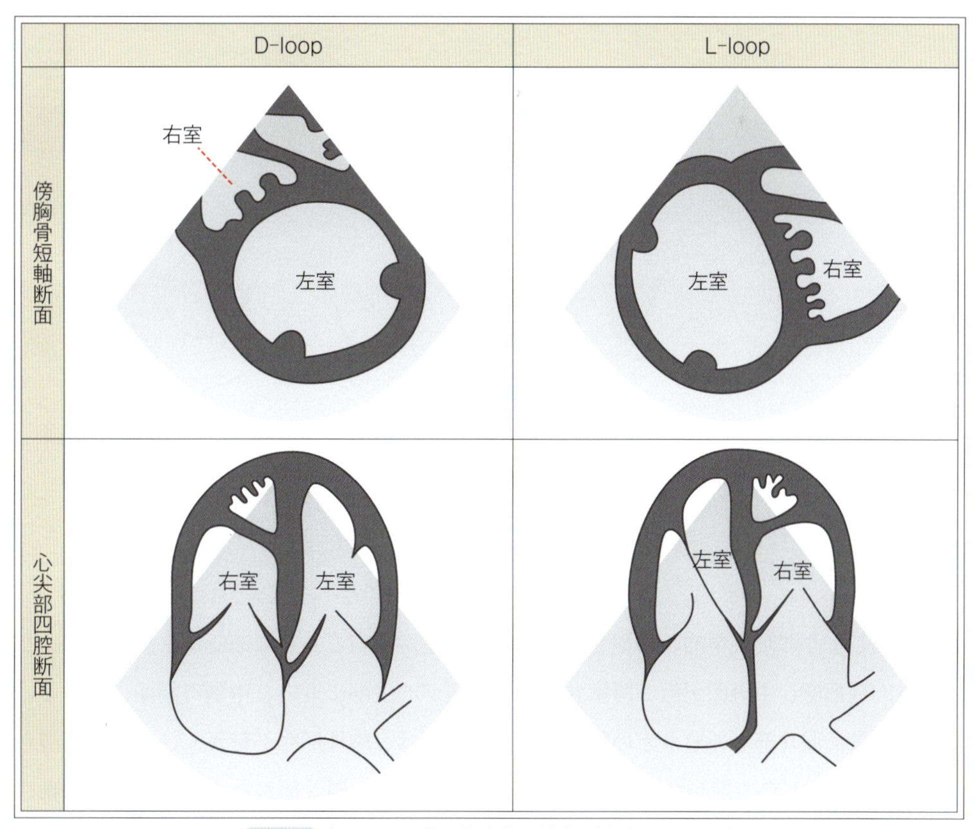

図3-2 心エコーによる心室位の決定（文献1より改変）

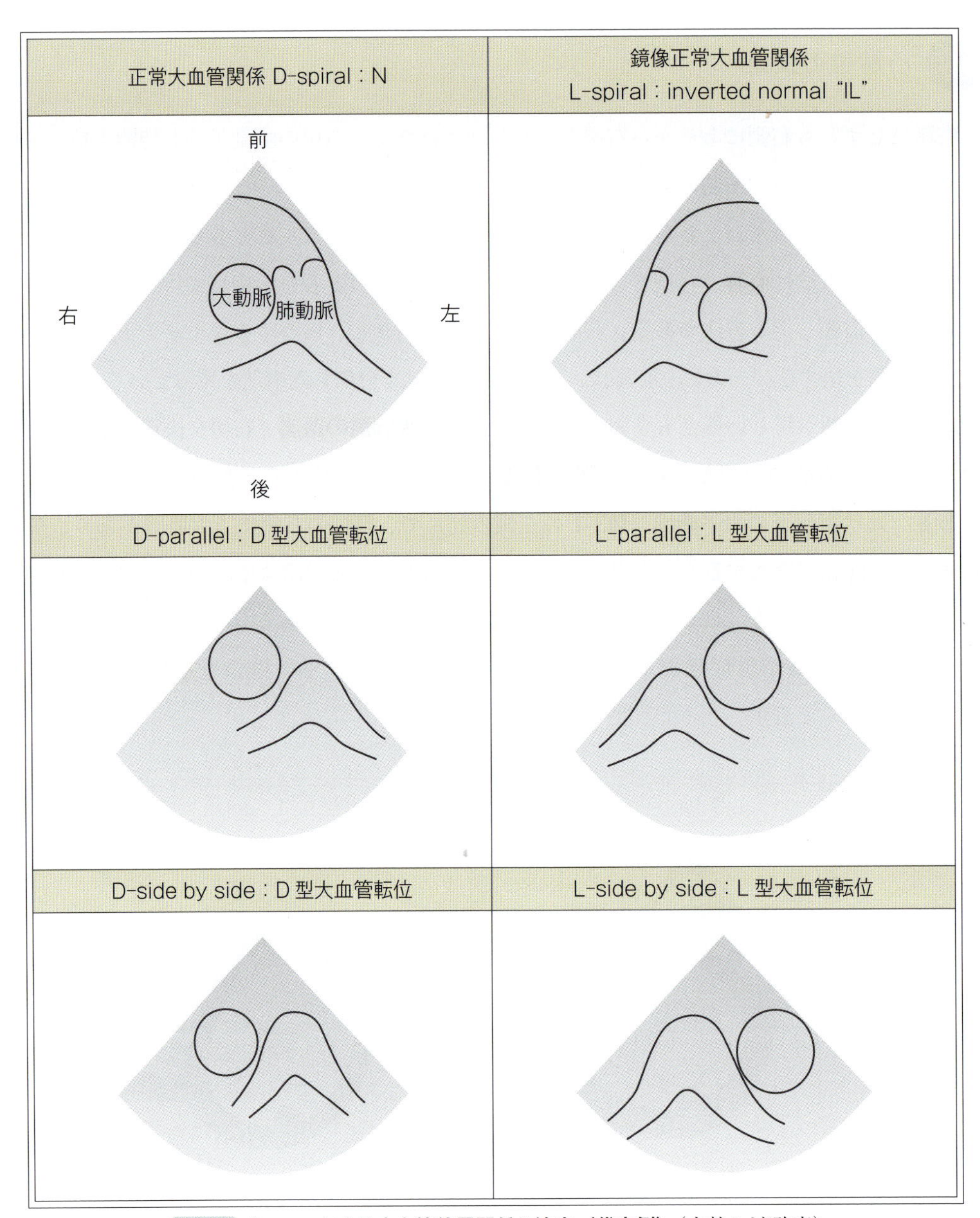

図3-3 心エコーによる大血管位置関係の決定（代表例）（文献 1 より改変）

2 心室位の決定

心房と同じように解剖学的な心室を同定して、心室が左右どちらにあるかを決定する。右室は、粗い肉柱形態、中隔面が粗、房室弁の付着位置が心尖部に近い、中隔に調節帯がある、流出する大血管に漏斗部があるなどの特徴を有し、左室は、肉柱形態が細かく、中隔面も滑らかで、2 個の乳頭筋が自由壁から隆起する、流出する大血管に漏斗部がなく房室弁との線維性連続があることが特徴である。**図3-2** のように、正常な心臓では、右室が左室の右にあり、こ

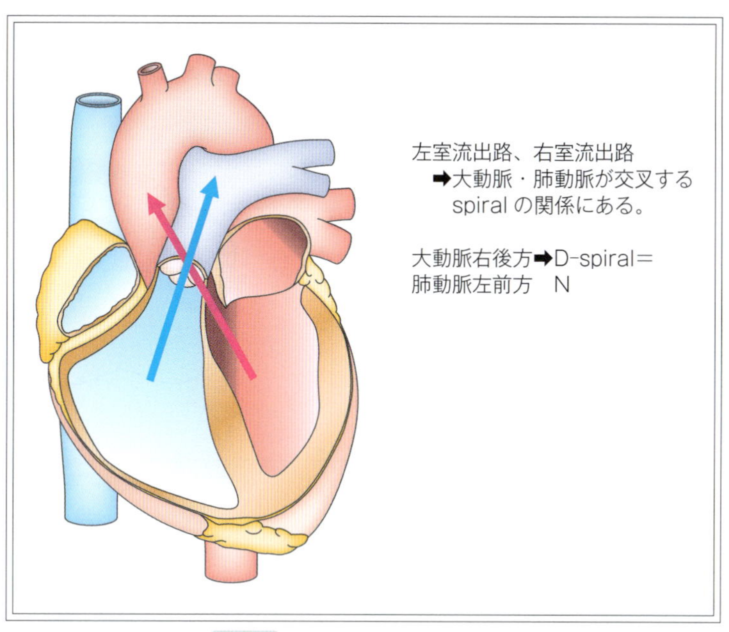

図3-4 D-spiral、Nの大血管位

れを **D-loop** と表す。右室が左室の左にある場合には、**L-loop** である。

3 大血管位の決定

大動脈と肺動脈の位置の決定にも、まず**大血管の同定**を行う。大動脈は心室から起始すると直ちに分岐せず弓を成して頸部に向かう血管を分岐する。一方で肺動脈は、心室から出るとすぐに左右の肺に分岐する。次に大血管がどのような位置関係にあるかを診断する。位置関係には、**D-position**（大動脈が肺動脈の右にある）、**L-position**（大動脈が肺動脈の左にある）、**X-position**（大血管が１本しかなく、位置関係を決められない）などがあり、それぞれ起始、走行の様子で **spiral**、**parallel**、**side by side** などと表す（**図3-3**）。正常な大血管位置関係では大動脈は肺動脈の右後方の左室から起始する。その後、大動脈と肺動脈はらせんを描くように交叉し、大動脈は右上方へ、分岐した左肺動脈は左後方へ向かう。これを D-spiral と診断する（D-spiral の場合は正常関係であるため N と表す、**図3-4**）。大血管転位では D-parallel の場合がほとんどである。大動脈が肺動脈の右前に位置し、平行して起始している様子である。

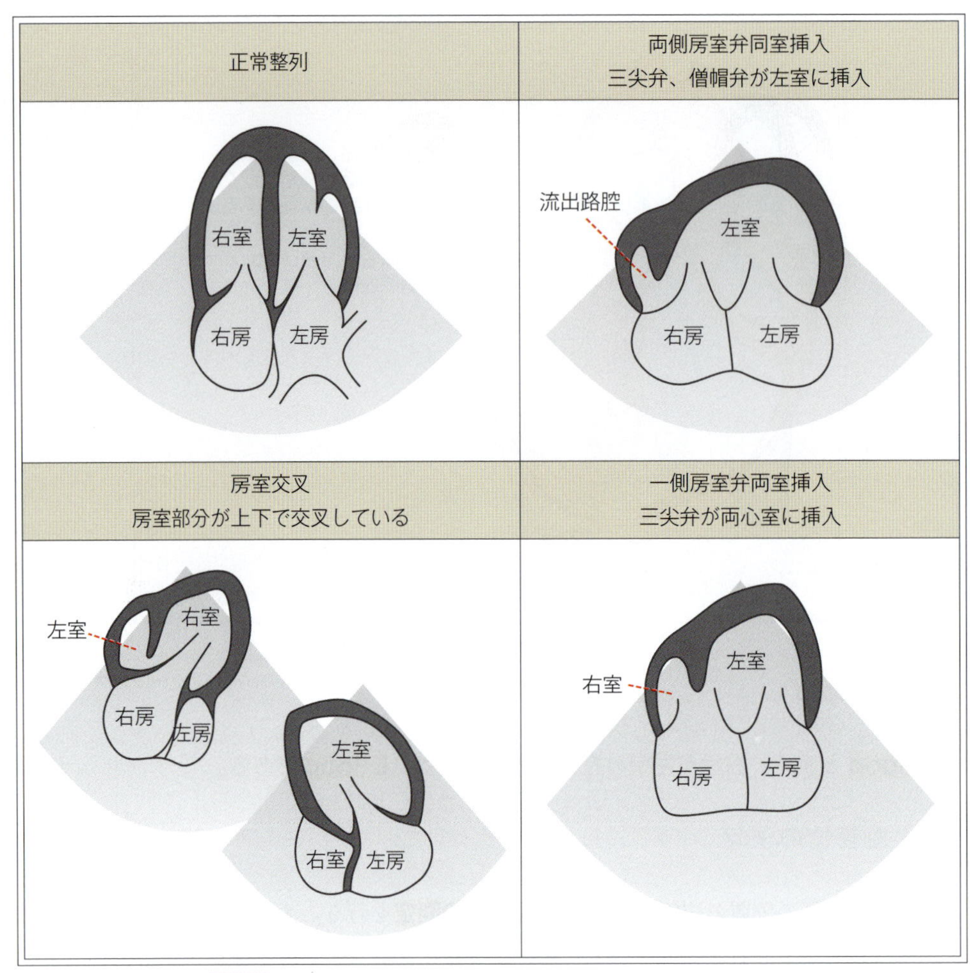

図3-5 **心エコーによる心房ー心室接続の決定**（文献1より改変）

4 心房ー心室接続の決定

心房ー心室接続には、5つの解剖学的関係と2つのつながり関係とがある。解剖学的関係は、整列、房室交叉、一側房室弁両室挿入、両側房室弁同室挿入、一側房室弁閉鎖（三尖弁閉鎖など）の5つであり、つながり関係は、房室接続一致（右房と右室、左房－左室が接続）と房室接続不一致（右房－左室が接続、左房－右室が接続）の2つある（**図3-5**）。

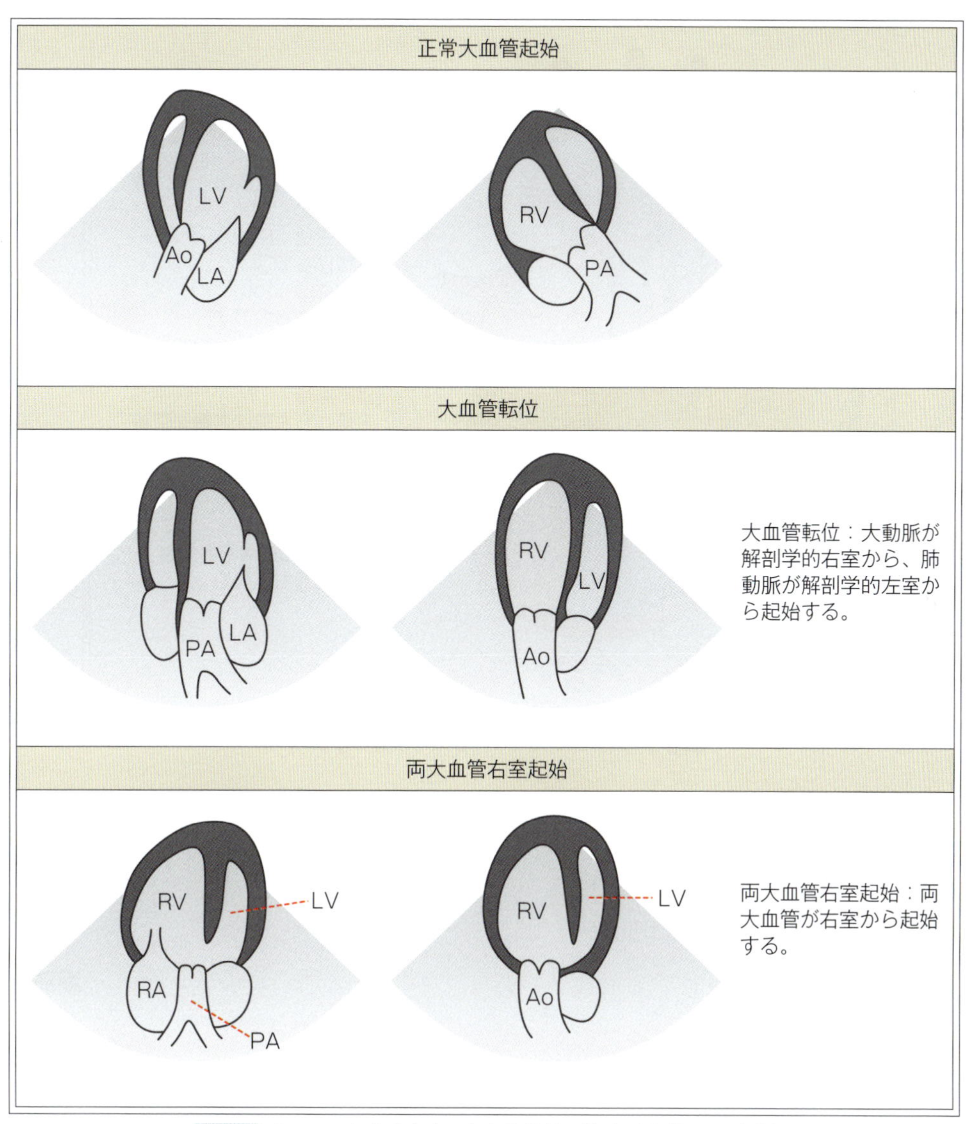

図3-6 心エコーによる心室ー大血管接続の決定（文献1より改変）

5 心室ー大血管接続の決定

大血管と心室との接続関係は、解剖学的に大きく分類すると、正常起始、大血管転位、両大血管右室起始、両大血管左室起始の4つがあるが、両大血管左室起始は非常に稀で、はじめの3つを覚えればよい（**図3-6**）。

●

以上のように診断を進めてゆけば、どのような複雑な心疾患も誰でも大まかにイメージできるように表現が可能となる。例えば、**図3-7**のような心疾患も｛S、D、D｝、僧帽弁閉鎖、両大血管右室起始と診断できる。

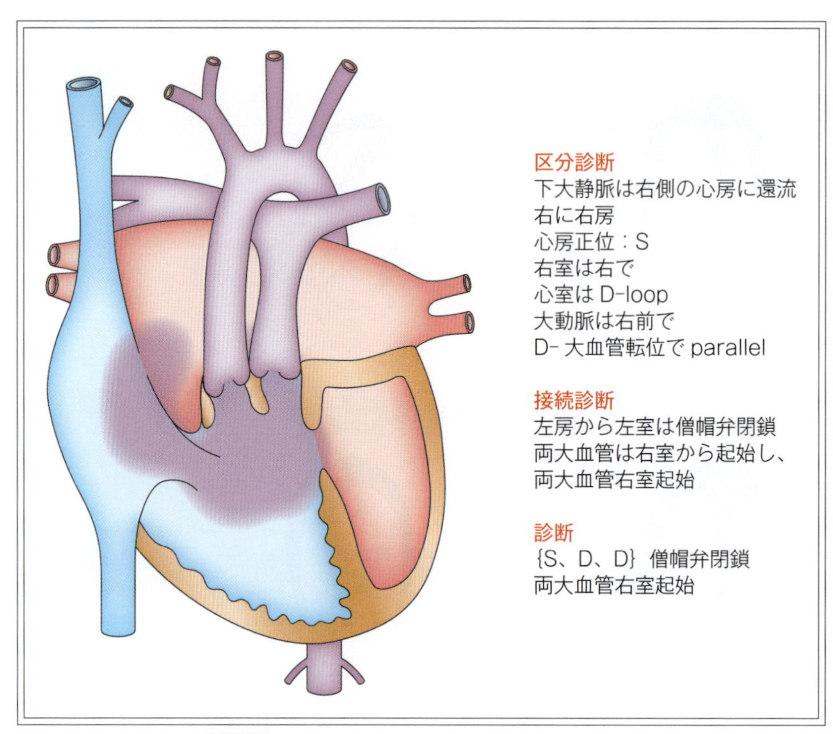

図3-7 区分診断法を使用した心疾患の診断の例

引用・参考文献

1）里見元義."区分診断". 心臓超音波診断アトラス：小児・胎児編. 改訂版. 東京, ベクトル・コア, 2008, 18-26（アトラスシリーズ超音波編, 5）.

瀧聞浄宏

●● レベル2

4 シャントのあり、なし、右左、左右で先天性心疾患の管理は変わる？

血液は大静脈→右房→右室→肺動脈→肺→肺静脈→左房→左室→大動脈→大静脈というふうに流れ、大動脈と肺動脈に流れる血流量は等しくなる。肺動脈には静脈血（酸素の少ない血液）が流れ、大動脈には動脈血（酸素の多い血液）が流れる。

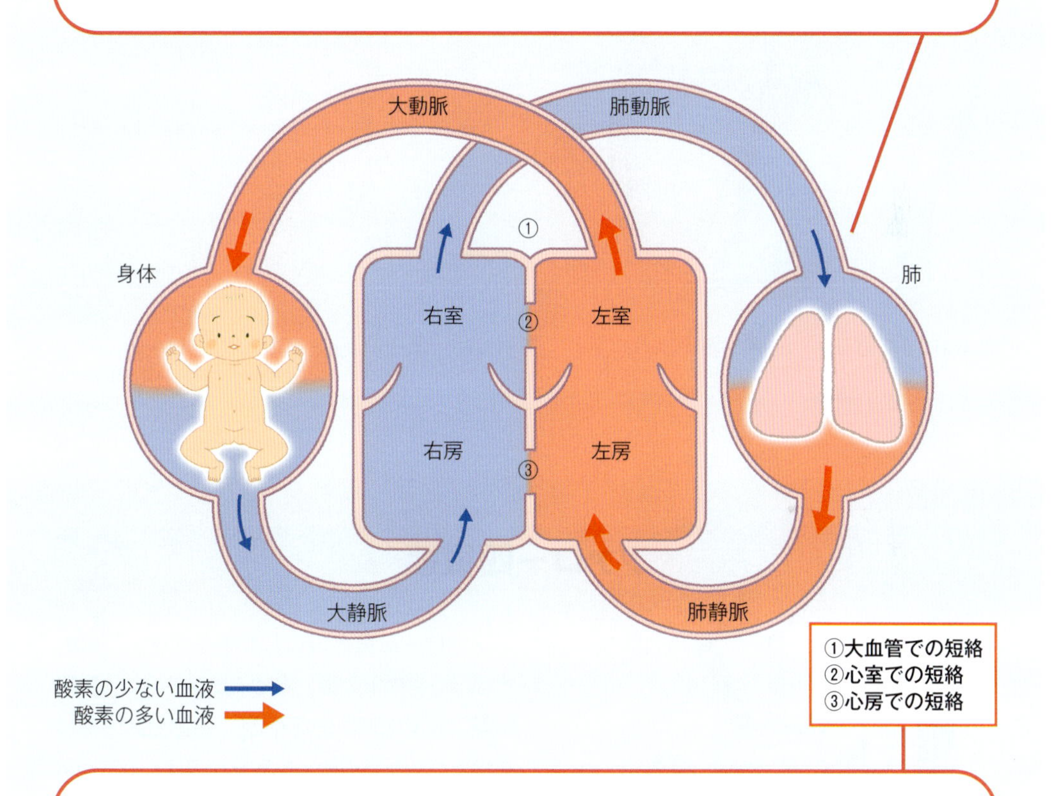

心房、心室、大血管（大動脈と肺動脈）のどこかに左右の交通があれば、血液は混ざり合うことになる。例えば、心室間での交通（心室中隔欠損）を通り左室の血液が右室に流れれば、肺血流量は増加することになり、逆に右室の血液が左室に流れれば、酸素の少ない血液が左室→大動脈と流れ、チアノーゼが起こる。

シャント（短絡）とは、心房、心室、大血管での血液の交通のことである。左右シャントとは、左心系の酸素の多い血液が右心系→肺循環に流れることを指す。体循環の酸素濃度が下がることはないが、肺血流量が増加することによる症状が起こる。右左シャントとは、右心系の酸素の少ない血液が左心系→体循環に流れることを指し、結果として全身の酸素濃度が下がり、チアノーゼが生じる。代表的な疾患として、心室中隔欠損とファロー四徴症について次ページに図解する。

大きな心室中隔欠損

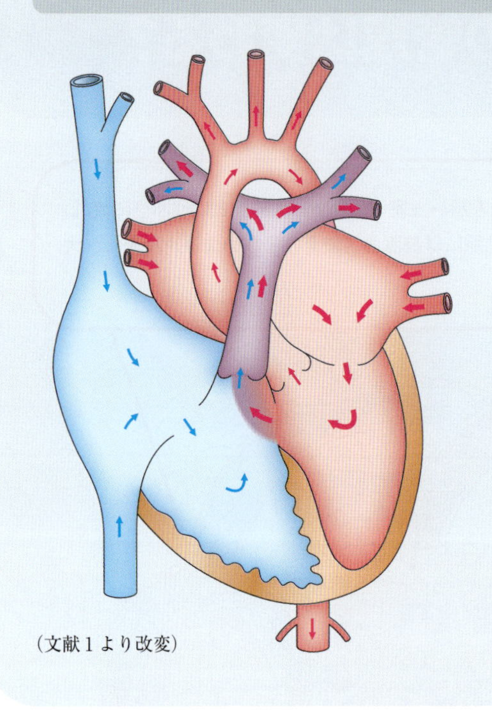
（文献１より改変）

大きな心室中隔欠損における血行動態を示す。欠損孔を通り、左室から右室に血液が漏れる。その結果、肺には正常よりも多くの血液が流れることになる。左房へ返ってくる血液、左室に流入する血液も増加する。

ファロー四徴症

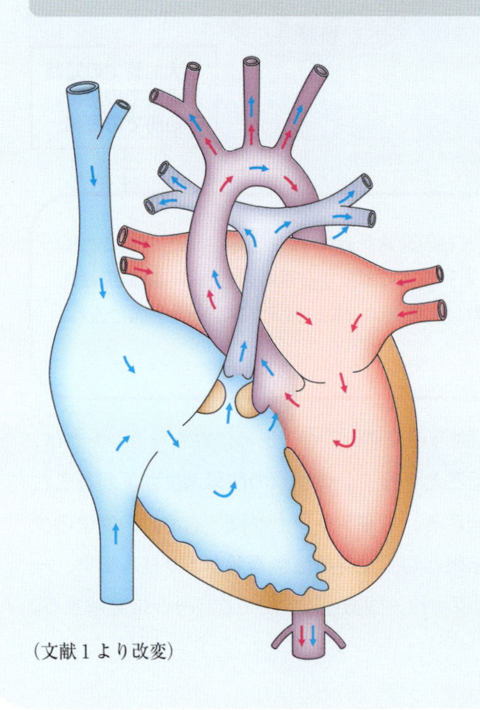
（文献１より改変）

ファロー四徴症の血行動態を示す。「四徴」とは、心室中隔欠損、右室流出路狭窄、大動脈騎乗（心室中隔にまたがる）、右室肥大の４つを指すが、血行動態上で重要なのは、心室中隔欠損と右室流出路狭窄である。右室に流入した静脈血は、右室流出路狭窄のため肺に流れにくく、心室中隔欠損を通って大動脈、つまり全身に流れる。このため、全身の酸素濃度が低下する。

左右シャントを有する先天性心疾患

1 病態生理と症状

p.184 上図では**心室中隔欠損**について示したが、同様の疾患として、**肺動脈弁狭窄のない両大血管右室起始**（心室間での短絡）、**動脈管開存**、**総動脈幹症**（大血管での短絡）などがある。なお心房間で左右シャントが起こる心房中隔欠損では、新生児期、乳児期に症状が出ることは稀である。心室間および大血管での短絡の場合、出生直後は肺血管抵抗が高い、つまり肺に血液が流れにくいため左右シャントは多くないが、**生後数週間**経過すると肺に流れやすくなってくる。そうすると左右シャントは増加し、肺血流、肺静脈に戻る血液も増加する。また左房から左室へ流入する血液も増加、つまり**左室の容量負荷が増加**する。肺静脈に返る血液が増加することで、**肺静脈圧が上昇**する。また、左室に流入する血液が増加することで、**左室の拡張末期圧が上昇**し、左室の手前にある**左房圧、肺静脈圧が上昇**する。肺静脈圧の上昇は**肺うっ血**（肺から血液が戻りにくくなる）を引き起こし、多呼吸、陥没呼吸などの呼吸障害や哺乳不良の原因となる。また容量負荷の増大に左室が対応できなくなると、心拍出量が低下し、尿量減少、末梢冷感、多汗などの心不全の症状が出現する。

2 管　理

▶…栄　養

呼吸障害のため、**哺乳量低下**が見られる。経口哺乳が可能なうちは、水分制限を行う必要はない。呼吸障害が強く、経口哺乳が困難になってくれば、経管栄養を併用する。その場合も極端な水分制限はかえって心拍出量の低下を招くので、症状に合わせ 100〜150mL/kg 程度のミルクを与え、必要なら利尿薬を併用する。努力呼吸や心負荷によりカロリー需要が増加するので、高濃度のミルク（18%程度まで）や MCT オイルも有効である。貧血になると酸素運搬能が低下するため、鉄剤の投与や輸血も考慮する。呼吸障害があると酸素を使用したくなるが、酸素投与は肺血管抵抗を低下させ、さらに肺血流量を増加させるため使用は控えた方がよい。

表4-1 左右シャント・右左シャントの症状と管理

	症　状	水　分	酸　素	投　薬
左右シャント	呼吸障害、哺乳不良、体重増加不良、尿量減少、末梢冷感	普通〜少なめ	×	利尿薬 ACE 阻害薬 ジゴキシン
右左シャント	チアノーゼ	普通〜多め	○	βブロッカー

▶…投　薬

利尿薬、ジゴキシン、ACE 阻害薬などの投与を行う。

▶…その他

啼泣は心後負荷を増大させ、左右シャントを増加させるため、泣かせすぎない注意が必要である。必要に応じ、鎮静薬を使用する。当院では、トリクロリール®シロップを内服使用している。低心拍出量により四肢末梢が冷たくなることが多いため、**四肢の保温**に努める。体幹はむしろ高体温となることが多く、体温管理に注意する。

右左シャントを有する先天性心疾患

1 病態生理と症状

p.184 下図では**ファロー四徴症**について示したが、心室レベルでの短絡があり、肺動脈への流出路に狭窄がある疾患群では同様の病態となる。**肺動脈弁狭窄を伴う両大血管右室起始**、**大血管転位Ⅲ型**、**肺動脈弁狭窄を伴う単心室**などが該当する。静脈血が大動脈に流れ込むため、**低酸素血症**が見られる。低酸素の程度は肺動脈への流出路狭窄の程度で決まる。狭窄が強いほど肺血流は減少し、大動脈へ流れる静脈血の割合が多くなり、低酸素は強くなる。低酸素のために多呼吸が見られることがあるが、呼吸障害、哺乳不良は認めない。心拍出量が減少することはないため末梢は温かく、尿量も正常である。肺動脈弁狭窄が非常に強い場合や肺動脈閉鎖の場合には、動脈管の開存が生存のためには必要になる。この場合には、動脈管の血流が多すぎると肺血流が増加し、左右シャントを有する先天性心疾患と類似した病態となることもある。

2 管　理

脱水などで血圧が低下すると相対的に右左シャントが増加するため、低酸素は強くなる。水分は通常量もしくはやや多めに投与する。哺乳は良好なことが多い。啼泣によりチアノーゼが悪化することが多いため、鎮静薬の投与も考慮する。

新生児循環管理のポイント

POINT

- チアノーゼの有無や程度はどうか？　SpO_2は何％か？
- 呼吸の観察：呼吸数、陥没呼吸、呻吟について記録する。
- 哺乳：哺乳量、哺乳時間について記録する。
- 尿量はどうか？
- 末梢冷感の有無について記録する。

引用・参考文献

1）髙橋長裕．図解先天性心疾患：血行動態の理解と外科治療．第 2 版．東京，医学書院，2007，232p.

田中靖彦

●●レベル2

5 チアノーゼ性、非チアノーゼ性で先天性心疾患の管理は変わる?

ファロー四徴症+肺動脈閉鎖

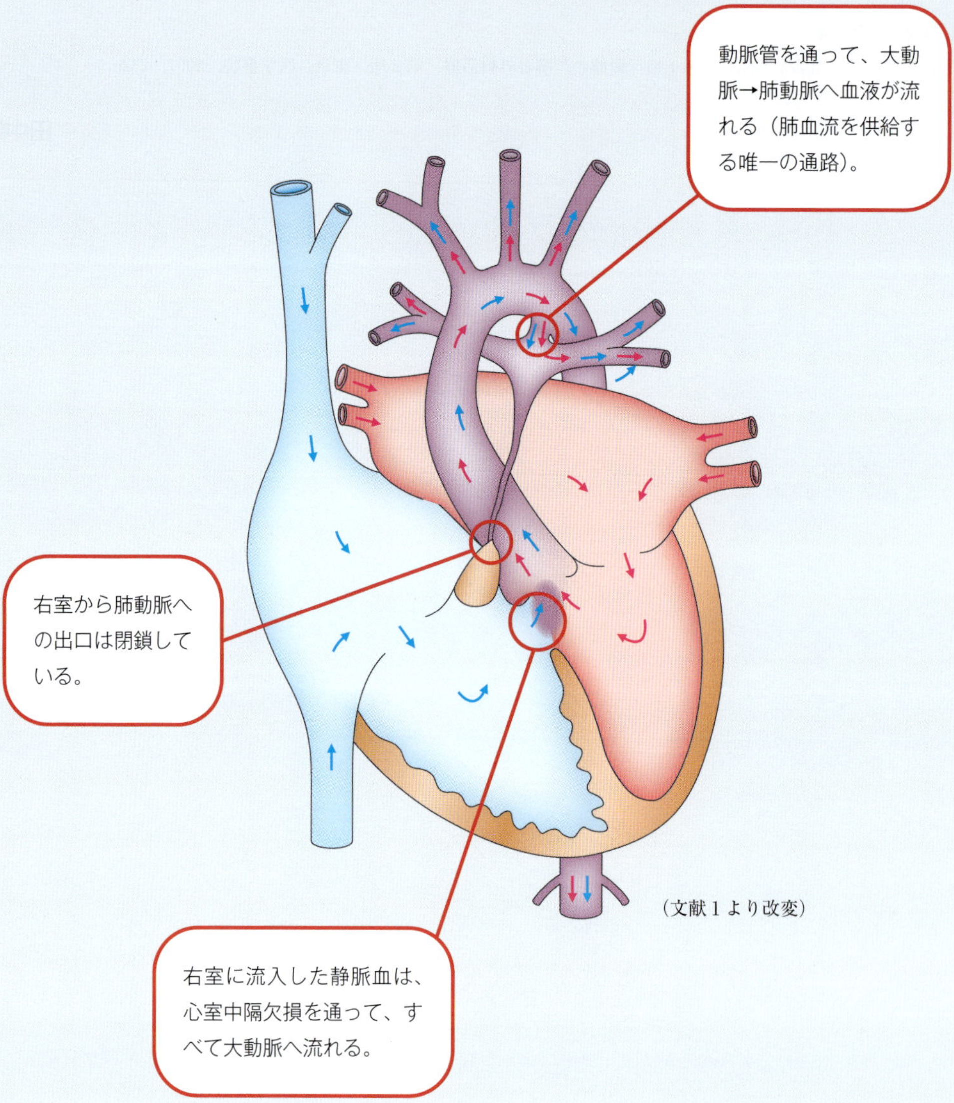

（文献1より改変）

肺動脈弁狭窄のファロー四徴症とは異なり、肺動脈への血流の供給路は動脈管のみである。動脈管が閉じてしまうと肺血流がなくなり、生命維持ができなくなる。動脈管はいわば「命綱」のようなものである。

完全大血管転位

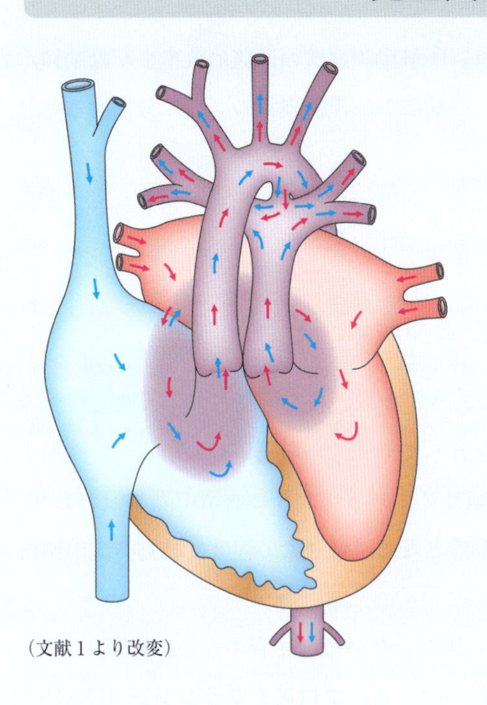

（文献1より改変）

右室から大動脈、左室から肺動脈が起始し、静脈血は右房→右室→大動脈へと流れるためチアノーゼを来す。卵円孔を通り酸素化された血液が左房から右房に流れ込む。心室中隔欠損がない場合には、これが全身に酸素化された血液を送る唯一の通路となり、いわば「命綱」のようなものとなる。卵円孔での短絡が不十分なときには、チアノーゼは非常に強くなる。

総肺静脈還流異常

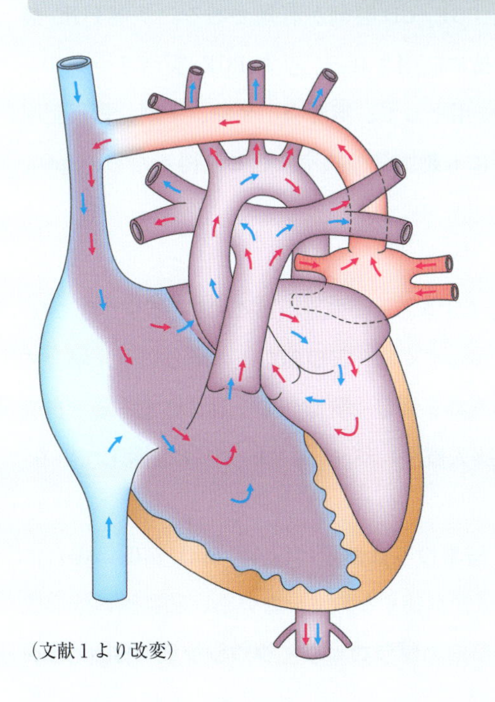

（文献1より改変）

正常心では肺静脈は左房に還流するが、総肺静脈還流異常では右心系に還流する。そのため右房で静脈血と動脈血とが混ざり合い、卵円孔を介して左房に流入し、左室から大動脈へと流れることになる。肺静脈の還流する部位により、上心臓型（無名静脈や上大静脈に還流）、心臓型（右房、冠静脈洞に還流）、下心臓型（下大静脈、門脈に還流）に分類される。肺静脈還流路に狭窄がなければ低酸素は軽度だが、肺静脈狭窄や閉鎖があれば強いチアノーゼを来す。

チアノーゼ性心疾患の分類

チアノーゼ性心疾患は、チアノーゼの原因により、①肺動脈血流の通路に狭窄または閉鎖がある疾患、②完全大血管転位、③肺静脈狭窄を伴った総肺静脈還流異常の３種に分類すると分かりやすい。

実際には、無脾症候群などの複雑心疾患では、これらが混在して見られることもある。それぞれの病態での、病態生理に基づいた管理について解説する。

1 肺動脈血流の通路に狭窄または閉鎖がある疾患

ファロー四徴症については、3章4「シャントのあり、なし、右左、左右で先天性心疾患の管理は変わる？」で述べたように、**心室中隔欠損**を介して静脈血が右室から大動脈へと流入するため、**低酸素血症**が起こる。単心室、または心室は２つあるが大きな心室中隔欠損があり、肺動脈の流出路に狭窄がある場合にも同様の血行動態となる。低酸素の程度は肺動脈流出路狭窄の程度に左右される。

肺動脈閉鎖を伴った疾患では、動脈管が肺血流の維持、ひいては生存のために必須である。したがって、この種の疾患においては、動脈管の維持のために**プロスタグランジン（PG）**の投与が必要となる。以下に肺動脈閉鎖を伴った疾患の管理について述べる。

▶…プロスタグランジンの投与

PGE_1-CD 製剤（プロスタンディン®）と**リポ PGE_1 製剤**（リプル®、パルクス®）の２種類がある。閉じかかった動脈管を開くためには、PGE_1-CD 製剤が有効である。リポ PGE_1 製剤は副作用が少なく使いやすいため、動脈管の維持に使用される。リポ PGE_1 製剤はヘパリンとの混注ができないため、注意が必要である。副作用として、無呼吸、発熱、下痢、骨膜肥厚（長期の場合）などが起こり得る。PG 製剤使用中にも動脈管の狭窄は起こり得るため、SpO_2、動脈管の連続性雑音の強さに注意を払う。

▶…高肺血流に注意

PG 製剤で動脈管を維持する場合、動脈管が太くなりすぎると肺血流増加による心不全が起こる。SpO_2 が 90％を超えるような場合や拡張期血圧が下がってくる（収縮期血圧の半分以下）場合には、肺血流がかなり増加していることが予想されるため、尿量や乳酸値の上昇に注意する。当院では、窒素ガスを経鼻カニューラで使用し（低酸素吸入療法）、SpO_2 を 80〜85％に調節している。

▶…酸素投与

酸素には動脈管を閉鎖させる作用があるため、酸素投与は慎重に行う。SpO_2 が低い場合には、酸素を使用する前にその原因を検討する。動脈管が狭くなっていないか、肺動脈の低形成（細い）、気道狭窄などの有無を検討し、必要なら早期の**ブラロック・タウシッヒ（Blalock-**

Taussig；BT）シャント術、鎖骨下動脈－肺動脈吻合術）を予定する。手術までの待機期間、SpO_2 が70％台を維持できる最低限の酸素投与は行う。

▶…水　分

SpO_2 が高く、多呼吸などの心不全症状がある場合には、水分通常量またはやや少なめに設定し、症例により利尿薬を併用する。動脈管が狭い、肺動脈弁狭窄が強いなどの理由で SpO_2 が低いときには、やや多めの水分を投与する。

2 完全大血管転位

p.189上図に示したような血行動態となる。**チアノーゼ**の程度は必ずしも肺血流に影響されるわけではない。卵円孔が狭く、チアノーゼが強い場合には、**バルーン心房中隔切開術（BAS）**が施行される。PGが使用される場合が多いが、動脈管を開存させることで肺血流を増加させ、肺静脈還流を増加させ、左房圧を上げ、心房間での左房→右房短絡を増加させるのが目的である。心室中隔欠損を伴う場合、動脈管の血流が多い場合には心不全が起こる。このため、BASにより卵円孔が十分開き SpO_2 が80％前後を維持できるようになれば、PGの減量または中止を検討する。

3 総肺静脈還流異常

3章6「胎便吸引症候群や呼吸窮迫症候群との鑑別が問題となる先天性心疾患は？」を参照のこと。p.189下図に示したように、肺静脈狭窄がなければチアノーゼは軽度（SpO_2 80～90％）だが、新生児期に問題になるのは**肺静脈狭窄**や閉鎖のある症例である。それらがあれば、強い肺うっ血を来す。肺うっ血から肺血管系を保護するために肺動脈は収縮し、強い肺高血圧に陥る。ここで酸素を使用すると、保護的に収縮していた肺動脈は開いてしまい、肺うっ血は増強し、肺水腫から肺出血を来すこともあるので危険である。肺静脈狭窄や閉鎖がある場合には、緊急手術以外に救命の方法はないため、一刻も早く手術を準備する、または手術の可能な施設への搬送を始める必要がある。

新生児循環管理のポイント　POINT

肺動脈閉鎖でプロスタグランジンを使用している場合

- [ ] SpO_2 の変化を記録する。
- [ ] 動脈管の連続性雑音の変化を記録する。
- [ ] 呼吸：無呼吸、多呼吸、陥没呼吸、呻吟などの有無を記録する。

引用・参考文献

1）髙橋長裕．図解先天性心疾患：血行動態の理解と外科治療．第2版．東京，医学書院，2007，232p.

田中靖彦

6 胎便吸引症候群や呼吸窮迫症候群との鑑別が問題となる先天性心疾患は？

総肺静脈還流異常ⅠA型

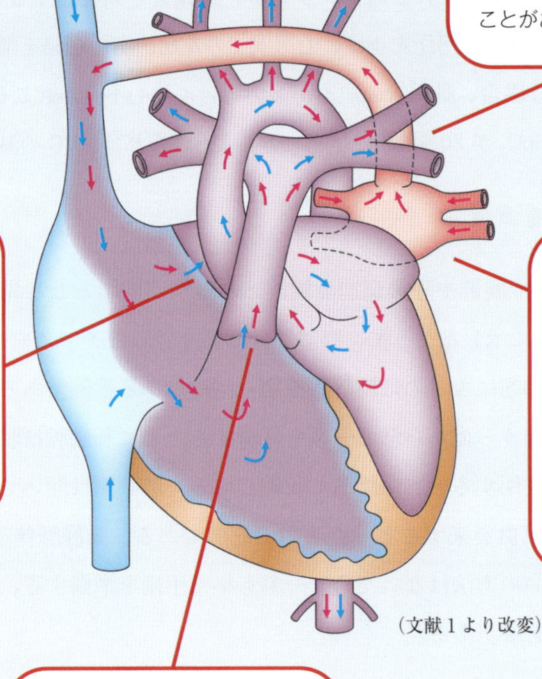

（文献1より改変）

生後早期の「呼吸障害のないチアノーゼ」は、先天性心疾患を疑う有力なキーワードであるが、先天性心疾患は呼吸障害を伴わないとは限らない。

先天性心疾患の中で、生後早期に呼吸障害を伴って発症し得る代表的疾患として、総肺静脈還流異常（TAPVC あるいは TAPVR）が挙げられる。本疾患はすべての肺静脈血が左房に還流せず右心系に戻る血行動態で、さまざまな程度のチアノーゼを呈し、肺うっ血が進行して呼吸障害が見られ、胎便吸引症候群や呼吸窮迫症候群との鑑別が問題となる。

総肺静脈還流異常の病型（Darling 分類）

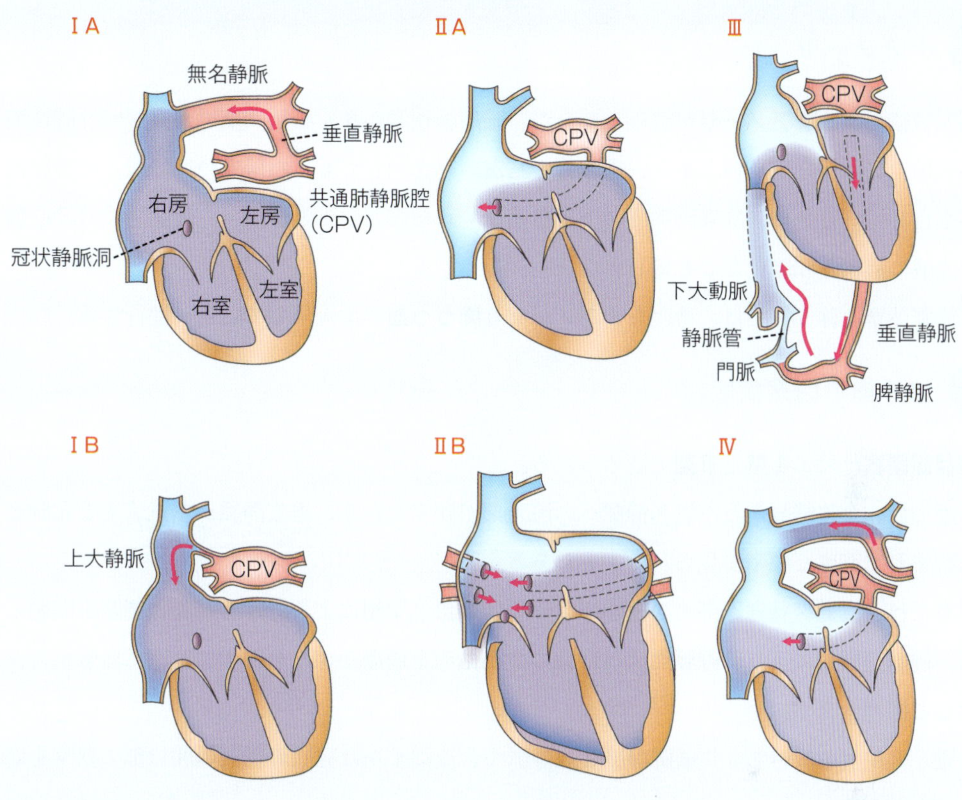

（文献2より改変）

総肺静脈還流異常の病型分類には、一般的にDarling分類が用いられ、共通肺静脈が体静脈系のどの部位に還流しているかで分類されている。

病型ごとの頻度は、おおよそ上心臓型45%、傍心臓型25%、下心臓型25%、混合型5%程度と言われている[2]。

●Ⅰ型：上心臓型

- ⅠA型：共通肺静脈が垂直静脈を介して無名静脈に還流するもの。
- ⅠB型：共通肺静脈が上大静脈に還流するもの。

●Ⅱ型：傍心臓型

- ⅡA型：共通肺静脈が冠状静脈洞に開口するもの。
- ⅡB型：共通肺静脈が直接右房後壁に還流するもの。

●Ⅲ型：下心臓型

- 共通肺静脈が垂直静脈となって食道の前を下降し、食道裂孔を経て横隔膜下に至り、門脈、静脈管、肝静脈分枝、下大静脈のいずれかに還流するもの。

●Ⅳ型：混合型

- 上記Ⅰ～Ⅲ型の２つ以上の組み合わせからなる混合型で、ⅠA＋ⅡA型の組み合わせのことが多い。

総肺静脈還流異常の血行動態[2, 3]

❶ チアノーゼ

右左短絡による**チアノーゼ**が認められるが、肺静脈狭窄がなく心房間交通が良好で、肺血流が多い場合には目立たない。また、動脈管で右左短絡を示しても、右房内で体静脈と肺静脈血とが混合しているため、酸素飽和度の上下肢差は認められないことが多い。理論的には、心臓内の血液の酸素飽和度はどこも等しい。

肺静脈閉塞を伴う例では、著明なチアノーゼと**肺うっ血**が生後早期に急速に進行する。

❷ 肺静脈の閉塞病変

肺静脈閉塞は特に**Ⅰ型**と**Ⅲ型**で認められる。

Ⅰ型では、垂直静脈から左無名静脈への流入部が狭窄したり、垂直静脈が左気管支と左肺動脈に挟まれて高度な狭窄が見られることがある。

Ⅲ型では、食道裂孔通過部での圧迫や、静脈管の自然閉鎖による急速な肺静脈閉塞が問題となる。静脈管閉鎖により肺静脈血流は肝臓の微小循環を通過せざるを得ず、急速に血管抵抗が上昇して閉塞を来す。

また、ⅡA型においても共通肺静脈と冠静脈の合流部または冠状静脈洞の開口部の狭窄を認めることがある。

❸ 心房間交通

動脈管開存がない場合、**心房間交通**が体循環血流への唯一の通路となる。卵円孔が狭いと左心系への血流が減少し、心拍出量の低下を来す。さらに、右心系への血流は増大し、肺血流の増大・肺静脈圧上昇という悪循環を来す。一方、心房間交通が良好で肺静脈閉塞のない症例の予後は良好で、心房中隔欠損類似の経過をたどる。

総肺静脈還流異常の臨床所見

臨床症状や理学所見は、**肺うっ血**と**低心拍出**による症状が特徴である。肺うっ血による呻吟、多呼吸、陥没呼吸、シーソー様呼吸が見られる。活気がなく四肢のじっとりした冷感と網状チアノーゼ、体重増加不良は低心拍出による症状である。

聴診上、Ⅰ音・Ⅱ音は亢進し、Ⅲ音・Ⅳ音を聴取することもあるが、通常心雑音は聴取されない。

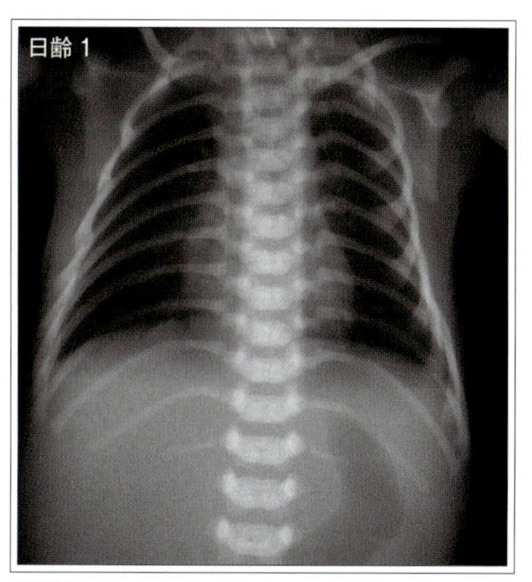

図6-1 在胎期間 41 週 1 日、出生体重 2,784g。PPHN と診断されていた。

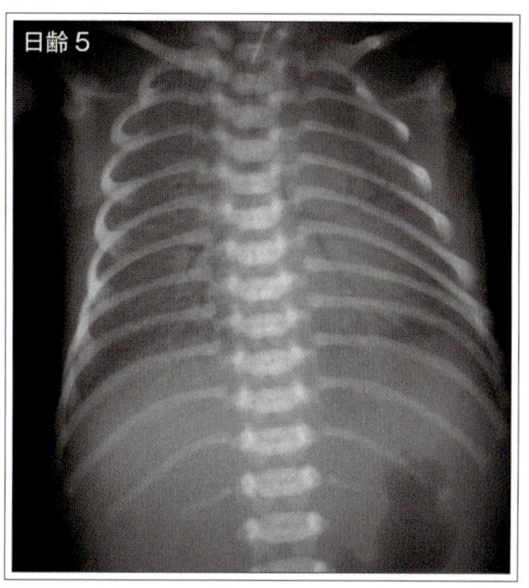

図6-2 図 6-1 と同症例の日齢 5 の胸部 X 線写真。PPHN に対して一酸化窒素（NO）吸入療法が行われていた。

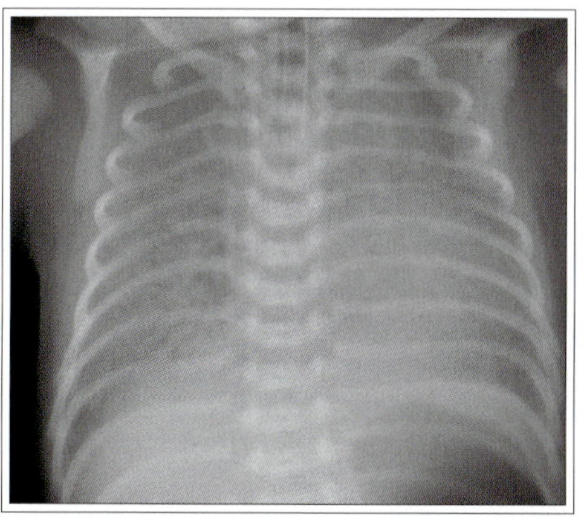

図6-3 胎内診断症例。生後 1.5 時間の X 線写真。出生直後から集中治療を行ったが、生後 16.5 時間で死亡した。

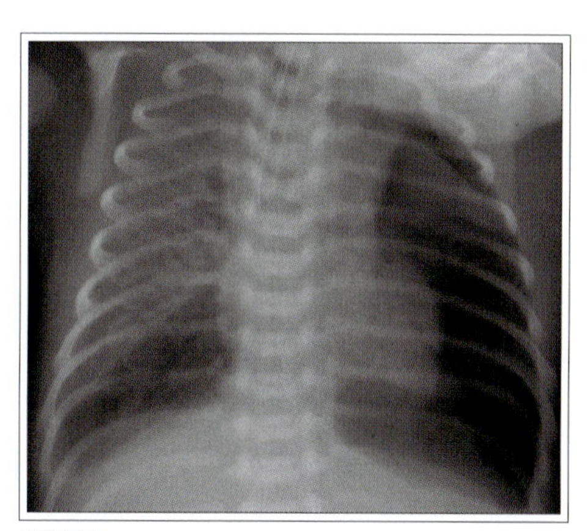

図6-4 図 6-3 と同一症例。生後 8.5 時間の X 線写真。気胸を認める。剖検にて肺静脈閉鎖を認めた。

総肺静脈還流異常の胸部 X 線所見

肺静脈閉塞を伴わない例は、肺血管抵抗の高い生後早期には**肺野の透過性が亢進**し、新生児遷延性肺高血圧症（PPHN）を思わせる所見となり得る（**図6-1**）。肺血管抵抗の低下に伴い、肺血管陰影の増強、肺動脈の突出、右房と右室の拡大が認められる（**図6-2**）。肺静脈閉塞や肺静脈狭窄が重度の場合には、心拡大は伴わず肺野全体が**スリガラス様**となって心陰影が不鮮明となり、肺水腫像を呈する（**図6-3**）。肺静脈閉塞の場合には、不均一な不透亮像となり、縦隔気腫や気胸を伴うことがある（**図6-4**）。

ＩＡ型では左無名静脈に還流する垂直静脈が拡大し、**雪だるま状**（snowman sign）となるが、通常、生後数カ月経たないと見られない。

総肺静脈還流異常の診断

心エコーは本症の診断には欠かせないが、肺静脈および共通肺静脈腔の描出・同定は容易ではない。安易に除外診断してはならない。まずは、臨床所見および経過からTAPVCが鑑別診断に挙げられるかが重要である。その目で見ながら、垂直静脈の存在、無名静脈の拡張（p.193の図のⅠA)、SVCの拡張や乱流（ⅠB)、冠状静脈洞の拡張（ⅡA)、右房への血流流入（ⅡB)、下行大動脈と併走して横隔膜を横切るような血管（Ⅲ）を探し、さらに右房拡張、心房間の右左短絡を確認する。**心房中隔の同定不良**も重要な所見である。

また、造影CTによる3次元的な診断が可能となっており、心臓カテーテル検査は行われなくなっている。

本症は、胎内診断が困難であること[4]、病型や肺静脈閉塞の有無などによってさまざまな症状および経過を示すことなどから、診断にたどり着くまでに多くの**ピットフォール**[5, 6]に陥る危険性があることを強調しておきたい。

引用・参考文献

1）髙橋長裕. 図解先天性心疾患：血行動態の理解と外科治療. 第2版. 東京, 医学書院, 2007, 232p.
2）安河内聰. “総肺静脈還流異常”. 先天性心疾患. 中澤誠編. 東京, メジカルビュー社, 2009, 126-33（新目で見る循環器疾患シリーズ, 13).
3）森一博ほか. “総肺静脈還流異常”. 臨床発達心臓病学. 改訂3版. 東京, 中外医学社, 2005, 367-74.
4）青木寿明ほか. 先天性心疾患における胎児心臓スクリーニングの効果と問題点. 日本小児循環器学会雑誌. 26 (2), 2010, 99-105.
5）川瀬昭彦ほか. 新生児搬送のピットフォール. 日本未熟児新生児学会雑誌. 23 (2), 2011, 247-53.
6）白石淳, 川瀬昭彦. 先天性心疾患と新生児循環管理のピットフォール. 大阪, メディカ出版, 2019, 160p.

白石　淳

7 酸素を投与してはいけない心疾患があるのはなぜ?

酸素投与の影響

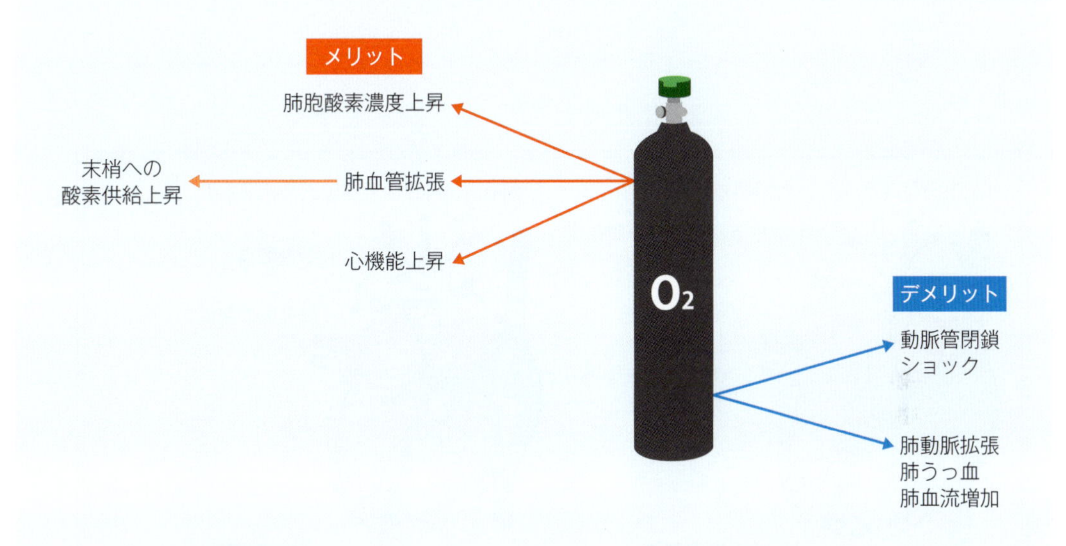

新生児が低酸素血症を来したときに、まず対症療法の一つとして思い付くのは酸素投与だろう。では、なぜ、酸素を投与するのだろうか? 出生したばかりの新生児は、出産という大きなストレスを乗り越えて、呼吸・循環を確立していかなければならない。仮死などの過度なストレスにさらされた場合には、肺の低換気状態、肺胞レベルでの拡散能低下による酸素摂取の低下、さらに心機能低下による低心拍出状態などが全身への酸素の供給不足を生じさせる。このような場合に酸素投与を行うことは、肺胞内の酸素濃度を上昇させて末梢に対する酸素の供給を上げることを可能にする。しかし、新生児期に低酸素血症で発症する多くの心疾患では、この酸素投与が児の状態をさらに悪化させる可能性がある。

酸素投与が問題となる先天性心疾患

血中の酸素濃度の上昇は、全身の組織には良い影響をもたらすが、他の作用として、**肺動脈拡張作用**と、特に新生児の**動脈管を閉じる作用**とがある。もちろん、肺疾患などで低酸素血症を来した新生児には何ら問題はないが、この2つの作用、つまり肺血流の増加や動脈管閉鎖が直接的に悪影響をもたらす先天性心疾患群が存在し、大きく4つに分けることができる（**図7-1**）。

①動脈管依存性の左室流出路狭窄疾患

②動脈管依存性の右室流出路狭窄疾患

③肺静脈狭窄および閉塞疾患

④高度の左右短絡疾患

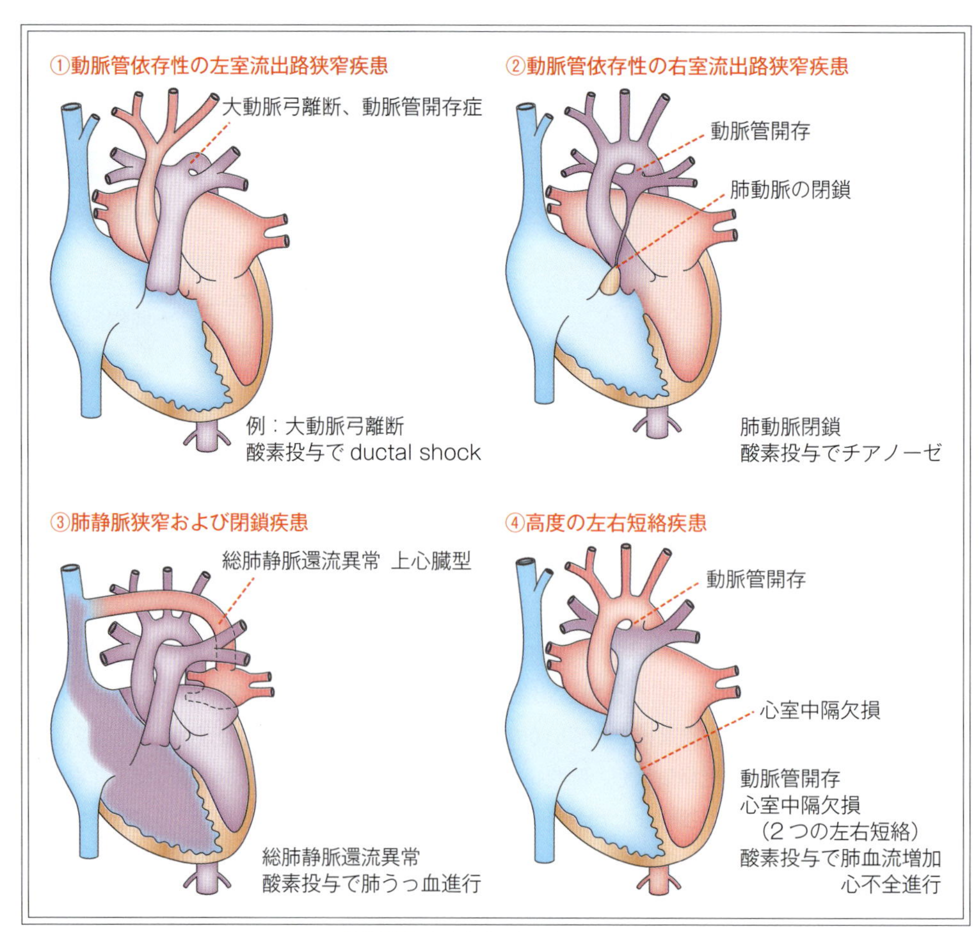

図7-1 酸素投与が危険な心疾患

動脈管閉鎖が問題となる心疾患

1 動脈管依存性の左室流出路狭窄心疾患

代表的な心疾患に、**左心低形成症候群**、**大動脈弓離断**、**大動脈縮窄**などがある。これらの心疾患では、全身や下半身に送られる血流が動脈管を介して右室－肺動脈から流れており、動脈管の閉鎖は組織への血流低下をもたらしてショック状態に陥る。いわゆる**ダクタルショック(ductal shock)**が生じるわけである。著しいアシドーシス、腎不全、播種性血管内血液凝固症候群(DIC)などをもたらし、時には死に至る。

2 動脈管依存性の右室流出路狭窄心疾患

代表的な心疾患は、肺動脈閉鎖や重度な肺動脈狭窄を合併する心疾患である(**純型肺動脈閉鎖**、**ファロー四徴症**)。これらの心疾患では、肺血流のほとんどが動脈管経由で大動脈から供給されており、動脈管の閉鎖はさらなる低酸素血症を生じさせる。

肺血管拡張作用による肺血流増加が問題となる心疾患

1 肺静脈狭窄、閉塞

新生児期発症のものは**総肺静脈還流異常**と考えてよい。特に、下心臓型といって、門脈に肺静脈が流入する場合や垂直静脈に狭窄がある場合には、酸素投与によってさらに肺うっ血を進行させ、低酸素血症の進行を助長する。

2 左右短絡の著しい増加が見られる心疾患

新生児期の早期には、生理的肺高血圧が認められ、左室流出路狭窄を伴わない(大動脈縮窄や大動脈弓離断など)心室中隔欠損では生後1カ月以内では症状が顕在化することは少ない。しかし、短絡量がさらに増えるような病態、**心房中隔欠損や動脈管開存などの合併**があるとき、新生児期に左心不全を来すことがある。このような症例に対する過剰な酸素投与は高肺血流を進行させ、低心拍出状態にする恐れがある。例えば、左右短絡疾患に胃食道逆流や上気道狭窄などを合併して呼吸状態の悪化のある症例に酸素投与を行う場合、過量とならないように注意が必要である。前述の動脈管依存性の左室流出路狭窄疾患では、酸素投与は動脈管を閉鎖させることに加え、肺血流も上昇させてさらなる低心拍出状態を助長する恐れもある。

酸素投与が必要な心疾患

心機能が低下した心筋症、心筋炎や動脈管に依存せず、左右短絡のない左室・右室流出路狭窄などでは酸素投与が必要となることがある。

●

酸素投与は、新生児において発症するほとんどの重症心疾患で状態を悪化させる可能性がある。この疾患は、動脈管依存性か、肺血流増加は状態を悪化するか、の2つのポイントをよく理解して、患者の治療に当たるのがよい。

瀧聞浄宏

●●レベル2

8 動脈管が閉鎖・狭小化することが、なぜショックに結び付く?

大動脈縮窄で動脈管が狭窄・閉鎖すると

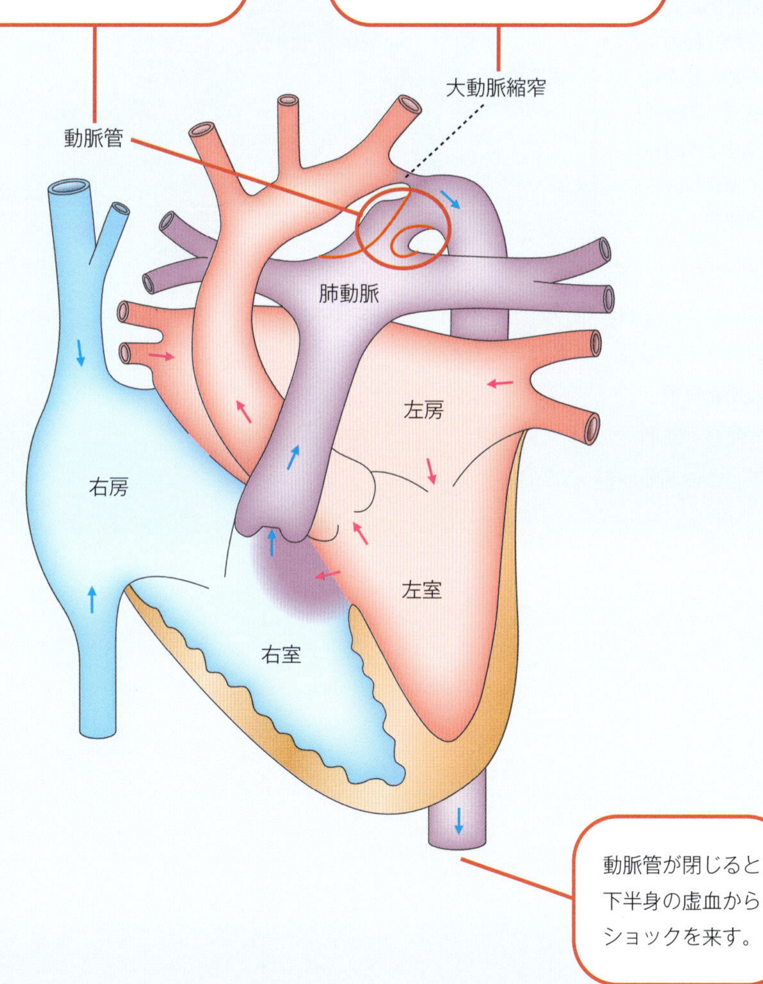

一言で言うと、動脈管を流れる血流で肺動脈血流や体動脈血流を維持できなくなるときに起こるショックである。したがって、動脈管を通る血流に肺血流、体血流を依存している先天性心疾患において起こる。これを、ダクタルショック（ductal shock）ともいう。上図に体血流を動脈管に依存する代表的な疾患である大動脈縮窄を示す。

左心低形成症候群（大動脈弁閉鎖）で動脈管が狭窄・閉鎖すると

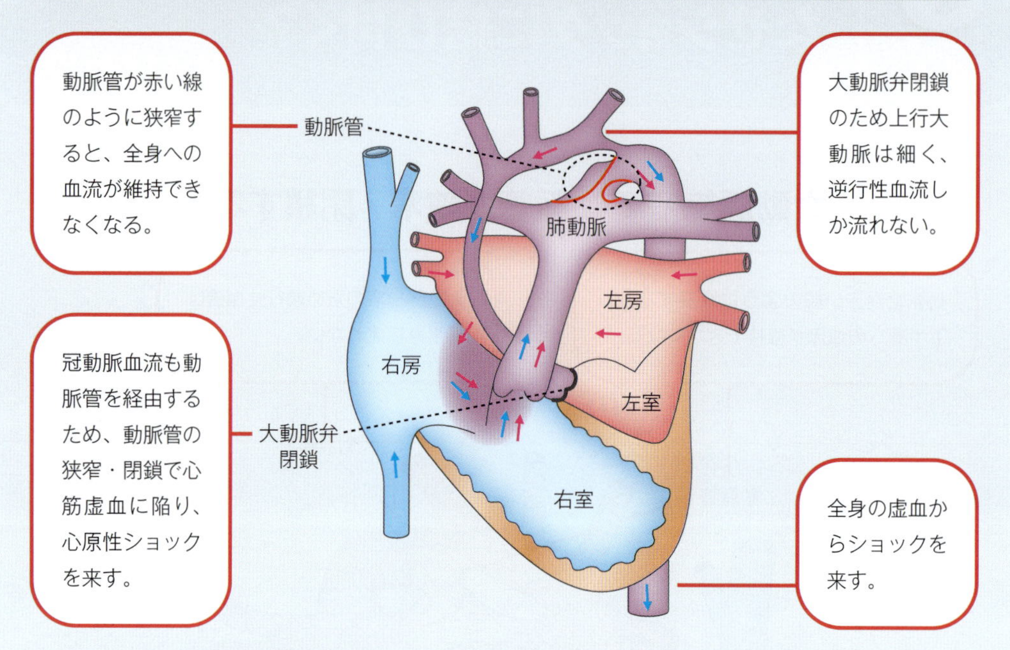

体血流を動脈管からの血流に依存している先天性心疾患では、動脈管が閉鎖・狭小化することでショックに陥る。以下のものがある。

- 大動脈縮窄
- 大動脈弓離断
- 左心低形成症候群（上図）

肺動脈閉鎖で動脈管が狭窄・閉鎖すると

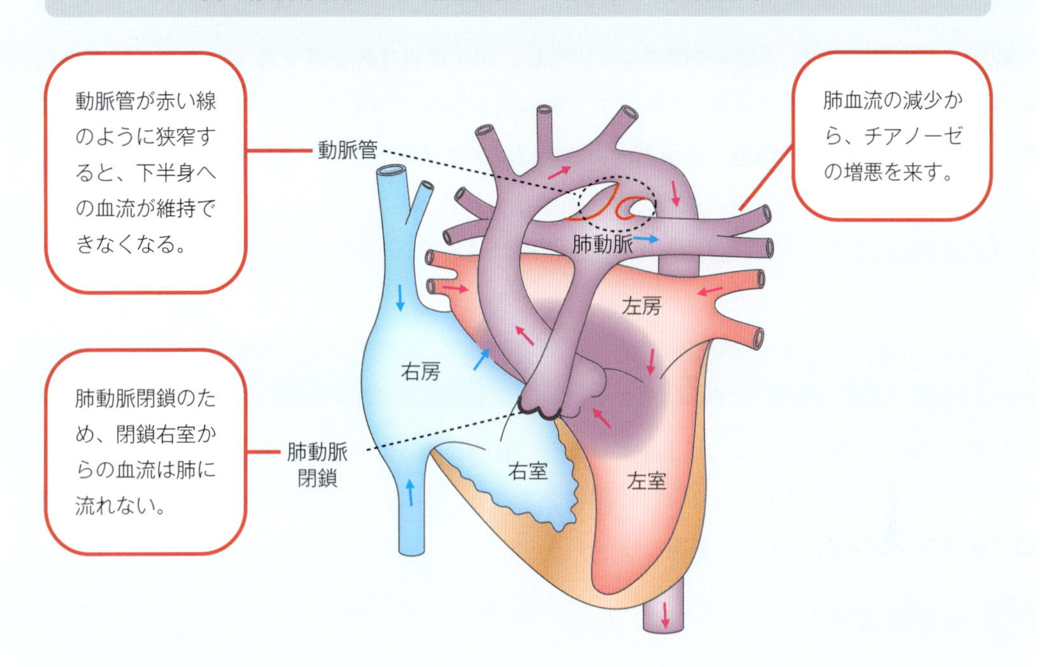

肺動脈血流を動脈管からの血流に依存している先天性心疾患には、以下のものがある。

- 重症肺動脈狭窄
- 純型肺動脈閉鎖（上図）
- 極型ファロー四徴症

体血流を動脈管からの血流に依存している先天性心疾患の場合

これらの疾患群では、p.201 ～ 202 で図説したように、出生直後は**動脈管**を通った血流が全身に流れることによって循環を保っている。ところが、生後しばらくして動脈管が**狭窄・閉鎖**することにより、大動脈縮窄や離断では下半身の血流が、左心低形成症候群では全身の血流が減少・遮断される。これにより、**体組織の虚血**を引き起こし、多呼吸をはじめとした呼吸障害、乏尿、アシドーシス、末梢循環不全などのショック状態に陥る。これらの疾患群では、動脈管の狭窄に伴い、いきなりショックを来すため、産科の新生児室では急変によって発見されることが多くなる。血行動態では、右上肢の SpO_2 は比較的良好に維持されているが、下半身の SpO_2 が低くなる。このことにより新生児遷延性肺高血圧症（PPHN）との鑑別が必要になる。

肺血流を動脈管からの血流に依存している心疾患の場合

これらの疾患群では、p.203で図説したように、出生直後は動脈管を通った血流が肺血流を維持している。ところが、生後しばらくして動脈管が狭窄・閉鎖することにより、**肺血流の減少**を来し、**チアノーゼ**の増悪、低酸素による組織障害や循環不全を引き起こし、最終的にショックに至る。体循環を動脈管に依存している疾患群に比べるとチアノーゼの悪化を伴うので、発見当初から心疾患であると認識されやすい疾患群である。

動脈管依存性心疾患の治療

動脈管が狭窄・閉鎖することによってショック状態に陥っていると診断されるこれらの疾患群では、まず動脈管を開存させることが最優先される。そのため、動脈管を開く作用を持つ**プロスタグランジンE_1**（PGE_1）製剤を投与する。

1 治療の実際

リポ化されたPGE_1製剤は、少量投与（3～5ng/kg/分）で効果をもたらすので副作用が少なく、使用されることが多い。しかし、体血流依存性疾患群では、PGE_1-CD製剤に比べると動脈管を開く作用が若干弱いと感じられることがある。その際には、PGE_1-CD製剤に切り替えたり、最初からCD製剤を選択することになる。

2 プロスタグランジンE_1の注意点

体血流動脈管依存性疾患では、肺血流依存性疾患に比べ、動脈管を維持するのに多量のPGE_1製剤を必要とすることがある。PGの副作用については、3章10「プロスタグランジンの副作用は？」の解説を参考にしていただきたい。

3 治療への反応

治療に反応して動脈管が開くと、ショック状態から立ち直りはじめる。最初に、皮膚色の改善が得られる。これは、肺血流依存性疾患では、チアノーゼの改善、SpO_2の改善として認められる。体血流依存性疾患では、末梢循環血流の改善とともに、蒼白だった皮膚が赤みを帯びてくる。その後ゆっくりアシドーシスも改善していく。それに伴い、利尿も回復しはじめる。肝逸脱酵素類もショック後24時間から48時間をピークに改善を始めるが、ショックの影響が強ければ、腎不全、肝不全が長引き、生命予後を悪化させることもある。全身状態が安定したところで外科的治療を施行することになる。体血流依存性疾患においては、ショックによって腸管が虚血に陥った後であり、**腸管穿孔**や、成熟児であっても**壊死性腸炎**を起こす危険性が高くなる。栄養管理においては、経腸栄養は腸蠕動音の低下や消化管ガスパターンに注意しながら進める必要がある。

4 低酸素吸入療法の併用

動脈管依存性心疾患では、肺もしくは全身に血液が流れるのは、その流れやすさに依存している。このため、動脈管の太さや、先天性心疾患によっては高肺血流による全身の血流不足を来すことがある。このようなとき、肺血流を減らすために低酸素吸入療法を施行することが有効である。窒素ガスを呼吸回路に混ぜたり、閉鎖式のヘッドボックスを使用したりすることにより、低酸素濃度での換気を行う。これにより、肺血管抵抗を上げて増加した肺血流を減らし、体血流を増加させ、全身状態の安定を得ることが可能となる（6章11「低酸素吸入療法って何？ どんなときに使う？」を参照）。

新生児循環管理のポイント

POINT

- 脈の触知の状態は？　治療に反応して改善したか？
- 右上肢と下肢の血圧、SpO_2 とその差（特に脈圧の変化について）はどうか？
- 四肢末梢の皮膚色および冷感の有無は？　治療に反応して改善したか？
- 尿量の推移は？　治療に反応して増加してきたのか？
- 呼吸状態を観察する。特に呼吸数の変化や努力性呼吸の有無について記録する。
- SpO_2 の推移は？　治療に反応して改善してきているのか？
- 経腸栄養の収まり具合は？　胃内のミルクの残量、胆汁の混じり具合などを観察する。
- 腹部膨満、腸蠕動音減弱の有無は？　便は正常か？　血便の有無は？

引用・参考文献

1）高尾篤良ほか編．臨床発達心臓病学．改訂３版．東京，中外医学社，2001，939p.
2）高橋長裕．図解先天性心疾患：血行動態の理解と外科治療．第２版．東京，医学書院，2007，232p.
3）中澤誠編．先天性心疾患．東京，メジカルビュー社，1992，319p（目でみる循環器病シリーズ，5）.

横山岳彦

●●● レベル3

9 大血管転位でプロスタグランジンを使うのはなぜ?

完全大血管転位I型

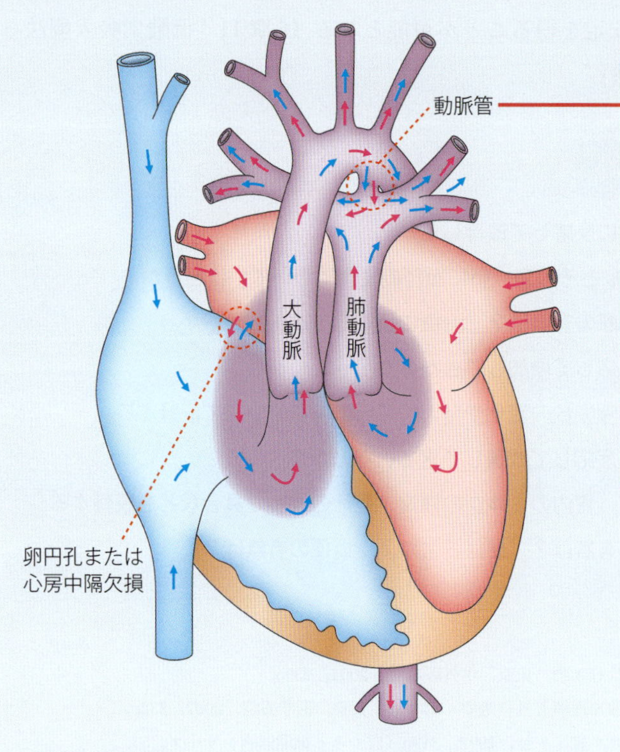

完全大血管転位の中で、心室中隔欠損がない型である。卵円孔または心房中隔欠損を介して体循環と肺循環の血液が混合（ミキシング）し、全身へ酸素が供給される。ミキシングが不十分な場合は、動脈管開存が必要になるためプロスタグランジンを用いる。しかし、卵円孔が狭く、内科的治療でチアノーゼが改善しない例では、バルーン心房中隔切開術（BAS）を行う。

（文献1より改変）

完全大血管転位（TGA）は、新生児期に高度のチアノーゼを生じる代表的な疾患である。大動脈が右室、肺動脈が左室から起始するため、肺循環と体循環が並列の関係にあり、生命を維持するためには心内または大血管レベルでの動静脈血液混合（ミキシング）が必要になる。ミキシングが不十分でチアノーゼの増強が見られる場合は、プロスタグランジンを用いて動脈管を開存させ、肺血流量増加により左房ー右房短絡量を増やし、ミキシングを促す必要がある。

完全大血管転位Ⅱ型

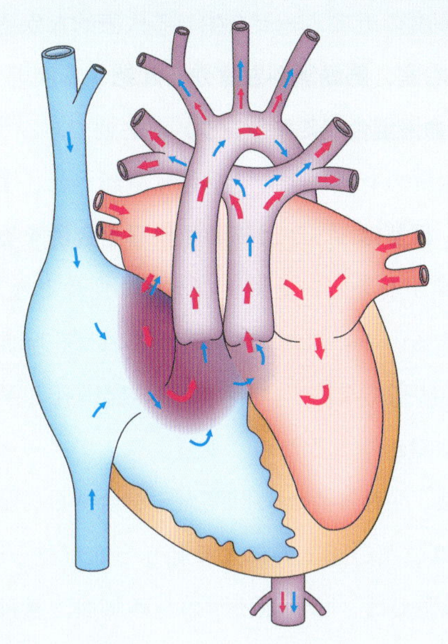

（文献1より改変）

完全大血管転位の中で、心室中隔欠損を合併する型である。心室中隔欠損を介した右左短絡により肺血流量が増加し、ミキシングが促されるため、Ⅰ型に比べチアノーゼは軽度である。しかし、肺血管抵抗の低下に伴い肺血流量が著明に増加するため、多呼吸、哺乳低下などの心不全症状が強くなる。

完全大血管転位Ⅲ型

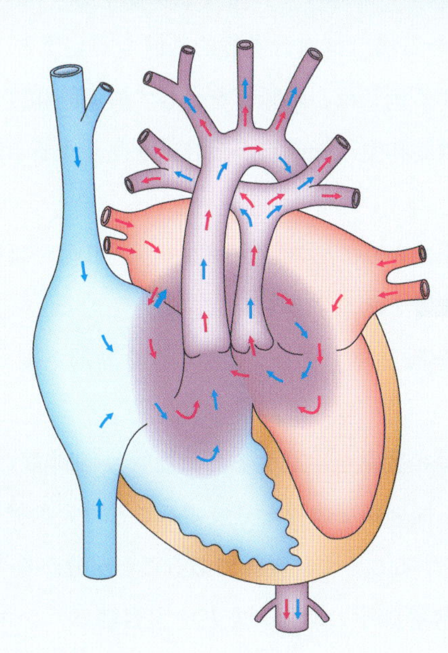

（文献1より改変）

完全大血管転位の中で、心室中隔欠損と肺動脈狭窄を合併する型である。肺動脈狭窄により肺血流量が減少するため、肺動脈狭窄が高度な場合はチアノーゼが強く、肺血流は動脈管依存性となる。しかし、肺動脈狭窄が適度である場合は、血行動態的に最も安定する。

完全大血管転位の病態

完全大血管転位（complete TGA）は、新生児期に高度のチアノーゼを生じる代表的な疾患であり、先天性心疾患全体の5%を占める[2)]。**大動脈が右室、肺動脈が左室から起始**する疾患で、生命維持のために心内または大血管レベルでの**動静脈血液混合（ミキシング）**が必要である[2,3)]。

解剖学的に心室中隔欠損（VSD）と肺動脈狭窄の合併の有無により3病型に分類され、**I型はVSDがない**もの、**II型はVSDを合併する**もの、**III型はVSDと肺動脈狭窄を合併する**ものである[3)]。I型では、卵円孔を介する両方向性短絡が有効肺血流および有効体血流となり、左房－右房短絡量が増えることでチアノーゼは改善する。さらに動脈管開存があれば、肺血流量増加により左房－右房短絡量が増え、酸素飽和度は高くなる[3)]。II型では、卵円孔とVSDの両方でミキシングがなされ、さらに左房－右房短絡量が増えるため、I型よりチアノーゼは軽度となる[3)]。VSDを介する左右短絡量が多い例では、生後早期から肺高血圧を合併し、肺動脈圧は体血圧と同等か上回る[3)]。卵円孔が狭い例では、左房圧上昇により肺うっ血が見られ、**バルーン心房中隔切開術（BAS）**の適応となる。III型では、肺動脈狭窄のため肺血流量は減少し、左室から駆出された血液は心室中隔を介して大動脈へ流れる[3)]。

完全大血管転位の診断

主症状はチアノーゼであるが、I型は生後早期から**チアノーゼ**が強い。II型ではチアノーゼは軽度であるが、肺血流量増加に伴う多呼吸、哺乳低下、乏尿などの**心不全症状**が強くなる。III型ではチアノーゼは強いが、肺動脈狭窄が適度である場合は血行動態的に最も安定する[4)]。大動脈縮窄・離断や体血圧を上回る肺高血圧を合併する例では、動脈管を介して酸素飽和度が高い肺動脈血が下行大動脈に流れ、下肢の経皮的酸素飽和度（SpO_2）が上肢より高くなる（逆分離性チアノーゼ）[3)]。

聴診上、心音は**II音が単一で亢進**する。I型では原則として心雑音を聴取せず、II型では弱い**収縮期雑音**を、III型でははっきりと**駆出性収縮期雑音**を聴取する[4)]。

胸部X線所見では、両大血管が前後に並ぶことや胸腺が縮小することから、心基部が細く、心拡大により**卵型の心陰影**を呈する[4)]。

確定診断を行うためには心エコー検査で大血管関係の異常を確認する。大血管長軸断面で2つの大血管が並行し、前方から起始した大血管が弧を描き頸部血管を分岐することで大動脈弓であることが、後方から起始した大血管が左右に分岐することで肺動脈であることが分かる[3)]。さらに、卵円孔と動脈管のサイズ、VSDの有無、肺動脈狭窄の有無、左右心室容積バランス、冠動脈走行などを評価する[3)]。

完全大血管転位の治療

I型、II型は新生児期に**動脈スイッチ手術（ジャテン〔Jatene〕手術）**を行い、III型では**ラステリ（Rastelli）手術**が第一選択となる[4]。診断が遅れたI型では、出生後の肺動脈圧低下とともに左室圧が低下し、左室心筋重量減少により左室機能が低下することがある[3]。左室機能低下例では、左室トレーニング手術（肺動脈絞扼術＋大動脈肺動脈短絡手術）を行い、術後1〜2週間でジャテン手術を行う[3]。

確定診断がついたら手術可能な施設に搬送し、手術に向けて内科的に状態安定を図る。チアノーゼを軽減するには卵円孔と動脈管でのミキシングが必要であるため、I型は原則として全例、II型およびIII型では SpO_2 が80％以下であれば動脈管を開存させる目的で**プロスタグランジン E_1**を投与する[5]。卵円孔が狭く、内科治療でチアノーゼが改善しない症例ではBASを行う。

新生児循環管理のポイント

POINT

- 酸素投与は動脈管閉鎖を促すだけでなく、II型では肺血管抵抗を低下させ肺血流量増加により心不全を助長する可能性があるため、本症の診断が付き次第、直ちに酸素を中止する。SpO_2 は70〜80％以上を目標とする[5]。
- 本症に大動脈縮窄・離断や肺高血圧を合併する場合には、上下肢で SpO_2 の差（上肢＜下肢）が見られるため、経時的に右上肢と下肢で SpO_2 の同時測定を行う。
- 動脈管を維持する目的でプロスタグランジン E_1 が開始されている場合は、無呼吸、発熱、下痢、痙攣、低血圧、皮膚発赤などの副作用に注意する。

引用・参考文献

1）髙橋長裕. “完全大血管転位”. 図解先天性心疾患：血行動態の理解と外科治療. 第2版. 東京, 医学書院, 2007, 106-17.
2）Athar M, et al. “Transposition of the Great Arteries”. Moss and Adams' Heart Disease in Infants, Children, and Adolescents: Including The Fetus and Young Adults. 9th ed. Philadelphia, Wolters Kluwer, 2016, 1163-85.
3）角秀秋. “完全大血管転位”. 小児・成育循環器学. 東京, 診断と治療社, 2018, 473-83.
4）中澤誠. “完全大血管転位”. 先天性心疾患. 東京, メジカルビュー社, 2014, 86-94.
5）総崎直樹. 完全大血管転位：診断と内科管理. 日本小児循環器学会雑誌. 21（6）, 2005, 628-38.

増本健一

●●レベル2

10 プロスタグランジンの副作用は？

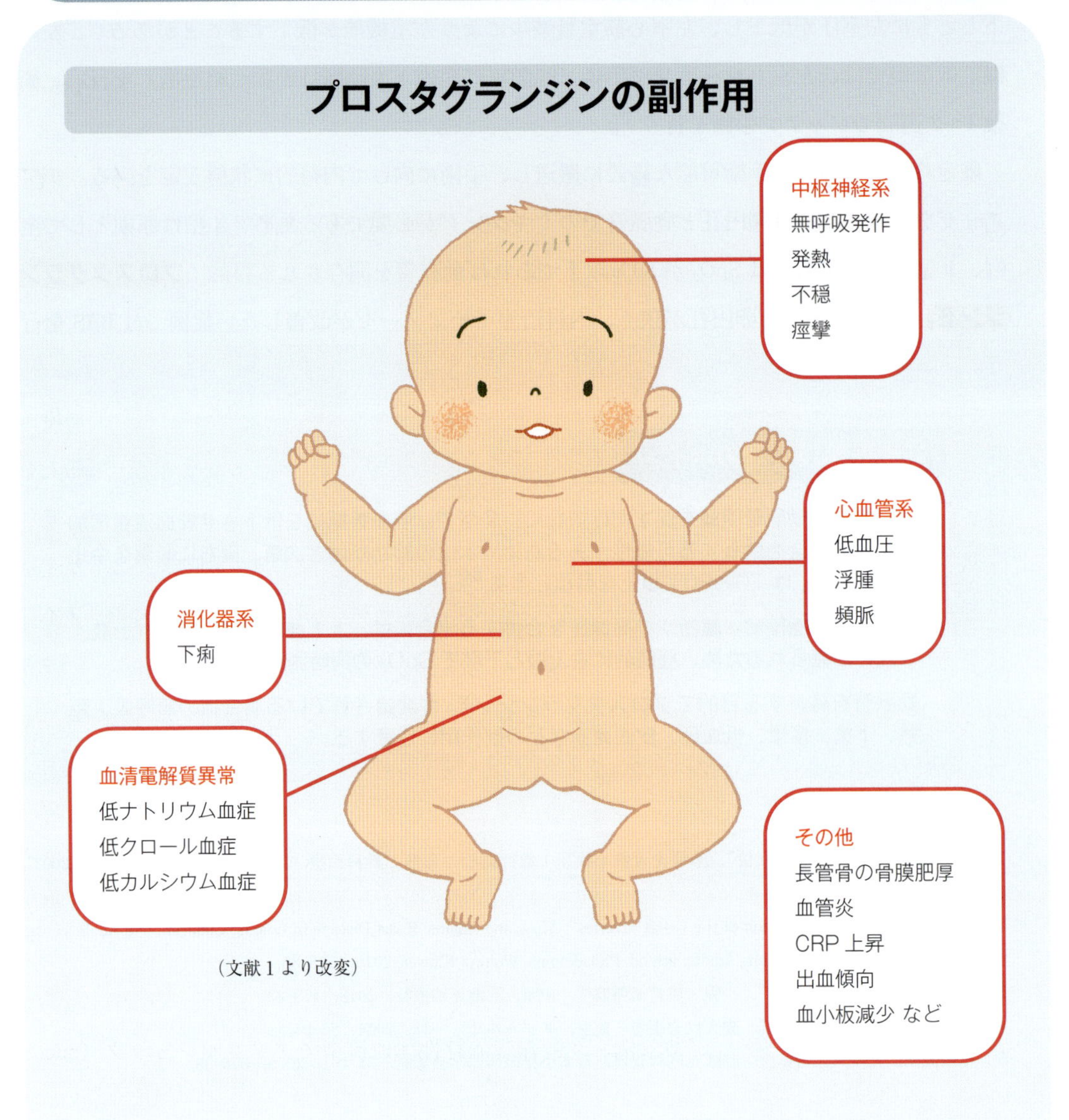

（文献1より改変）

動脈管依存性心疾患に対して用いられるプロスタグランジンE_1製剤（PGE_1）にはPGE_1-CDとリポPGE_1の2種類があり、おのおのの特徴と代表的な副作用を覚えておくことが大切である。PGE_1-CDには速効性があり大量投与が可能なため、早急に動脈管を開く必要がある症例などに用いられるが、大量投与により副作用の頻度が高くなる。リポPGE_1は副作用が少ないが、ヘパリンを含む他の薬剤と併用するとライン閉塞を生じることがある。最も多い副作用は無呼吸発作であるが、発熱や下痢などさまざまな副作用を生じる可能性があるため、注意が必要である。

プロスタグランジンとは?

プロスタグランジン E_1（PGE_1）が**動脈管開存の維持**に有効であることが報告されて以来、PGE_1 は肺循環や体循環を動脈管に依存している先天性心疾患（肺動脈閉鎖、左心低形成症候群、完全大血管転位Ⅰ型など）の治療に欠かせないものとなっている。

本来、プロスタグランジンは化学的に不安定であり、肺を通過すると約95%が不活化される[1)]。このため、わが国では、シクロデキストリンで包接し化学的に安定化させた PGE_1-α-cyclodextrin（**PGE_1-CD**）と、脂肪粒子中に PGE_1 を溶解することで肺での不活化を防ぎ、静脈内投与量を減量することができるリポ化 PGE_1（**リポ PGE_1**）が使用されている[1)]。

プロスタグランジン E_1 の使用方法

PGE_1-CD の特徴は、効果発現および消失までの時間が短いことと、必要に応じて大量投与が可能なことである[1)]。通常、50～100ng/kg/分で持続投与を開始し、効果が現れたら有効な最少量（10ng/kg/分程度）まで減量して継続する[1)]。短所は**副作用**の頻度が高いことで、発生頻度は投与量に依存すると考えられているが、少量投与でも無呼吸が見られることがあり注意を要する[2)]。また、PGE_1-CD は投与中断により10～30分で作用がなくなるため、静脈ライン閉塞や点滴漏れに十分な注意が必要である[3)]。

リポ PGE_1 の特徴は、PGE_1-CD と比べて効果発現および消失までの時間が長いことと、副作用の発現が少ないことである。通常、5ng/kg/分で持続投与を開始するが、投与量が多くなると高脂血症を併発することがあり10ng/kg/分以上には増やさない[1)]。短所は、速効性がないこと、長期投与中に効果が減弱することがあること、脂肪製剤であるがゆえ大量投与ができないことである[1)]。また、リポ PGE_1 はヘパリンを含む他の薬剤と併用すると静脈ライン閉塞を起こすことがあるため、必ず単独ルートで使用する[3)]。

以上より、動脈管が十分に維持されている場合にはリポ PGE_1 が第一選択となるが、①早急に動脈管を開存させる必要がある例、②動脈管依存性体血流型でダクタルショック（ductal shock）状態である例、③リポ PGE_1 に対して無効または効果減弱例、④体肺動脈短絡術においてリポ PGE_1 の作用持続性の懸念がある例には PGE_1-CD の使用が勧められる[1)]。

プロスタグランジン E_1 の副作用

本来、プロスタグランジンは生体機能に関与しさまざまな生理作用を持つため、PGE_1 を薬剤として用いた場合に各種の副作用が生じる（p.210参照）。わが国の調査によると、PGE_1-

CDの副作用のうち無呼吸発作が最も多く（22%）、次いで発熱と低ナトリウム血症が多く見られた[2)]。

無呼吸発作は低酸素血症や高二酸化炭素血症を生じ、呼吸循環動態に影響するため、臨床的に極めて注意すべき症状である。PGE_1は呼吸中枢に直接作用し、呼吸を抑制する。PGE_1による無呼吸発作にアミノフィリン製剤が有効とする報告があるが[4)]、無水カフェインの有効性は証明されていない[5)]。PGE_1-CDを20ng/kg/分以上で用いる場合や早産児・低出生体重児に対してPGE_1を用いる場合は無呼吸発作を合併しやすく[1)]、無呼吸を頻回に生じる場合には人工呼吸管理が必要となる。

発熱は、PGE_1が体温中枢で生理的に体温調節に関わっているために生じる症状である[6)]。発熱を認める場合には感染症による発熱との鑑別が必要となる。

消化器系において、PGE_1は消化管の平滑筋を収縮させ腸蠕動を亢進する作用があるため、副作用として**下痢**を生じる[1)]。

心血管系において、PGE_1は血管拡張作用、血管透過性亢進作用があるため、副作用として**血圧低下**、**浮腫**、**頻脈**などを生じる[6)]。

血清電解質異常として低ナトリウム血症、低クロール血症、低カルシウム血症などが報告されており、ナトリウム低下は尿細管でのナトリウム再吸収低下が原因と考えられている[1)]。

その他、**痙攣**、**血管炎**、**血小板減少**、**腎不全**などの副作用が報告されている[1)]。また、PGE_1の長期投与により**長管骨の骨膜肥厚**を生じることが知られているが、PGE_1の投与を中止すると骨膜肥厚は正常化する[6)]。

新生児循環管理のポイント　POINT

- □ 無呼吸発作はPGE_1の開始後早期から見られる重大な副作用だが、低用量でも発現する例があるため、PGE_1開始後は十分に呼吸状態を観察する必要がある。
- □ 副作用として発熱が見られた場合は、感染症との鑑別を行う。
- □ PGE_1-CDは効果消失までの時間が短いことや、PGE_1の副作用として血管炎があることから、常に点滴漏れがないか注意する。

引用・参考文献

1）小川潔．動脈管依存性心疾患に対するプロスタグランディン療法．小児科診療．70（2），2007，266-71．

2）渡辺健ほか．動脈管依存性先天性心疾患に対するプロスタグランジンE_1 α CDの使用実態調査．日本小児科学会雑誌．115（9），2011，1432-9．

3）稲村昇．“動脈管依存性先天性心疾患，抗心不全”．病態・疾患別でまなぶ新生児の薬剤．Neonatal Care秋季増刊．大阪，メディカ出版，2018，113-23．

4）Lim DS, et al. Aminophylline for the prevention of apnea during prostaglandin E1 infusion. Pediatrics. 112（1), 2003, e27-9.

5）Kristi L, et al. Caffeine citrate for the prevention of apnea associated with alprostadil infusion. J Pediatr Pharmacol Ther. 25（3), 2020, 235-40.

6）門間和夫．“新生児心臓病学”．臨床発達心臓病学．改訂3版．東京，中外医学社，2001，76-84．

増本健一

●●● レベル3

11 欠損孔の部位と大きさで心室中隔欠損の管理は変わる？

右室側から見た心室中隔欠損の分類（Soto 分類）

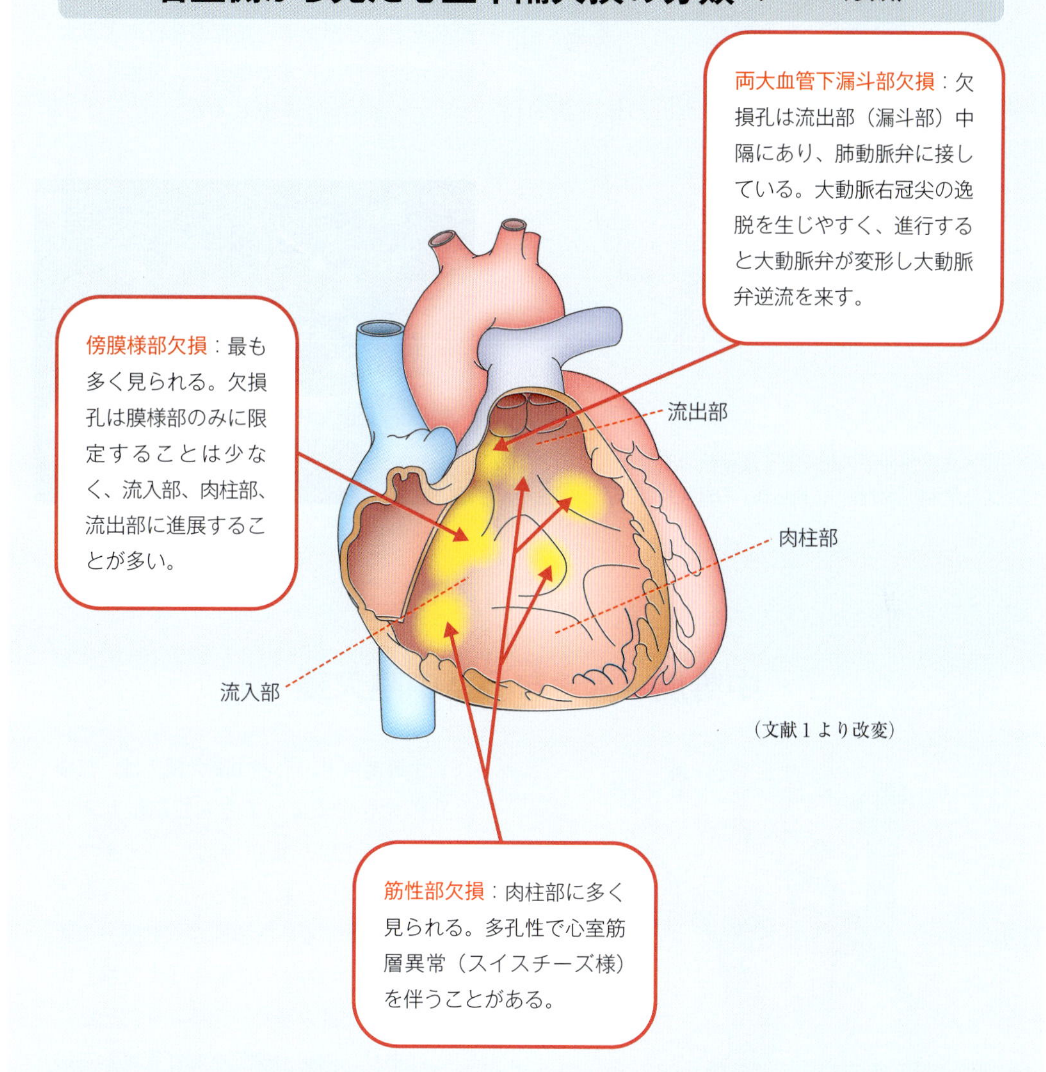

（文献1より改変）

単独の心室中隔欠損（VSD）で小欠損例は一般に症状を認めないが、大欠損例は乳児期早期から心不全症状が見られる。肺血流量増加により左心系の容量負荷や心不全症状が見られる場合には、利尿薬投与など内科治療が必要となる。内科治療で症状が改善しない例や、小欠損でも欠損部位が両大血管下漏斗部で大動脈弁変形のある例は、手術適応となる。

小さな心室中隔欠損

無症状の小さな心室中隔欠損は、自然閉鎖が期待できるので治療の必要はない。ただし両大血管下漏斗部欠損の場合は小欠損のように見えても、大動脈弁右冠尖が欠損孔を介して右室側に引き込まれ大動脈弁変形を来すことがある。病変の進行により大動脈弁逆流が進行する場合は、欠損孔が小さくても手術適応となる。

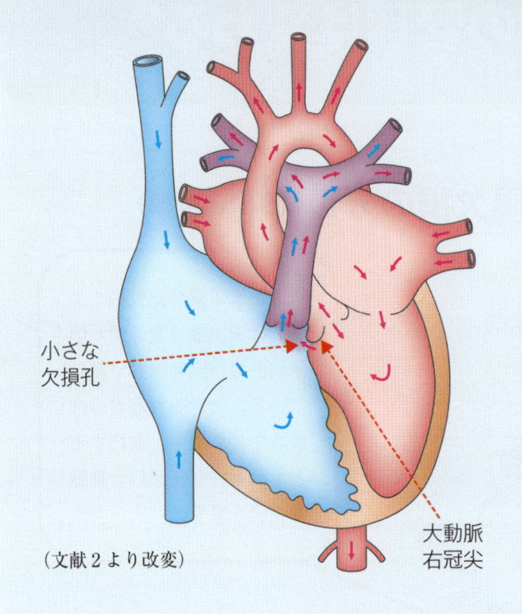

（文献２より改変）

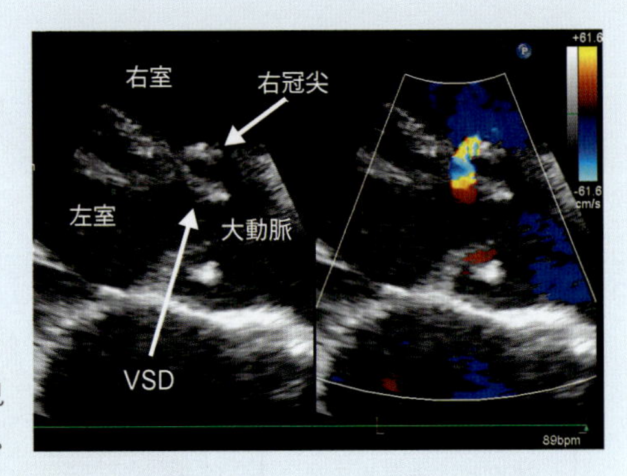

両大血管漏斗部欠損：左室長軸断面で欠損孔は小さく見えるが大動脈弁直下に見られ、右冠尖が引き込まれている。

中等度～大きな心室中隔欠損

中等度以上の心室中隔欠損では、欠損孔の大きさによって左右短絡量が変わる。肺血流量の増加に伴い、左心系への容量負荷が見られる場合には、利尿薬で治療を開始する。欠損孔が大動脈弁の大きさと比べて大きい場合（大欠損）には、新生児期から心不全症状を認めることがあり、内科治療で状態が安定しない場合には手術適応となる。

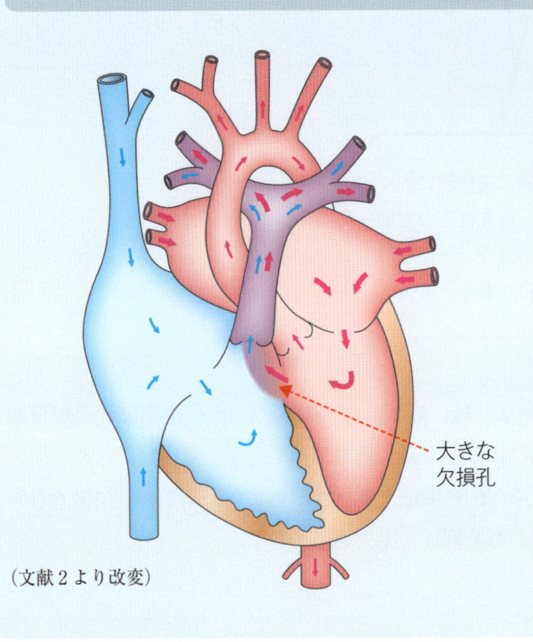

（文献２より改変）

心室中隔欠損の病態と症状

心室中隔欠損（VSD）は大動脈二尖弁と左上大静脈遺残を除くと最も発生頻度が高い先天性心疾患で、先天性心疾患の30％以上を占める[3)]。心室中隔にある欠損孔を介し**左室から右室への短絡**があり、肺血流量が増え、心肺への容量負荷となる。

VSDの病態は欠損孔の大きさで異なり、小欠損は短絡量が少ないため心負荷はほとんど増えないが、大欠損では左心系の容量負荷から肺うっ血と左心不全を来し、高肺血流による**肺高血圧**を合併する。中等度の欠損は短絡量に幅があり、小欠損と大欠損の中間の病態を示す[3)]。

VSDの症状の現れ方も欠損孔の大きさで異なる。中等度以下の欠損は無症状か症状があっても軽いが、大欠損では生理的肺高血圧の影響がなくなる生後3〜4週間頃から**多呼吸**、**哺乳力低下**、**体重増加不良**などの心不全症状が見られる[4)]。また、VSDは聴診で見つかることが多いが、出生直後は肺高血圧のため心雑音は目立たず、肺血管抵抗が低下する日齢1〜2以降に**収縮期逆流性雑音**が聴取される。欠損孔の大きさと心雑音の大きさは比例せず、大欠損では無雑音のことがあるため注意が必要である[4)]。

心室中隔欠損の診断

VSDの診断には心エコー検査が有用で、欠損部位、欠損孔の大きさ、肺高血圧の有無を診断する。VSDの部位診断は、ほぼ断層心エコー検査のみで鑑別可能であり[1)]、直交する三断面（四腔断面、左室長軸断面、左室短軸断面）を正しく描出することが大切である。VSDにはKirklin分類（3章2「先天性心疾患にはどんなものがある？」参照）、女子医大心研分類などさまざまな分類があるが、最近では外科的観点から、より実用的な**Soto分類**[1,5)]が広く用いられている（p.213図）[1)]。大動脈基部を含めた左室短軸断面での情報が多く[3)]、欠損孔が肺動脈弁に近接していれば**両大血管下漏斗部欠損**、三尖弁に接していれば**傍膜様部欠損**と診断する[4)]。欠損孔の大きさは大動脈弁の大きさと比較し、同じくらいの大きさ以上を大欠損、1/3以下を小欠損、その間を中等度欠損と分類する[6)]。肺高血圧の診断は、三尖弁逆流があれば簡易ベルヌーイの式から、三尖弁逆流がなければ左室短軸断面での心室中隔の形態とVSDの最大流速から右室圧を推定する[2)]。

心室中隔欠損の治療

無症状の小さなVSDは高率に自然閉鎖するため基本的に治療の必要はないが[4)]、小欠損でも両大血管下漏斗部欠損では**大動脈弁右冠尖逸脱**を生じやすく、逸脱の進行に伴い大動脈弁閉鎖不全を認める例は、短絡血流が少量でも手術適応と考えられる[3]。

中等度以上のVSDで高肺血流に伴う左心系への容量負荷を認める例は、利尿薬で治療を開始する。容量負荷が著しい例は、後負荷軽減目的でACE阻害薬など血管拡張薬の併用を考慮する[6]。

心不全症状を呈し、内科的治療で症状が改善しない例は手術適応となるが、乳児期に体重増加が得られない例、肺炎を繰り返す例などは早急な手術が必要となる[4]。肺高血圧が持続すると末梢肺動脈の器質的閉塞が進行し、1歳半～2歳以降でアイゼンメンジャー（Eisenmenger）症候群に移行する可能性があるため[7]、大欠損例では肺高血圧が可逆的な時期に手術を行うことが重要である[3]。また、ダウン症候群などの染色体異常やその他の症候群の例では、血管病変の進行が早くEisenmenger化しやすいため、通常より早期に手術を行う[7]。肺高血圧が進行した例では、心臓カテーテル検査を行い、酸素吸入や一酸化窒素吸入による負荷テストで肺血管に対する反応性を確かめ、慎重に手術適応を決定する。

新生児循環管理のポイント　POINT

- VSDは欠損孔の部位と大きさで治療方針が変わるため、心エコー検査による診断が重要である。
- VSDの心雑音は収縮期逆流性雑音で、肺動脈圧が低下する日齢1～2以降に生じる。
- 大欠損例では、VSDの心不全症状である、多呼吸、哺乳力低下、体重増加不良の有無に注意する。

引用・参考文献

1）Sutherland GR, et a. Ventricular septal defects. Two dimensional echocardiographic and morphological correlations. Br Heart J. 47（4), 1982, 316-28.

2）髙橋長裕．“心室中隔欠損”．図解先天性心疾患：血行動態の理解と外科治療．第2版．東京，医学書院，2007，31-41.

3）森善樹．“心室中隔欠損”．小児・成育循環器学．東京，診断と治療社，2018，374-80.

4）中澤誠．“心室中隔欠損”．先天性心疾患．東京，メジカルビュー社，2014，180-8.

5）Soto B, et al. Classification of ventricular septal defects. Br Heart J. 43（3), 1980, 332-43.

6）Cohen MS, Lopez L. “Ventricular Septal Defects”. Moss and Adams' Heart Disease in Infants, Children, and Adolescents: Including The Fetus and Young Adults. 9th ed. Philadelphia, Wolters Kluwer, 2016, 783-802.

7）日本循環器学会ほか．肺高血圧症治療ガイドライン（2017年改訂版）．https://j-circ.or.jp/old/guideline/pdf/JCS2017_fukuda_h.pdf［2021.2.3 アクセス］

増本健一

レベル3

12 ダウン症候群や18トリソミーなどに合併することが多い心疾患は何？

先天性心疾患における染色体異常の割合

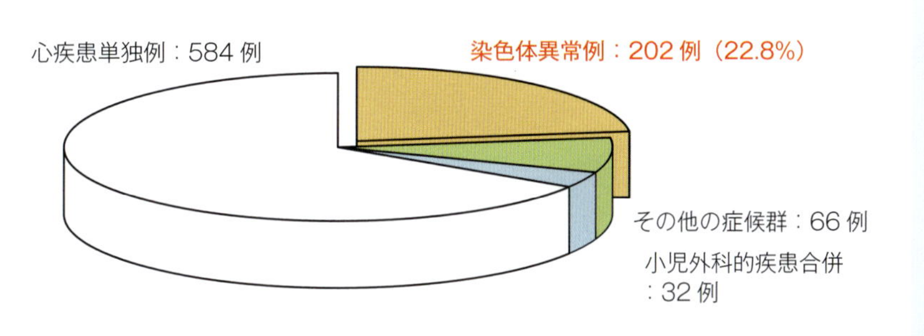

心疾患を持つ染色体異常の内訳

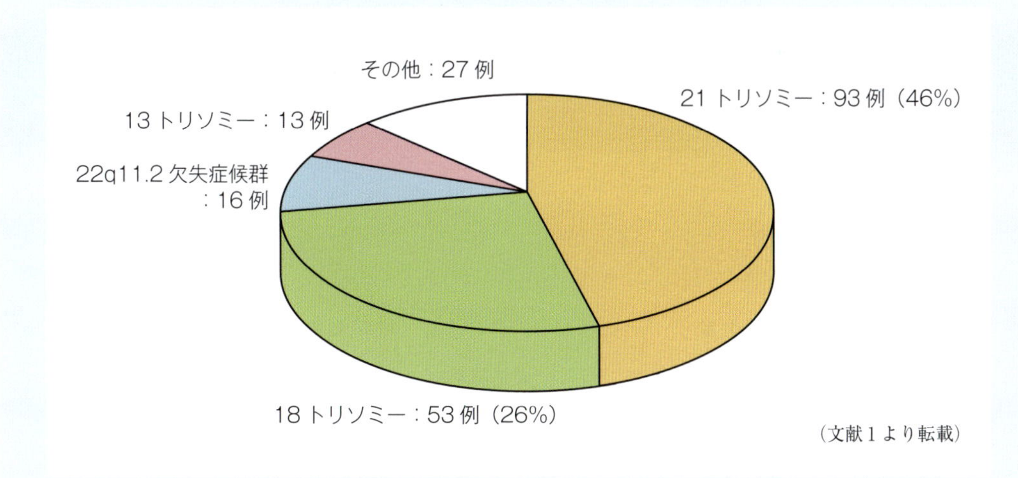

（文献1より転載）

先天性心疾患における染色体異常の割合

入院を要する先天性心疾患における合併疾患の有無と、その内訳を示す[1)]。合併疾患として染色体異常、その他の症候群、小児外科疾患に分けると、染色体異常は22%に及ぶ。染色体異常をはじめとする先天異常児は心疾患を有する場合が多いこともよく知られている[1)]。さらに心疾患の合併が多い染色体異常の種類を挙げると、ダウン症候群や18トリソミーが非常に多いことが分かる。本項では特に、ダウン症候群や18トリソミーなど、どこの施設でも経験する染色体異常と、それに合併する心疾患について解説する。

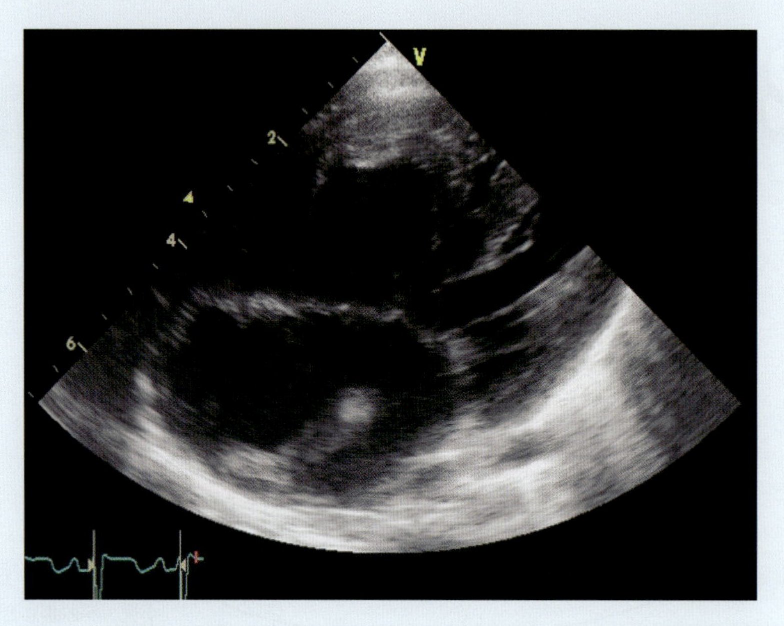

房室中隔欠損（心内膜床欠損）

実際の心エコー所見を示す。大きな心室中隔欠損と心房中隔欠損、三尖弁と僧帽弁とが融合したような共通房室弁を認め、弁逆流も多い。

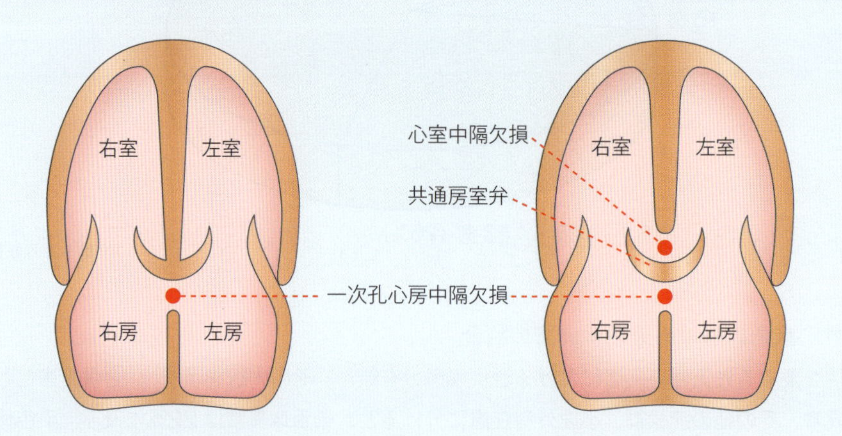

房室中隔欠損（心内膜床欠損）の病型

ダウン症候群に多い房室中隔欠損（心内膜床欠損）は、心室中隔欠損と心房中隔欠損、共通房室弁を特徴とする。その病型を示す。ダウン症候群では完全型が多いとされる。

ダウン症候群（21トリソミー）

1 臨床像

染色体異常の中で最も多く、およそ1,000出生に1人の発生頻度で、母親の年齢の上昇とともに増加する。**先天性心疾患の合併**が約50%と最多で、消化管疾患（十二指腸閉鎖、鎖肛など）が25%、以下、腎疾患（水腎症など）、形成外科的疾患（口唇裂、多指症など）が続く。

2 合併しやすい心疾患

頻度的には**心室中隔欠損**（VSD）、**房室中隔欠損**（AVSD）〔以前は心内膜床欠損（ECD）と言われていた〕が多く、その他、ファロー四徴症（TOF）、心房中隔欠損（ASD）、動脈管開存症（PDA）など、一般的に高頻度の心疾患が続く。特に房室中隔欠損が特徴的で、ダウン症候群の心疾患の40～60%を占めるとされ、一般頻度に比べて高い。また、完全型房室中隔欠損の50%以上はダウン症候群と言われる。房室中隔欠損には完全型や部分型がある（p.218下図参照）。

18トリソミー

1 臨床像

生存する染色体異常の中で2番目に多く、頻度は約3,000～7,000出生に1人で、ダウン症候群の約1/5である。女児が多い（3：1）。胎内死亡が多い上、出生後の生命予後も不良で、半数は生後1カ月以内で死亡するが、1歳以上の生存も5～10%見られる。また、患児の多くは羊水過多（食道閉鎖を伴わない場合であっても）や著しい胎児発育不全（FGR）、心疾患、小脳低形成、単一臍帯動脈など、明らかな異常所見で胎児期から疑われることも多い。その他の特徴としては特徴的な顔貌（小顎症、耳介異常、後頭部突出）、指の重なり（overlapping fingers）、揺り椅子状足底（rocker bottom）、多毛、食道閉鎖、横隔膜ヘルニア、臍帯ヘルニア、馬蹄腎、水腎症、脊髄髄膜瘤など、非常に多様である。

2 合併しやすい心疾患

18トリソミーでは心疾患は必発で、特に**心室中隔欠損**（VSD）はほとんどで合併する。そのほかに、VSDを伴う心疾患、例えば両大血管右室起始（DORV）、AVSD、大動脈縮窄・離断複合なども多く、その他、PDA、右胸心などがある。三尖弁を含む複数の弁異常（過剰腱索、

表12-1 主な染色体異常（トリソミー）に特徴的な所見

染色体異常	特徴的な超音波所見
21 トリソミー	短頸、後頸部浮腫、心疾患（AVSD、VSD）、軽度水腎症、十二指腸閉鎖、高輝度腸管像、大腿骨短縮
18 トリソミー	胎児発育不全、羊水過多、イチゴ状頭蓋、脈絡叢嚢胞、小脳低形成、大後頭槽拡大、小顎症、心疾患（VSD は必発、多弁疾患）、食道閉鎖、横隔膜ヘルニア（横隔膜挙上症）、腎疾患（馬蹄腎など）、手足の異常（手関節の屈曲、指の重なり〔overlapping fingers〕、揺り椅子状足底〔rocker bottom〕）、口唇口蓋裂
13 トリソミー	胎児発育不全、全前脳胞症（単眼症、無鼻、象鼻）、小頭症、後頸部浮腫、顔面異常（口唇口蓋裂、顔面裂）、心疾患、腎疾患、臍帯ヘルニア、手足の異常（多指趾症、指の重なり）

弁尖肥厚、弁結節）、すなわち多弁疾患（polyvalvular disease）は、18 トリソミーの心臓の顔とも言える特徴的な所見である。

13トリソミー

1 臨床像

生存する染色体異常の中では 3 番目に多く、頻度は約 7,000～10,000 出生に 1 人で、特徴的な顔貌で幅広い鼻根と内眼角贅皮により簡素な印象を受ける。より重篤な合併異常があり、全前脳胞症、顔面正中部の形態異常、先天性心疾患、臍帯ヘルニア、多指趾症、頭皮欠損、口唇口蓋裂などがある。生存例では呼吸停止や栄養障害、痙攣などが問題となる。約半数は 1 カ月以内に死亡、平均生存期間は 130 日とされるが、1 歳以上の生存も 5～10％存在する。

2 合併しやすい心疾患

心疾患は 50～80％でみられ、**心室中隔欠損**（VSD）、**心房中隔欠損**（ASD）、**動脈管開存**（PDA）などの**左右短絡性疾患**が多く、両大血管右室起始や左心低形成症候群もある。**表12-1** に上記の 3 大トリソミーに見られる臨床所見を示す。

染色体 22q11.2 欠失症候群

1 臨床像

臨床的主徴の頭文字から、CATCH22（心疾患：cyardiac defects、異常顔貌：abnormal face、

胸腺低形成：thymic hypoplasia、粘膜下口蓋裂：cleft plate、低カルシウム血症：hypocalcemia）と言われる。染色体検査は特別なFISH法で確認され、頻度は3,000〜4,000出生に1人と比較的多く、心疾患を合併する症候群では21トリソミーに次いで多いとされる。顔貌は円錐動脈幹顔貌とも言われ、眼間解離、広い鼻根に対して小さな鼻翼、小さい口が特徴的で、話し声も特徴的な開放的鼻声となる。幼児期以降は、軽度から中等度の精神発達遅滞（IQ70〜90）、構音障害、低身長が問題となる。

2 合併しやすい心疾患

心疾患の合併は80〜90％と高率で、病型にも特徴があり、**ファロー四徴症**（60％）、**総動脈幹症**、**大動脈弓離断**（B型）、**心室中隔欠損**などが多い。

ターナー症候群（Turner syndrome）

1 臨床像

X染色体のモノソミー、すなわち45,XO（45,X）と表現される。種々のモザイク型もある。低身長、二次性徴発現不全、索状性腺を特徴とし、外表的には外反肘、翼状頸が特徴的で、新生児期には手背、足背のリンパ浮腫が一過性に認められる。女性2,000〜4,000人に1人の発生とされる。

2 合併しやすい心疾患

心疾患の合併は30〜40％で、70％が**大動脈縮窄**（管後型・管対型）であるのが特徴的である。ほかにも大動脈二尖弁、大動脈弁狭窄、左心低形成など左心系の異常が多い。低身長と翼状頸の鑑別として挙げられるヌーナン症候群（Noonan syndrome）はターナー症候群（Turner syndrome）とは違い性染色体異常ではなく、心疾患でも肺動脈狭窄や肥大型心筋症が特徴的であるのと対照的である。

ウィリアムズ症候群（Williams syndrome）

染色体7q11.23領域の微細欠失で、FISH法で検出される。特徴的顔貌で、妖精様顔貌と言われる。約20,000出生に1人で、先天性心疾患として大動脈弁上狭窄と末梢性肺動脈狭窄が特徴的である。**表12-2**に主な症候群と合併しやすい心疾患をまとめた。

表12-2 その他の症候群と心臓異常

症候群	合併する心疾患	臨床的特徴
1. ヌーナン（Noonan）症候群	肺動脈弁狭窄、肥大型心筋症	低身長、翼状頸、特異顔貌
2. アラジール（Alagille）症候群	末梢性肺動脈狭窄	胆汁うっ滞、蝶型脊椎、特異顔貌
3. 結節性硬化症	心臓腫瘍（横紋筋腫）	上衣下結節・過誤腫（脳）、てんかん、白斑
4. マルファン（Marfan）症候群	大動脈弁逆流・僧帽弁逸脱／逆流	高身長、くも状指、水晶体亜脱臼
5. シミター（scimitar）症候群	右胸心、右部分肺静脈還流異常	scimitarとは半月刀のこと。肺分画症
6. ホルトーオラム（Holt-Oram）症候群	心房中隔欠損、心室中隔欠損、徐脈	母指異常、上肢低形成
7. CHARGE症候群	房室中隔欠損、大動脈縮窄・離断	コロボーマ、後鼻孔閉鎖、耳介低形成、性器低形成
8. 内臓錯位症候群	右胸心、単心房、単心室、共通房室弁、肺動脈閉鎖・狭窄、総肺静脈還流異常	3章13「無脾症、多脾症って何？」参照
9. VACTER（L）連合	心室中隔欠損、左心低形成	脊椎異常、鎖肛、食道閉鎖、橈骨異常

新生児循環管理のポイント

POINT

- 顔貌はどうか？　外表的な形態異常はないか？　その他の合併異常はないか？
- 体重はどうか？　在胎期間は？　胎児発育不全はないか？
- 妊娠中の経過で気になることはないか？　羊水過多などはないか？
- 両親の年齢は？　家族歴はどうか？

引用・参考文献

1）与田仁志．染色体異常児の心臓手術．周産期医学．39（10），2009，1439-43．
2）与田仁志ほか．胎児エコースクリーニングの意義．産婦人科治療．103（3），2011，277-82．
3）与田仁志．“他の遺伝性心血管疾患・トリソミー（21トリソミー，18トリソミー，13トリソミー）”．小児・成育循環器学．日本小児循環器学会編．東京，診断と治療社，2018，650-4．
4）増本健一．“先天性心疾患と遺伝性症候群”．新生児学テキスト．日本新生児成育医学会編．大阪，メディカ出版，2018，275-9．

与田仁志

13 無脾症、多脾症って何？

無脾症候群（右側相同）

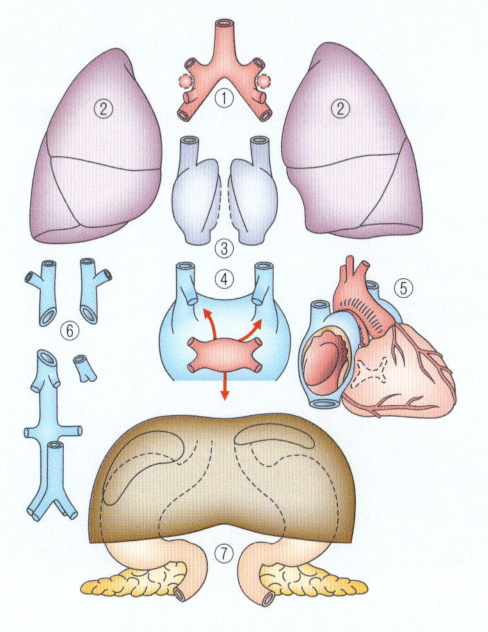

①両側高位気管支、②両側三分葉肺、③両側形態学的右房、④肺静脈還流異常、⑤心形態異常、⑥体静脈還流異常、⑦対称性肝・胃泡転位・腸回転異常

多脾症候群（左側相同）

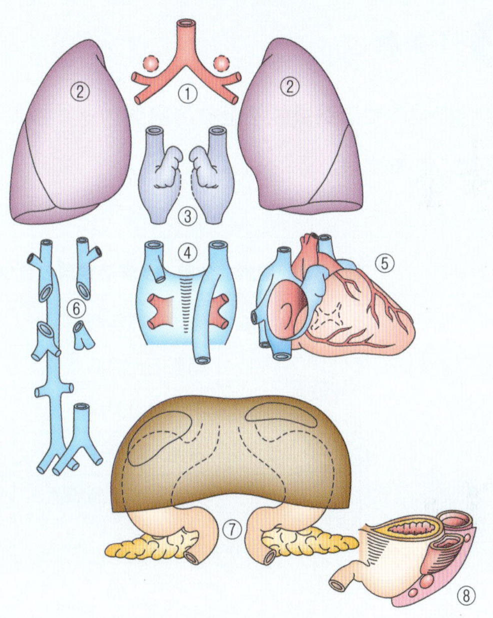

①両側低位気管支、②両側二分葉肺、③両側形態学的左房、④肺静脈還流異常、⑤心形態異常、⑥体静脈還流異常、⑦対称性肝・胃泡転位・腸回転異常、⑧複数の脾

（文献1より改変）

歴史的に見て、多脾症候群、無脾症候群という名称が広く使われてきた。しかし、脾臓の数は疾患の本質ではない。左右の分化障害の結果、本来非対称であるべき胸腹部の臓器が左右対称となることが疾患の本質であり、内臓錯位症候群という幅広いスペクトラムで理解する。各臓器の左右分化障害の程度はさまざまで、左右とも左側構造を示すサブグループが左側相同（＝多脾症候群）であり、左右とも右側構造を示すサブグループが右側相同（＝無脾症候群）と理解するが、非典型例も存在する。左右非対称の最たる臓器は心臓であり、内臓錯位症候群で一番問題となるのは合併心疾患である。

無脾症候群、多脾症候群の合併疾患

1 心疾患（表13-1）

無脾症候群では、共通房室弁、単心房、単心室、肺動脈弁狭窄／閉鎖、総肺静脈還流異常の組み合わせが多く、非常に複雑だが、心臓の形態は大変よく似ている。**多脾症候群**は、下大静脈欠損－奇静脈結合や下大静脈の走行異常を特徴とするが、無脾症候群に比べると重症度もバラエティに富む。大動脈弓の異常を伴いやすい。稀に心形態異常のない症例もある。

2 不整脈

多脾症候群では洞機能不全や房室ブロックのような**徐脈性不整脈**が、無脾症候群では**上室頻拍**が起こりやすい。

表13-1 無脾症候群・多脾症候群の合併心疾患

	心疾患	無脾症候群（%）	多脾症候群（%）
体静脈	両側上大静脈	40	62
	下大静脈欠損	0	52
大動脈	右側大動脈弓	49	14
	大動脈下大静脈並走	91	5
心房	単心房	61	38
	一次孔欠損	31	24
	二次孔欠損	0	10
心室	単心室	91	38
	心室中隔欠損	3	10
房室弁	共通房室弁	97	81
	房室弁逆流	49	33
半月弁	肺動脈弁狭窄	57	33
	肺動脈閉鎖	34	10
大血管の位置	大血管転位	57	33
大血管の起始	両大血管右室起始	54	33
	両大血管左室起始	3	0
肺静脈	総肺静脈還流異常	80	5
	部分肺静脈還流異常	3	5
動脈管	動脈管開存	37	43

（文献1より転載）

3 心外形態異常

対称肝や**腸管回転異常**は両疾患に共通して合併しやすい。新生児期に手術を要するような**絞扼性イレウス**を起こすのは多脾症候群の方が多い。無脾症候群では**食道裂孔ヘルニア**が認められる。また、多脾症候群の10％程度に**胆道閉鎖**が合併する。多脾症候群に合併した胆道閉鎖では、肝内胆管の低形成を伴うことが多いため、葛西の手術（胆管空腸吻合術）が難しいことが多く、また、肝移植も血管の形態異常が多いため、難易度が高い。

4 重症細菌感染

無脾症候群では脾臓がないため、莢膜を有する細菌（肺炎球菌など）の感染を起こす危険が高い。急速な経過をとって予後が不良なことも多い。心疾患の根治が終了しても重症感染症のリスクは残る。

無脾症候群、多脾症候群の出生後の症状と治療

1 出生後の症状

心疾患の組み合わせによりさまざまである。出生後早期に見られる症状としては、**チアノーゼ**と**心不全**がある。

肺動脈弁狭窄・肺動脈閉鎖、肺静脈狭窄を合併した総肺静脈還流異常では、チアノーゼとともに呼吸症状を認める。

肺動脈弁狭窄がないか軽度であったり、肺動脈閉鎖でも、動脈管の血流が多い症例では、肺血流増加により心不全が起こる。房室弁逆流が強い症例でも生後早期より心不全が起こる。

2 出生後の治療

▶…単心室群の治療

最終手術となるフォンタン（Fontan）手術（心房肺動脈吻合術。右房－肺動脈をバイパスする）を目指し、新生児期より肺血流を調節する手術を行っていく。肺動脈弁狭窄の強い症例や肺動脈閉鎖では、動脈管を開存させておくためにプロスタグランジンE_1を投与し、体肺動脈短絡手術（鎖骨下動脈と肺動脈を人工血管を用いて短絡する方法）を行う。肺動脈弁狭窄がない、あるいは軽度の症例では、新生児期に肺動脈絞扼術を行う。その後、グレン（Glenn）手術（上大静脈と右肺動脈の吻合。静脈血を右肺に導く）を経てフォンタン手術を行う。肺静脈狭窄解除や房室弁修復術がいずれかのステージで必要になることもある。

▶…二心室群の治療

大動脈縮窄の合併や肺高血圧の程度により、手術内容や時期はさまざまである。

▶…重症感染症に対する対策

通常の予防接種に加えて、肺炎球菌やインフルエンザ桿菌に対する予防接種を励行する。抗菌薬の予防投与も試みられている。

引用・参考文献

1）篠原徹，相羽純．“心房内臓錯位症候群”．臨床発達心臓病学．改訂 2 版．高尾篤良ほか編．東京，中外医学社，1997，375．

川滝元良

14 先天性心疾患の搬送のタイミングと注意点は？

先天性心疾患の分類から見た搬送のタイミング

動脈管依存性先天性心疾患の分類

血行動態分類	疾　患
動脈管依存性肺血流型	①純型肺動脈閉鎖
	②重症肺動脈弁狭窄
	③ファロー四徴症
	④三尖弁閉鎖
	⑤両大血管右室起始兼肺動脈狭窄（閉鎖）
	⑥単心室兼肺動脈狭窄（閉鎖）
	⑦その他
動脈管依存性体血流型	①左心低形成
	②大動脈縮窄複合
	③大動脈弓離断複合
	④その他
体肺循環混合型	完全大血管転位

プロスタグランジン製剤を使用して、待機的な搬送が可能

プロスタグランジン製剤を使用して、動脈管を開存しつつ緊急搬送が必要

チアノーゼが高度な大血管転位は、緊急搬送が必要な場合がある。

肺血流から見た分類

	疾　患
肺血流増加群	①総肺静脈還流異常
	②大動脈縮窄（離断）複合
	③大血管転位
	④左心低形成
	⑤大動脈中隔欠損
	⑥心室中隔欠損、心房中隔欠損、動脈管開存
	⑦その他
肺血流減少群	①ファロー四徴症
	②純型肺動脈閉鎖
	③肺動脈閉鎖（狭窄）を伴う下記の疾患 三尖弁閉鎖 両大血管右室起始 単心室
	④その他

先天性心疾患が疑われるが診断が付かない場合も、搬送を考慮してよい

総肺静脈還流異常は、早期の搬送が必要な症例が多い。

心室中隔欠損などは、心不全が進行的に増悪する場合のみ搬送が必要

プロスタグランジン製剤を使用して、待機的な搬送が可能

動脈管依存性体血流型の先天性心疾患は、ダクタルショック（ductal shock）に陥る前に緊急搬送することが必要になる。動脈管依存性肺血流型の疾患は、プロスタグランジン（PG）製剤の使用により動脈管からの肺血流が適切に維持され、チアノーゼや全身状態が良好に管理できている場合は、待機的に搬送することが可能である。先天性心疾患が疑われるが診断が付かない場合も、搬送の適応と考えてよいだろう。心疾患が否定された場合は、バックトランスファーしてもらおう。

搬送のタイミングと注意点

1 背　景

2017年の周産期母子医療センターネットワーク共通データベース解析報告によると、回答があった120施設中（うち59%がレベルⅢ）39%のみに小児循環器外科専門医が配置されていた。したがって、新生児医療を行っている多くの施設が、手術が必要となる先天性心疾患患児を専門施設に搬送しなければならないという現状がある。

2 搬送のタイミング

▶…緊急に搬送を必要とする疾患

p.227に示した**動脈管依存性体血流型**の疾患（左心低形成症候群、大動脈縮窄・離断複合など）は、動脈管が閉鎖するとダクタルショック（ductal shock）を来し重篤な状態に陥るため、プロスタグランジン製剤を使用しつつ搬送する。総肺静脈還流異常では、肺静脈閉塞が進行する前に搬送する。大血管転位で高度のチアノーゼが持続する場合などは、カテーテル治療が必要なことがあるため、緊急搬送の必要性が生じ得る。

▶…待機的に搬送が可能な疾患

p.227に示した**動脈管依存性肺血流型**の疾患群で、プロスタグランジン製剤の使用で動脈管からの肺血流が適切に維持され、チアノーゼや全身状態が良好に管理できている場合は待機的に搬送することが可能である。また、肺血流量増加群で、当初認められなかった心不全症状が増強するものは、内科的管理に時間をかけることなく搬送した方が無難である。

▶…新生児期の搬送が必要ないもの

心不全症状や高度のチアノーゼがなく、哺乳や体重増加が良好な場合は、搬送は不要である。1カ月健診後に小児循環器専門医の受診を勧めることでよいと思われる。

▶…先天性心疾患が疑われるが診断が付かない場合

実際には、このようなケースにも遭遇する。とりあえず、先天性心疾患への対応が可能なNICUや専門施設に転院を依頼してみる。そして、先天性心疾患でなければバックトランスファーしてもらうことでもよいのではないだろうか。また、搬送に添乗した医師が転送先での検査に立ち会い、心疾患でない場合はそのまま自施設に連れ帰ることも可能である。

撮影した心エコーの画像などを専門医に電子メールなどで送ってアドバイスを受けることもよい。デジタルカメラやスマホの画像などを使うと簡便である。また、専門施設に連絡したら、医師が往診に来てくれる場合もある[1)]。

3 搬送の注意点

▶…搬送先施設との十分な打ち合わせ

搬送手段（救急車、地域によってはヘリ搬送）の確認と、搬送に当たっての注意点を十分に打ち合わせておく。

▶…保温・安静

心不全症状がある患児では、末梢冷感が認められることがあり、適切な**保温**が重要である。体温が安定している場合でも、保育器による搬送を原則とする。**鎮静**が保てず不穏状態にある患児では、全身状態が悪化する懸念があるため、トリクロリール®、ミダゾラム、モルヒネなどでの鎮静も考慮する。

▶…呼吸機能の安定化

呼吸が不安定な場合は、搬送中に状態が悪化する懸念がある。気管挿管による**人工呼吸**を行って搬送する方が望ましい。

▶…確実な薬剤投与

搬送中は、プロスタグランジン製剤やカテコラミンを確実に投与することが重要である。末梢点滴だと点滴漏れのリスクが高くなるし、搬送中の救急車内での点滴差し替えは困難である。PI カテーテルなどを留置して確実な薬剤投与を行う。

▶…酸素投与の是非

酸素投与によって動脈管が閉鎖したり、肺うっ血が進行したりする可能性があるが、極端な**低酸素状態**は避けるべきである。F_IO_2 が 30%までなら循環動態の変動が少ないと考えられている[2]。

▶…ファミリーサポート

生まれてきた児が他の施設へ搬送されることになるため、家族（特に母親）の心情を理解し、不必要な不安を与えないように努力する。母乳栄養を行っている場合は、搾乳の指導や冷凍母乳の搬入など、継続に関する支援も併せて行ってほしい。

▶…搬送先への十分な情報提供

患児の臨床経過のみならず、家族環境、面会の頻度予想、母乳の搬入などについても状況提供しておく。

引用・参考文献

1）瀧川逸朗．“新生児にみられる心疾患”．周産期医学必修知識．第 6 版．周産期医学増刊．東京，東京医学社，2006，499-501．
2）与田仁志．“先天性心疾患”．新生児医療．東京，中山書店，2010，242-51（小児科臨床ピクシス，16）．

瀧川逸朗

●●レベル 2

15 胎児期に心疾患が見つかったら?

胎児診断のシステム

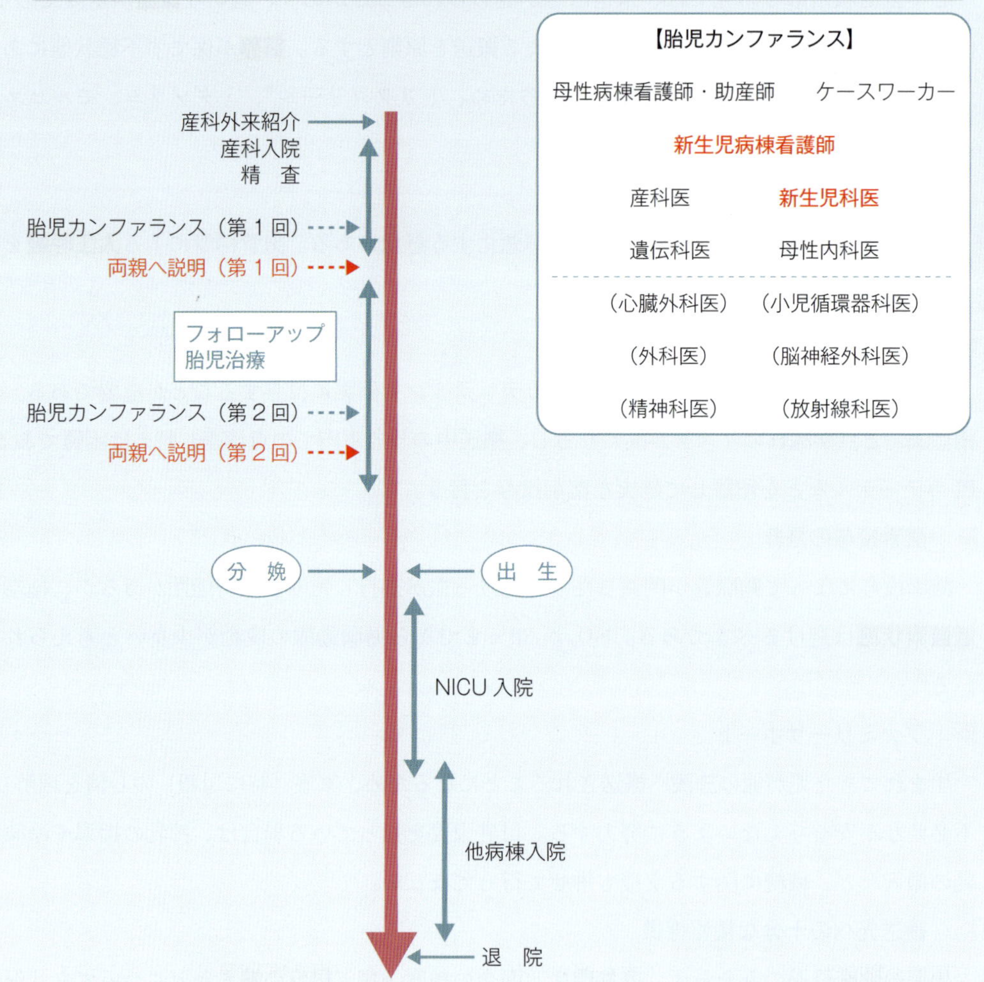

胎児心エコー検査など、胎児スクリーニングの普及により、先天性心疾患の胎児診断は年々増加している。妊娠期に先天性心疾患が疑われた場合、産科医師、新生児科医師、小児循環器科医師、看護師、ケースワーカーなどによるカンファランスで討議した上で、十分な時間を取り、プライベートに配慮して両親に診断内容を伝える。診断への反応は家族によりさまざまであるため、症例ごとにチームで個別に対応していく。出生後の症状や重症度、緊急性を予測し、治療方針を決定するために、細部について詳細に精査し、正確な診断をもとに胎児治療、あるいは新生児早期の治療の準備を行っていく。

胎児スクリーニングの普及

胎児期に診断される**先天性心疾患**症例は、年々着実に増加している。当院で診療した重症心疾患の胎児診断率は、1990年代は10％程度であったが、最近では60～70％となっている。疾患別では、従来は左心低形成症候群（HLHS）や無脾症などの単心室疾患だけが胎児診断されていたが、最近ではファロー四徴症（TOF）や完全大血管転位（TGA）などの、四腔断面に所見の乏しい二心室疾患の診断症例が増加している。

レベル2の精査

レベル2の**精査**の役割は、予後や治療方針に大きく関与する「細部」についての正確な診断である。例えばHLHSでは、高度の卵円孔狭窄や三尖弁逆流があるとノルウッド（Norwood）手術（HLHSに対する開心姑息手術。右室を体心室として機能させ、体血流路として主肺動脈から大動脈弓への通路を作成し、肺血流は体血流の一部を人工血管などで短絡させる方法）は困難で、予後は不良である。無脾症などの単心室疾患で予後を左右する因子は、高度の房室弁逆流、主要大動脈肺動脈側副血行路（MAPCA）を伴う中心肺動脈の低形成、高度の肺静脈狭窄を伴う総肺静脈還流異常（TAPVC）である。TOFの重症度は中心肺動脈の発育具合による。TGAでは、動脈管、卵円孔が胎児期に閉鎖・狭窄していると出生直後に急変し、蘇生できない症例があることも報告されている。このように、予後や治療方針に大きく関与する「細部」を正確に診断し、それをもとに新生児期早期の治療を準備することがレベル2の精査には求められている。

出生直後の治療の準備

胎児心エコーで得られた情報をもとに、出生後の症状、重症度、緊急性を予測し、準備を進めておく。

①高度の肺静脈狭窄や房室弁逆流を伴う症例では、**出生直後から呼吸管理**が必要となる。

②完全房室ブロックなど高度の徐脈性不整脈を合併する症例では、出生直後からイソプロテレノール（プロタノール®）などの**薬物治療**や**体外ペーシング**を開始する必要がある。

③TGAでは出生直後から高度の**低酸素血症**に陥ることがある。そのような場合、緊急に卵円孔でのミキシングを増やすため、バルーン心房中隔切開術（BAS）を必要とすることがある。そのための準備を整えておく。

④大動脈狭窄・閉鎖や肺動脈狭窄・閉鎖などの流出路狭窄疾患、TGAでは、**動脈管**が重要な

役割を果たしている。出生後に動脈管が閉鎖すると、体血流減少による多臓器不全、肺血流減少による低酸素血症、動静脈血のミキシング減少による低酸素血症に陥る。プロスタグランジン E_1 を投与して動脈管を開けておくことにより、手術までの全身状態を良好に維持することができる。

診断の告知

家族にとって**胎児診断**はバッドニュースであり、心理的な衝撃を与える。告知では単なる診断を伝えるだけでなく、家族を全面的に支える役割が求められる。また、先天性心疾患は複雑であり、家族にとって完全に理解することは容易ではない。ゆっくり時間をとり、図などを使って分かりやすく説明する。また、児が入院治療する場所であるNICUを案内すると、家族は非常に安心できる。

胎児診断される症例の中には重症例、予後不良例が多く含まれている。胎児診断しても治療の対象とならない症例が多い。予後不良例についてどのように家族に伝え、家族をサポートするかが重要である。胎児診断の結果は産科医師だけでなく新生児科医師、小児循環器科医師、看護師、ケースワーカーなど多くの職種が同席し、**チーム**で患者家族を支える必要がある。新生児科は産科と小児循環器／心臓外科の間にあって、スムースな情報交換、出生直後の処置や治療を行う重要な役割を担っている。

当院では以下のような原則をとっている。

①検査中は検査結果についての話はせず、カンファランスで討議した後に伝える。

②十分な時間を取り、プライバシーに配慮して両親に伝える。

③主治医単独の判断や説明は極力避け、医師（産科、新生児科、遺伝科、外科など関連各科の医師）、看護師、ケースワーカーなどからなるチーム全体で討議し、両親へ伝え、フォローする。

④死亡症例では剖検を勧める。剖検の結果説明の場を家族のサポート、次回妊娠へのカウンセリングに活用する。

それぞれの家族により先天異常への感じ方や考え方が非常に異なる。したがって、説明へのリスポンスも非常に幅がある。22週以前の症例では、選択肢の中に妊娠中絶が入るので、さらに複雑になる。

この方面の研究は緒に就いたばかりで、まだ試行錯誤の段階である。症例ごとにチームで相談しながら個別に取り組んでいるのが、われわれの現状である。将来的には、心理の専門家の協力を得て、この分野に科学的・理論的対応法が確立されることが望まれる。

川滝元良

●●● レベル3

16 胎児心エコースクリーニングとは？

胎児心エコー検査（レベルⅠスクリーニングとレベルⅡ精査）

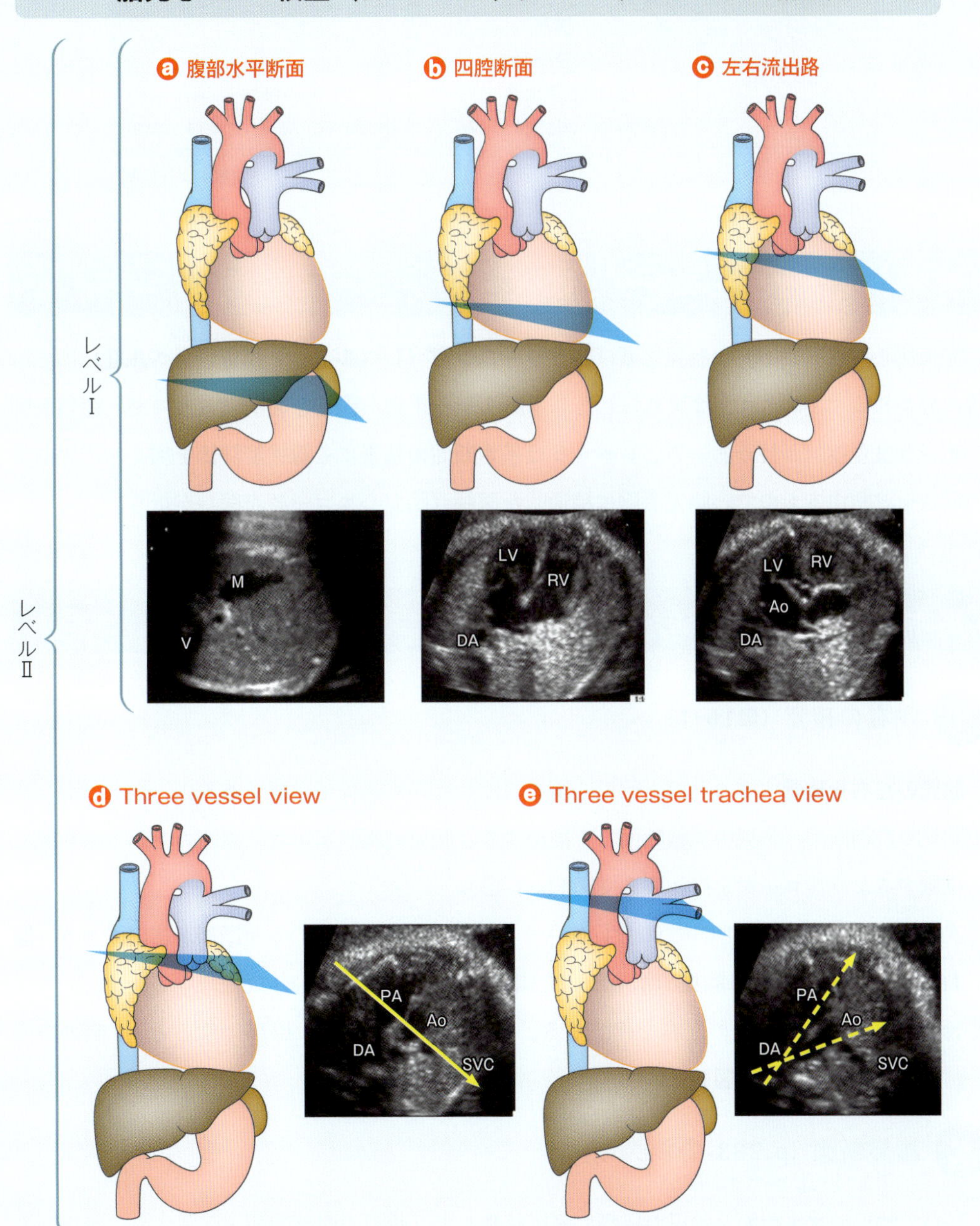

V：脊柱、M：胃胞、LV：左室、RV：右室、DA：下行大動脈、PA：肺動脈、Ao：大動脈、SVC：上大静脈

表16-1 胎児心エコー検査の検査レベルと内容

	レベルⅠ	レベルⅡ
目的	スクリーニング	確定診断
対象	全妊娠	異常を指摘された妊娠
検者	産婦人科医 超音波検査師	胎児心エコー認証医
エコー装置	一般機種	高性能機種
描出断面	腹部 四腔断面 左右流出路 (three vessel view)	レベルⅠ ＋ three vessel view three vessel trachea view

（文献1より転載）

胎児心臓スクリーニングとは（表16-1）

先天性心疾患（CHD）の胎児診断は**スクリーニング（レベルⅠ）**と**精査（レベルⅡ）**の二段階に分かれる[1)]。レベルⅠは決められた基本断面から正常か異常を判別するもので、産科医師や超音波検査技師が行う。一方、レベルⅡは基本断面の精査に心臓機能評価を加え、出生前後の病状を診断するもので、胎児心臓に精通した医師（胎児心エコー認証医）が行う。

基本断面の描出方法

1 左右の確認（図16-1）

胎児の左右を確認することは、胎児心臓を診断していく過程で重要である。

①胎児の長軸断面（胎児の矢状断面）を描出する。胎児の頭側がエコー画面の向かって右側に位置するようプローブを操作する（**図16-1-ⓐ**）。

②次にプローブを反時計方向に90度回転させる。この操作で胎児の水平断面が描出できる（**図16-1-ⓑ**）。この画面は胎児の水平断面を頭側から見下ろしたことになる。

③胎児の水平断面で胎児の左右を確認する。胎児の脊柱を時計の12時とすると、3時の方向が胎児の左側になる（**図16-1-ⓑ**）。

2 腹部断面（p.233-ⓐ）

続いて胎児の水平断面を胎児の尾側に平行移動して、胎児の腹部断面を確認する。腹部断面ではまず**胃が胎児の左側**にあることを確認する。下行大動脈が脊柱の左、下大静脈が脊柱の右

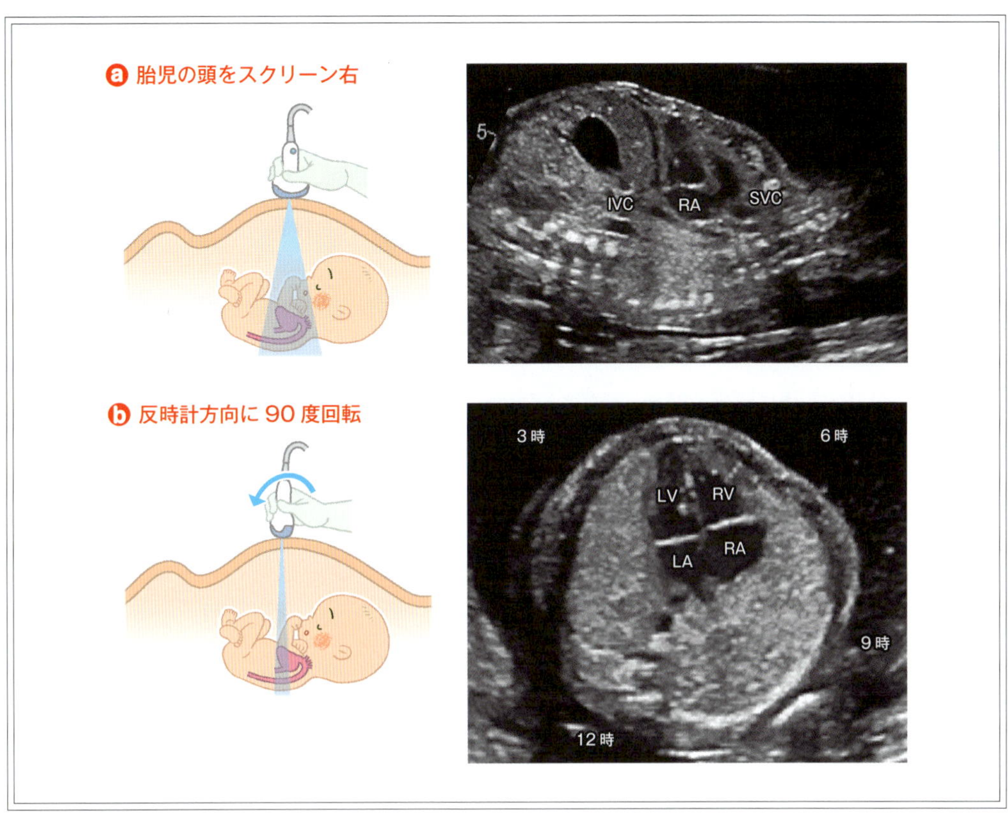

図16-1 胎児の左右を確認する方法
LA：左房、RA：右房、LV：左室、RV：右室、SVC：上大静脈、IVC：下大静脈

にあることを確認する。

次に、プローブを胎児の頭側に平行移動させて、**心臓が胃と同じ左側**にあることを確認する。

3 四腔断面（p.233-b）

腹部水平断面からプローブを胎児の頭側に少し平行移動させると四腔断面像が描出できる。正確な四腔断面を描出することは胎児心臓の診断に重要である。左右確認のときにプローブを反時計方向に 90 度回転させたが、胎児の矢状断面で脊柱が画面に水平で、心臓が画面の中央にあるときにプローブを回転させる。正確な四腔断面では脊柱から左右に伸びる肋骨がバランスよく見え、肋骨によるエコーシャドーがない。肝臓が断面に含まれない。

4 左右流出路（p.233-c）

胎児の四腔断面からエコービームを胎児の頭側に向けると、後方の**左室から大動脈が起始**し、さらにエコービームを胎児の頭側に向けると前方の**右室から肺動脈が起始**する。最初に起始する大動脈は下行大動脈の方向に向かわないが、次に起始する肺動脈は下行大動脈の方向に向かう。このような形で大動脈と肺動脈が交叉することを確認する。

5 Three vessel view（p.233-d）

四腔断面像からプローブを胎児の頭側に平行移動させ**肺動脈、大動脈、上大静脈の３つの血管が一列に並んでいる**ことと、血管径が**肺動脈＞大動脈＞上大静脈**の順になることを確認する。

基本断面からのスクリーニング／診断のポイント

1 腹部断面

胃胞と心尖が同側（左側）にあることを確認する（p.233-a）。胃胞と心尖の位置が異なる場合は心房内臓錯位症候群（無脾症・多脾症）が疑われる。腹部断面で脊柱の左に下行大動脈があり、脊柱の右側に下大静脈がある。下行大動脈と下大静脈が同側にある場合も心房内臓錯位症候群が疑われる。

2 四腔断面

▶…心臓の大きさ

僧帽弁付着部の心外膜から三尖弁付着部を結ぶ心外膜までの距離、総心横径（TCD）を計測し、妊娠週数 mm と同じくらいであることを確認する。妊娠週数より TCD が大きいときは心拡大が疑われる[2)]。心胸郭断面積比（CTAR）は妊娠中一定である。正常値は 20〜30％である。35％以上は心拡大を疑う[2)]。

▶…心臓軸（cardiac axis）

心臓軸（cardiac axis）とは脊椎－胸骨を結ぶ直線と心房中隔－心室中隔を結ぶ直線が作る角度である。正常値は 40° ± 20° の範囲にある[2)]。

▶…心室のバランス

心室のバランスは見た目で判断されている。房室弁の大きさで判断する方法もある。正常胎児心では右室が大きく、三尖弁と僧帽弁の弁輪比は 1.2 ± 0.2 である[2)]。下行大動脈の位置が脊柱の中心より右側にあるときは右側大動脈弓を疑う。右側大動脈弓は心疾患の合併頻度が高まるので重要な観察ポイントである[2)]。

▶…総肺静脈還流異常のスクリーニング

総肺静脈還流異常（TAPVC）は四腔断面で見つけにくい心疾患であるが、最新のカラードプラを使用すれば左房への肺静脈還流を確認することができる。しかし、レベルⅠでは最新の

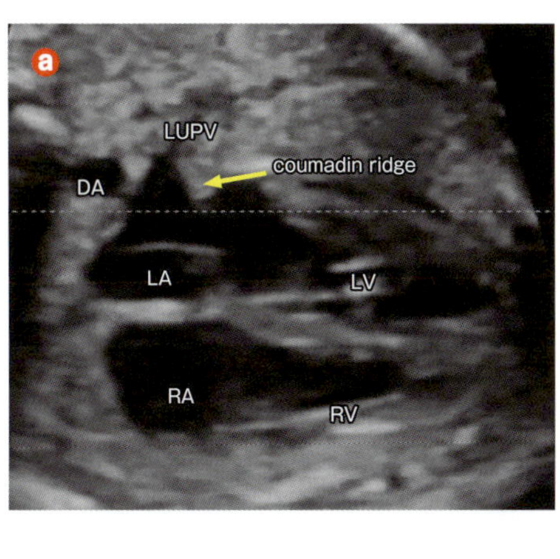

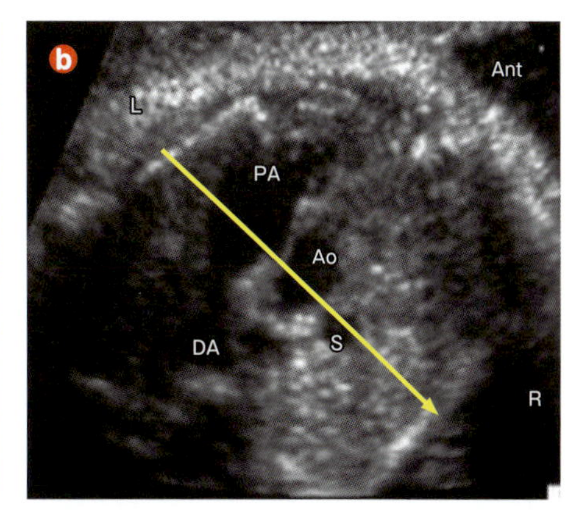

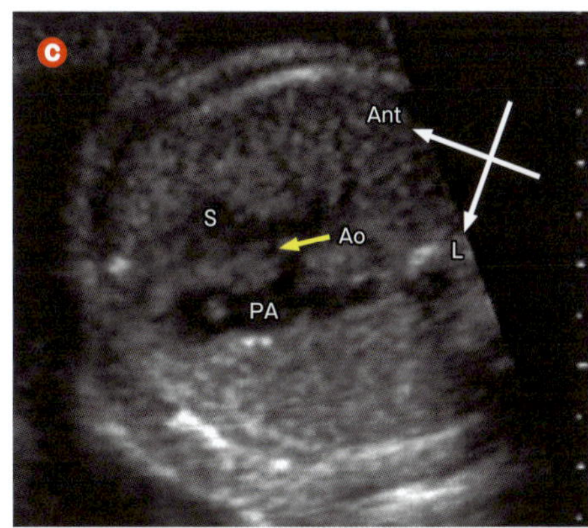

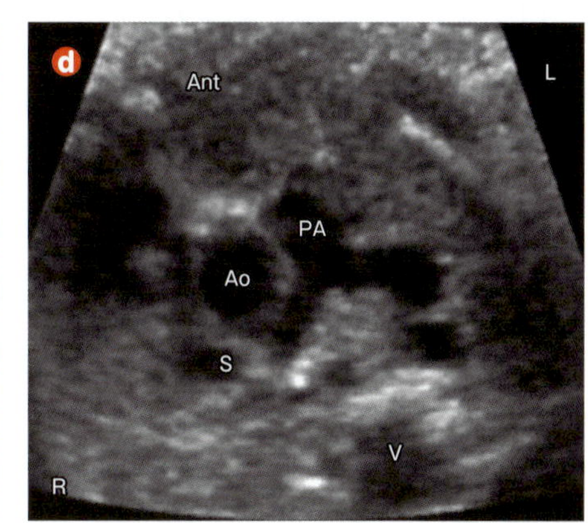

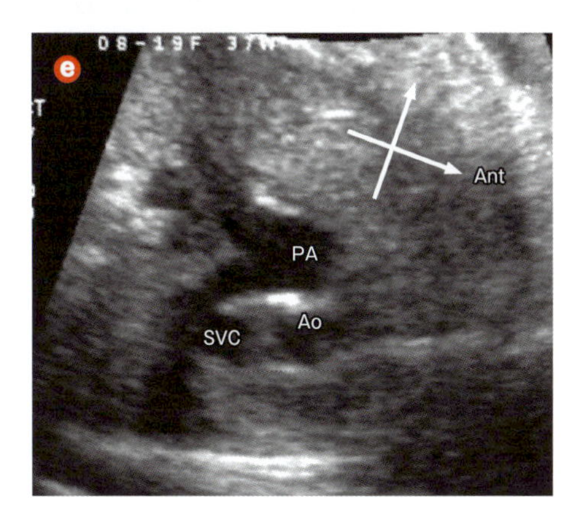

LA：左房、RA：右房、LV：左室、RV：右室、LUPV：左上肺静脈、PA：肺動脈、Ao：大動脈、DA：下行大動脈、S：上大静脈、V：椎骨、Ant：前方、R: 右方、L：左方

図16-2 基本断面からのスクリーニング

ⓐ coumadin ridge の心エコー図、ⓑ 正常の three vessel view、ⓒ 左心低形成の three vessel view、ⓓ 肺動脈閉鎖の three vessel view、ⓔ 完全大血管転位の three vessel view

カラードプラよりも **coumadin ridge**（**図16-2-ⓐ**）を確認する方が簡便である。肺静脈は共通肺静脈が肺静脈叢に結合し、徐々に左房内に吸収されて完成する。この過程で残る左心耳と共通肺静脈の境界線が coumadin ridge である。coumadin ridge を見つけると TAPVC は否定できる。

3 左右流出路

大血管の交叉と**血管の太さ**は重要なポイントである。左右の大血管が交叉しない、parallel な関係になっている場合は大血管転位を疑う。大血管の太さは肺動脈が大動脈より少し太い（PA/Ao=1.1 ± 0.2）[2]。この範囲を超える症例は精査が必要である。

4 Three vessel view

肺動脈、大動脈、上大静脈が一列に並び、血管径が肺動脈＞大動脈＞上大静脈の順になっていることを確認する（**図16-2-ⓑ**）。左心低形成で大動脈が小さすぎて見えにくい（**図16-2-ⓒ**）。肺動脈閉鎖で大動脈＞肺動脈＞上大静脈の順の太さになっている（**図16-2-ⓓ**）。完全大血管転位で肺動脈、大動脈、上大静脈の順で描出されていない（**図16-2-ⓔ**）。このように Three vessel view が一列に描出できないときも重症な心疾患であることが多い。

引用・参考文献

1）稲村昇ほか．日本胎児心臓病学会編．日本小児循環器学会胎児心エコー検査ガイドライン（第2版）．日本小児循環器学会雑誌．37（Suppl. 1），2021，S1.1-S1.57.

2）稲村昇監修．ガイドラインに基づく　胎児心エコーテキスト　スクリーニング編．京都，金芳堂，2016，128p.

稲村　昇

第4章

先天性心疾患の手術を理解しよう！

●●● レベル 3

1 新生児期に姑息術が必要となる疾患とその術式は？

左側方開胸アプローチからの肺動脈絞扼術（PA banding）

絞扼前

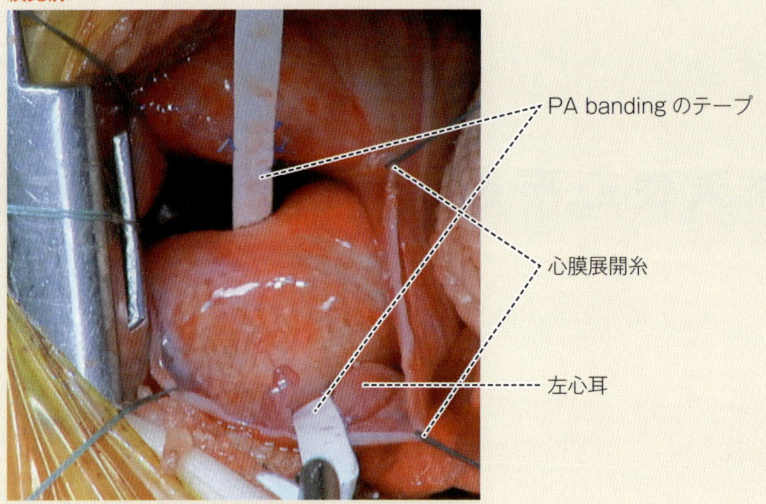

絞扼後

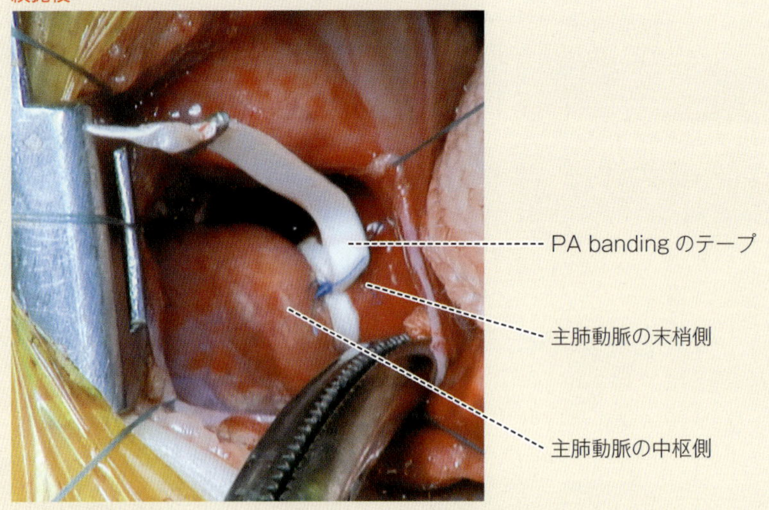

肺動脈絞扼術（PA banding）

左側方開胸アプローチ、あるいは胸骨正中切開アプローチにより、主肺動脈幹にバンディング用のテープ（Gore-Tex® 社製のテープ）を回して主肺動脈幹を絞めることで、主肺動脈幹の狭窄を作り、増加してしまっている肺血流量を減らす手術である。外見上、主肺動脈幹に「くびれ」ができ、触診すると thrill（スリル）を触れるようになる。

新生児期に行われる心臓手術

在胎期間、胎児期の状態、遺伝性疾患や症候群の有無、体重・体格などにもよるが、新生児期における脳血管、心筋、肺、腎臓、腸管などの諸臓器は、おしなべて未熟で脆弱な状態にある。感染に対する防御機構、抵抗力も弱い。したがって新生児は、乳幼児、学童、成人に比べて、大きな手術に耐え得るだけの予備能力が極めて低い。そのため新生児に過大な生体侵襲を加えることは、できるだけ避けるべきである。しかしながら重篤な先天性心疾患を持って生まれた児に対して、「新生児期に何らかの心臓血管手術を行わなければ、その後の生命をつなぐことは不可能」という厳しい現実に直面することも確かである。

新生児期に行われる心臓血管手術のタイプには2通りあり、**姑息術**と**根治術**とに分けられる。根治術については次項で述べることとし、本項では姑息術に焦点を当てる。

姑息術（Palliative Operation、Palliation）とは？

患児の症状や病態を一時的に安定化、あるいは改善させる手術である。いわば「救命的な緩和手術」を意味する。重要なことは、**手術によって根本的な循環動態の異常は正常化されない**点にあり、次の段階の手術（根治術、修復術）が可能になるように、形態的な条件を整えるための準備的、段階的な手術である。陸上競技のリレーの選手にたとえれば、第1走者の役割を担う大切な手術のタイプである（第1走者が転倒すると、そのチームが勝つ可能性は極めて低くなる）。

一般的に姑息術は、根治術に比べて生体への侵襲度が低い。症状の改善度に関しては、決定打にはならないが、有効打にはなり得る。姑息術の多くは、人工心肺を使用しないで済む手術である。新生児の臓器未熟性と脆弱性を考えれば、人工心肺を使用する手術（人工心肺下手術）を避けることは得策である。

しかし例外として、ノルウッド（Norwood）手術、両方向性グレン（Glenn）手術などは、姑息術にもかかわらず、人工心肺を使用する手術である。

非人工心肺下手術とは？

非人工心肺下手術とは、その名の通り、人工心肺装置を用いずに行う心臓血管手術のことである。心臓の内腔、上行大動脈、主肺動脈幹、上・下大静脈などの**大血管中枢部（大血管の中でも心臓に近い部位）に対して外科的手術を行わない**場合、**人工心肺を必要としない**。したがって、非人工心肺下手術で済ますことができる。

一般的に非人工心肺下手術の生体侵襲度は、**人工心肺下手術**に比べて低い[1, 2]。肺動脈絞扼術（PA banding）、体肺動脈短絡手術（systemic-pulmonary artery shunt：S-P シャント術）[3] などの大部分の姑息術と、動脈管閉鎖術、さらに大動脈縮窄に対する大動脈弓再建術の一部が、この非人工心肺下手術に属する。

新生児に対する生体侵襲を抑えるという観点から、**新生児期には姑息術や非人工心肺下手術が多く行われる傾向**にある。

▶…参　考

心臓の内腔を開けない手術のタイプとして、**非開心術**という名称がある。非開心術は心臓の内腔を開けないので、心筋保護法による心停止も上行大動脈の遮断も行わず、心拍動を継続させたまま行う心臓血管手術ということになる。人工心肺を使う場合もあれば使わない場合もある。「人工心肺を用いるが、心筋保護や大動脈遮断を行わずに、心拍動は継続させたままで行う手術」を「オンポンプ・ビーティング（on-pump beating）手術」と呼び、「人工心肺下・非開心術」と同義語である。心内操作を必要としない症例における両方向性 Glenn 手術やフォンタン（Fontan）型手術、あるいは低酸素血症により肺動脈の遮断が困難な症例における体肺動脈短絡手術（S-P シャント術）などが「人工心肺下・非開心術」に属する。

肺血流量を増加させるための姑息術

肺血流量を増加させるための姑息術である体肺動脈短絡手術（S-P シャント手術）は[3]、体動脈（全身への血液を供給する動脈系）と肺動脈をつなぐことによって肺血流を増やす手術の総称である。主に以下の手術方法がある。

1 ブラロック・タウシッヒ（Blalock-Taussig；BT）シャント変法手術

画期的な姑息術として、1945 年にブラロック・タウシッヒ（Blalock-Taussig；BT）シャント手術（原法）が発表された[4]。この時代は機能性と安全性の高い小口径の人工血管が存在しなかったこともあり、左右いずれかの鎖骨下動脈を切断し、折り返して同側の肺動脈に直接つなぐ手術であった。現在では、modified BT shunt operation[5]、すなわち人工血管を用いた BT シャント変法手術が主流となっている。1 本の人工血管の両端部を鎖骨下動脈（あるいは腕頭動脈）と肺動脈にそれぞれ吻合し、バイパス経路を作り、体動脈側から肺動脈側へ血液を供給する手術である。すなわち直径 3 ～ 5mm の太さの人工血管を左右いずれかの鎖骨下動脈、あるいは腕頭動脈に吻合した後、その人工血管の他端を同じ側の肺動脈に吻合する。体肺動脈短絡手術の中で、最も頻繁に用いられる方法である。左右いずれかの側方開胸（第 3、あるいは第 4 肋間開胸）でアプローチするパターン（**図1-1**）、あるいは胸骨正中切開でアプローチする

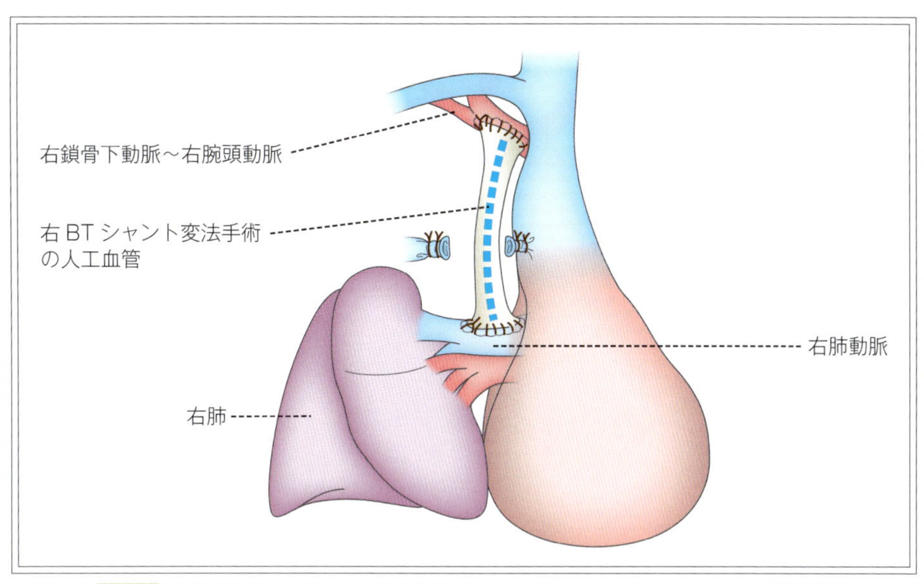

図1-1 右側方開胸アプローチによるBlalock-Taussig（BT）シャント変法手術

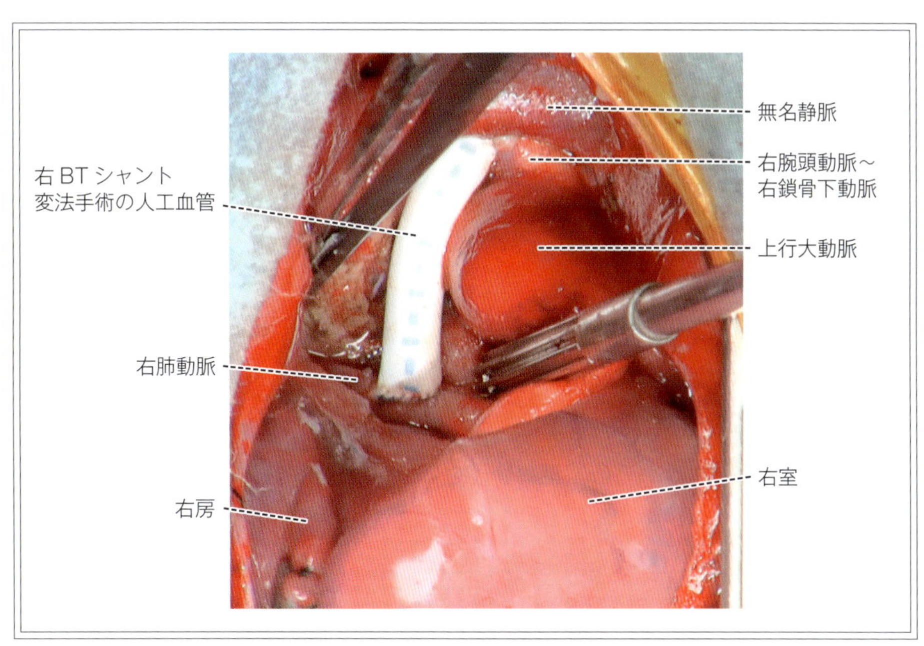

図1-2 胸骨正中切開アプローチによるBlalock-Taussig（BT）シャント変法手術

パターン（**図1-2**）がある。

❷ セントラルシャント（Central shunt）手術（図1-3）

人工血管の両端部を上行大動脈と主肺動脈幹にそれぞれ吻合し、バイパス経路を作成する。心臓に近い上行大動脈から主肺動脈へ血液が供給されるので、細い人工血管であっても肺動脈

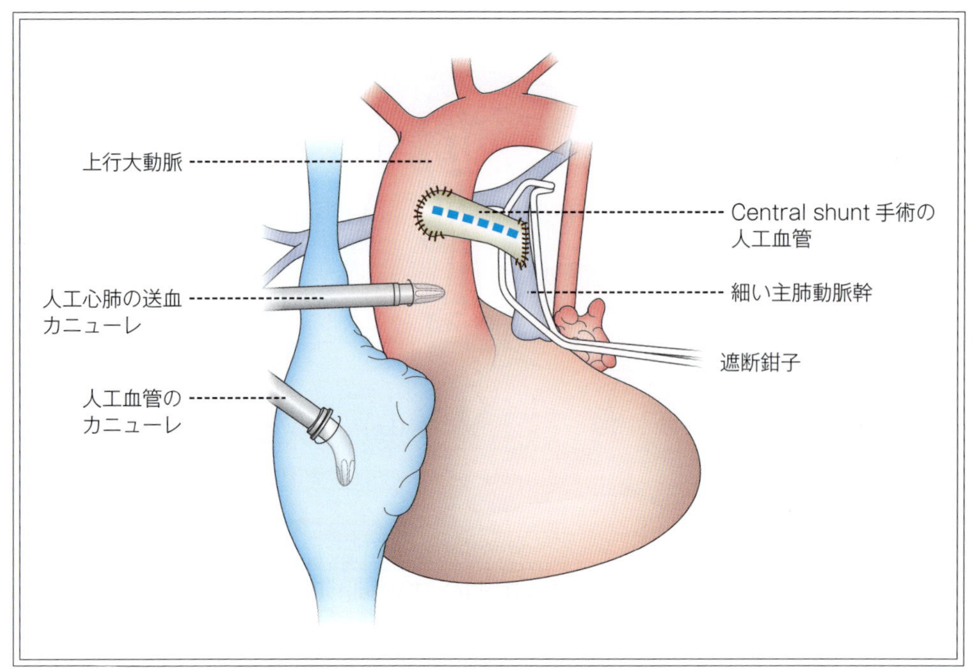

図1-3 Central shunt 手術のシェーマ

へ比較的大量の血液が供給されるという特徴がある。また供給先が主肺動脈幹なので、左・右肺動脈に均等に血液を供給でき、両側肺動脈の発育も期待できるという利点がある。

3 体肺動脈短絡手術（S-P シャント手術）の概要

▶…目　的

①減少している肺血流を増やし、低酸素血症やチアノーゼを改善させる。

②肺血管を発育させる。

③解剖学的根治手術、すなわち二心室型の修復を目指す場合、左室の容積を増やす。

▶…合併症・問題点

Blalock-Taussig（BT）シャント変法手術も Central shunt 手術も人工血管を使用するため、血栓・塞栓症や菌血症に伴う人工血管感染のリスクがある[6)]。高度の脱水や敗血症によって血圧が急激に下がると人工血管内の血流量も低下するため、肺血流減少から低酸素性ショックに陥る場合がある。同時に人工血管の閉塞も起こり得る。

また房室弁逆流、右室性単心室、心機能低下例などでは、S-P シャント手術による肺血流増加に伴う心室の容量負荷により、急激な心不全、循環不全に陥る場合があるので、注意が必要である。

▶…適応となる疾患・病態

肺動脈閉鎖、肺動脈狭窄、ファロー四徴症、完全大血管転位Ⅲ型、肺動脈狭窄・肺動脈閉鎖

を伴う三尖弁閉鎖、肺動脈狭窄・肺動脈閉鎖を伴う単心室など、肺血流が減少した疾患や病態が適応となる。

肺血流量を減少させるための姑息術

1 肺動脈絞扼術（PA banding）

p.240 に肺動脈絞扼術（PA banding）を示した。具体的な方法としては、Trusler らの基準に従って[7]、バンディングテープの円周が「患児の体重（kg）＋20mm」、チアノーゼ性心疾患の場合は「患児の体重（kg）＋24mm」の長さになるように、あらかじめバンディングテープ上に印を付けておく。そして主肺動脈にバンディングテープを回したら、印を付けておいたポイント、あるいはその前後のポイントに縫合糸を通して結紮することで主肺動脈幹を絞めバンディングする。さらにバンディングテープが移動したり外れたりしないようにテープを主肺動脈幹の外膜に固定する。テープの絞め具合を適切に調節することが難しい。経皮的動脈血酸素飽和度（SpO_2）を見ながら、テープが巻かれたポイントから末梢側の肺動脈圧が体血圧（動脈圧）の 1/2 以下、あるいは収縮期肺動脈圧が 35mmHg 以下になるように絞め具合を調節する。

▶…目　的

①増加している肺血流を減少させる。

②肺高血圧の進行を防止する。

③左右短絡量を減少させ心室の容量負荷を軽減する。

▶…合併症・問題点

①心室の内圧が上昇する。

②心筋肥大を招き大動脈弁下、あるいは肺動脈弁下の流出路を狭くしてしまう。

▶…適応となる疾患・病態

肺高血圧を伴う完全型房室中隔欠損（心内膜床欠損）、筋性部肉柱部型の大きな心室中隔欠損、両大血管右室起始、完全大血管転位Ⅱ型、単心室、大動脈弓離断／大動脈縮窄複合などの疾患のうち、肺血流が増加し心室の容量負荷を来している病態が適応となる。通常、一期的な根治術が施行されることが多い心室中隔欠損でも、多発性欠損のケース、体格が小さく人工心肺下での根治術が困難なケース、また複雑性心疾患に動脈管開存（左右短絡による肺血流増加）を伴い、動脈管結紮術と同時に行われるケース、何らかの理由で一期的な根治術が得策ではないと判断されるケースなどに用いられる。

② 両側肺動脈絞扼術（bilateral PA banding）

近年、左心低形成症候群（HLHS）、総動脈幹症、複雑な心内病変を有する大動脈弓離断／大動脈縮窄複合などの疾患に対して行われるようになった姑息術である[8〜11]。前述のように主肺動脈幹をバンディングして絞めるのではなく、左・右それぞれの肺動脈にバンディングテープを回して絞める手術方法である。

この手術の目的は、前述の主肺動脈幹のバンディングと同様に、増加してしまっている肺血流を減少させ、肺高血圧の進行を防止し心室の容量負荷を軽減する以外に、重要な目的がある。それは**図1-4**に示すように左右の肺動脈を絞めることで、プロスタグランジン E_1 あるいはステント留置により開存させた動脈管への血流を増やし、さらに動脈管とつながっている大動脈への動脈血流（体血流）を増加させ循環不全を改善させることにある（なお窒素吸入療法〔低酸素吸入療法〕も、肺血管抵抗を上げて肺血流を減らすことで体血流を増やすので、窒素吸入療法〔低酸素吸入療法〕とこの両側肺動脈絞扼術には共通の意義がある）。

また大動脈弁閉鎖を伴った左心低形成症候群の場合には、左右両側の肺動脈をバンディングすることで、動脈管→大動脈弓→上行大動脈という逆行性経路の血流も増やすことになり、脳血流や冠動脈血流を増やすことが可能となる。

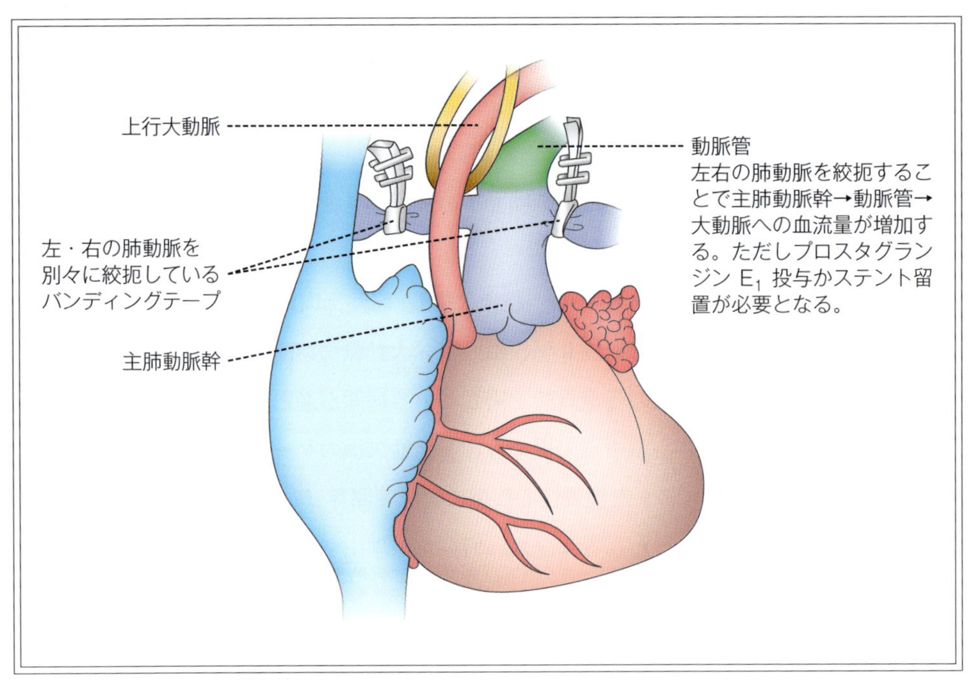

図1-4 両側肺動脈絞扼術（bilateral PA banding）

体血流と肺血流を適正化するための人工心肺下姑息術

1 Norwood（ノルウッド）手術

左心低形成症候群に対して行われる**人工心肺下での姑息手術**である。左心低形成症候群とは、大動脈弁閉鎖あるいは狭窄、僧帽弁閉鎖あるいは狭窄、および左室低形成を伴う最も重篤な先天性心疾患の一つである（**図1-5**）[12)]。

左心低形成症候群に対する一般的な外科治療戦略として、まず新生児期に両側肺動脈絞扼術（bilateral PA banding）、あるいは両側肺動脈絞扼術を行わずにNorwood手術を行う。また新生児期に両側肺動脈絞扼術を行って3～4カ月以降にNorwood手術と両方向性Glenn手術を同時に行うNorwood-Glenn手術を選択する施設もある。両側肺動脈絞扼術を先に行う場合も行わない場合も、Norwood手術を乗り越えることがその後の治療の大きな第一関門となる。

Norwood手術の後は、生後6カ月～1歳前後に両方向性Glenn手術を行う（Norwood-Glenn手術の場合を除く）。そして2～4歳前後までに、最終的なゴールともいうべきFontan型手術

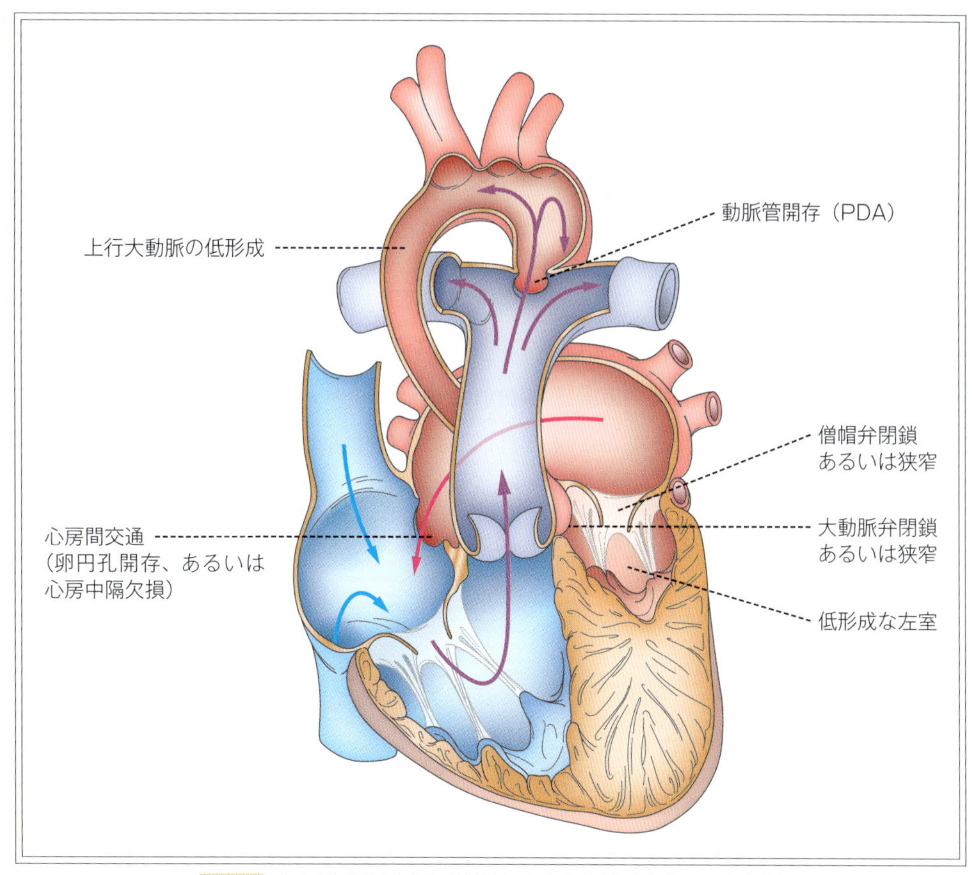

図1-5 左心低形成症候群（術前）の血行動態（文献12より改変）

（機能的根治術：一心室型修復）に到達する。最近では、両側肺動脈絞扼術を行って状態を安定させた後、数週間～2カ月以内にNorwood手術を行うというラピッド・ツーステージ・アプローチ（rapid two-stage approach）[13]を選ぶ施設も増えている。

Norwood手術は、①3つの大血管部分を連結させて新しい大動脈弓を再建することと、②新しい肺動脈血流路を作成することがポイントである。

2 Norwood手術の概要

Norwood手術の概要は、以下の通りである。

…新大動脈弓の再建

- 動脈管組織を切除
- 主肺動脈幹を肺動脈分岐部直下で切断
- 大動脈縮窄部を切除
- 下行大動脈、主肺動脈幹、上行大動脈（～大動脈弓）の3つの大血管部分を1つにまとめて吻合し、新たな大動脈弓を再建

※左室が低形成なため体循環の心室として使用できないので、右室から主肺動脈幹を使った体循環を作るというコンセプトである。

…新肺動脈血流路の作成

以下の3通りの方法がある。

（ⅰ）BTシャント変法手術（**図1-6**）[12]

（ⅱ）右室－肺動脈導管（RV-PA conduit）法[14～16]

筆者らは螺旋リング・カフ付きの人工血管[17]を本術式に導入し[18]、大動脈再建部の右側に置く方法で[19]、新肺動脈血流路の作成を行っており（**図1-7**）、良好な結果が得られている[19, 20]。

（ⅲ）上大動脈－右肺動脈吻合（両方向性Glenn手術）（Norwood-Glenn手術の場合）

両側肺動脈絞扼術を行ってから3～4カ月以降に、体重もおよそ4kg以上に増えてから、Norwood手術と両方向性Glenn手術を同時に行う方法である。その待機期間中において、動脈管が閉塞しないように、プロスタグランジンE_1の持続投与（あるいはステント留置）が必要となる。

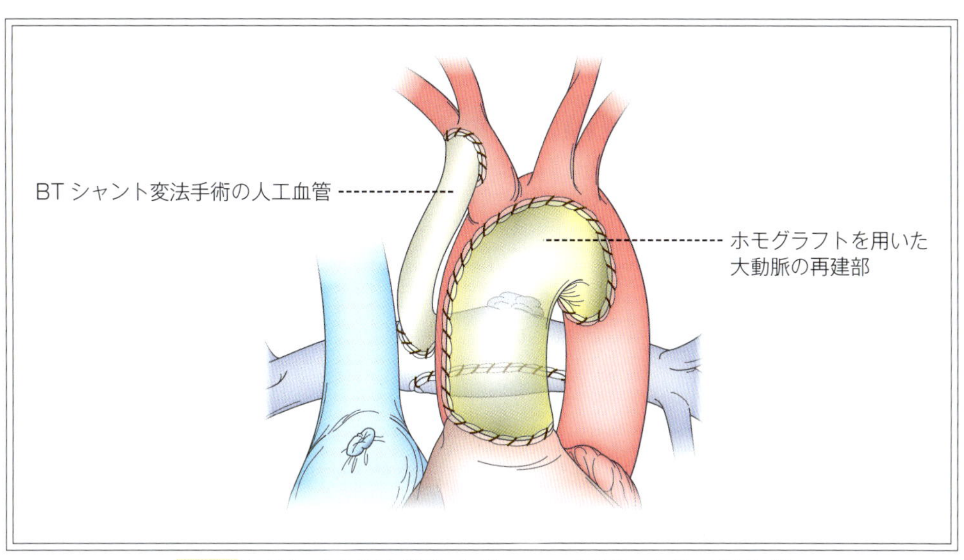

図1-6 BT シャント変法を用いた Norwood 手術（文献 12 より改変）

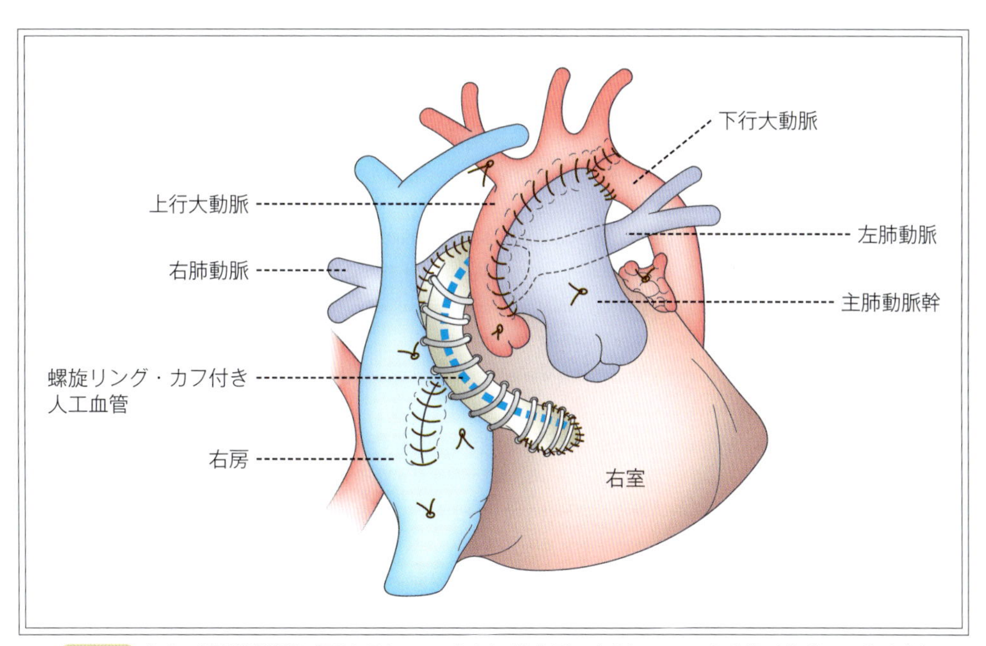

図1-7 右室－肺動脈導管（RV-PA conduit）法を用いた Norwood 手術（文献 19 より改変）

引用・参考文献

1）Ozawa T, et al. Superior biocompatibility of heparin-bonded circuits in pediatric cardiopulmonary bypass. Jpn J Thorac Cardiovasc Surg. 47 (12), 1999, 592-9.
2）小澤司．小児開心術体外循環における血中補体活性と炎症性サイトカインに関する検討．東邦医学会雑誌．47，2000，65-73.
3）小澤司ほか．"体肺動脈短絡手術（S-P シャント術）"．心臓手術の実際 Part 3．許俊鋭編．東京，学研メディカル秀潤社，2014，303-6.
4）Blalock A, Taussig HB. The surgical treatment of malformations of the heart in which there is pulmonary stenosis or pulmonary atresia. JAMA. 128 (3), 1945, 189-202.
5）de Leval MR, et al. Modified Blalock-Taussig shunt. Use of subclavian artery orifice as flow regulator in prosthetic systemic-pulmonary artery shunts. J Thorac Cardiovasc Surg. 81 (1), 1981, 112-9.
6）Sasaki Y, Ozawa T, et al. Bidirectional Glenn procedure for an infected modified Blalock-Taussig shunt. Gen Thorac Cardiovasc Surg. 60 (6), 2012, 355-8.
7）Trusler GA, Mustard WT. A method of banding the pulmonary artery for large isolated ventricular septal defect with and without transposition of the great arteries. Ann Thorac Surg. 13 (4), 1972, 351-5.
8）Akintuerk H, et al. Stenting of the arterial duct and banding of the pulmonary arteries : basis for combined Norwood stage Ⅰ and Ⅱ repair in hypoplastic left heart. Circulation. 105 (9), 2002, 1099-103.
9）Ishizaka T, et al. Bilateral pulmonary artery banding for resuscitation in hypoplastic left heart syndrome. Ann Thorac Surg. 75 (1), 2003, 277-279.
10）Pizarro C, Norwood WI. Pulmonary artery banding before Norwood procedure. Ann Thorac Surg. 75 (3), 2003, 1008-10.
11）Sakurai T, et al. Early results of bilateral pulmonary artery banding for hypoplastic left heart syndrome. Eur J Cardiothorac Surg. 36 (6), 2009, 973-9.
12）Ohye RG, et al. Comparison of shunt types in the Norwood procedure for single-ventricle lesions. N Engl J Med. 362 (21), 2010, 1980-92.
13）Schmitz C, et al. "Rapid two-stage" Norwood operation in a child with multiorgan failure. Pediatr Cardiol. 30 (1), 2009, 77-9.
14）Kishimoto H, et al. The modified Norwood palliation on a beating heart. J Thorac Cardiovasc Surg. 118 (6), 1999, 1130-2.
15）Sano S, et al. Right ventricle-pulmonary artery shunt in first-stage palliation of hypoplastic left heart syndrome. J Thorac Cardiovasc Surg. 126 (2), 2003, 504-9; discussion 509-10.
16）Sano S, et al. Risk factors for mortality after the Norwood procedure using right ventricle to pulmonary artery shunt. Ann Thorac Surg. 87 (1), 2009, 178-85; discussion 185-6.
17）Panneton JM, et al. Multicenter randomized prospective trial comparing a pre-cuffed polytetrafluoroethylene graft to a vein cuffed polytetrafluoroethylene graft for infragenicular arterial bypass. Ann Vasc Surg. 18 (2), 2004, 199-206.
18）Ozawa T, Katayama Y, et al. Open-square technique using a novel pre-cuffed, spiral-ringed conduit for the Norwood procedure. Interact Cardiovasc Thorac Surg. 25 (1), 2017, 125-7.
19）Barron DJ, et al. The Norwood procedure using a right ventricle-pulmonary artery conduit : comparison of the right-sided versus left-sided conduit position. J Thorac Cardiovasc Surg. 138 (3), 2009, 528-37.
20）Januszewska K, et al. Cobra-Head cuffed vascular graft as right ventricle-to-pulmonary artery shunt in Norwood procedure. Ann Thorac Surg. 2020 Jun 26;S0003-4975(20)31014-6.

小澤　司・片山雄三

2 新生児期に根治術が必要となる疾患とその術式は？

総肺静脈還流異常上心臓型（Darling 分類 Ⅰb 型）の根治術

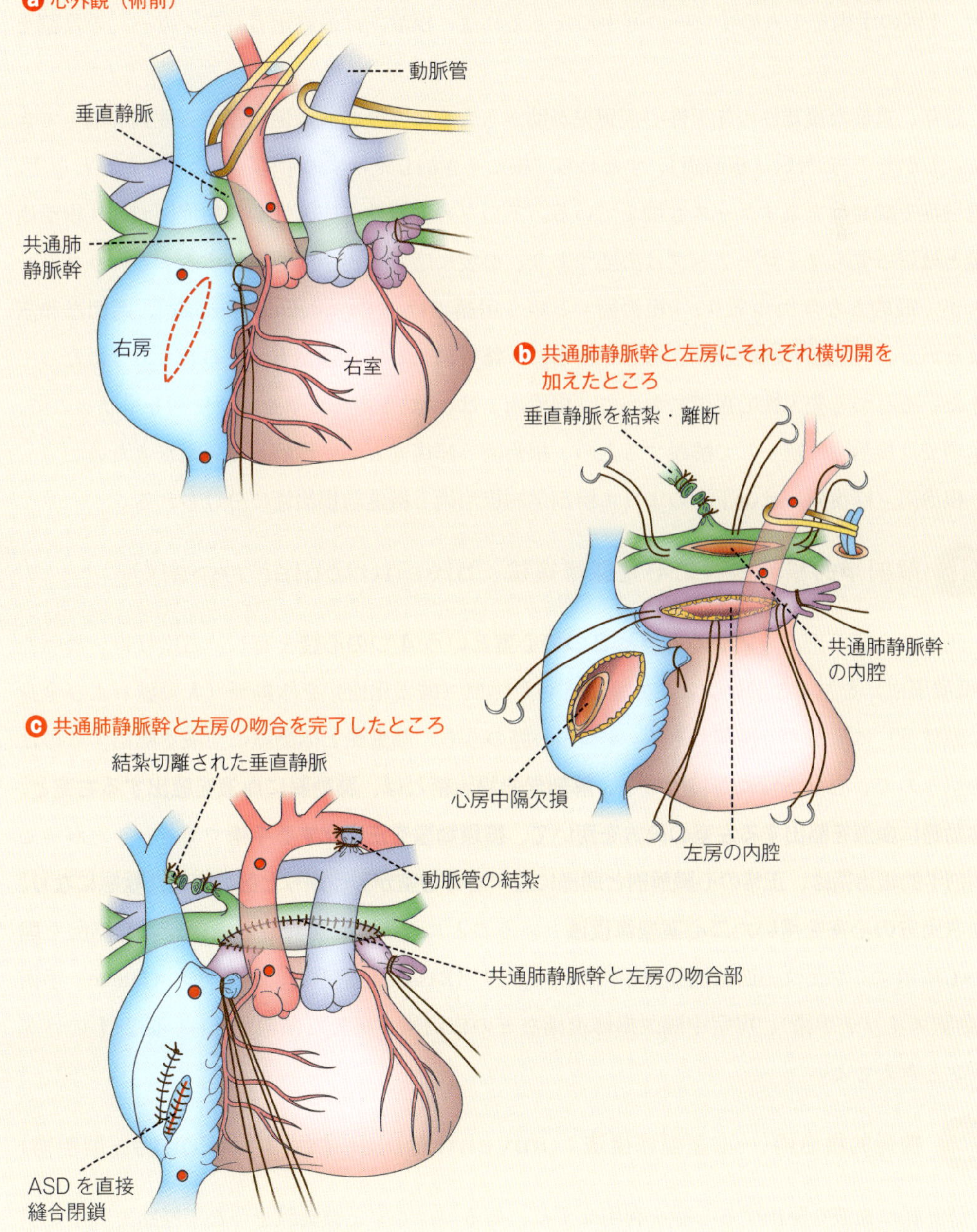

前項の「新生児期に姑息術が必要となる疾患とその術式は？」に引き続き、本項では、“新生児期に行われる根治術”について述べる。

根治術（Radical Operation）とは？

循環動態の異常を正常化する手術であり、**この手術によって肺循環と体循環が正しく区分される**ということが重要なポイントである。1人の患児に対して、段階的に何度も手術を行う場合、1回の手術を1人のリレーの選手にたとえれば、根治術は最終走者（アンカー）の役割を担う。

近年、重症な複雑性の先天性心疾患児が助かるようになり、成人期に達する症例も増えてきた。しかし一方では、「根治術」、すなわち“根こそぎ治したはずの手術”の後にもかかわらず、遺残症や続発症を来すケースも増えている。そのため複雑性の先天性心疾患症例では「根治術後とは言ってもフォローアップは必要であり、必要に応じて再手術を追加する」というスタンスが一般的となりつつあり、「根治術」という用語ではなく、「definitive repair」、適切な和訳はないが、「決定的な修復術」、あるいは単に「修復術」という呼び方が使われるようになってきた。それでも先天性心疾患において「根治術」は、「姑息術」と対をなす便利な単語なので、本項では根治術に統一して解説するため、根治術≒修復術として理解していただきたい。

根治術（修復術）は、下記のように解剖学的根治術と機能的根治術に分けられる。

1 解剖学的根治術（二心室型修復法：biventricular repair）

正常の心臓解剖は、**2つの心房と2つの心室という4つの心腔**を有し、右室は青い静脈血（低酸素血）を左右の肺動脈に、左室は赤い動脈血（酸素化血）を体動脈（大動脈および全身の動脈系）に駆出する循環である。4つの心腔のうち、肺動脈と体動脈に血液を駆出するのは心室なので、心室だけに着目すると、**解剖学的根治術とは、肺動脈に血液を駆出する右室と、体動脈に血液を駆出する左室の両方を用いて、循環動態を正常化する手術**である。したがって**解剖学的根治術は、正常の心臓解剖と同様に左・右の心室がしっかりと区分された状態になり、左右両方の心室を用いた二心室型修復法**ということになる。正常化された循環の簡略図を**図2-1**に示す。ファロー四徴症修復手術やラステリ（Rastelli）型手術、ジャテン（Jatene）手術（動脈スイッチ手術）、房室中隔欠損修復術などの根治術を終えた循環動態は、**図2-1**のパターンと考えてよい。

2 機能的根治術（一心室型修復法：univentricular repair＝Fontan型手術）

肺動脈に血液を駆出する心室を利用せずに、あるいは心室と肺動脈をつなぐ経路を利用せず

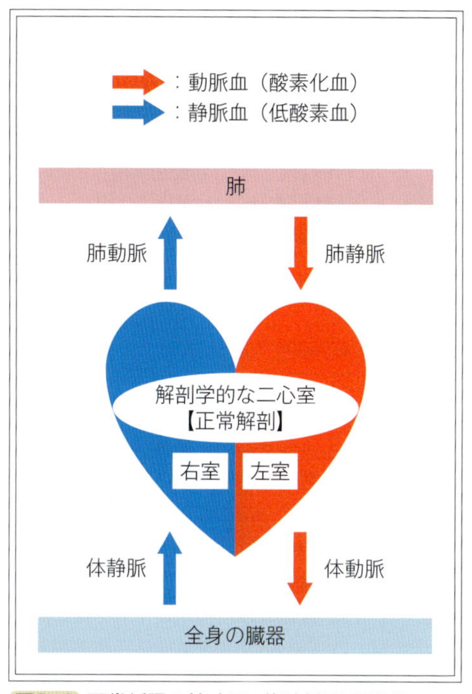

図2-1 正常循環の簡略図（解剖学的根治術=二心室型修復が目指す循環動態）

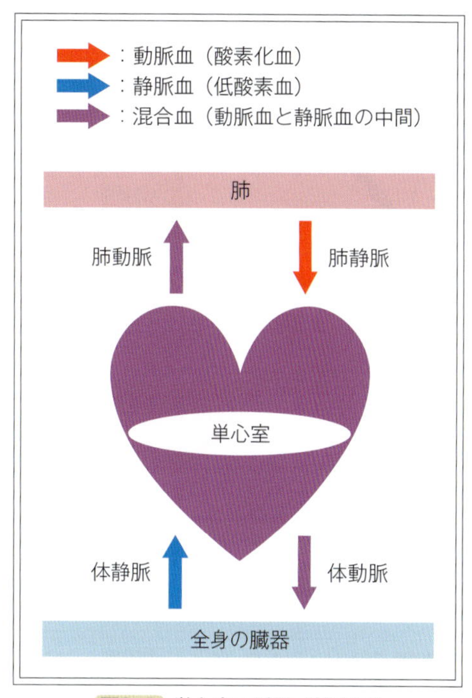

図2-2 単心室の循環（簡略図）

に、静脈血を肺動脈に流す手術である。具体的には、通常、右室が肺循環へ血液を送り出す心室であるが、その肺循環への駆出心室である右室を使わずに、あるいは肺循環への駆出経路である主肺動脈幹や右室－肺動脈導管を使わずに、静脈血が左右肺動脈に流れるようなルートを作る手術であり、フォンタン（Fontan）型手術を意味する。本来、2つの心室がそれぞれ肺循環と体循環に血液を駆出するが、**機能的根治術（＝Fontan型手術）では、2つの心室のうち体動脈に血液を駆出する心室1つだけが機能するので、一心室型修復法**とも呼ばれる。ただし肺循環と体循環は正しく区分されるので、循環動態は修正され、低酸素血症、チアノーゼは改善する。したがって**機能的根治術（一心室型修復法＝Fontan型手術）は、解剖学的根治術（二心室型修復法）と姑息術の中間に位置する手術**のタイプである。

▶…単心室循環とFontan型手術（一心室型修復法）

三尖弁閉鎖、単心室、左心低形成症候群、心房内臓錯位症候群（無脾症、多脾症）、また左右心室のうち、いずれか一方が小さい完全型房室中隔欠損、両大血管右室起始、肺動脈閉鎖などの疾患は、機能的な単心室として扱われることが多く、右左短絡や心腔内での動脈血と静脈血の混合により、低酸素血症やチアノーゼを呈する。そこで**図2-2**に単心室の循環の簡略図を示す。

これら単心室に対して、肺動脈側の心室（通常、右室）を用いない一心室型の修復法がFontan型手術である。片方の心室容積が元々小さい場合や、1つの房室弁（僧帽弁や三尖弁）

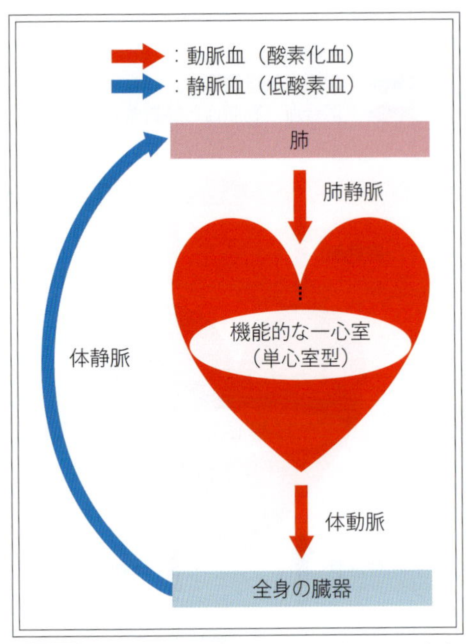

図2-3 Fontan 型手術（機能的根治術、一心室型修復）の簡略図

表2-1 Fontan 型手術に到達するまでの段階的な手術

第１期手術	主に新生児期～乳児期早期に施行※ • 肺血流が少ない疾患 →BT シャント変法手術 • 肺血流が多い疾患 →肺動脈絞扼術（PA banding）
第２期手術	乳児期後期～２歳前後までの間に施行 両方向性 Glenn 手術
第３期手術	２～４歳前後までの間に施行 Fontan 型手術

※ただし左心低形成症候群およびその類縁疾患の場合は、第１期に Norwood 手術（あるいは両側肺動脈絞扼術後の Norwood 手術）が入るため、上記とは異なるコースになる。しかし両方向性 Glenn 手術以降は同様のコースをたどることになる（Norwood 手術と Glenn 手術が同時に施行される場合もある）。

組織が心室中隔欠損（VSD）越しに両心室にまたがっていて左右心室の分割が困難なケースでは、二心室型の修復術を行うことは困難となる。そのため右側の心室を用いず、心室－肺動脈経路を介さずに、上大静脈と下大静脈からの静脈血を直接、肺動脈に導く方法が、Fontan 型手術、すなわち一心室型修復法である（**図2-3**）。

ただし Fontan 型手術に到達するには、**表2-1** のように段階的な準備手術が行われる。新生児期に行われる姑息手術として、肺血流の少ない疾患に対しては、ブラロック・タウシッヒ（Blalock-Taussig；BT）シャント変法手術、肺血流の多い疾患に対しては、肺動脈絞扼術（PA banding）となる。

人工心肺下手術とは？

根治術と呼ばれるものは、解剖学的であろうと機能的であろうと、人工心肺を使用する人工心肺下手術になることが多い。以下に人工心肺下手術ついて述べる。

人工心肺下手術とは、人工心肺装置を用いた心臓大血管手術をいう。心臓の内腔、あるいは上行大動脈、主肺動脈幹、上大静脈、下大静脈などの大血管中枢部に対して外科的手術を行う場合、この人工心肺下手術が選択される。なお、開心術の定義は、その名の通り「心臓の中身、内腔を開ける手術」なので、上行大動脈遮断と心筋保護液による心停止を行った上で心内修復を行う手術である。開心術は人工心肺を必要とするので、開心術は人工心肺下手術の一部であり、「人工心肺装置下での開心術」ということになる。生体への侵襲度の大きさという点で比較してみると、開心術＞人工心肺下手術＞非人工心肺下手術という順番になる。新生児の臓器・組織は未熟かつ脆弱なため、人工心肺などの大きな生体侵襲[1, 2]を避けるべきという基本原則はあるものの、疾患や病態が急を要する場合や重篤な場合は、人工心肺下手術や開心術を選択せざるを得ない。動脈管開存症（PDA）を除き、大部分の根治術は、人工心肺、大動脈遮断、心筋保護を併用する開心術に相当する。**図2-4** に開心術における人工心肺回路の簡略図を示す。

動脈管開存症に対する根治術：動脈管閉鎖術

新生児の体重が小さいほど、PDAを合併する頻度が高まると言われる。そのため新生児の中でも、極低出生体重児、超低出生体重児を含む低出生体重児、いわゆる未熟児PDAにおいてインドメタシン治療やイブプロフェン治療が無効なケースや腎不全を合併したケースでは、外科的な根治術として、早期の動脈管閉鎖術が必要となる。

手術の主な目的は、左右短絡による左房左室の容量負荷、心不全を軽減し、肺高血圧の進行を防ぐことにある。方法としては、結紮術（**図2-5～2-9**）、切離術（離断術）、クリップによる

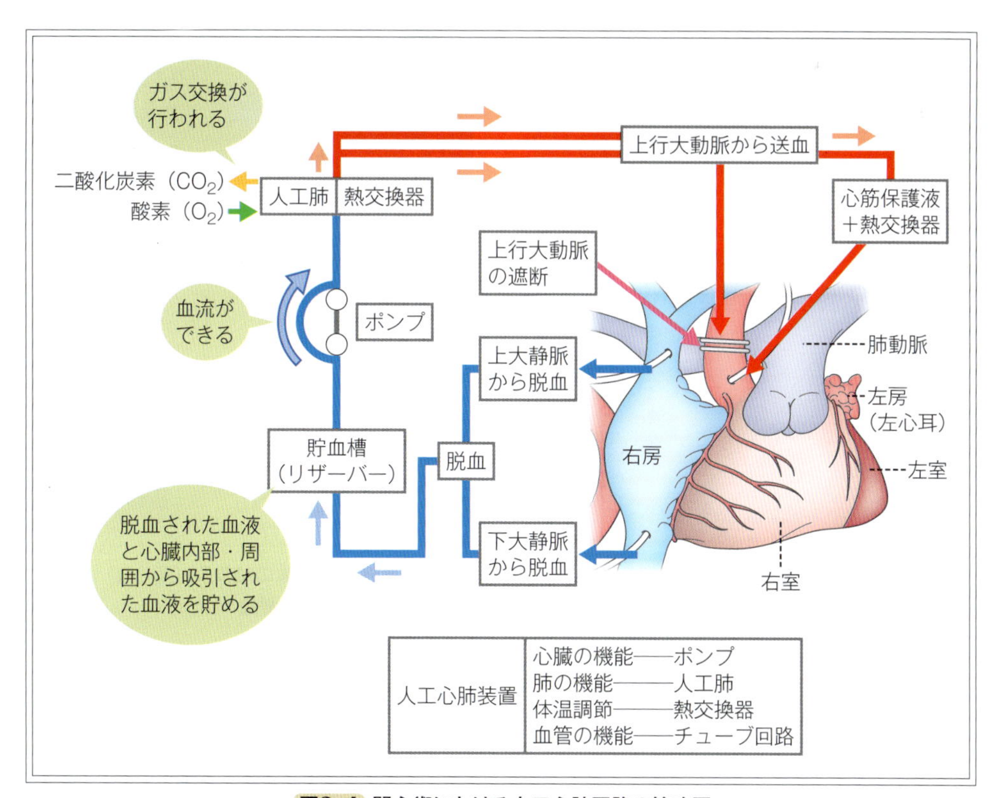

図2-4 開心術における人工心肺回路の簡略図

閉鎖術（クリッピング）、ビデオ補助胸腔鏡下クリッピング手術などさまざまな方法がある[3~5]。人工心肺を使用せずに施行できる根治術である。

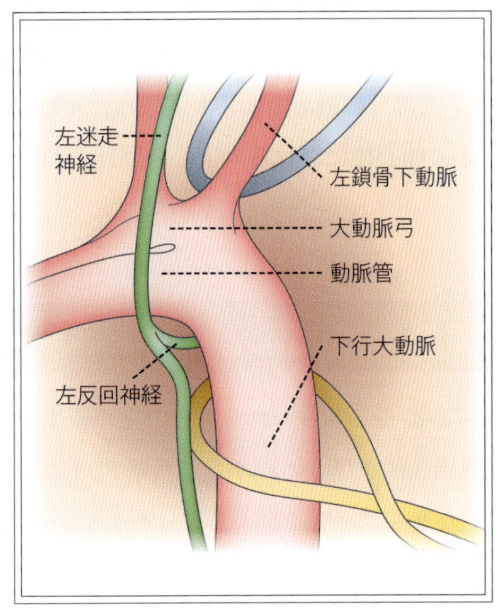

図2-5 結紮前の動脈管と周囲の解剖

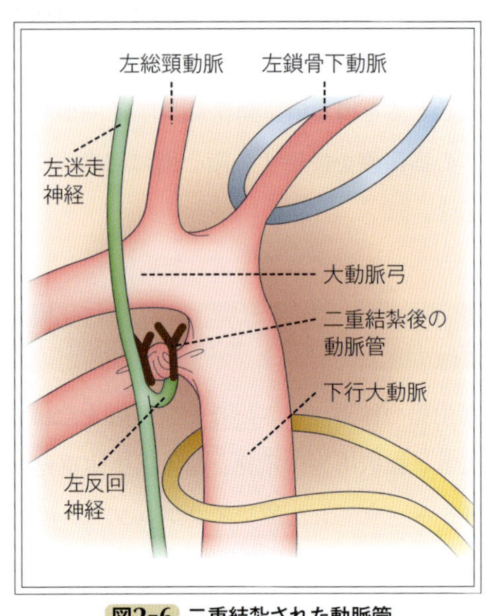

図2-6 二重結紮された動脈管

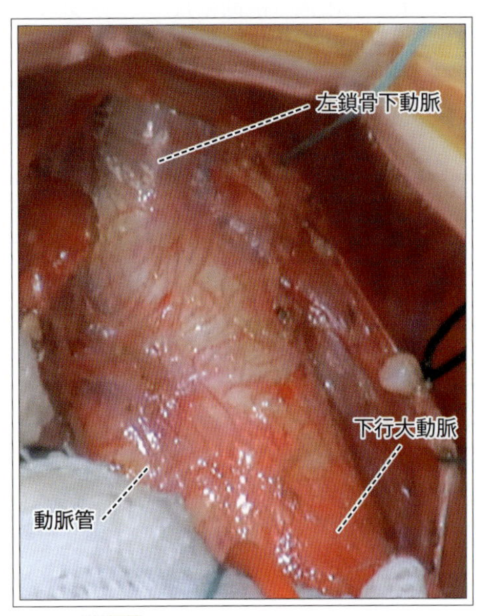

図2-7 動脈管の術中画像（結紮前）

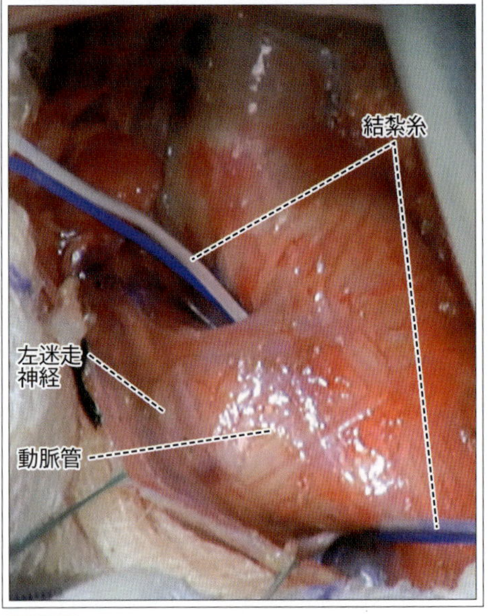

図2-8 動脈管に２本の結紮糸（紫と白）が回った時点の術中画像

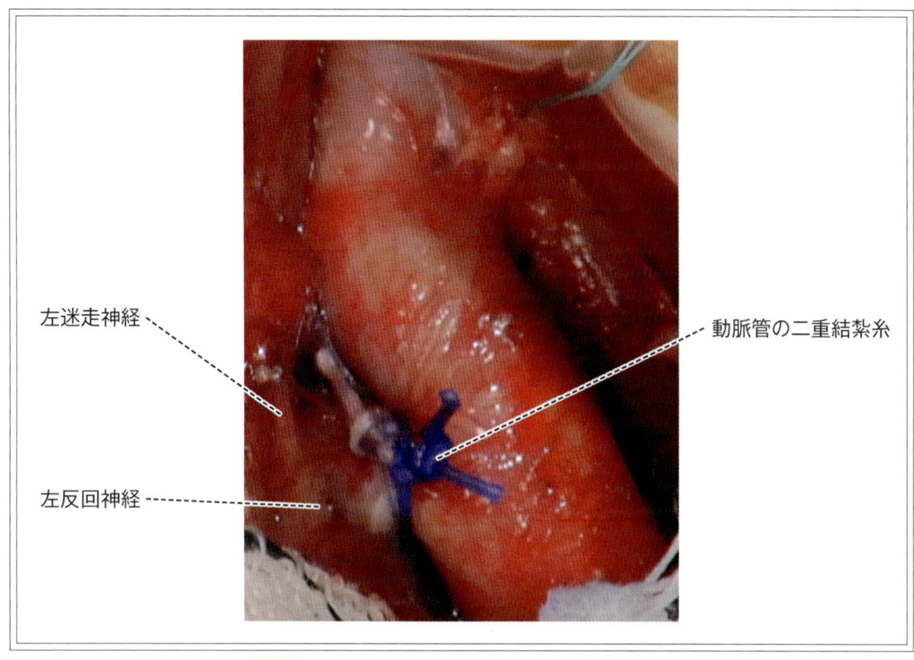

図2-9 動脈管が二重結紮された時点の術中画像

完全大血管転位Ⅰ型に対する根治術：Jatene手術

完全大血管転位（TGA）は心室と大血管のつながりが逆転している、すなわち右室から大動脈が、左室から肺動脈が起始する先天性心疾患（**図2-10**）である。

VSDがなく、肺動脈狭窄もないタイプ（病型分類のⅠ型）に対しては、新生児期に人工心肺下手術（根治術）としてJatene（ジャテン）手術（動脈スイッチ手術：大血管血流転換手術）（**図2-11～2-16**）を行う。

このJatene手術とは、上行大動脈と主肺動脈幹をどちらも切断して、末梢側を入れ替えること、すなわち大動脈と肺動脈の末梢側をスイッチすることにより、左右心室と大血管の位置関係を正常に戻す手術である。ここで大事なのは、左右の冠状動脈は、通常通り上行大動脈の基部から起始しているため、大動脈が右室から起始したままでは、低酸素の血液が心筋に流れてしまうことである。そのため大動脈と肺動脈の末梢側をスイッチすると同時に、切断された主肺動脈の基部に左右の冠動脈を移し替える（移植する）手技が必須であり、この手術の最重要ポイントとなる。またⅠ型（VSDも肺動脈狭窄もないタイプ）では、Jatene手術のタイミングが新生児期に限定されている。その理由は、スイッチした後に新しい大動脈につながる左室は、手術前まで肺動脈とつながっているため、新生児期特有の肺高血圧の時期、すなわち左室に圧負荷がかかっている生後3～4週（できれば生後2週）以内にスイッチしないと、術後に大動脈へ血液を送り出すだけの左室心筋の厚み、すなわちポンプ機能、駆出力を失ってしまう

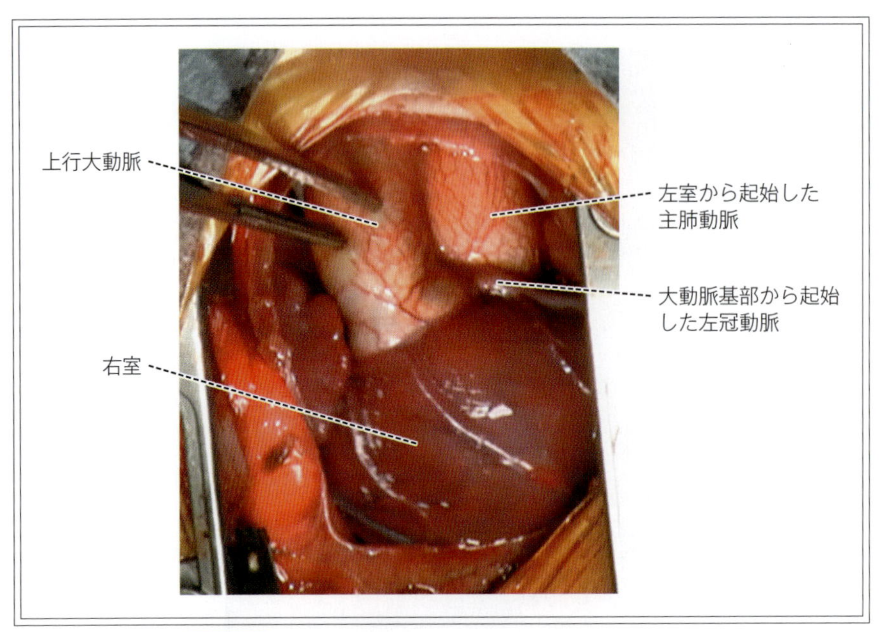

図2-10 完全大血管転位の心大血管の外観（術中画像）

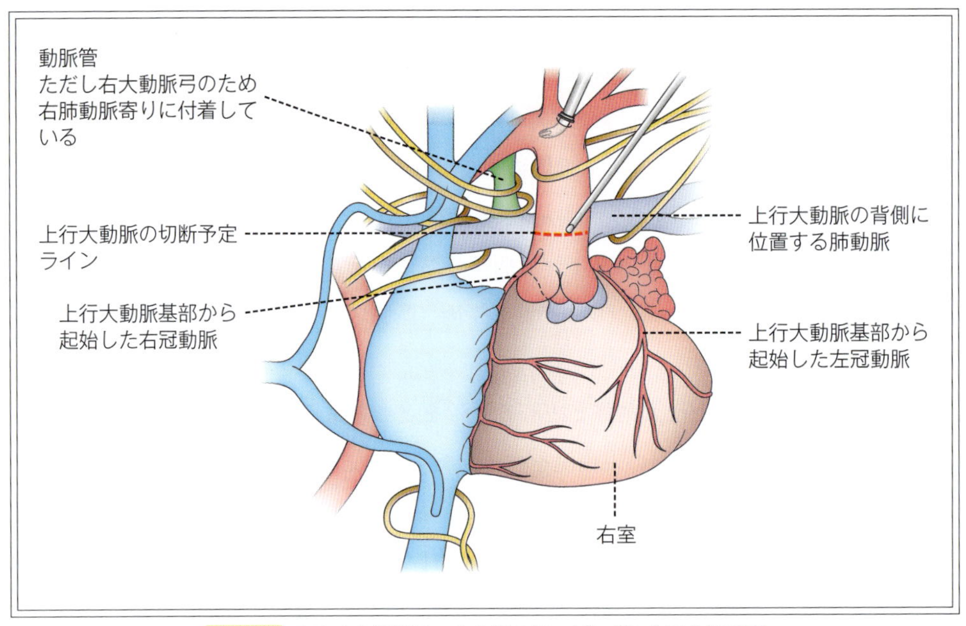

図2-11 完全大血管転位：大血管のテーピングと人工心肺装着

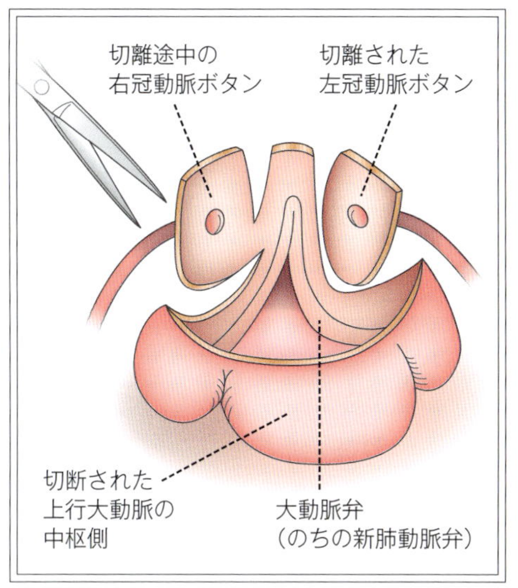

図2-12 完全大血管転位：切断された大動脈中枢側における冠動脈ボタンの切離

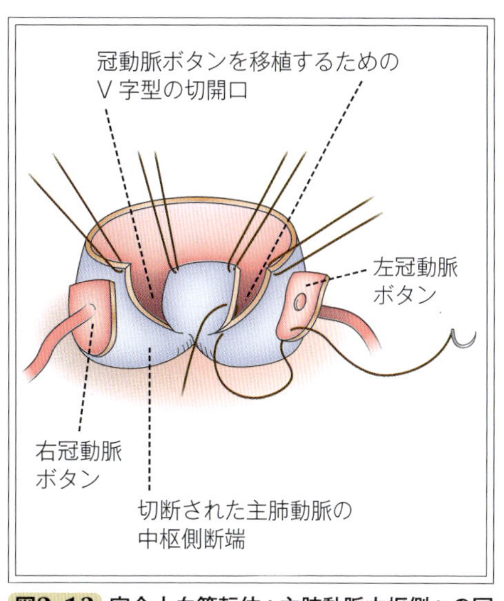

図2-13 完全大血管転位：主肺動脈中枢側への冠動脈ボタンの移植

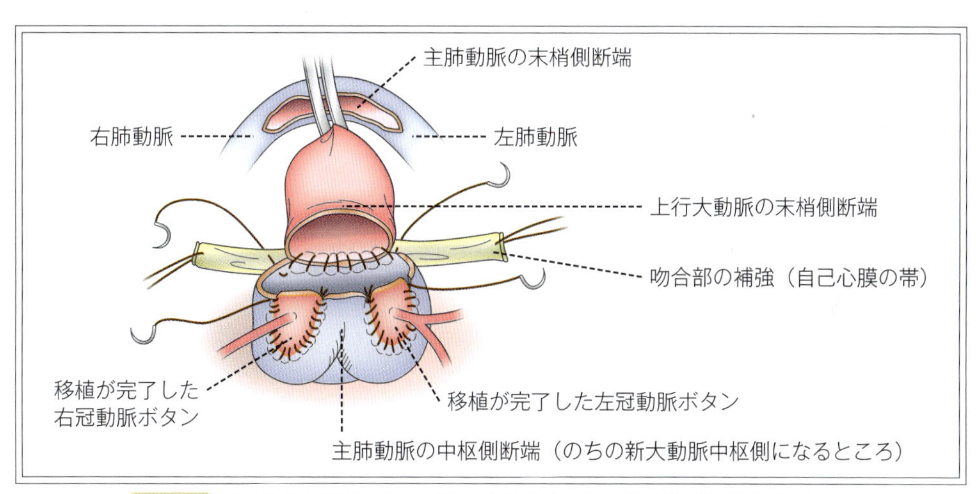

図2-14 完全大血管転位：主肺動脈の中枢側断端と大動脈の末梢側断端との吻合

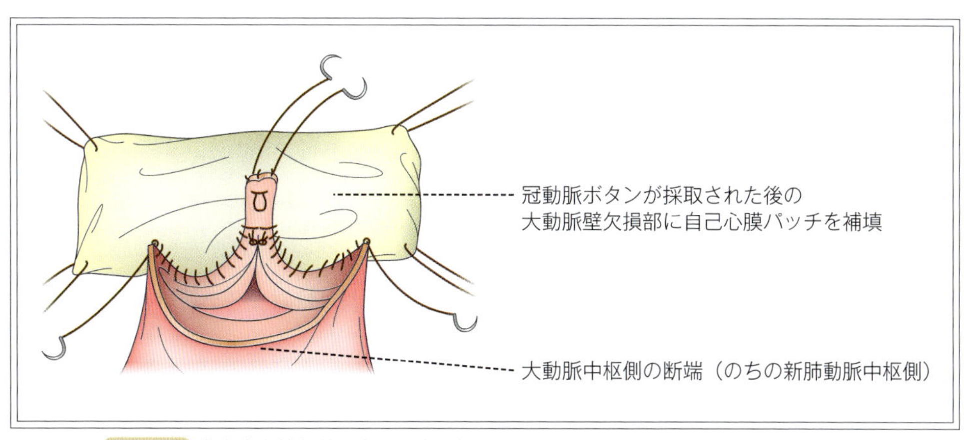

図2-15 完全大血管転位：大動脈中枢側における冠動脈欠損部の自己心膜パッチ補填

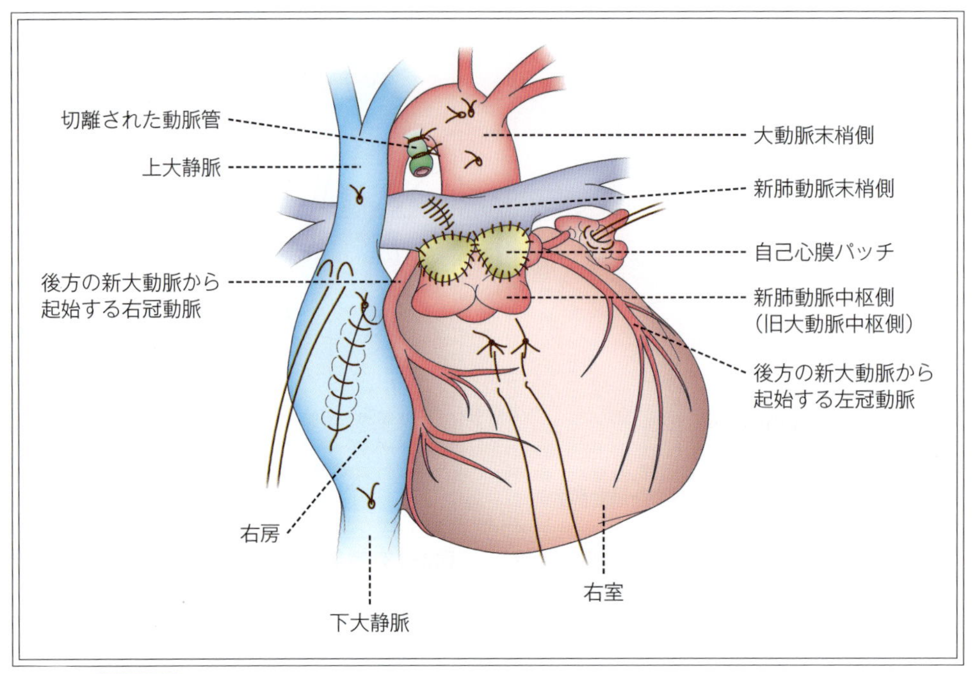

図2-16 完全大血管転位：大動脈中枢側と肺動脈末梢側の吻合を終えた時点での心外観

からである。

総肺静脈還流異常に対する根治術

総肺静脈還流異常（TAPVC）は上心臓型、心臓型、下心臓型、混合型の 4 つに分けられる。通常、左房につながるはずのすべての肺静脈が、共通肺静脈幹という異常な腔につながり、（上心臓型や下心臓型では）その共通肺静脈幹からさらに垂直静脈という異常な静脈を介して大静脈系・右心系につながっている先天性心疾患である（3 章 6「胎便吸引症候群や呼吸窮迫症候群との鑑別が問題となる先天性心疾患は？」参照）。

肺静脈狭窄の進行により急速な肺うっ血と心不全症状を来し、新生児期に緊急の人工心肺下開心術を要することが最も多い重篤な疾患である。心房内臓錯位症候群（無脾症、多脾症）を合併する場合がある。また生存には心房中隔欠損（ASD）が不可欠である。

近年、胎児診断技術の進歩により胎児心エコーで診断され、根治術の日程を調整してから出生に至るケースもある。この疾患の根治術の要点は、①共通肺静脈幹と左房の吻合、② ASD の閉鎖、③動脈管の結紮、④垂直静脈の結紮などである。上心臓型（ダーリング〔Darling〕分類 I b 型）の根治手術例を p.251 に示す。

大動脈縮窄に対する手術

大動脈縮窄（CoA）とは、左鎖骨下動脈起始部から動脈管の合流部付近までの部位（大動脈峡部〔isthmus〕と呼ばれる部位）に発生する大動脈の先天性狭窄をいう。大きなPDAに加えて、VSDあるいは複雑な心内病変を合併する症例（大動脈縮窄複合：coarctation complex）が全体の約6割を占め、新生児期から高肺血流を伴う重篤な心不全症状を来すことが多い。

手術としては、まず大動脈弓再建と肺動脈絞扼術（姑息術）を併せて行い、その後に心内病変に対する根治術を行う2期的分割手術か、あるいは大動脈弓再建と心内病変に対する修復術を同時に行う1期的根治術かを選択する必要がある。大動脈縮窄に対する再建方法として、以下のものがある。

1 鎖骨下動脈フラップ大動脈形成術（subclavian flap aortoplasty；SFA）

左側方開胸によって左鎖骨下動脈をできるだけ末梢側で結紮したのち、下行大動脈から大動脈縮窄部を経由して左鎖骨下動脈の結紮部まで縦上方向に切開する。次いで左鎖骨下動脈を結紮部直前で切断することで「開き」になった左鎖骨下動脈フラップを大動脈縮窄部に縫いつけて大動脈を拡大形成する。人工心肺を使用しないで済むという利点があるが、大動脈弓近位部まで低形成が及ぶ場合には適応できない。

2 拡大大動脈弓吻合術（extended aortic arch anastomosis；EAAA）

低形成大動脈弓を合併した症例に対して、大動脈弓の近位部まで切開を伸ばして大動脈中枢側の吻合口を拡大し、同部に下行大動脈を吻合する方法である。通常、左側方開胸でアプローチして人工心肺を用いずに行う。

3 一期的大動脈弓再建・心内修復術

低形成大動脈弓を伴う大動脈縮窄複合の中でも、複雑な心内病変を伴わない症例では、人工心肺下に大動脈弓再建と心内修復術を同時に行う一期的根治術が選択される。後述の大動脈弓離断とほぼ同様の手術方法なので参照されたい。

大動脈弓離断に対する手術

大動脈弓離断（IAA）は、大動脈弓部の離断部位によって、**表2-2** のように分類される（3章1「先天性心疾患を疑うのはどんなとき？」参照）。大動脈弓離断部より末梢側の下行大動脈への血流は、太いPDA（pulmonary-ductus-descending aorta-trunk；PDDTとも呼ばれる）を介して維持される。すなわち、静脈血が右室→主肺動脈幹→PDDT→下行大動脈へと流れるため下半身の SpO_2 は上半身より低めであり、チアノーゼを呈する場合もある（differential cyanosis）。

ほぼ全例で心内病変を伴うため、大動脈縮窄以上に高肺血流を伴う重篤な心不全症状を来す。新生児期に大動脈弓再建と肺動脈絞扼術などの姑息術を同時に行った後に、乳児期以降に人工心肺下で心内修復術を行う二期的な分割手術を選択するか、新生児期に人工心肺下に大動脈弓再建と心内修復術を併せて行う一期的な根治術を選択するかは、患児の日齢、体重、全身状態、合併する心内病変、大動脈弓の形態や太さなどを考慮して決定する。

VSDを合併したIAAに対する一期的根治術の要点は、①人工心肺下で動脈管組織を広範に切除する、②上行大動脈～大動脈弓、離断部より末梢の下行大動脈、および大動脈弓3分枝動脈を周囲からしっかり剝離して上行大動脈～大動脈弓小弯側に下行大動脈を直接吻合する（**図2-17**）、③VSDなどの心内病変を修復する、などである。

Celoria & Patton分類のB型で、上行大動脈と下行大動脈の距離が離れている症例では、左鎖骨下動脈を縦切開してパッチを縫着・融合させ太く形成した左鎖骨下動脈ブリッジを左総頸動脈に吻合し、新大動脈弓を再建する方法、すなわちreversed Blalock-Park変法手術も行われ

表2-2 大動脈弓離断のCeloria-Patton分類

A型	左鎖骨下動脈の直下で大動脈弓が離断
B型	左総頸動脈と左鎖骨下動脈の間で大動脈弓が離断
C型	右腕頭動脈と左総頸動脈の間で大動脈弓が離断

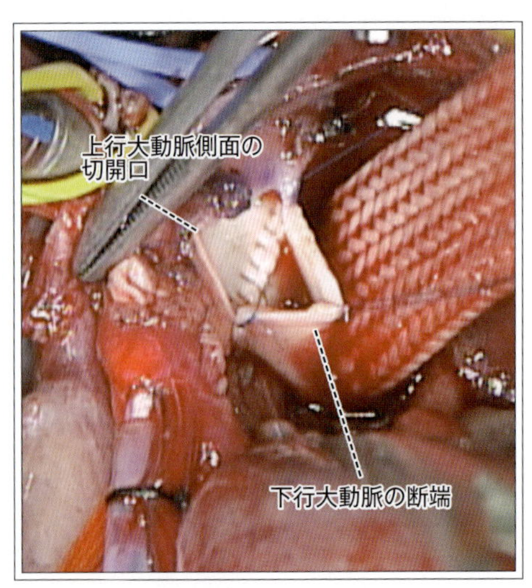

図2-17 下行大動脈と上行大動脈の吻合：後壁の連続縫合を終え、前壁の連続縫合に移行するところ

る[6〜8]。

引用・参考文献

1）Ozawa T, et al. Clinical efficacy of heparin-bonded bypass circuits related to cytokine responses in children. Ann Thorac Surg. 69 (2), 2000, 584-90.

2）Ozawa T, et al. Superior biocompatibility of heparin-bonded circuits in pediatric cardiopulmonary bypass. Jpn J Thorac Cardiovasc Surg. 47 (12), 1999, 592-9.

3）Alvarez-Tostado RA, et al. Thoracoscopic clipping and ligation of a patent ductus arteriosus. Ann Thorac Surg. 57 (3), 1994, 755-7.

4）Forster R. Thoracoscopic clipping of patent ductus arteriosus in premature infants. Ann Thorac Surg. 56 (6), 1993, 1418-20.

5）Miyaji K, et al. One-lung ventilation for video-assisted thoracoscopic interruption of patent ductus arteriosus. Surg Today. 34 (12), 2004, 1006-9.

6）Ishizawa E, Horiuchi T. Postoperative growth of the left subclavian artery in a case after a modified Blalock-Park procedure. Tohoku J Exp Med. 150 (1), 1986, 25-30.

7）Yokota M, et al. Modified Blalock-Park operation of the interrupted aortic arch by a semi-pedicled composite graft. Nihon Kyobu Geka Gakkai Zasshi.34 (9), 1986, 1700-3.

8）藤原直. “大動脈弓離断症”. 小児心臓血管外科手術：血行動態と術式の図説・解説. 藤原直編. 東京, 中外医学社, 2011, 230-9.

小澤　司・片山雄三

●●● レベル3

3 新生児期の術後管理で注意すべきことは?

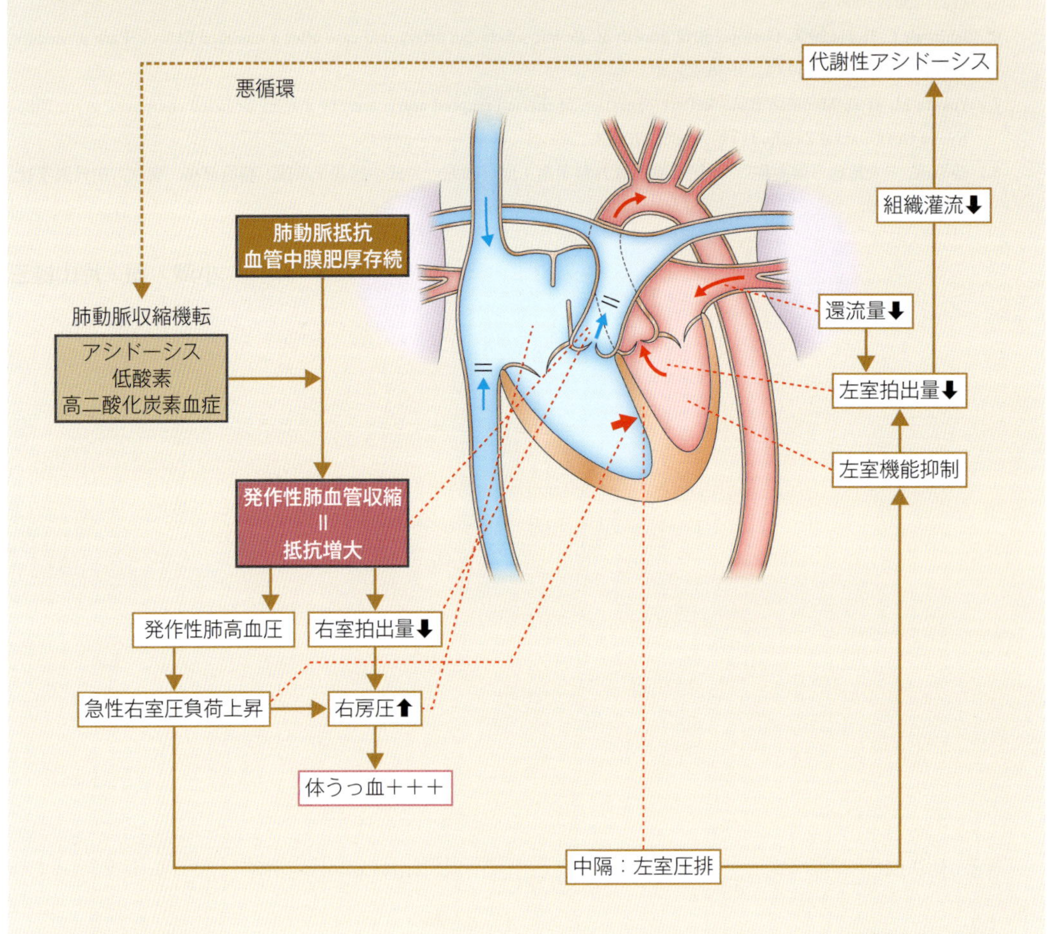

（文献1より改変）

術後肺高血圧クライシス（PH crisis）

肺血流過多に伴う肺血管中膜の肥厚や肺血管抵抗の上昇から生じる肺高血圧（PH）は、術後すぐに軽快するわけではない。アシドーシスや低酸素を契機として肺血管が発作性に攣縮することにより、術後残存するPHが急性増悪した状態を術後肺高血圧クライシス（PH crisis）と呼ぶ。

先天性心疾患の術後管理の特徴

先天性心疾患の術後は、血行動態が大きく変化することに加えて、手術の侵襲、さらに新生児期という要因も加わり、実にドラマチックに状態が変化する。その変化の程度・スピードは、「こまめに少しずつ治療内容を変更することに慣れている新生児科医」にとっては戸惑うことも多い。ここでは、新生児期の術後管理で留意することを解説する。

心臓手術後の管理に共通する留意点を以下に挙げる。

- 術中人工心肺の使用の有無や使用時間、心停止時間
- 麻酔方法と麻酔薬の種類・使用時間
- 心エコーによる、術後残存病変の有無と程度の確認、心機能の確認
- 帰室時のバイタルサイン（不整脈の有無を含む）
- 帰室時の血管作動薬の種類・用量
- 投与水分量とドレーン排液の量・性状、中心静脈圧のチェック
- 脳室内出血や壊死性腸炎など多臓器合併症の有無（特に早産児の場合）

上記以外にも、心不全下での呼吸仕事量の増大は状態の急激な悪化につながるため、血液ガス所見や呼吸器条件に留意し、また無気肺形成の有無を確認する必要がある。

新生児期に施行されることの多い心臓手術後の管理

新生児期に施行されることの多い心臓手術については、4章1「新生児期に姑息術が必要となる疾患とその術式は？」および4章2「新生児期に根治術が必要となる疾患とその術式は？」を参照のこと。

1 動脈管結紮・クリッピング術

左心系の容量負荷が軽減することにより、術後から循環状態が改善することが多い。通常は術前より血圧（特に拡張期圧）は上昇する。一方で、術前の心不全治療に水分制限を行っている場合は、麻酔や血管外への水分漏出の影響もあり、術後の**血圧低下**を来すことがある。また、血管抵抗の低い肺動脈への交通が遮断されるため、**後負荷が上昇**して**心ポンプ不全**を呈することがあり、鎮静薬の継続や血管拡張薬の使用を要することもある。

反回神経麻痺を生じることもあり、抜管後の嗄声や哺乳不良、術後の多呼吸が長期間にわたる場合は、喉頭ファイバーにより声帯の可動性などを確認することが必要となる。

2 肺動脈絞扼術（PA banding）

肺血流増加型心疾患において、低体重などのため心内修復術が困難な場合に行われる姑息術である。術後、肺血流増加の改善に伴い前負荷軽減による効果が期待されるが、後負荷（特に右心系）は増大するため、両者のバランスによっては術後しばらくドブタミンなどの補助が必要となる場合がある。その他の注意点は以下の3点である。

①左室流出路、大動脈弁、大動脈が狭い、もしくは細い可能性がある場合は術後、両心室とも後負荷が高いことになる。術前は右心系への心内短絡により左室流出路－大動脈弁－大動脈を通過する血液量が少ないため、多少の狭窄があっても超音波のカラーでは分かりにくく、術後左心系を循環する血液量が増えることで**左室の狭窄が顕在化**することがある。術前の形態判断が重要であるが、術後も房室弁逆流の評価と併せて左心系の狭窄がないか確認する。

②大動脈縮窄や大動脈弓離断、左心低形成症候群などにおいて、体格などの問題で大動脈弓を形成できない場合は、両側肺動脈絞扼を行って肺血流を制御しつつ、動脈管はプロスタグランジン E_1（PGE_1）製剤で開存を維持しなければならない場合がある。手術の際、物理的接触などにより**動脈管が狭小化**することがあるため、術後は動脈管形態も確認し、適宜 PGE_1 製剤の投与量を調節する。これはカテーテル治療の際も同様である。

③早産児の心室中隔欠損の場合、当初は大きな欠損であっても、**成長に伴い欠損孔が自然に狭小化**することがある。BTシャント後に心室中隔欠損が狭小化した場合、右室に流入した血液が肺動脈にも左室にも送られにくい形態になり、圧負荷が極めて上昇する。中長期的な管理であるが、BTシャント術施行時の体格によってはNICUにいる時期かもしれないため、一見順調に見えても、定期的な評価は必要である。

3 ブラロック・タウシッヒ（Blalock-Taussig；BT）シャント術

肺血流減少型心疾患において施行される姑息術である。鎖骨下動脈などから肺動脈系にシャントすることで肺血流が増加し、PaO_2 は上昇するが、**左室**が体肺いずれの血流もまかなう必要が生じるなど**仕事量が増加**するため、「心臓が楽になる手術ではない」ことを念頭に置く必要がある。またシャントに用いる人工血管のサイズには限界があり、低体重の場合、体格に比して太い人工血管となるため、術後に**容量負荷増加による心不全や末梢循環不全**を呈することがある。術後急性期は肺血管抵抗も大きく変化することもあり、シャント血流量も大きく変化し、**肺血流過多・過少**のいずれにもなり得る。

以上から、術後はHb（Ht）や乳酸値、PaO_2 や $PaCO_2$、代謝性アシドーシスに留意しつつ、カテコラミンなどでのサポートを行いながら、血管抵抗の急激な変化を避けるため、鎮静・筋弛緩下に人工呼吸管理を継続する。

その他、シャント閉塞を避けるためドレーン排液の性状と、活性化部分トロンボプラスチン時間（APTT）や活性凝固時間（ACT）を見ながらヘパリンを持続投与し、経腸栄養の確立に合わせて、抗血小板薬（アスピリンなど）の内服に変更する。

④ 完全大血管転位に対するジャテン（Jatane）手術

術前は低圧系（肺血管）に拍出していた左室が、術後は高圧系（体血管）に拍出しなければならないため、**圧負荷増大による左心不全**に注意する必要がある。また、冠動脈も移植するため coronary event による**低心拍出量や不整脈**にも留意する。以上より、ドブタミンをはじめとしたカテコラミンのサポートや、ニトログリセリンを使用する。

完全大血管転位（TGA）の術後は、**肺高血圧クライシス（PH crisis）**にも注意する。PH crisis では、右室拡大に伴う左室の圧排や、肺血流減少に伴う左房への還流量低下から左心拍出量が減少し、代謝性アシドーシスが増悪し、さらに肺血管の攣縮が持続するという悪循環に陥る（p.264 の図を参照）。主として肺血流増加型心疾患の術後に認められ、術後はアシドーシスに陥らない管理が必要である。PH crisis の予防と発作時の管理について、**表3-1** に示す。

⑤ 総肺静脈還流異常に対する共通肺静脈ー左房吻合術

総肺静脈還流異常（TAPVC）では、上下大静脈血のみならず、肺静脈血も右心系に流入するため、左心系が小さめであることが多い。このため術後には**低心拍出量**に陥りやすく、また術後に合併しやすい不整脈はこれを助長するため、心拍出量維持のためペーシングを要する場合がある。

また術後の **PH crisis** の頻度・重症度はともに高い場合が多い。術前から肺うっ血に伴う酸素化の低下を合併していることもあり、術後急性期は呼吸循環状態の変化を避けるため、深鎮静下での人工呼吸管理を行い、PH があれば**一酸化窒素（NO）吸入療法**などを併用する（6章 12「一酸化窒素を先天性心疾患に使うのはどんなとき？」参照）。

肺静脈閉塞（PVO）が残存すると、術後も PH が残存する。PVO に伴う PH は NO 吸入など肺血管拡張薬の効果が乏しいため、術後早期に心エコーで PVO の評価を行う。また、術後急性期以降に急激に PVO が進行する場合もあり、定期的に、また酸素化や呼吸様式が増悪し

表3-1 PH crisis 予防と発作時の管理

- フェンタニルや筋弛緩を用いた鎮静
- CO_2 を貯留させない（$PaCO_2$ 30mmHg 台）
- ニトログリセリンや PDE Ⅲ阻害薬など血管拡張薬の使用
- 一酸化窒素吸入
- 閉鎖式回路を用いたストレスの少ない気管内吸引

た場合は、その都度評価を行う。

6 大動脈縮窄に対する大動脈形成術

大動脈縮窄（CoA）の大動脈形成術後は、動脈圧モニタ（右上肢と下肢）における血圧差や、心エコーにより残存狭窄の有無と程度を確認する。

レニン－アルドステロン系の亢進により、術後に**高血圧**を認めることが多い。急性期は血管拡張薬やβ遮断薬の持続静注、経腸栄養再開後はACE阻害薬を使用し、降圧を図る。

また動脈管クリッピング術後と同様、反回神経麻痺を生じることがある。

新生児循環管理のポイント

POINT

- ☐ 術後の血行動態を把握できているか。
- ☐ 残存病変の有無をチェックしたか。
- ☐ 中心静脈圧やドレーンの排液を考慮して投与水分量を設定したか。
- ☐ 循環以外の要素（呼吸等）は安定しているか。

引用・参考文献

1）中澤誠. "短絡性心疾患". 先天性心疾患　血行動態と心機能の基礎知識. 東京, メジカルビュー社, 2016, 49.

中尾　厚

第5章

不整脈を理解しよう！

●●● レベル3

1 不整脈はどうして起こる? メカニズムとその意味は?

心臓の刺激伝達系

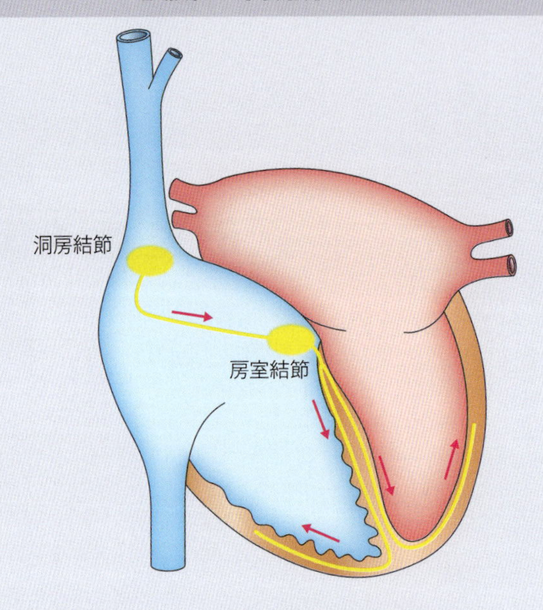

心筋細胞の活動電位

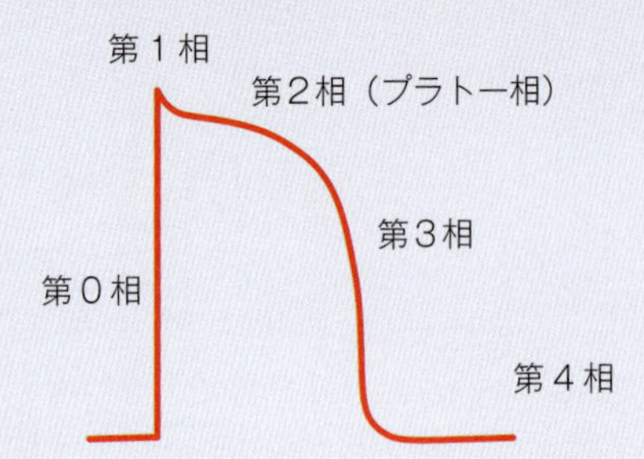

心筋活動電位と刺激伝達系

心筋細胞は膜電位の変化を生じて興奮し（これを活動電位と呼ぶ）、興奮は刺激伝導系を通じて心房－房室結節－ヒス - プルキンエ（His-Purkinje）系－心室筋へと伝導する。心筋細胞の静止電位は－90mV で保たれ、活動電位は急な立ち上がりの第 0 相から始まり、＋20mV まで変化し（1 相）、その後、0mV 付近のプラトー相（2 相）に維持された後に再び元の静止膜電位に戻り（3 相：再分極相）、次の膜電位の立ち上がりまでの拡張期が第 4 相となる。

異常興奮生成

異常自動能

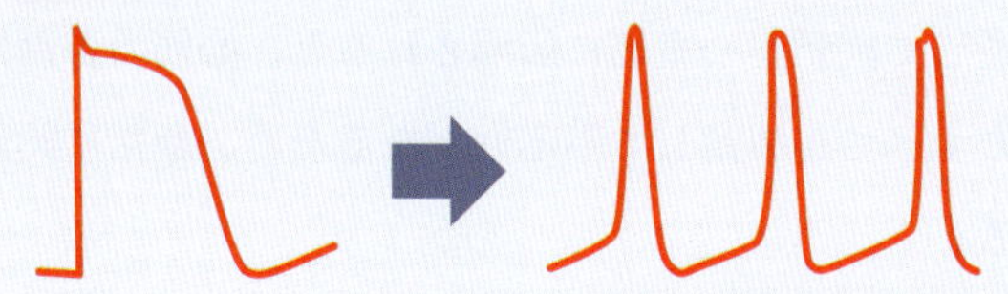

triggered activity（撃発活動）
早期後脱分極：early after deporalization（EAD）

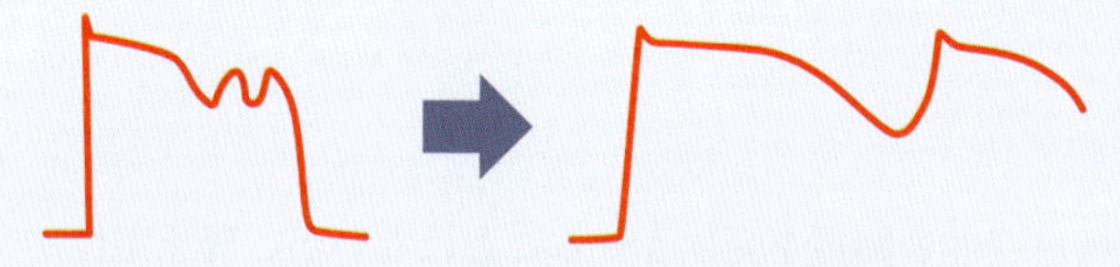

遅延後脱分極：delayed after deporalization（DAD）

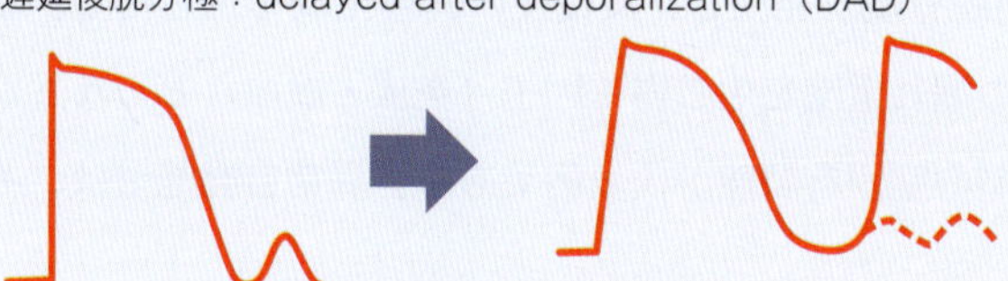

異常自動能：心房・心室筋細胞は正常では自発性興奮を発生しないが、静止電位が減少すると自発性拡張期脱分極が発生し、反復性の興奮生成を生じる。

triggered activity（撃発活動）：心筋線維の活動電位の立ち上がりに続く膜電位の振動に依存する興奮生成を指す。先行する興奮から誘発されたという意味で、triggered activityと呼ばれる。発生様式から、早期後脱分極（EAD）と遅延後脱分極（DAD）との２つに分けられる。

リエントリー

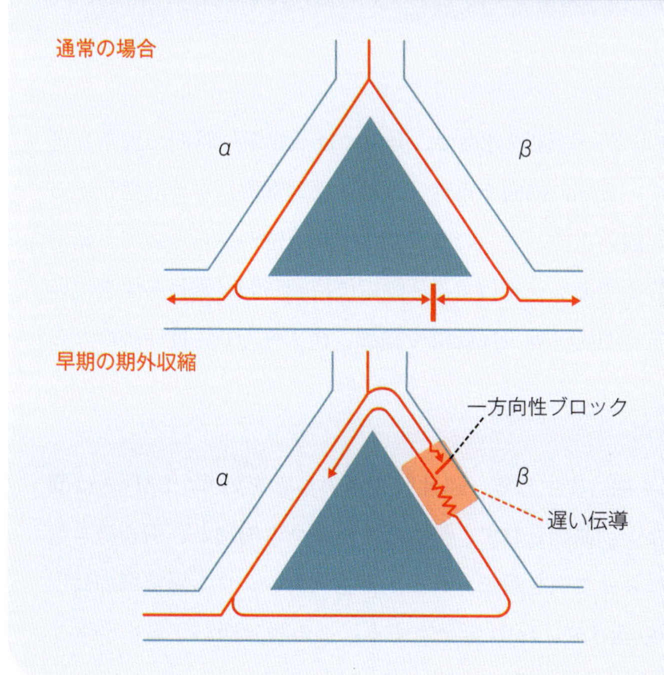

多くの持続する不整脈は、リエントリー（興奮旋回）により発生する。これは「一定の回路を興奮がぐるぐると回り続ける」ことをいう。その成立には３つの条件が必要となる。３つとは、①リエントリー回路、②回路内の一部における遅延伝導（緩徐伝導）、③一方向性ブロックである。緩徐伝導や一方向性ブロックは、不均一な不応期を持つ組織や減衰伝導特性を持つ組織に起こりやすい。

不整脈のメカニズム

自動能を有する洞房結節や下位のペースメーカー細胞では、第 4 相に緩徐拡張期脱分極が起こり、興奮が発生する。刺激伝導系を通じて興奮が心室筋に伝導されると、心筋の各部位でほぼ同時に興奮が生じ、最終的には心筋のすべてが興奮して不応期となるため、新たに興奮できる場所がなくなり、その興奮は消滅する。

不整脈の原因は、**刺激興奮の異常生成**と**異常興奮伝導**とに大きく分類される。前者には、**異常自動能**と **triggered activity（撃発活動）**の 2 つがあり、後者には**リエントリー**がある。

❶ 異常自動能

心房・心室筋細胞は、正常な状態では自発性の興奮を発生させることはないが、静止電位が減少すると（－70 ～－30）自発性拡張期脱分極が発生し、反復性の興奮生成を生じ得る。原因として、①血清カリウムの低下、②他の漏れ電流を生じ得る因子（炎症・虚血など）などがある。心筋梗塞の急性期に合併する促進型心室固有調律が代表例である。異常自動能では、その発生に先行する活動電位は必要ない。

❷ triggered activity（撃発活動）

心筋線維において、活動電位立ち上がりに続く膜電位の振動（後脱分極）に依存する興奮生成を triggered activity と呼ぶ。撃発活動では、その発生に先行する活動電位を必ず必要とする。先行する興奮から誘発された（triggered）興奮という意味で、triggered activity と呼ばれる。発生様式から 2 つに分けられる。

▶…早期後脱分極（EAD）

先行する活動電位第 2・3 相から生じる一過性脱分極で、発生には活動電位時間の異常な延長が必要である。活動電位が延長している間に内向き電流（カルシウム電流）が不活性化から回復してしまう。そのとき、膜電位が浅いため、少しの電流変化で膜電位がふらついて、新たな活動電位が発生するのが早期後脱分極である。先行する活動電位持続時間が延長しすぎていることが原因で、臨床的には遺伝性先天性 QT 延長症候群や徐脈、後天性 QT 延長症候群などがある。

▶…遅延後脱分極（DAD）

先行する活動電位再分極直後（第 4 相）に生じる一過性脱分極のことをいう。EAD とは異なり、活動電位中に起こるものではない。原因として、細胞内カルシウム増加と、引き続き起こる筋小胞体からのカルシウム放出によって引き起こされる。細胞内カルシウム異常増加は内向き電流を引き起こして膜電位を脱分極させ、DAD を発生する。この脱分極がさらにナトリウムやカルシウム電流の活性化を引き起こせば、新たな活動電位が形成される。いったん起こると悪循環に陥り、カテコラミン誘発多形性心室頻拍、DADが繰り返される。臨床的には細胞内カルシウムが増加する因子すべてが原因となる。細胞外カルシウム増加、ストレスや運動などによるカテコラミン刺激、ジギタリス、虚血、再灌流、細胞外カリウム低下などがある。

3 リエントリー

リエントリー成立の3条件は、①リエントリー回路、②回路内の一部における遅延伝導、③一方向性ブロックである。②③は不均一な不応期や減衰伝導特性を持つ組織に起こりやすい。減衰伝導とは、早期の興奮が伝導したときに、早期ほど伝導遅延が増悪してくる現象である。p.271下に示した図はリエントリーのモデルである。2つの経路があると、通常では回路の両側から刺激が伝導している。早い期外収縮が生じた場合は、βの伝導は遅れて興奮を維持できず、ブロックが起こる（一方向性ブロック）。この部位の伝導が十分遅ければ、経路βを興奮が伝導する間に経路αは不応期を脱して興奮はαに再進入する。以後、この電気回路を興奮が旋回する。臨床的にはWPW症候群に伴う上室頻拍、房室結節二重伝導路に伴う上室頻拍、心房粗動などがある。

引用・参考文献

1）橋本敬太郎．“不整脈モデル実験とその意義”．新不整脈学．杉本恒明ほか編．東京，南江堂，東京，2003，73-6.
2）村川裕二ほか編．EPS概論．東京，南江堂，2010，70-6.
3）小川聡訳．“不整脈の電気生理学的機序”．抗不整脈薬療法：Sicilian Gambitによる新しい病態生理学的アプローチ．東京，医学書院，1995，41-82.
4）山下武志．心筋細胞の電気生理学．東京，メディカルサイエンス・インターナショナル，2002，93-108.

岩本眞理

●●● レベル3

2 胎児不整脈をどう見る？ 治療しなくてはならない胎児不整脈は？

ⓐ

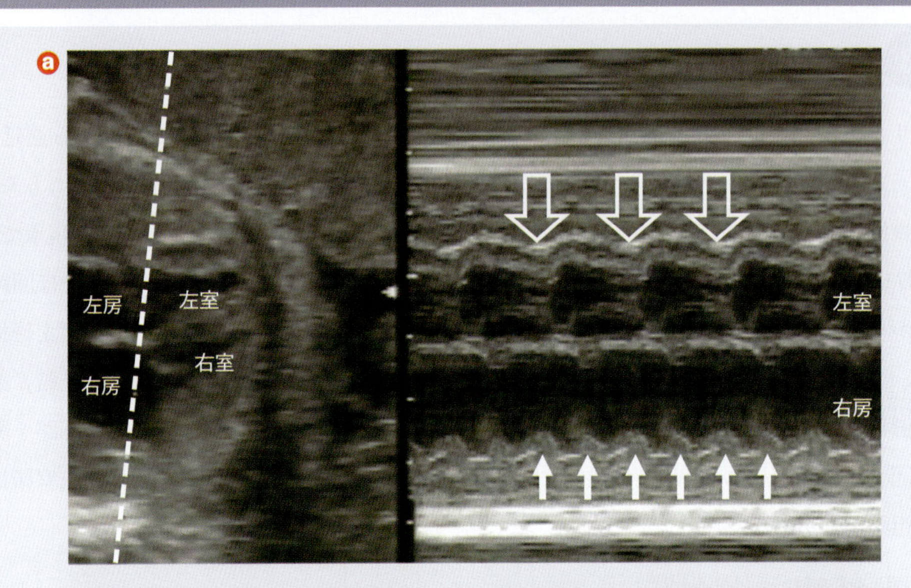

ⓑ

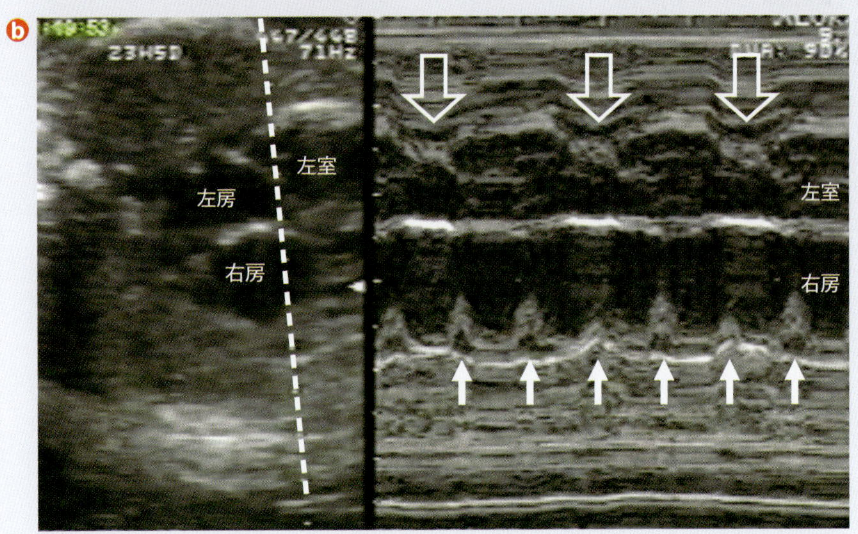

不整脈の胎児心エコー、M モード法による診断（頻脈、徐脈）

ⓐでは、左室と右房の収縮が同時に記録されている。M モードの記録では、下の右房の収縮が 450bpm で、上の左室の収縮が 225bpm で、ちょうど２：１の関係の頻脈になっており、このことから心房粗動と診断される。

ⓑでは同様に、左室と右房の収縮が同時に記録されている。下の右房が 140bpm で、上の左室が 60bpm である。心室は心房の収縮とは関連なく一定の心拍数で徐脈を示しており、このことから完全房室ブロックと診断される。

1：1 房室伝導の胎児頻拍

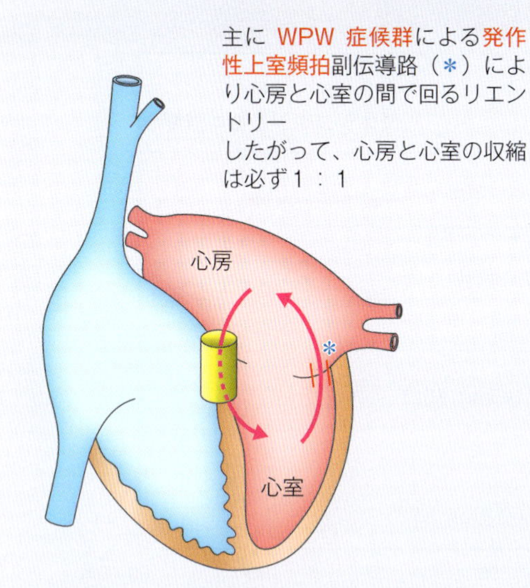

2：1 房室伝導の胎児頻拍

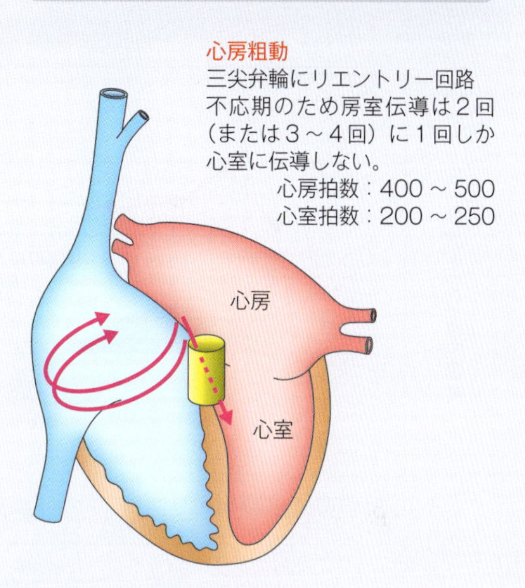

胎児頻脈性不整脈；発作性上室頻拍と心房粗動のメカニズム

発作性上室頻拍の多くは、WPW 症候群（Wolff-Parkinson-White syndrome、ウォルフ・パーキンソン・ホワイト症候群）によるものである。副伝導路（＊）があるため、いったん心室に伝わった電気信号が、その副伝導路により心房に戻り、それがまた正常の伝導路である房室結節を通り心室に伝わるというリエントリーを形成して、頻拍となる。したがって、心房と心室の収縮は必ず 1：1 になる。

心房粗動では、三尖弁輪部にリエントリー回路があり、ここを電気信号が回るために心房が 400bpm から 500bpm という著しい頻拍に陥る。房室結節はこの頻度では刺激を通せないため（不応期）、2 回に 1 回心室に伝わり、2：1 の比率で収縮することになる。房室結節の伝導がさらに抑制されたときには、3 ～ 4 回に 1 回、心室に伝わるということもある。

胎児頻拍の治療経過

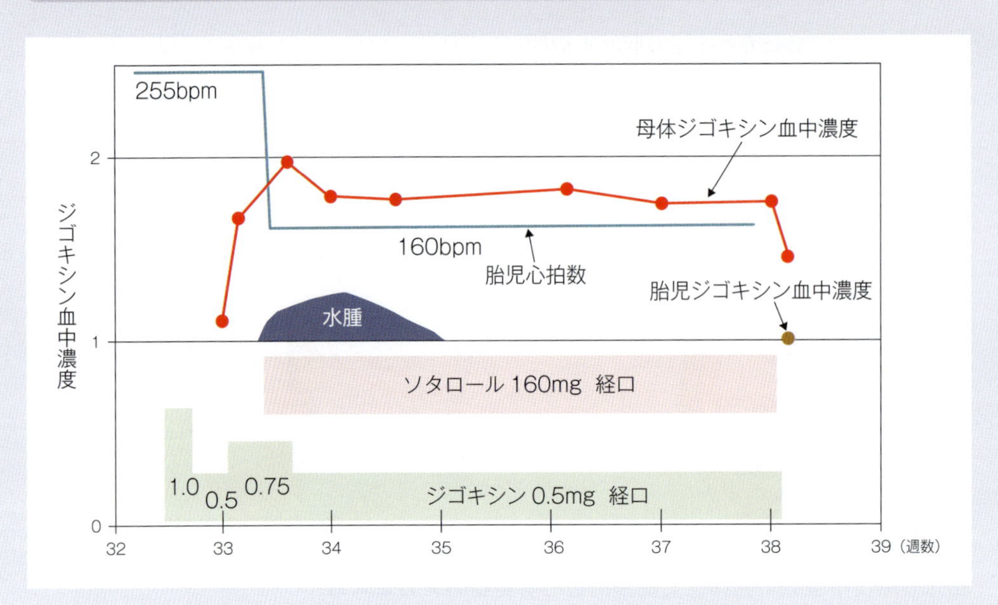

在胎 32 週で紹介されてきたときには 255bpm という頻拍発作が持続していたため、ジゴキシンの母体内服により経胎盤的な胎内治療を開始した。母体の血中濃度を見ながら投与量を増量していたが、頻拍発作が続き、胎児水腫を来したため、より即効性が期待されるソタロールを併用したところ、速やかに胎児の頻拍発作が停止し、160bpm の洞調律となった。その後、徐々に胎児水腫は改善し、正期産で経腟分娩にて出産することができた。

胎児不整脈の診断

1 胎児不整脈の分類

心室拍数が 180 回／分以上の**頻脈性不整脈**、100 回／分未満の**徐脈性不整脈**と**期外収縮**とに分類される。胎児期の頻脈性不整脈としては、**心房と心室の収縮比が 1：1 の上室頻拍**が最も多く、次に **2：1 の心房粗動**が多い。心室収縮のみ速い心室頻拍は稀である。胎児期の徐脈性不整脈は、ほとんどが心室収縮のみ遅い**房室ブロック**で、先天性心疾患か母体の抗 SS-A 抗体に起因するものが多い。母体がシェーグレン症候群や全身性エリテマトーデス（SLE）などにより抗 SS-A 抗体を持っていると、在胎 18 週頃から胎盤を通過して胎児の房室結節を障害して発症する。

2 胎児不整脈の診断方法

胎児心エコーで心房と心室の収縮を同時に記録し、そのタイミングから診断する。同時記録には、Mモード法で心房と心室の両方にラインをかける方法と、ドプラ法で心臓の近くで接する動脈と静脈の血流波形を同時に記録する方法がある。頻拍発作では、その持続時間を心エコーや胎児心拍モニタで観察する。

3 胎児心エコー検査

心疾患や**胎児水腫**の有無、**心機能の評価**を行う。頻脈性も徐脈性でも、心疾患や胎児水腫があると予後が有意に悪化するので、周産期管理方法を決めるために重要である。

胎児期の治療

1 胎児頻脈性不整脈

日本での前方視的多施設研究にて、ジゴキシン（ジゴシン®）やソタロール（ソタコール®）、フレカイニド（タンボコール®）による胎児治療の有効性が証明された。胎児水腫へと進行していても、いったん頻拍発作がコントロールできれば、水腫も改善し良好な予後が期待できるため、慎重に周産期管理方針を決定する。ただし胎児治療は有害事象の報告も多いため、高次施設にて施行する。

2 胎児徐脈の治療

リトドリン（ウテメリン®）などのβ刺激剤で、胎児心拍数が増加し胎児水腫が改善する症例もある。一般に心室拍数が55回／分未満では水腫へ進行しやすいが、房室弁逆流や心機能障害の程度によって症例ごとの差が大きい。60回／分以上でも胎児水腫に進行したり、50回／分未満でも循環が保たれたりする症例もあるため、症例別に慎重に対応する。

母体の抗SS-A抗体に起因するものでは、房室ブロックや合併する心筋障害に対し、デキサメサゾン（デカドロン®）やベタメサゾン（リンデロン®）など**胎盤通過性ステロイド**による胎児治療の報告も多いが、有効性はまだ証明されていない。

徐脈では早期娩出し、**新生児に人工ペースメーカーを植え込む**という有効な治療手段があるため、胎児治療に固執せず娩出する時期の判断が重要となる。

3 期外収縮の治療

多くは心房期外収縮であり自然に消失するが、2％で頻拍発作を来すとの報告もあり、母親に胎動低下時には受診するよう説明しておく。心室期外収縮でも多くは問題となることはないが、一部に心室筋の異常やQT延長症候群などの治療を要する疾患もあるため、慎重に経過を観察する。

出生後の治療

頻脈不整脈では、胎児治療でいったん洞調律となっていても、出生後に難治性の頻拍発作を来す症例もあるため、専門機関にて分娩し出生後管理を行う。

徐脈性不整脈では、緊急ペースメーカー植え込みの対応が可能な施設で周産期管理を行う。

期外収縮では、出生後早期に新生児の心電図を記録し、診断の確定と重篤な不整脈の鑑別を行う。

新生児循環管理のポイント　POINT

入院時の記録として

- [ ] 胎児期の治療経過、効果はどうであったか？
- [ ] 新生児期の不整脈に対する経過観察プランは立てられているか？
- [ ] 新生児期の不整脈に対する治療方針は立てられているか？
- [ ] 家族の、不整脈に対する知識、理解は十分であるか？

退院準備の記録として

- [ ] 家族は、退院後の経過観察の予定を理解できているか？
- [ ] 自宅での不整脈の発見方法と対処方法の理解はできているか？

引用・参考文献

1）前野泰樹. “胎児不整脈”. 小児不整脈. 改訂第2版. 東京, 診断と治療社, 2011, 204-14.

2）前野泰樹 “胎児期から新生児期の代表的不整脈”. 小児心電図ハンドブック. 高木純一編. 東京, 中外医学社, 2013, 119-35.

3）Miyoshi T, Maeno Y, et al. Antenatal antiarrhythmic treatment for fetal tachyarrhythmias: a prospective multicenter trial. J Am Coll Cardiol. 74, 2019, 874-85.

前野泰樹

3 新生児不整脈をどう見る？ 治療しなくてはならない新生児不整脈は？

電極の装着位置

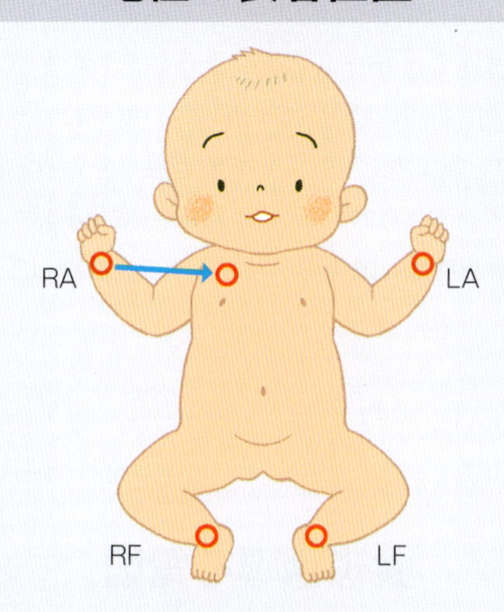

主な波形

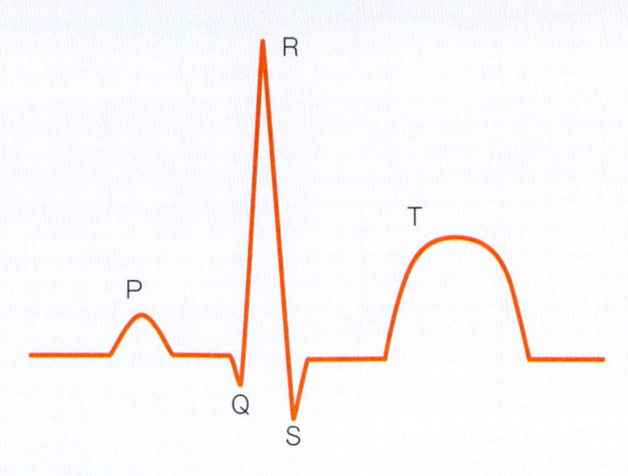

心電図の見方と意味（電極の貼り方）

主な波は、P 波、QRS 波、T 波であり、P 波は心房収縮開始時の波形である。QRS 波は心室が収縮し始めるときの波形で、T 波は心室の収縮が終了するときに出る波形である。心電図を取るときには、電極を貼る部の皮脂を酒精綿でよく取り除く。種々の不整脈診断のポイントとなる P 波を明瞭に描出するためには、通常は右上肢に付ける R の電極を、右前胸部に付けるとよい場合がある。

Torsade de Pointes（トルサデポアン）

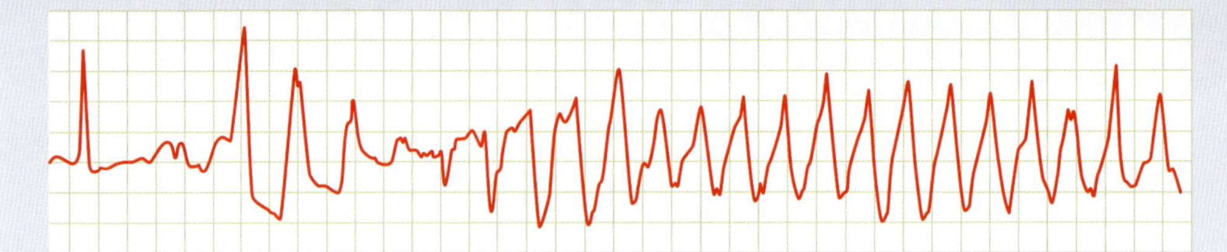

Torsadeは「ねじれ」（英語ではtorsion）、Pointesは「先端」（英語ではpeak）の意味である。つまり、幅の広いQRS波の高さが、高くなったり低くなったりと不ぞろいな形となっている。QT延長症候群の児や、薬剤などでQT時間が延長したときに認められる。短時間の持続で、すぐに正常な洞調律に戻ることもあるが、そのまま心室粗細動へと進行し、突然死を来すこともあるので、すぐに不整脈専門医と連絡を取り、タイプを診断して適切な薬剤の投与を開始することが必要になる。

食道誘導心電図

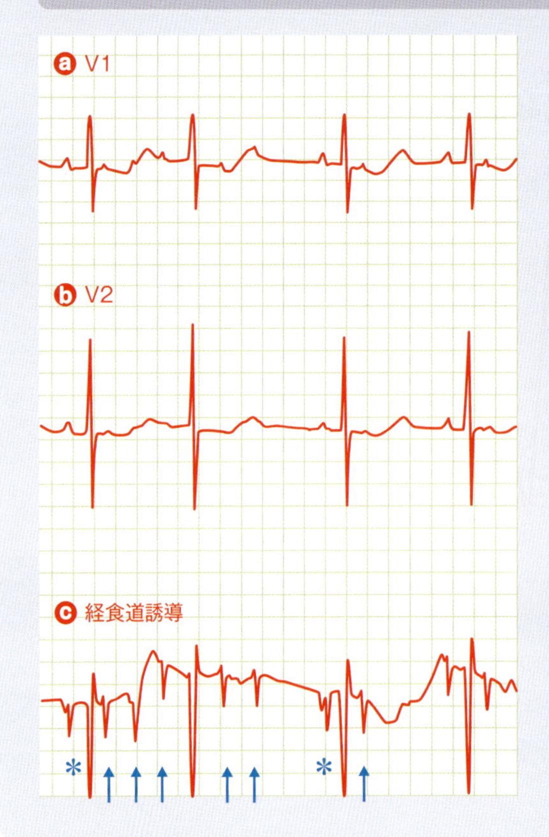

NICUで普段、モニタに使用する電極リードの粘着部分を引き抜き、カーボン繊維が露出したものを栄養チューブに通して、経鼻的あるいは経口的に食道に挿入する。電極リードの反対側も引き抜いて露出させ、胸部誘導の中の1つの電極につなぐと（この図ではV3の電極を使用）、その誘導の部の心電図が食道誘導となる。栄養チューブをゆっくり出し入れすると、心房の後ろの位置で大きなP波が描出されるようになる。その部分で心電図を記録して診断に使用する。この図では、V1、V2では通常のP波はよく見えるが、T波に隠れた期外収縮のP波が連発しているのは判断しにくい。しかし経食道誘導では、明瞭なP波が記録され、さらに洞調律のP波（*）と、連発する期外収縮によるP波（↑）の波形とが少し異なることも分かる。

治療しなければならない不整脈とは?

1 新生児不整脈の治療適応

一般的に、新生児や小児の不整脈では、治療を必要としないものが多い。逆に、抗不整脈薬の催不整脈作用（抗不整脈薬自体が不整脈を誘発する作用）により予後が悪化することもある。このため、不整脈の正確な診断と適応の判断が重要である。

また治療対象には、不整脈を停止する治療と再発を予防する治療があり、この2つを明確に分けて判断する。

2 迅速な治療の対象となる不整脈

▶…心室細動、心室粗動

短時間でも致死的である。

▶…Torsade de Pointes（TdP）

致死的な心室細動へ進行する可能性が高い。もし短時間で停止し洞調律に戻ったとしても、次の発作で心室粗細動から心停止に至る可能性もある。発見した場合は迅速に治療を開始する。

▶…循環不全を伴う不整脈

持続性頻拍発作などでは、循環不全の有無をみて治療適応を判断する。血圧低下や末梢循環の低下、血中乳酸アシドーシスの進行などがあれば、早期に発作を停止する治療が必要である。停止の後は再発予防の治療適応を必ず検討する。

不整脈の診断

1 不整脈診断のポイント

詳細な診断法については成書にて習得するしかないが、ポイントとしては、①P波の位置の同定と、②頻拍などの持続性不整脈での発作の始まりや停止する瞬間の心電図の記録、である。これができると非常に診断に役に立つ。

2 QRS 波の判断

QRS 波の幅が広いとき、その不整脈が心室起源と判断しないように注意する。確かに QRS 波の幅が狭いときには心房起源の可能性が高いが、逆は当てはまらない。心房起源のときでも幅広い QRS 波は、ごく普通に認められる（心室内変行伝導）。

❸ P 波の同定

P 波は、QRS 波や T 波に比べて小さく見えにくいが、不整脈診断のためには、極めて重要な波である。隠れている小さな P 波でもしっかりと見つける「コツ」を以下に挙げる。

①電極を貼るときに皮脂をアルコール綿でよく落として心電図のノイズを減らす。

②心電図計のモードでフィルターをオフにして記録する。

③ P 波は四肢誘導の I 誘導やⅡ誘導、胸部誘導の V1 で最も確認しやすいので、ここをよく観察する。

④四肢誘導の右上肢 R の電極を V1 に近い右前胸部に貼ると、 I 誘導やⅡ誘導の P 波が明瞭に記録できることがある。

経食道誘導心電図は、通常の心電図で P 波の正確な判断が難しいときに有用である。日頃使用しているモニタの電極と経鼻チューブがあれば手軽に作れるため、特に NICU ではとても簡単に準備ができて使用しやすい。

不整脈の治療

❶ 電気的カウンターショック

致死的な不整脈（心室粗細動）の除細動や、循環障害の強い頻脈性不整脈を早急に止めるときには、電気的なカウンターショックを行う。心室粗細動では、2〜4J/kg のエネルギーで「非同期モード」を使用する。同期モードでは、同期すべき QRS 波が見つからず放電がオンにならない。他方、頻脈性不整脈では、0.2〜1J/kg のエネルギーで、必ず「同期モード」で行う。同期せずに放電が T 波に重なると、重篤な心室細動を来す。

❷ 抗不整脈薬の適応

循環不全のある持続性の頻脈性不整脈では、早急に停止させる薬剤として ATP（アデホスコーワ®）静注が使用される。必ず心電図を「記録」しながら投与して、診断への情報を残す。心電図に房室伝導が遮断された変化が現れなければ、半減期が極めて短い ATP が失活し心臓に届いていない。カウンターショックなどの他の治療法へと変更する前に、ATP を増量したり、より心臓に近いルートから、より急速に静注したり、後押し静注を速やかに行ったりするなど、投与方法を見直す。

頻拍発作では抗不整脈薬による発作の再発予防も同時に判断する必要がある。薬剤の選択や適応の判断は難しく、必ず専門医を交えて慎重に検討する。

3 迷走神経刺激

リエントリーに房室結節を含む種類の頻拍発作を停止させるとき、ATP 静注と同様に房室伝導を抑制する迷走神経刺激が有効なことがある。頸動脈マッサージ、顔面へ冷やしたタオルを急速に付けるといった方法がある。ただし、成人でよく行われる眼球圧迫は、新生児では行わない。

新生児循環管理のポイント　POINT

- □ 不整脈が起こる頻度は？
- □ 頻拍発作が生じたときは、その持続時間を記録する。
- □ モニタで見られる不整脈の QRS 幅は「広い」か「狭い」か？（広いときに「心室性」とは書かない）
- □ 頻拍発作出現時の児の全身状態、循環状態、血圧を記録する。
- □ 電解質のチェック時期を記録する。
- □ 頻拍発作に対する抗不整脈薬（ATP など）使用時は、薬剤の投与量と効果の有無、血圧の変化、児の全身状態を記録する。発作停止時には、発作再発の有無を記録する。
- □ カウンターショック使用時には、使用時の電力（ジュール）、回数、効果、使用後の児の全身状態、パッド使用部の皮膚の状態を記録する。

引用・参考文献

1）長嶋正實．“不整脈診断の基本的な流れ”．小児不整脈．改訂第 2 版．東京，診断と治療社，2011，4-6.

2）渡邊まみ江．“12 誘導心電図：小児での正しい心電図のとりかた”．小児心電図ハンドブック．高木純一編．東京，中外医学社，2013，7-20.

前野泰樹

第6章

循環不全はこう管理する！

●●レベル2

1 心収縮力の低下にどう対応する?

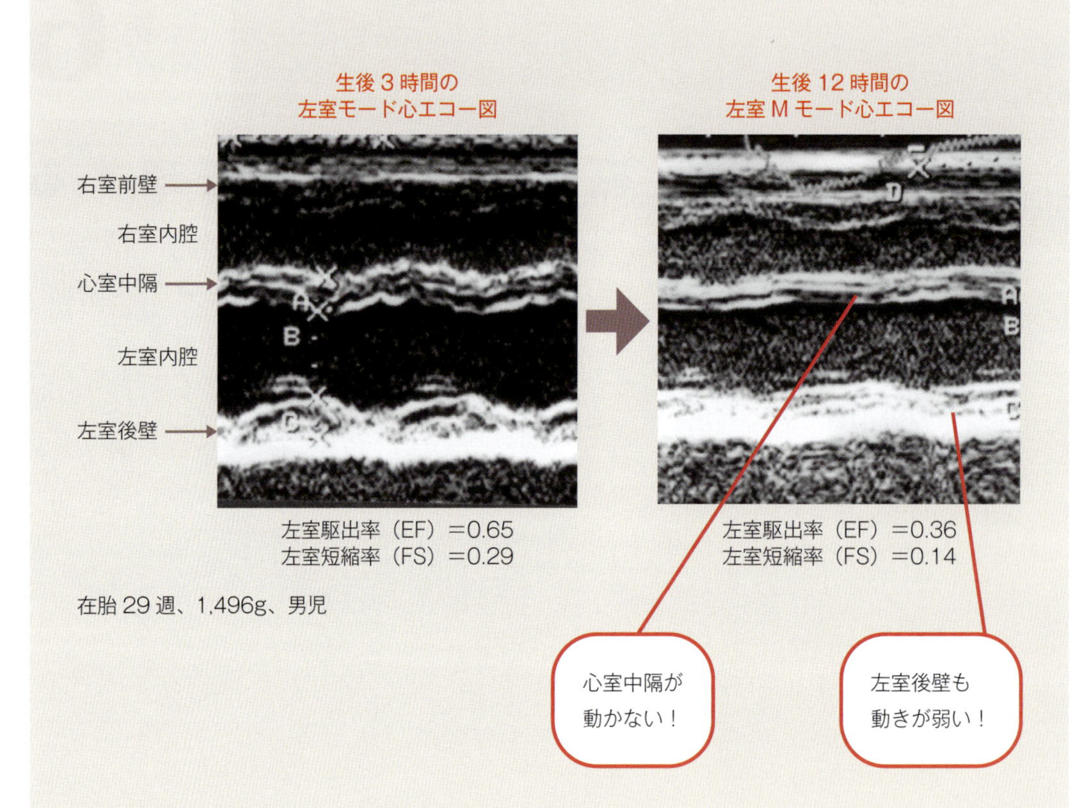

生後早期の新生児では、さまざまな原因から心臓の動きが弱くなる。例えば、出生後しばらくして、呼吸不全に対する治療が軌道に乗り始めた頃、いったん増加しつつあった血圧が再び下がり始め、尿量が減少し、呼吸器条件がふらふらし、血液ガスを評価すると代謝性アシドーシスに傾いていることがある。そんなとき心エコーを実施すると、前はよく動いていた心臓が、明らかに変な動きになって、弱々しくなっている。多くの場合、これは心収縮力低下だが、その背景や原因によって、取るべき対策が異なってくる。

心収縮力低下の背景

- 未熟性（超早産児ほか）
- 重症仮死
- 多胎（双胎間輸血症候群）
- 母体薬剤投与（リトドリンほか）
- 重症呼吸障害（右心不全？）
- アシドーシス
- 低体温
- 高カリウム血症、低カルシウム血症
- 低血糖
- 敗血症
- その他

新生児の心収縮力低下には、さまざまな背景が考えられるが、背景・原因が治療可能な場合と、治療困難な場合とに分かれる。前者（アシドーシス、電解質異常、敗血症など）では、もちろんその治療が最優先され、後者（未熟性、仮死、母体への薬剤投与など）では、最初から心不全治療が適応となる。したがって、心収縮力低下に遭遇したら、その背景・原因の検索がまず重要と考えられる。

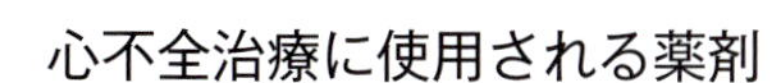

心不全治療に使用される薬剤

- ドパミン（イノバン®）
- ドブタミン（ドブトレックス®）
- エピネフリン（ボスミン®）
- イソプロテレノール（プロタノール®）
- ジゴキシン（ジゴシン® ほか）
- ミルリノン（ミルリーラ® ほか）
- オルプリノン（コアテック®）
- カルペリチド（ハンプ®）
- ニトログリセリン（ミリスロール® ほか）
- 利尿薬
- その他

新生児の心不全治療には、現在、左記のような薬剤が使われるが、成人とは異なり、エビデンスが確立したものはない。最も頻用されてきたのは、ドパミン、ドブタミンを代表とするカテコラミン（catecholamines、左記の上４つ）だが、一つひとつの作用機序は全く異なる。すべての薬剤について、作用機序を完全に理解し、適切な場合と投与量を選んで使用することが必要である。

心収縮力低下の原因と治療

1 背景・原因の検討

早期新生児期における**心収縮力低下**の原因は意外に明らかでないが、以前から電解質異常、アシドーシス、低血糖、低体温、敗血症などに続発する可能性が指摘されている。こういった基礎疾患が存在する場合の対応としては、もちろんその治療が優先される。しかしながら、このような治療可能な基礎病態がある場合より、実際に多いのは基礎病態が治療不可能な場合であり、具体的には児の未熟性、重症仮死、母体薬剤の影響、多胎（双胎間輸血症候群を含む）などがこれに該当する[1]。後者の場合は、最初から心不全治療が優先されてよい。したがって、心収縮力低下への対応の第一段階は、その背景・原因の検討となる。われわれが報告した極低出生体重児における左室駆出率（LVEF）、また左室拍出量（LVO）の早期経時的変化を示す（**図1-1、1-2**）[2, 3]。極低出生体重児においては、LVEF は生後 12 〜 24 時間までにいったん低下し、その後再上昇していく経過を取り、これは成熟新生児および週数の進んだ早産児では見られない。また LVO は同様の経過だが、さらに 25 週未満の超早産児では出生直後から低値を示している。LVEF の動きは左室内径短縮率（LVFS）、また平均円周短縮速度（mVcfc）といった、他の収縮能指標でも同様であり[2, 4]、未熟性が心収縮能低下の基礎に存在することの傍証と考えられる。

2 心収縮力低下の治療

正常心筋では**フランク・スターリング（Frank-Starling）の法則**より、左室前負荷（水分量）を増大させれば左室心筋収縮力は増加し、左室 1 回拍出量および心拍出量も増加する。しかしながら、予備能の限定された新生児の心筋では、予期通りの収縮力増加は実際には期待できず、かえって浮腫が増強するだけとなる。また、急速な失血などの場合を除いて、出生直後の新生児が脱水状態にあることは稀で、収縮力低下に対して前負荷を増加させるという対応は望ましくない。

心筋収縮力低下に対して、新生児領域において現在まず選択されることの多い治療は、**カテコラミン投与**である。心収縮力低下が証明される場合に、第一に適応となるのは心筋の β_1 受容体の選択性が強く、末梢血管の α 受容体に親和性の弱い（昇圧効果の低い）**ドブタミン**であり、2 〜 3μg/kg/ 分の低用量から心筋収縮力増強作用が期待できる。新生児で最も頻用される**ドパミン**は、心筋への作用は内因性のノルエピネフリン放出を介することが多いため確実でなく、心筋収縮力増強作用を期待するには 7 〜 10μg/kg/ 分以上の高用量が必要とされるため、低血圧がシビアでない限り心収縮力低下に対する適応とはならない。ただし、2 〜 5μg/kg/ 分

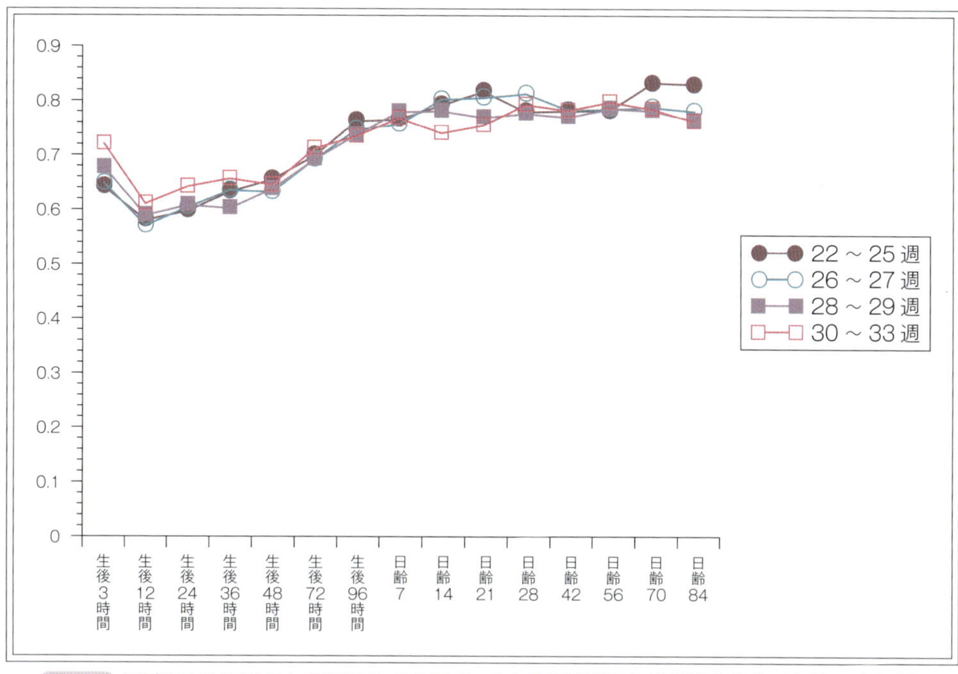

図1-1 極低出生体重児の左室駆出率（LVEF）の在胎週数別出生後経時的変化（文献2より転載）

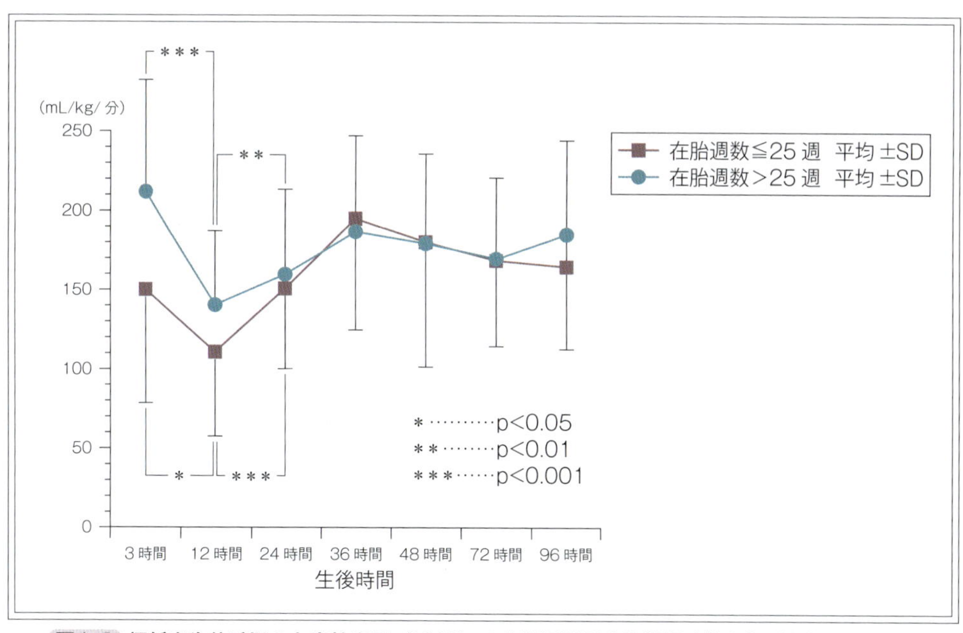

図1-2 極低出生体重児の左室拍出量（LVO）の在胎週数別出生後経時的変化（文献3より転載）

以下の低用量ドパミンは腎血流・腸管血流増加作用が強く、ドブタミンと併用してプラスの効果を現すことは、以前から臨床的によく知られている。また重症仮死の早産児における急性ショック・低血圧には、心筋サポートを目的としたドブタミンと併用して、容量負荷・高用量ドパミンを適応とすることは十分に考えられる。

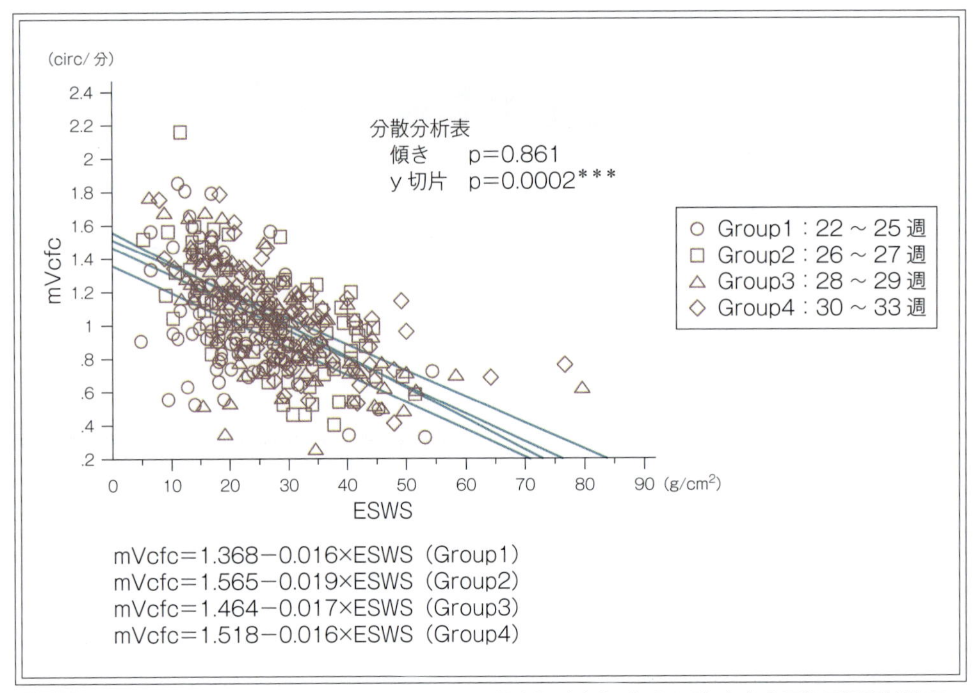

図1-3 極低出生体重児の生後 12 時間における、収縮末期壁応力（ESWS）と左室平均円周短縮速度（mVcfc）の関連（文献 6 より転載）

前負荷増大に心筋が収縮力を増強させて対応するのに対して、後負荷増大に遭遇すると心筋収縮力が低下する、**後負荷不整合**（afterload mismatch）という現象が知られている[5]。300 人以上の極低出生体重児で検討した、mVcfc と後負荷指標である収縮末期壁応力（ESWS）の関連を**図1-3** に示す[6]。早産児においても、ESWS 増加につれ mVcfc は低下の傾向にあり、後負荷増大が収縮力低下の原因となる場合があることを示唆している。したがって、ESWS が高値の場合は、LVEF、LVFS、mVcfc が低下している場合でも、**血管拡張薬**などの後負荷を低下させる薬剤が適応となる可能性があり、ミルリノン、オルプリノン、カルペリチド、ニトログリセリンなどの使用が考えられる。しかしながら、これらの薬剤はすべて低血圧、ショック、動脈管開存などの副作用を有しており、新生児医療におけるエビデンスはいまだに存在せず、標準的治療ではない。また広く誤解されているような「後負荷」=「血圧」ではないので、血圧が高い場合に後負荷不整合と速断せず、必ず ESWS まで算出した上で血管拡張薬の適応を考えることが必要である。

新生児循環管理のポイント

POINT

- 皮膚色はどうか？
- 活気はどうか？
- 尿量はどうか？
- 血圧はどうか？

引用・参考文献

1）村瀬真紀ほか．極低出生体重児の生後早期の心機能低下の危険因子の検討．日本小児科学会雑誌．102（9），1998，981-9.

2）村瀬真紀ほか．心エコーによる極低出生体重児心機能の経時的評価　第1報：M-modeによる左心機能の評価．日本新生児学会雑誌．33（3），1997，312-21.

3）Murase M, et al. Seial pulsed Doppler assessment of early left ventricular output in critically ill very low-birth-weight infants. Pediatr Cardiol. 23 (4), 2002, 442-8.

4）村瀬真紀ほか．心エコーによる極低出生体重児心機能の経時的評価　第12報：新生児期の心拍補正平均左室円周短縮速度（mVcfc）の経時的変化．日本周産期・新生児医学会雑誌．43（1），2007，92-9.

5）Colan SD, et al. Left ventricular end-systolic wall stress-velocity of fiber shortening relation : a load-independent index of myocardial contractility. J Am Coll Cardiol. 4 (4), 1984, 715-24.

6）村瀬真紀ほか．心エコーによる極低出生体重児心機能の経時的評価　第13報：新生児期の収縮末期壁応力（ESWS），stress-velocity relationの経時的変化．日本周産期・新生児医学会雑誌．43（3），2007，670-7.

村瀬真紀

2 循環血液量の不足にどう対応する?

循環血液量が不足していると判断される状況

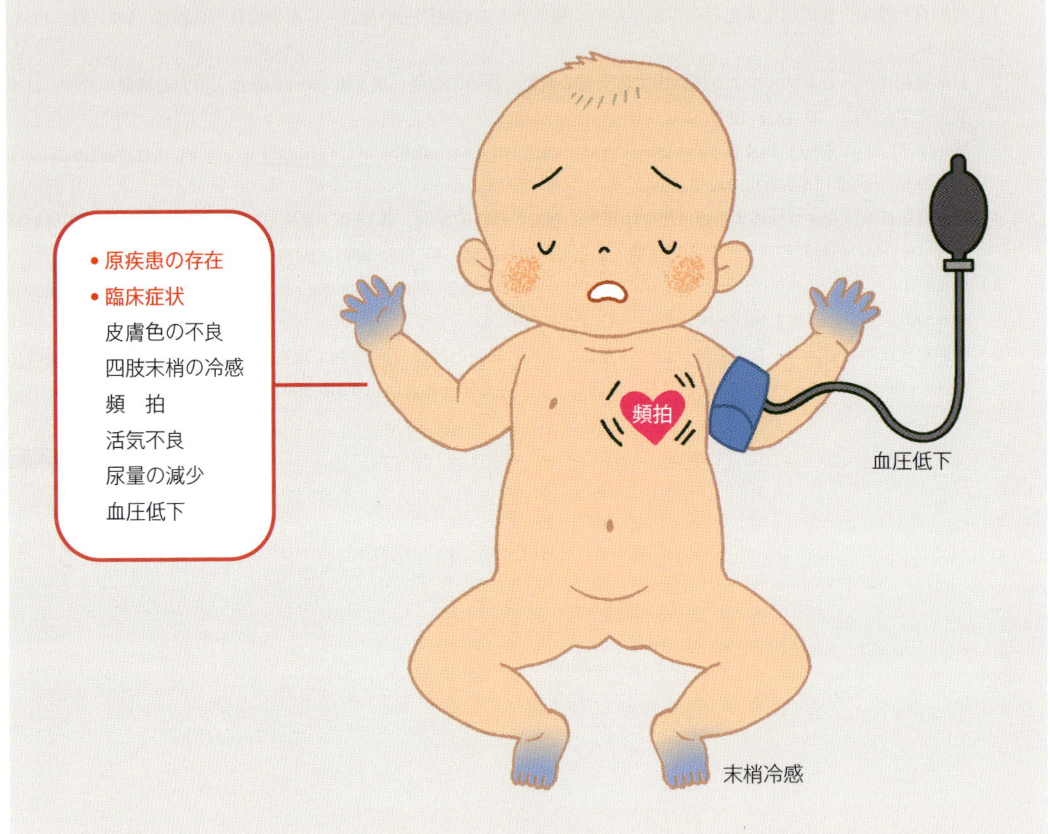

循環血液量が不足していると判断される臨床症状から疑い、検査所見で確認し、不足した循環血液量に対して、細胞外液型輸液を用いて補充することで対応する。

循環血液量が不足していると判断される状況は、どのような場合であろうか？ 多くの場合、循環血液量が不足すると思われる原疾患があり、その臨床症状として、ショック状態と思われる皮膚色不良、四肢末梢の冷感、頻拍、活気不良を認める場合に疑われる。また、そのショック症状から、ショック状態であることを確認するために、モニタを付け、血圧や心拍数の確認などを行う。次に鑑別診断を行っていく中で、心エコー、胸部Ｘ線、中心静脈ラインを挿入している正期産児では中心静脈圧測定を行うことにより、循環血液量の不足であると判断する。そして、輸液にて補充を行っていく。

循環血液量不足の管理が必要な場合

ショック症状や**低血圧**のみが循環血液量の不足のサインだろうか？ 低血圧の判断については、1章8「何 mmHg 以下からが低血圧？ 在胎週数とどう関係する？」を参考にしていただきたい。ご存じのとおり、循環血液量が不足しても、それに応じて血圧が低下するわけではない。まず、代償機転が働いて末梢血管が収縮し、内因性カテコラミンの増量によって心機能が亢進したり、尿量の減少が認められたりする。そのような**代償**の働いている状態を把握し、改善させることも循環管理では求められる。また、出生直後の新生児の場合、循環血液量の不足があっても心拍数の増加が認められない場合があり、以下に述べる検査のみで循環血液量の不足であると判断することがある。

循環血液量不足の診断と検査

心拍数が増加し、四肢末梢の冷感を認めている場合に、循環血液量の不足であると判断するためには以下のいくつかの検査を行う。正期産児であれば、胸部X線において**心胸郭比の低下**、**中心静脈圧の低下**で判断する。低出生体重児では、そのような検査が実施できない場合があり、**心エコーによる診断**に頼るしかないこともある。心エコーでは、心臓の収縮力が保たれている、下大静脈（IVC）や左房の張りがない、左室拡張末期径（LVDd）が小さい[1]、心筋壁が厚め、心拍出量の低下（ドプラ法によって測定）、大動脈弁の早期閉鎖などによって判断される。筆

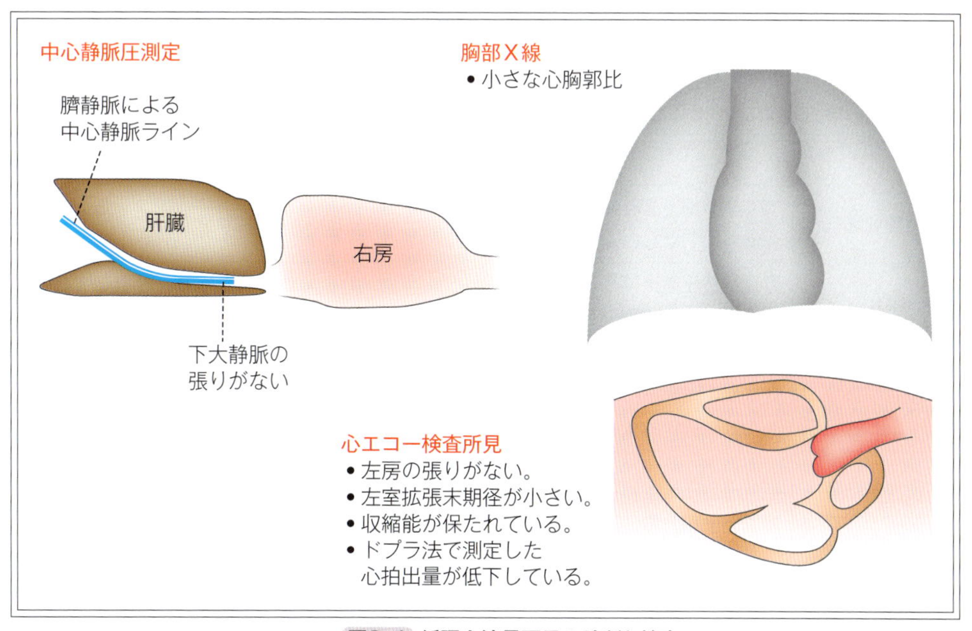

図2-1 循環血液量不足の診断と検査

者は、ドプラ法によって測定された左心拍出量が160mL/kg/分未満でありかつ血圧低下を伴った場合、心拍出量の不足と判断している。簡便なものとして、超低出生体重児ではLVDdが10mmあれば十分であり、8mmの場合は小さいと述べるものもある（**図2-1**）[2]。また、動脈ラインが留置されていて動脈波形が呼吸性に変動する場合は、循環血液量の不足が疑われる。

循環血液量不足の治療法

1 治　療

循環血液量が不足していると判断したとき、**容量負荷**を行う製剤として、**生理食塩水**や**血液製剤**を選択する。それぞれの製剤には利点、欠点があり、それを考慮しながら用いる（**表2-1**）。投与の際に注意すべきことは、第一に負荷のスピードであり、第二に負荷の量である。新生児では、急速輸液のためのポンピング（輸液シリンジの手押し）まで必要なことはほとんどない。国際蘇生連絡協議会のConsensus 2020では、非代償性ショック時の循環血液増加薬の第一選択は生食であり、10〜20mL/kgを5分から10分かけて投与し、その効果について頻繁に評価するように書かれている[3]。施設や病態によって違うが、筆者の施設では、代償機転の解消のための容量負荷の場合、低出生体重児では10mL/kgを30分から1時間程度かけて負荷し、その反応を確認している。また、成熟児においては30mL/kgを3時間かけて行う場合もある。大切なのは、容量負荷中の心拍数、血圧などの反応を見て、追加の負荷の必要性や過剰輸液の可能性、他の治療の必要性を常に判断しながら行うことである。

表2-1 血液増加薬の立場から見た、それぞれの製剤の利点・欠点

	利　点	欠　点
生理食塩水	すぐに準備できる。 血液製剤ではない。	third spaceに漏れやすい。
アルブミン	膠質浸透圧を上げられる。 赤血球に比べ感染のリスクが少ない。	third spaceに漏れたとき浮腫を増悪させる要因になる。
γグロブリン	膠質浸透圧を上げられる。 免疫能を高める。 赤血球に比べ感染のリスクが少ない。	高速度投与ができない。 多量投与ができない。
新鮮凍結血漿（FFP）	膠質浸透圧を上げる。 凝固因子を含む。	感染症のリスクがある。 third spaceに漏れたとき浮腫を増悪させる要因になる。
赤血球	third spaceに漏れにくい。 酸素運搬能を上げることができる。	感染症のリスクがある。 過剰輸血で多血に陥る。

2 治療における注意点

必要として判断して負荷した輸液が、サードスペース（third space）に逃げてしまい、**浮腫**や**胸水**、**腹水**の増悪につながることもある。また、早産・低出生体重児では心筋が硬いため、容量負荷がかかっても心拡大が起こりにくく、過剰な容量負荷で容易に静脈圧の上昇を来し、浮腫が増悪しやすい。さらに、回復期には浮腫が吸収されて容量過負荷の状態に陥り、超低出生体重児では静脈圧が上昇し、頭蓋内出血の原因となることもあるため、過剰な容量負荷は特に注意が必要だと考えられる。

3 治療の終了と次へのステップ

循環血液量が満たされてくると心拍数が低下し始め、末梢冷感が改善し、それに伴って尿量の増加を認めるようになる。こうして、循環が回復したと判断された場合は、輸液速度を漸次遅くし、中止していく。過剰輸液は、急性期の浮腫の増悪や回復期の静脈圧の上昇につながるため、できる限り避けるべきだが、完全に防ぐことは困難であり、浮腫が回復するまで注意深く観察を続け、必要に応じて利尿薬を併用する。

新生児循環管理のポイント

POINT

- [ ] 末梢冷感の有無、位置、範囲を記録する。
- [ ] 心拍数、血圧、尿量などのバイタルサインの経過を記録する。
- [ ] 浮腫の有無、浮腫の程度を記録する。
- [ ] 活気の有無を記録する。
- [ ] 表情、機嫌の良否を記録する。

引用・参考文献

1）村瀬真紀ほか．心エコーによる極低出生体重児心機能の経時的評価　第１報：M-mode 法による左心機能の評価．日本新生児学会雑誌．33（3），1997，312-21.

2）杉本徹監修．最新 NICU マニュアル．改訂第３版．東京，診断と治療社，2005，249p.

3）Topjian AA, et al. Part 4: Pediatric Basic and Advanced Life Support: 2020 American Heart Association Guidelines for Cardiopulmonary Resuscitation and Emergency Cardiovascular Caree. Circulation. 142(16_suppl_2), 2020, S469-S523.

4）志賀清悟．極低出生体重児における出生後動脈血圧の基準値に関する研究．日本新生児学会雑誌．32（3），1996，493-503.

横山岳彦

●●レベル2

3 末梢血管の虚脱や透過性亢進にどう対応する？

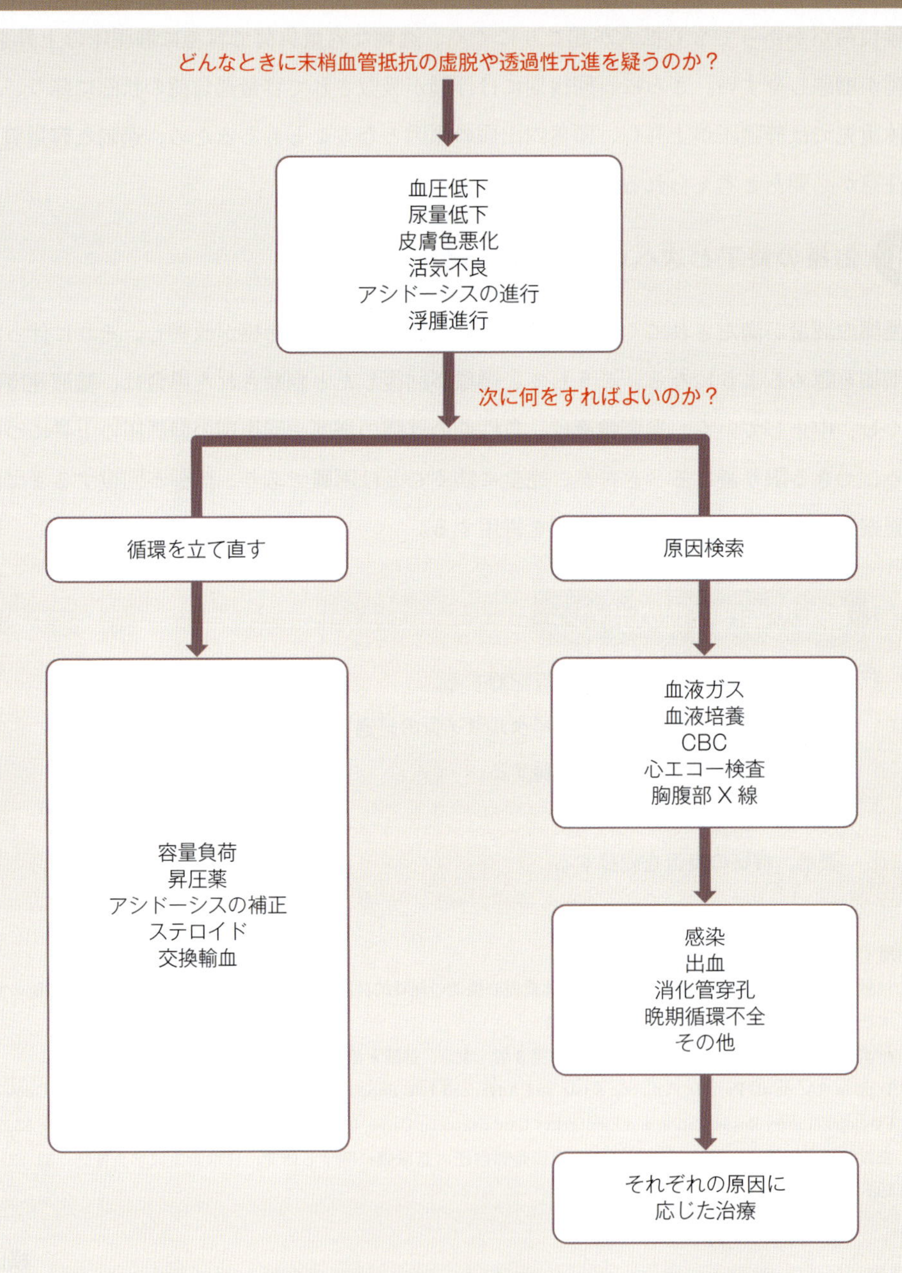

新生児集中治療領域では、末梢血管の虚脱や血管透過性亢進による浮腫の増悪などは日常的によく遭遇する症状である。しかし、このような状態をうまく管理して乗り切ることが、児の予後改善につながる。上図のフローチャートに対応の指針を示した。大切なことは、迅速な状態の把握と対応である。

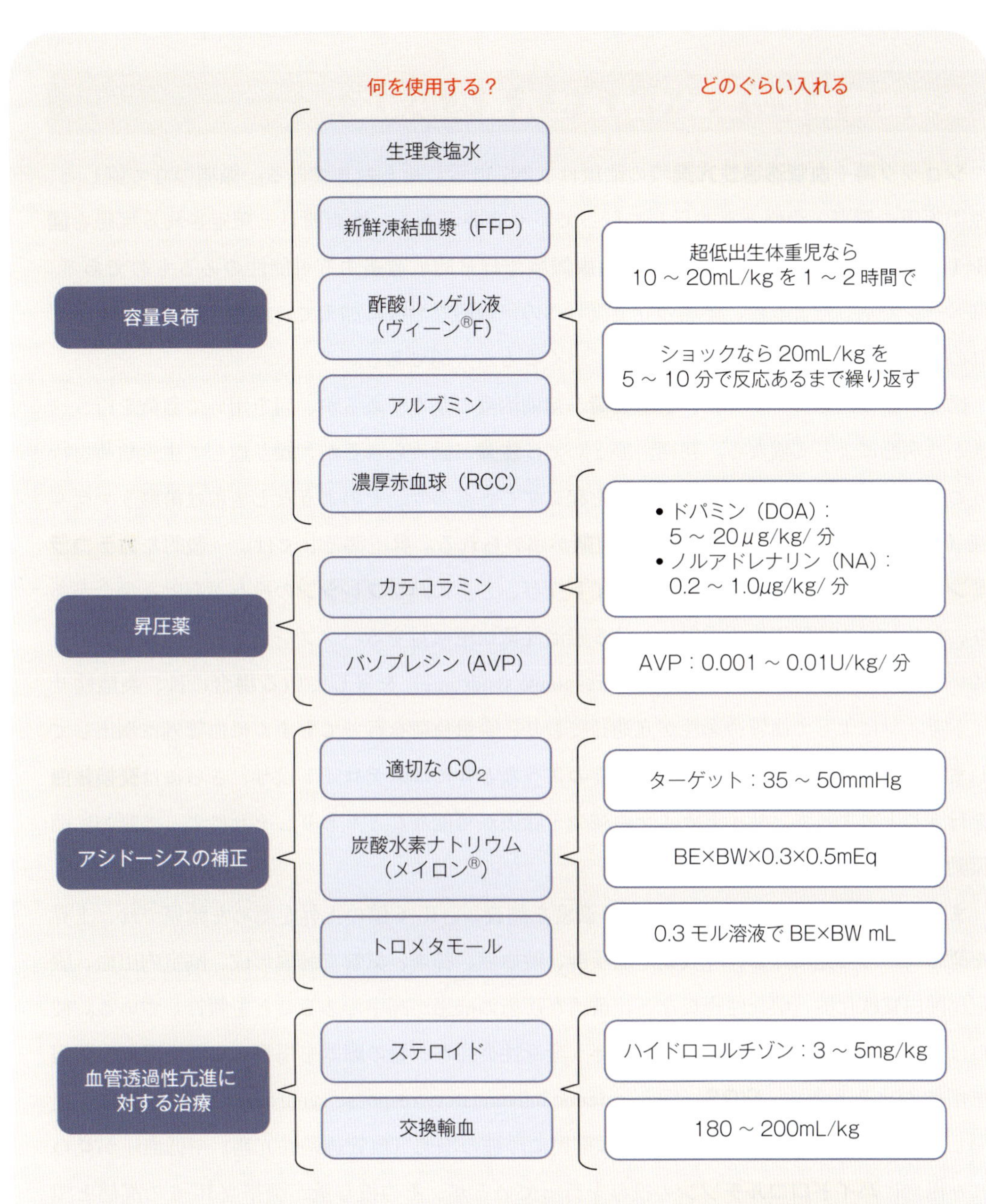

上図に示したのは、ショック時や血管透過性亢進時の治療である。介入が遅れると、低酸素や虚血によって循環はさらに悪くなるという悪循環に陥る。図示したものをすべて同時に行うのではなく、患児の状態に応じた治療を迅速に行っていく必要がある。

末梢血管抵抗の虚脱や透過性亢進への対応

ショック時や**血管透過性亢進**時の治療は p.297 に示したとおりである。循環の立て直しと、原因疾患の鑑別・治療とを並行して行っていく必要がある。検査所見と想定される疾患を**図3-1** に示す。どの疾患も新生児集中治療領域で日常的に遭遇する可能性のあるものである。前ページで示したように、循環の立て直しへの一般的な治療に加えて、疾患を鑑別し、それぞれの疾患に応じた治療を並行して行っていくことが大切である。

循環の立て直しについては、**容量負荷**が初期治療の基本であるが、何を用いて負荷を行うべきかは病態によって異なる。初期治療としては**生食**が勧められるが、繰り返して生食負荷を行うことで高クロール性のアシドーシスを起こすこともあり、そのようなときには酢酸リンゲル液（ヴィーン®F）のような**細胞外液製剤**が用いられる。昇圧薬としては、一般的な**カテコラミン**治療に反応しない場合には**ステロイド**投与、さらに**バソプレシン**の投与が有効な場合があり、われわれも極低出生体重児における難治性低血圧に対するバソプレシンの有効性を報告している[1)]。SIRS（systemic inflammatory response syndrome）を呈している場合には、炎症性サイトカインによって血管透過性が亢進しており、容量負荷を行ってもすぐに血管外に漏出してしまい、治療に難渋することがある。そのようなときにはステロイド投与、さらには**交換輸血**を行うことによって、サイトカインの減少・除去が可能なこともあり、それによって劇的に循環動態が安定することもある。

また、Gomez らは臍帯血の血漿 IL-6 濃度を調査し、IL-6 値の上昇を認めた胎児では、上昇を認めなかった児に比し、呼吸窮迫症候群、敗血症、肺炎、気管支肺異形成、脳室内出血、脳室周囲白質軟化症、壊死性腸炎など、重篤な疾患の罹患が高率であることを報告している。彼らは、胎内での高サイトカイン血症を伴う全身性炎症が、児の臓器を傷害し、新生児期の罹病を増加させると考え、**FIRS**（fetal systemic inflammatory response syndrome）という概念を提唱した[2)]。当院では急性期の超低出生体重児に浮腫の増悪（血管透過性亢進）や低血圧が見られた場合に**ハイドロコルチゾン**の投与を行っているが、その投与量が臍帯血 IL-6 の高値と関連していることを報告している[3)]。このように FIRS にさらされている児では、そのストレスに対して内因性のステロイドの産生が十分でなく（相対的副腎機能不全）、外因性のステロイドを補うことが循環安定につながる可能性があると考えている。

新生児集中治療は「**浮腫との闘い**」といわれることもあるように、いったん循環不全に陥ると、状態の改善は非常に難しくなっていく。血管内ボリュームを保つために容量負荷を行うが、血管透過性が亢進しているために血管外に漏出することにより、分子量の大きい、または浸透圧の大きな製剤（アルブミンや FFP）を入れざるを得なくなる。しかしそのような製剤でも血管外に漏れ出ていき、かえって浮腫を増強してしまうというようなことは、皆、経験したこと

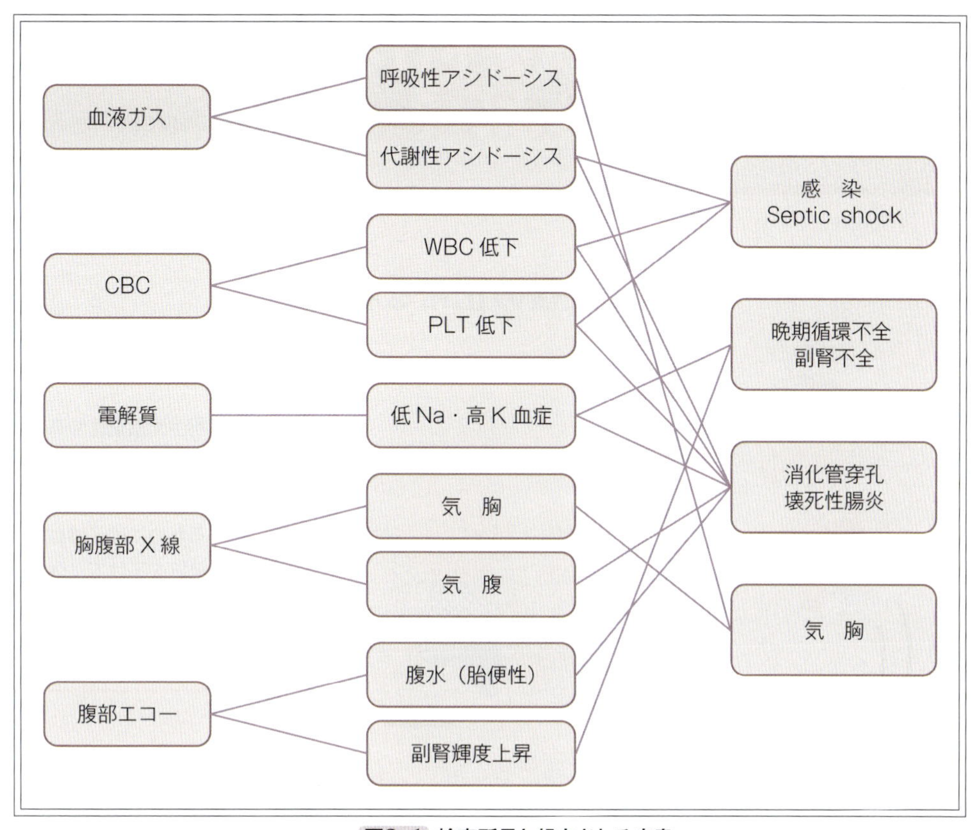

図3-1 検査所見と想定される疾患

があると思う。このような悪循環に陥る前に、早期に児の状態を把握して必要な介入を行うことが重要であり、現在の唯一の治療戦略ではないかと考えられる。

引用・参考文献

1）Ikegami H. et al. Low-dose vasopressin infusion therapy for refractory hypotension in ELBW infants. Pediatr Int. 52 (3), 2010, 368-73.

2）Gomez, R. et al. The fetal inflammatory response syndrome. Am. J. Obstet. Gynecol. 179 (1), 1998, 194-202.

3）岸上真，池田等ほか．急性期にハイドロコルチゾンを投与した超早産児の検討．日本周産期・新生児医学会雑誌．47 (2)，2011，362.

池上　等

●●● レベル3

4 肺血管抵抗を下げるにはどうすればよい？

出生後の正常な状態

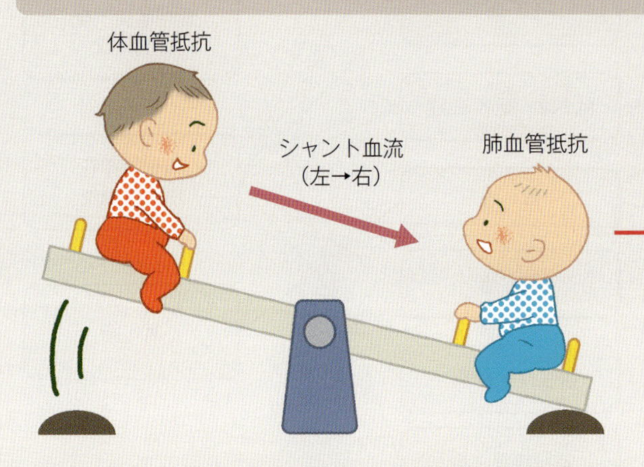

新生児遷延性肺高血圧症（下図）を正常な状態（上図）にするためには、肺血管抵抗を下げて、体血管抵抗を上げる必要がある。

新生児遷延性肺高血圧症

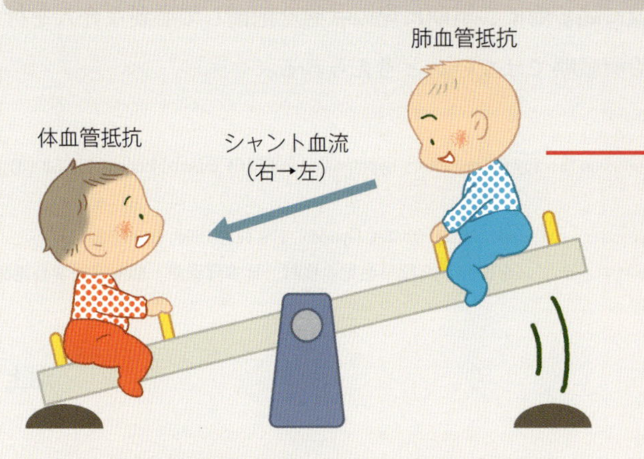

肺血管抵抗を上げないケア（ミニマルハンドリング、鎮静、低酸素血症を避ける）が重要である。

まずは、肺血管抵抗を上げる因子を除去する必要がある。原疾患の治療を第一に行う。アシデミア、低酸素血症、低体温、多血症、啼泣や体動を伴う処置でも肺血管抵抗を上げるため、鎮静やミニマルハンドリングも必要である。

肺血管抵抗は高酸素血症、低二酸化炭素血症、アルカリ血症で低下する。しかし過度な治療はいずれも児に悪影響を及ぼす可能性があるため、一酸化窒素（NO）吸入療法や血管拡張薬を行うこともある。

体血圧を維持する治療を並行して行うことも重要である。

新生児遷延性肺高血圧症の原因と一般的治療

新生児遷延性肺高血圧症（PPHN）にはさまざまな原因があり、まず行うべきことは原疾患の治療である。肺のみでなく循環にも対処する。心機能の評価も重要であり、換気血流比不均等にも注意を要する[1]。

また、PPHN の病態をより悪化させる要素もさまざまである。その要素を知ることによって、肺血管抵抗を下げる手段も見えてくる。

1 肺血管抵抗上昇の原因

▶…アシデミア

肺血管抵抗に大きく寄与する因子は **pH** である。Rudolph らによると、肺血管抵抗は pH が 7.3 以下のときは低酸素により急激に上昇する（**図4-1**）[2]。一方アルカレミアは、その肺血管抵抗の上昇を戻す効果がある。この場合、肺血管床は呼吸、代謝両方のアルカローシスで拡張するが、肺血管抵抗そのものを減らすのは動脈血の pH 依存であり、$PaCO_2$ 依存ではないと考えられている[3]。

▶…低体温

低体温は交感神経を介し、肺血管抵抗を高める[4]。

▶…多血症

ヘマトクリット＞40％で肺血管抵抗を上昇させる[4]。故に**多血症**に対する部分交換輸血は肺

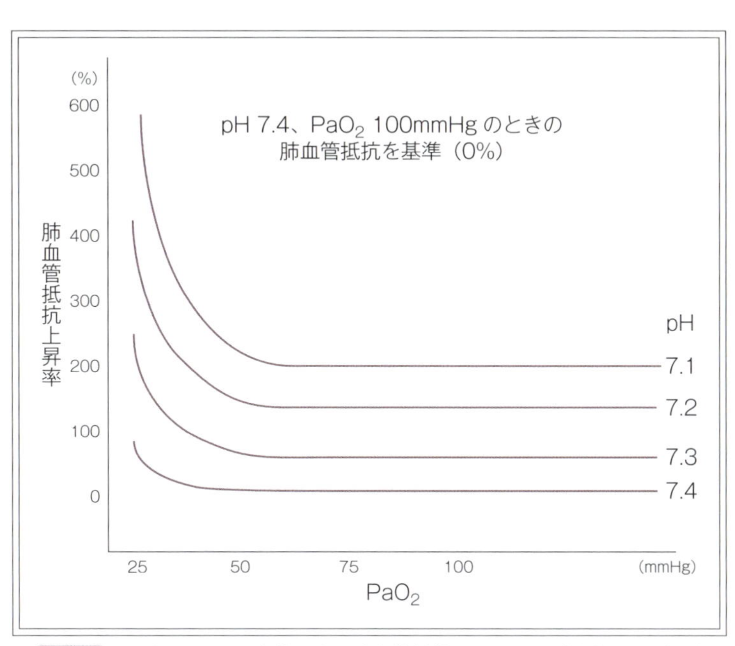

図4-1 pH と PaO_2 の変化による肺血管抵抗のパターン（文献 2 より改変）

血管抵抗低下に効果的である。

② 肺血管抵抗上昇に対する一般的治療

次に、**一酸化窒素（NO）吸入療法**開発以前に一般的に行われてきた治療について述べる。いずれもランダム化比較試験（RCT）による標準化は行われていない。

▶…高濃度酸素療法

酸素は肺血管抵抗を決める重要な要素である。肺胞低酸素や PaO_2 低値は肺血管収縮をもたらす。PPHN の児の管理では**低酸素は避ける**べきだが、適切な PaO_2 や SpO_2 は分かっていない。NO 吸入療法開発前は PaO_2 が 200 ～ 300mmHg でも吸入酸素濃度 100％で管理されていた。

近年、高酸素血症や酸素フリーラジカルによる新生児肺傷害に関する報告が散見される。仔牛の実験では、肺の細動脈は短時間の 100％酸素曝露でも収縮し、長時間になると 21％酸素で管理した個体より、さらに強い肺血管収縮を認めた[5]。ヒトでも、蘇生時の短時間の酸素曝露が月単位以上の生化学的変化をもたらすという報告がある。現在の PPHN の管理ストラテジーでは、低酸素と同様に**高酸素も避ける**べきである。気管支肺異形成に伴う肺高血圧を来した幼児の心臓カテーテル検査にて、高酸素血症は肺高血圧の改善をもたらさなかった[6]。この研究では肺動脈酸素分圧が 70mmHg 以上になるように酸素投与したが、肺動脈圧はほとんど下がらなかった。RCT はないが、今のところ PPHN の児に対して目標 PaO_2 を 70 ～ 80mmHg 以上に設定することにエビデンスはない[1]。

▶…過換気アルカリ療法

1970 年代にヒトでアルカレミアの肺血管拡張作用が確認された後、1990 年代前半までは人工換気で極端な低二酸化炭素血症に保つ管理が行われていた。しかし、適切な肺血管拡張作用をもたらすには、pH7.6 以上、$PaCO_2$ 25mmHg 以下にする必要があった。重炭酸ナトリウム投与も pH を維持するために投与された。いわゆる**過換気アルカリ療法**は、エビデンスがないまま他の病態の肺高血圧にも推奨された。過換気アルカリ療法は急性期には肺血管抵抗を減らすが、中長期的な結論は不明であった。低二酸化炭素血症にする管理は肺傷害をもたらし、また維持が難しい。さらに低二酸化炭素血症と高浸透圧のアルカリ剤投与は脳の低灌流をもたらし、精神運動発達遅滞や難聴を来すとされた。現在、過換気アルカリ療法は PPHN の治療ストラテジーからは外されており、肺傷害や脳の低灌流という面からも推奨されない。

▶…鎮静、筋弛緩

PPHN の場合、処置などによるわずかな**ストレス**が状態の悪化を引き起こしかねない。**ミニマルハンドリング**は原則である。PPHN に対する鎮静、筋弛緩に関する論文は症例報告程度しかない。体動や努責はしばしば肺血管抵抗の上昇をもたらし、また PPHN の児の多くに侵襲的な治療が行われていることより、鎮静は行うべきと考える。筋弛緩に関しては、むしろ死亡率、ECMO導入率を増すという報告もあり[7]、また安全性および効果のRCTもないことより、ルチーンでの筋弛緩薬の使用は推奨されない。

新生児循環管理のポイント

POINT

- PPHNは肺血管抵抗が体血管抵抗（≒体血圧）を上回る病態である。体血圧の変動に着目して記録を取る。
- 経皮的酸素飽和度の上下肢差も目立つ症状である。どのくらい差があるのか分かりやすい記録を取る
- 処置などによるflip-flop（一過性に肺血管抵抗が上昇し、右左シャントが増え、チアノーゼを呈する発作）の程度および回復時間もPPHNの重症度の目安となる。

引用・参考文献

1）Aschner JL, et al. "New development in the pathogenesis and management of neonatal pulmonary hypertension". The Newborn Lung. Bancalari, E. ed. Philadelphia, Saunders, 2008, 252-9.
2）Rudolph M, et al. Response of the pulmonary vasculature to hypoxia and H^+ ion concentration changes. J Clin Invest. 45 (3), 1996, 399-411.
3）Schreiber MD, et al. Increased arterial pH, not decreased $PaCO_2$, attenuates hypoxia-induced pulmonary vasoconstriction in newborn lambs. Pediatr Res. 20 (2), 1986, 113-7.
4）Gersony WM, Neonatal pulmonary hypertension：pathophysiology, classification, and etiology. Clin Perinatol. 20 (2), 1984, 517-24.
5）Lakshminrusimha S, et al. Pulmonary arterial contractility in neonatal lambs with 100 % oxygen resuscitation. Pediatr Res. 59 (1), 2006, 137-41.
6）Mourani PM, et al. Pulmonary vascular effects of inhaled nitric oxide and oxygen tension in bronchopulmonary dysplasia. Am J Respir Crit Care Med. 170 (9), 2004, 1006-13.
7）Walsh-Sukys MC, et al. Persistent pulmonary hypertension of the newborn in the era before nitric oxide : practice variation and outcomes. Pediatrics. 105 (1 pt 1), 2000, 14-20.

川瀬昭彦

●●レベル2

5 一酸化窒素（NO）吸入療法って何？

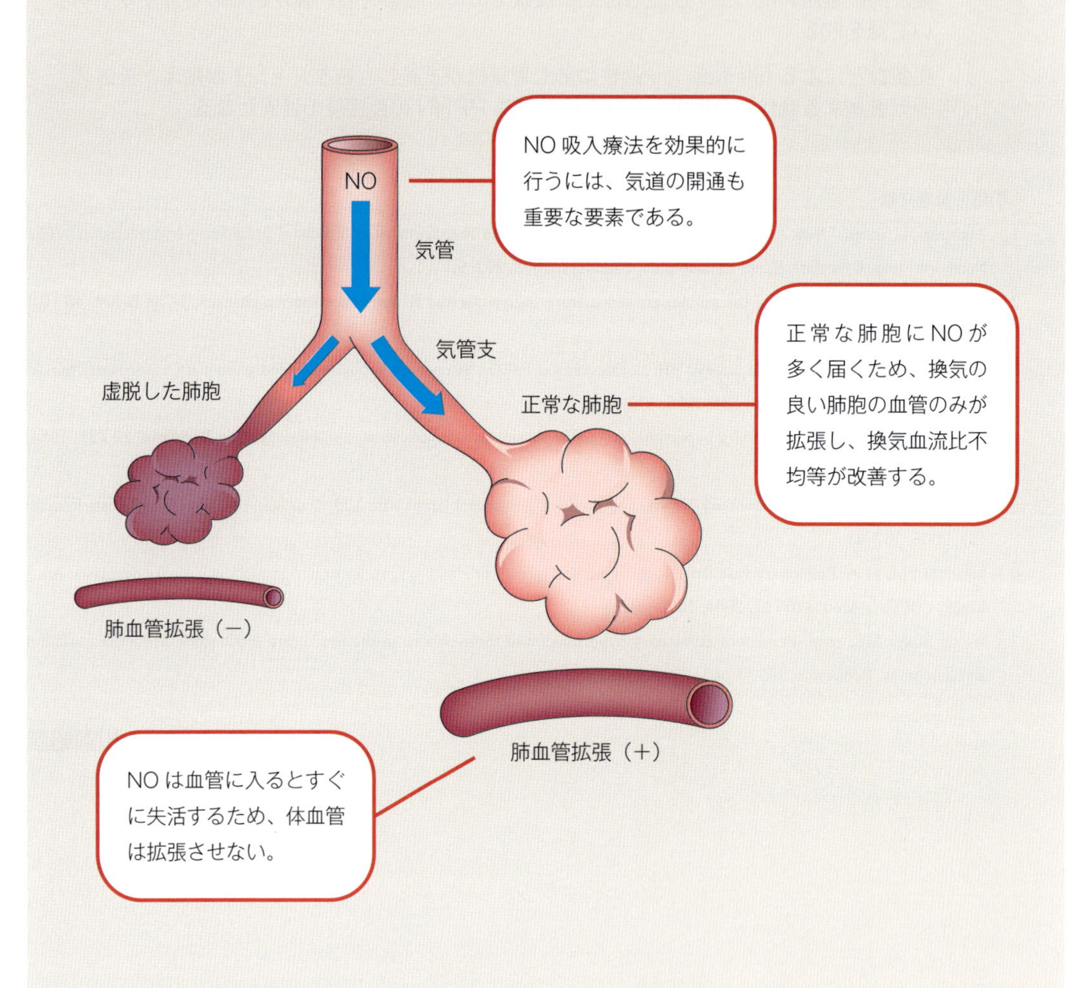

一酸化窒素（NO）吸入療法は、体血管を拡張させず、肺血管のみを選択的に拡張させる治療法である。NO吸入療法は換気の良い正常な肺胞の肺血管のみを拡張させるため、換気血流比不均等を改善するという働きも持つ。NOは血管に入るとすぐに失活するため、体血管に対して影響を及ぼさない。ガスを吸入する治療法のため、気管、気管支など気道の開通も、治療を効果的に行うために大切である。副作用として、メトヘモグロビン血症に留意する。

一酸化窒素吸入療法の効果

一酸化窒素（NO）吸入療法は、選択的に肺血管のみを拡張させる確立された治療法である（Class I 、Level A）[1]。2010年から保険適応となったこともあり、6章6「肺血管拡張薬の使用で注意すべきことは？」で述べた経静脈投与する血管拡張薬などよりも、NO吸入療法を優先的に行うべきであろう。NO吸入療法の利点であるが、まず迅速な**血管拡張効果**を有する。吸入療法であるため、換気状態の良い肺胞に届きやすく、その結果、換気状態の良い肺胞の血流を増加するので、**酸素化**を効果的に改善する。**換気血流比不均等の是正**が行われることになる。さらにNOは、小さいガス分子のため、肺血管床に近い肺胞への吸入が容易である。またNOは肺血管に作用した後、直ちにヘモグロビンに吸着して不活化されるので、体血管に影響を及ぼさない。したがって、体血圧が低下しにくいことも大きな利点である。

NO吸入療法が有効である場合、その効果は治療開始後30～60分以内に認めることが多い。その時間までに効果を認めない場合は、全身状態や肺の状態の再評価が必要である。NO吸入療法が効果的なpHを調査した報告では[2]、3分の2の例でpH 7.4台がcritical pH（そのpHを境に、急に肺血管抵抗が上昇し、酸素化が悪化するpH値）であったが、脳灌流などを考慮すると、pH ＞ 7.5に維持すべきではない、とした。また肺に吸入する治療であるので、気道を含めた換気状態を見直すべきである。高頻度振動換気（HFO）は一般的に、NO吸入療法の効果を高めるというエビデンスがある（Class Ⅱa、Level B）[3]。また、人工肺サーファクタント投与も考慮すべきである（Class Ⅱa、Level A）[4]。

一酸化窒素吸入療法の実際

コクランライブラリーでは、先天性横隔膜ヘルニアを除く低酸素血症の正期産児やlate-preterm児に対し、20ppmで開始することは妥当であるとしている[1]。現在、保険適応されているアイノフロー®でも原則20ppmで開始するよう記載されている。また20ppm以上のNO濃度では副作用が出現する可能性が高くなり、また効果も差はないと考えられている。

NO吸入療法の副作用として、**メトヘモグロビン血症**が挙げられる。よって、定期的な血中メトヘモグロビン濃度のモニタリングが必要である。血中メトヘモグロビンが2.5％を超えた場合、NOの減量を考慮する。また吸気のNO_2濃度もモニタリングすべきであり、0.5ppmを超えないように管理する必要がある。

前述の報告[1]にて、NO吸入療法には約40％の不応例があることが示された。疾患としては、先天性横隔膜ヘルニアに対するNO吸入療法の有効性にはエビデンスがない。その他、NO吸入療法不応の場合、肺実質の疾患、肺血管の疾患、心不全などの分析が必要である。心機能も経時的に評価すべきであり、特に左心不全は肺静脈圧の上昇を来し、もし心機能が良くなければ、NO に対し肺血管は反応しにくい。NO 吸入療法を行っても酸素化指数（Oxygenation Index；OI）＞40 が持続する場合には、体外式膜型人工肺（ECMO）の適応となる（Class I、Level A)。ECMO は侵襲が大きい治療法であり、習熟した施設での治療が望ましい。

一酸化窒素吸入療法の中止

高い吸入酸素濃度はそれ自体で肺損傷を来すのでまず吸入酸素濃度を下げ、吸入酸素濃度が 0.6 を下回った頃から、NO 濃度の減量を開始する。NO 濃度の減量の際にはリバウンドに注意する。当科では NO 濃度を 5ppm までは比較的素早く減量し、5ppm からはゆっくり漸減し、中止している。NO 療法を中止する際は吸入酸素濃度を 10％増量することが推奨されている。

早産児に対する一酸化窒素吸入療法

早産児への NO 吸入療法の報告が散見され、実際に 30 週未満の児の使用頻度が増している、という報告もあるが[5]、メタアナリシスでは、以下の 3 つのカテゴリーにおいて、いずれも NO 吸入療法の効果は認められていない[6]。

1. 急性期（生後数日）の重症肺疾患に対する NO 吸入療法
2. 生後数日後からの、死亡や気管支肺異形成を減らすためのルチーンの NO 吸入療法
3. 気管支肺異形成のハイリスク児に対する慢性期の NO 吸入療法

新生児循環管理のポイント POINT

- NO 吸入療法時には、吸入 NO 濃度、吸入 NO_2 濃度、吸入酸素濃度を持続でモニタリングしている。それぞれの値の意味を把握し、正確に記録する。
- 吸入 NO 濃度の変更前後でのバイタルサインの変化にも留意する。

引用・参考文献

1）Barrington KJ, et al. Nitric oxide for respiratory failure in infants born at or near term. Cochrane Database Syst Rev. 2017；1(1)：CD000399.
2）Barton AM, et al. The effect of arterial pH on oxygenation persists even in infants treated with inhaled nitric oxide. Pulm Med. 2011；2011：189205.
3）Kinsella JP, et al. Inhaled nitric oxide and high frequency oscillatory ventilation in persistent pulmonary hypertension of the newborn. Eur J Pediatr. 157 (Suppl 1), 1998, S28-30.
4）Lotze A, et al. Multicenter study of surfactant (beractant) use in the treatment of term infants with severe respiratory failure. Survanta in Term Infants Study Group. J Pediatr. 132 (1), 1998, 40-7.
5）Ellsworth MA, et al. Off-label use of inhaled nitric oxide after release of NIH Consensus Statement. Pediatrics. 135 (4), 2015, 643-8.
6）Barrington KJ, et al. Inhaled nitric oxide for respiratory failure in preterm infants. Cochrane Database Syst Rev. 2017；1(1)：CD000509.

川瀬昭彦

●●● レベル3

6 肺血管拡張薬の使用で注意することは？

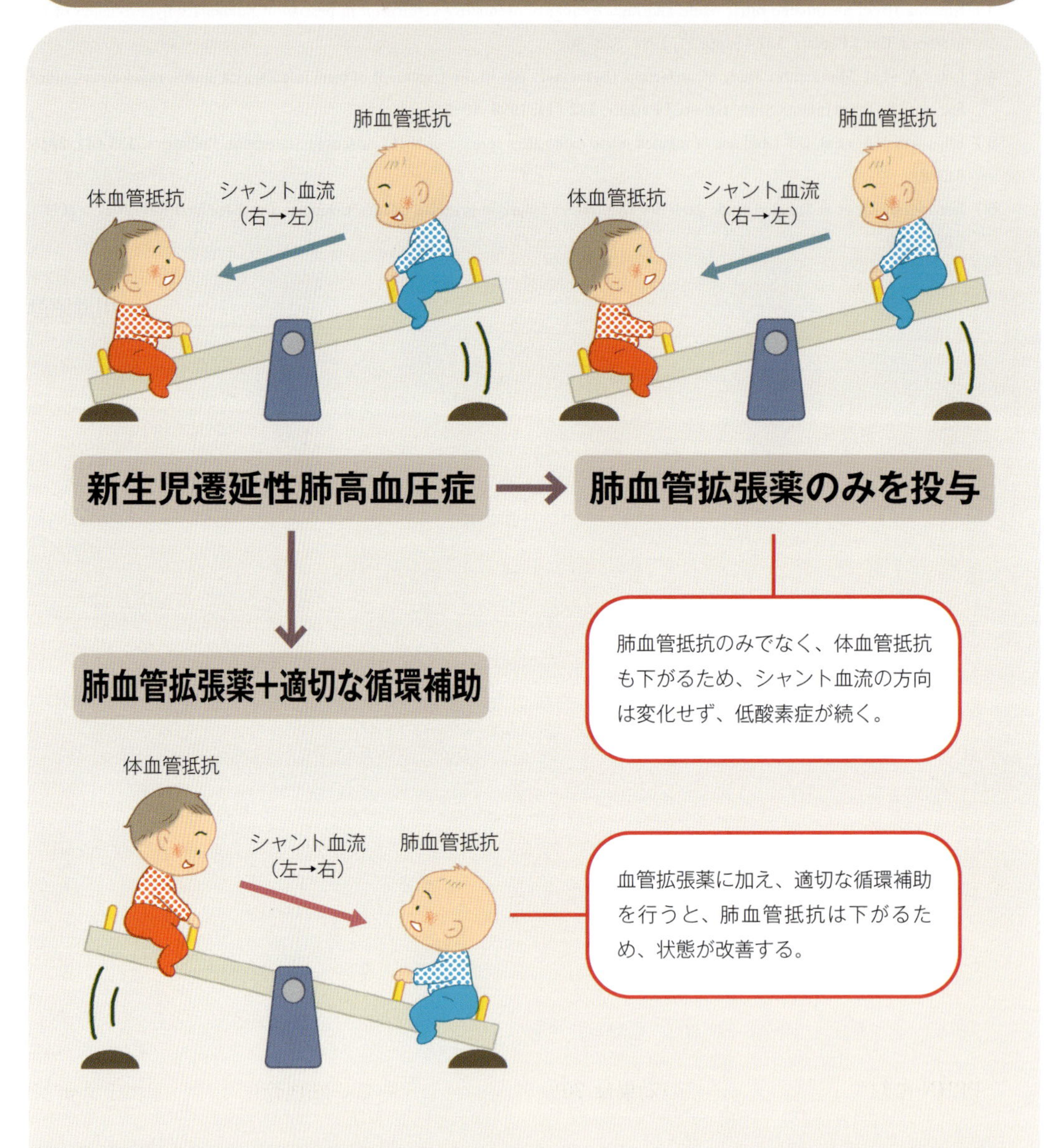

これまでに種々の肺血管拡張薬が使用され、検討されてきた。しかし、後述する一酸化窒素（NO）吸入療法を除き、肺血管単独に作用する静注や内服の血管拡張薬はない。それらは必ず体血管にも作用するため、体血圧の低下をもたらし、むしろ新生児遷延性肺高血圧症（PPHN）の状態を増悪させる可能性がある。PPHN は肺血圧が体血圧を相対的に上回る病態でもあるため、静注や内服の血管拡張薬を投与する場合は、必ず並行して容量負荷や強心薬などによる適切な循環補助を行うことが重要である。

新生児遷延性肺高血圧症に対する血管拡張薬の使用

新生児遷延性肺高血圧症（PPHN）治療のゴールデンスタンダードが一酸化窒素（NO）吸入療法であることは明らかだが、NO 吸入療法が実施できない施設があったり、コスト面、準備面での問題も存在する。ここでは、PPHN に対する**肺血管拡張薬**について述べる[1)]。

1 トラゾリン

非選択性の血管拡張薬で、PPHN に数十年使用されてきた。肺動脈圧は下げるが副作用も強く、静注にて体血圧低下や血小板減少、出血傾向などを来す。気管へのトラゾリン投与は、より選択的に肺血管を拡張させるかもしれない。12 例の検討ではあるが、SpO_2、PaO_2 を著明に上昇させ、体血圧の低下は来さなかった[2)]。しかしエビデンスはなく、現在、PPHN の治療としてルチーンで使用される薬剤ではない。

2 硫酸マグネシウム

マグネシウムは**カルシウム**と拮抗して非選択的に血管拡張をもたらす。マグネシウムはまた**プロスタグランジン（PG）**代謝にも関与し、**アデニル酸シクラーゼ**を活性化し、血管作動薬への平滑筋の反応を減らす。小規模な研究にて肺血管抵抗も下げたが体血圧も低下したという報告がある。コクランライブラリーでは、現在エビデンスはなく、マグネシウムを PPHN の治療に用いることは推奨されないとしている[3)]。

3 ニトログリセリン

直接平滑筋に作用し、低用量では静脈、高用量では静脈および動脈の拡張作用を有する。非特異的血管拡張薬であり、体血圧も下げる。冠動脈拡張作用も有するため、心筋傷害を伴う PPHN の児には有用かもしれない。

4 シルデナフィル、ミルリノン

PPHN に対する NO 吸入療法の効果は 70％という報告もある。肺血管には高濃度のホスホジエステラーゼ（PDE）が存在するので、**シルデナフィル**や**ミルリノン**という PDE 阻害薬の使用が考慮される。シルデナフィルについては経口投与の無作為研究があり、計 13 例という小さい研究ではあるが、PPHN の児に効果を認め、体血圧の低下はなかったと報告されている[4)]。コクランライブラリーでは、シルデナフィル群は死亡率が有意に低く、酸素化はシルデナフィル初回投与後に確実に改善している。また重篤な副作用は認めなかった。結論として、シルデナフィルは NO 吸入療法や高頻度振動換気（HFO）が使用できない環境において、PPHN の治

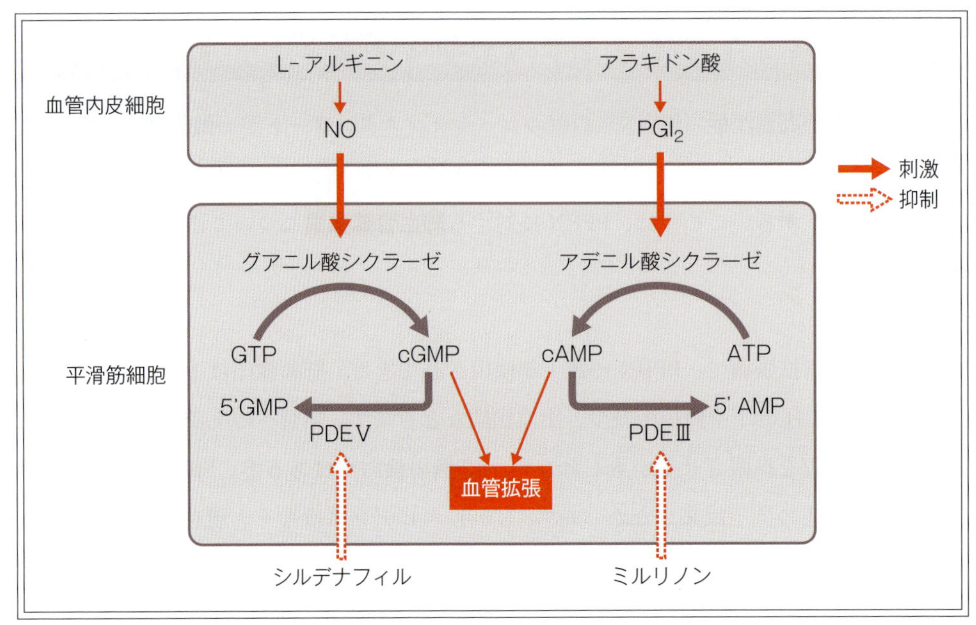

図5-1 肺血管抵抗を調節する因子（文献7より改変）

療に有効な可能性を示した。しかしシルデナフィルと他の肺血管拡張薬の比較については、大規模な無作為化比較試験（RCT）を行うべきだとしている[5]。ミルリノンに関する報告も複数見られるが、いずれも一定の基準を満たすものではなく、結論として、ミルリノンのPPHNに対する効果と安全性は証明されておらず、RCTを行う上でのみ使用するべきだとしている[6]。

5 プロスタグランジン I_2（PGI_2、プロスタサイクリン）

プロスタサイクリンはアデニル酸シクラーゼを刺激し、細胞内のサイクリックAMP（cAMP）を増やすという、NOと異なる経路で血管拡張作用を有する（**図5-1**）[7]。NO吸入療法不応のPPHNの児4例にPGI_2吸入を施行し、うち3例に効果を認めたという報告や[8]、経口で7例に投与し、体血圧も下がったが酸素化も改善したという報告があるが[9]、いずれも少人数の報告に過ぎない。一方、仔羊の実験にて、ミルリノンの前処置にてPGI_2の肺動脈拡張作用が増強した、という報告もあり[10]、今後の研究に期待がかかる。同様に、PGE_1も強い血管拡張作用を有するが、動脈管拡張作用も有するため、適応は限定される。先天性横隔膜ヘルニアではむしろ、動脈管の開存維持の目的でPGE_1を投与するという治療法もある[11]。

6 ボセンタン（エンドセリン受容体拮抗薬）

肺高血圧症の治療薬として期待されている。新生児への使用は、完全大血管転位にPPHNを合併した2例の報告と、小さなRCTでの報告があるが、エビデンスはまだない[12, 13]。新しいRCT（FURURE4試験）の結果は効果が否定的であり、腸管からの吸収が問題とされている[14]。

●

上述したように、肺血管拡張薬の中で、肺動脈に特異的な薬剤は今のところ存在しない。その中で経口シルデナフィル投与は一定のエビデンスレベルのある治療だと思われる（Class Ⅱb、Level B）。しかしNO吸入療法が保険適応となり、多くの施設で治療が可能となった現在においては、血管拡張薬は積極的に用いられる薬剤ではなく、NO吸入療法不応例、NO吸入療法離脱困難例の併用薬、慢性期での使用に限られるのではないだろうか。

新生児循環管理のポイント POINT

- 肺血管拡張薬を静注すると急速に（経口投与では約1時間後に）、体血圧の低下が起こり得る。効果（SpO_2の上昇など）とともに、体血圧の推移を記録する。

引用・参考文献

1）Aschner JL, et al. "New developments in the pathogenesis and management of neonatal pulmonary hypertension". The Newborn Lung. Bancalari, E. ed. Philadelphia, Saunders, 2008, 259.

2）Parida SK, et al. Endotracheal tolazoline administration in neonates with persistent pulmonary hypertension. J Perinatol. 17 (6), 1997, 461-4.

3）Ho JJ, et al. Magnesium sulfate for persistent pulmonary hypertension of the newborn. Cochrane Database Syst. Rev. 2007；(3)：CD00588.

4）Baquero H, et al. Oral sildenafil in infants with persistent pulmonary hypertension of the newborn：A pilot randomized blinded study. Pediatrics. 117 (4), 2006, 1077-83.

5）Kelly LE, et al. Sildenafil for pulmonary hypertension in neonates. Cochrane Database Syst Rev. 2017；8(8):CD005494.

6）Bassler D, et al. Milrinone for persistent pulmonary hypertension of the newborn. Cochrane Database Syst Rev. 2011 : (8) : CD005494.

7）Robin H, et al. Neonatal Pulmonary Hypertension. Pediatr Crit Care Med. 11 (2 Suppl), 2010, S79-84.

8）Kelly LK, et al. Inhaled prostacyclin for term infants with persistent pulmonary hypertension refractory to inhaled nitric oxide. J Pediatr. 141 (6), 2002, 830-2.

9）Nakwan N, et al. Persistent pulmonary hypertension of the newborn successfully treated with beraprost sodium：a retrospective chart review. Neonatology. 99 (1), 2011, 32-7.

10）Lakshminrusimha S, et al. Milrinone enhances relaxation to prostacyclin and iloprost in pulmonary arteries isolated form lambs with persistent pulmonary hypertension of the newborn. Pediatr Crit Care Med. 10 (1), 2009, 106-12.

11）Inamura N, et al. A proposal of the new therapeutic strategy for antenatally diagnosed congenital diaphragmatic hernia. J Pediatr Surg. 40 (8), 2005, 1315-9.

12）Nair J, Lakshminrusimha, S. Update on PPHN : mechanisms and treatment. Semin Perinatol. 38 (2), 2014, 78-91.

13）Mohamed WA, Ismail M. A randomized, double-blind, placebo-controlled, prospective study of bosentan for the treatment of persistent pulmonary hypertension of the newborn. J Perinatol. 32 (8), 2012, 608-13.

14）Steinhorn RH, et al; FUTURE-4 study investigators. Bosentan as adjunctive therapy for persistent pulmonary hypertension of the newborn: Results of the randomized multicenter placebo-controlled exploratory trial. J Pediatr.2016, 177, 90-96.e3.

川瀬昭彦

●●レベル2

7 カテコラミンの使用で注意すべきことは？

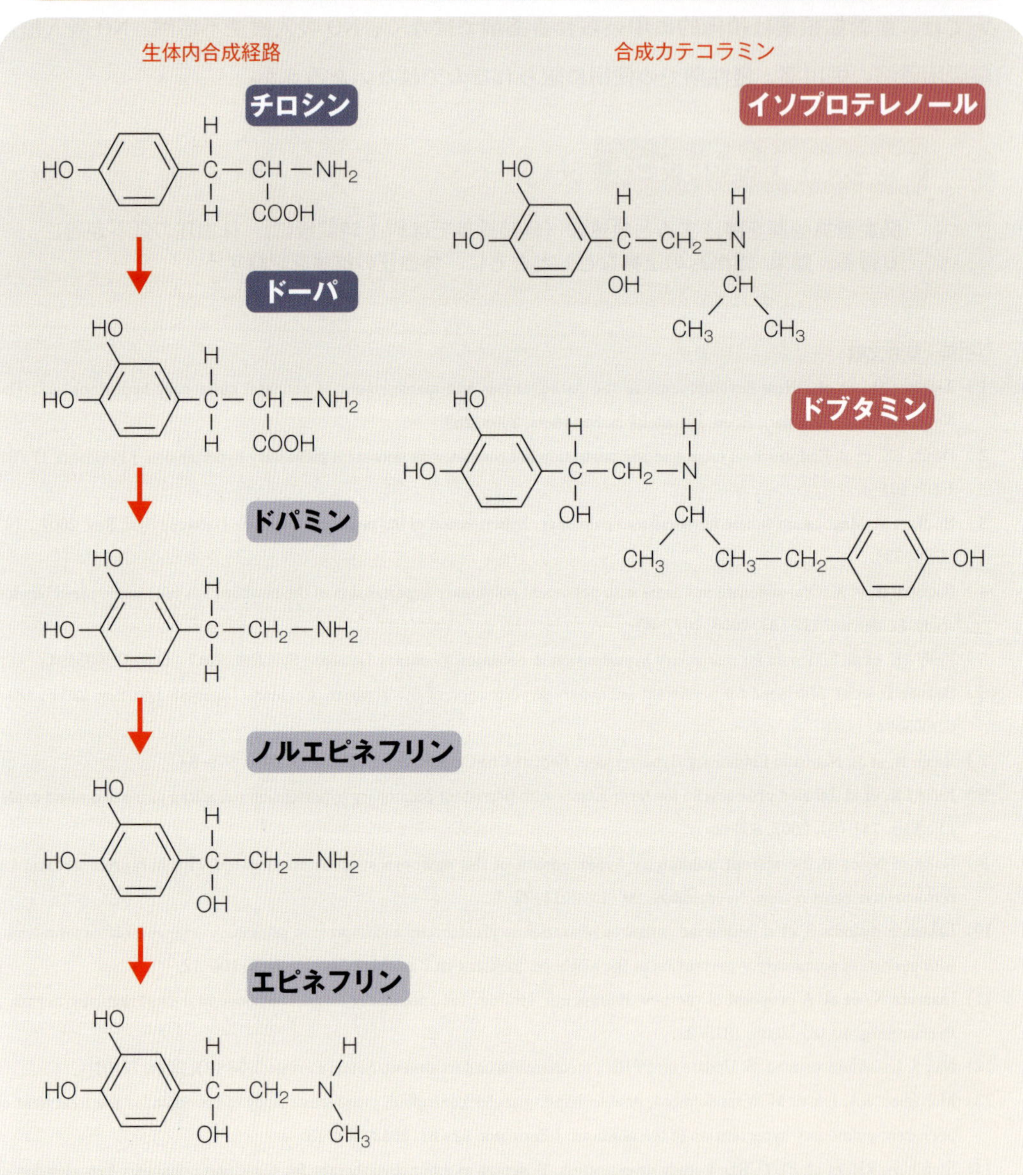

カテコラミン（catecholamines）は、交感神経における代表的な神経伝達物質である、エピネフリン、ノルエピネフリンと、その類縁物質である。内因性の物質の中で、ドパミン、ノルエピネフリン、エピネフリンが、臨床において治療薬としても使用される。また人工的に合成されたカテコラミンも存在し、イソプロテレノール、ドブタミンが代表的薬剤である。この５種のカテコラミンは新生児医療においても使用されるが、伝統的に最も使用されるのがドパミンであり、次いでドブタミンである。

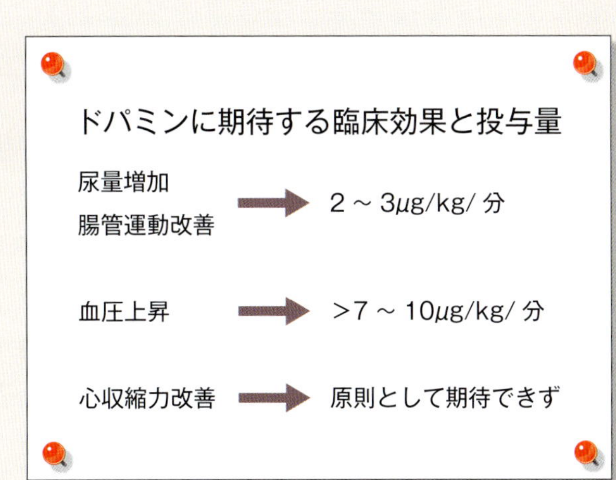

ドパミンは投与量によって、効能が全く異なる物質である。これは投与量によって作用する受容体の種類が異なるからである。低用量では腎・腸管の受容体に作用して、尿量増加・腸管運動改善を、高用量では血管の受容体に作用して、血圧上昇をもたらす。心臓への直接作用は少ないため、心収縮力改善はあまり期待できない。

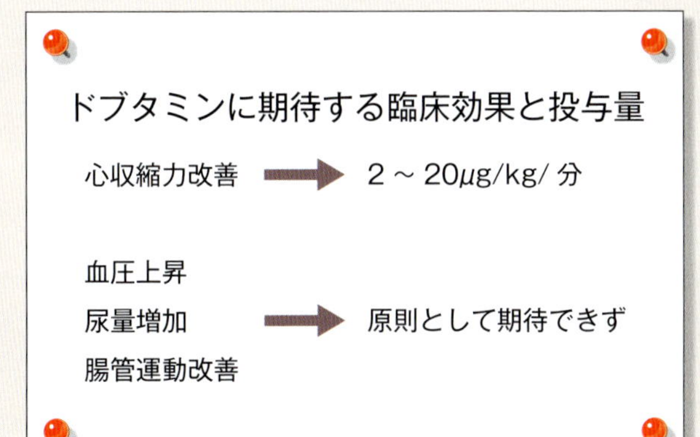

ドブタミンは、ドパミンと大きく異なり、心臓のβ_1受容体に選択的に作用するので、用量依存性に心収縮力を改善する。心収縮力低下に起因する低血圧・乏尿・腸管運動低下でない限り、血圧上昇・尿量増加・腸管運動改善は期待できない。

新生児に対するカテコラミンの使用とその注意点

1 概　論

カテコラミンの臨床応用において、最も留意すべき点は、カテコラミン類に関連する受容体の種類が非常に多いため、同じカテコラミンでも薬剤によって、投与量によって、作用する受容体が異なり、当然作用が非常に多様なことである[1)]。時には同じ薬剤が、投与量によって正反対の作用を表すこともあり、カテコラミンとしてひとくくりに漠然と理解することが許されない。薬剤一つひとつの薬理学的作用機序を個別に理解することが、臨床使用において不可欠である。

2 ドパミン

ドパミンは生体内ではノルエピネフリンの前駆物質であり、中枢神経系においては単独の神経伝達物質としての役割を担っている。生体に投与されたドパミンは非常に多くの受容体に作用するが、おのおのの受容体に対する親和性が異なるため、投与量によって作用が異なる代表的な薬剤である[1)]。まず最も低用量（0.5～2μg/kg/分）においては、腎血管、腸間膜動脈、冠動脈に存在するDopamine受容体に作用し、腎血流、腸管血流、冠血流を増加させ、**尿量増加**や**腸管運動改善**をもたらす。この量では体血圧や心収縮力には影響を及ぼさない。次いで中等量（2～6μg/kg/分）の投与では、Dopamine受容体に加えて心臓のβ_1、β_2受容体への作用が現れる。心臓への作用は$\beta_1 < \beta_2$であり、心収縮力増強作用は強くないが、軽度の**体血圧上昇・心拍出量増加**が現れる。この時点ではまだ、末梢血管に対する作用は明らかでない。高用量（>7～10μg/kg/分）では、末梢血管のα受容体に作用して**血管収縮**や**血圧上昇**を来すが、逆に腎血流や心拍出量は低下する場合がある。

このようにドパミンは最も一般的な昇圧薬ではあるが、新生児において確実な昇圧作用を期待する場合には、過去の報告でも7～10μg/kg/分以上の高用量が必要とされ[2, 3)]、この量では逆に乏尿、心拍出量減少、心収縮力低下を招きかねない[4, 5)]。したがって、新生児臨床においてはよほどのショック時以外は、最初から急激な昇圧効果を狙わず、低～中等量で他の薬剤・治療と併用しながら、緩徐な循環動態改善を目指すのが合理的と考えられる[5, 6)]。

3 ドブタミン

ドブタミンは合成カテコラミンであり、極めて強力なβ_1受容体親和性と、微弱なα・β_2受容体親和性を有し、心臓のβ_1受容体に容量依存性に作用して**心収縮力を改善**する[1)]。その際に心拍数を増加させず、左室充満圧を上昇させず、また末梢血管抵抗を低下させる[1, 5, 6)]。尿量、腸管運動、血圧への効果は原則として期待できない[1, 4)]。新生児における臨床応用としては、2～5μg/kg/分より開始して、心収縮力改善を見ながら10～20μg/kg/分まで増加させる。

新生児における副作用として最も多いのは頻脈であり、また極限量（>20μg/kg/分）ではα作用により腸管血流の低下を来すという報告がある。ドブタミンは心臓以外への作用が期待しにくいため、逆に低用量で心臓への作用が期待できないドパミンと併用することで、臨床的に大きなメリットがあることは古くから新生児医療においてよく知られており、その際は両者2～5μg/kg/分ずつの低用量で投与するのが一般的である。

4 その他のカテコラミン

エピネフリン、ノルエピネフリンは、β_1、β_2いずれにも強い親和性を示し、心収縮力増強作用は強力だが、α作用（末梢血管、腎血管収縮→体血圧上昇、尿量減少）、心拍数増加作用も強いため[1)]、新生児においては急性のショック時、心肺停止時などの場合を除いてはあまり用いられない。また、**イソプロテレノール**はβ_1、β_2受容体に選択的に作用し、α作用は弱いが、**気管支拡張作用**、**心拍数上昇作用**が強い[1)]。β_1選択性の強いドブタミンに比較して、もともと頻拍傾向の新生児におけるメリットがあまりなく、現在ではやはり、急性の心肺蘇生時以外に用いられることは少ない。

新生児循環管理のポイント　POINT

- □ 心拍数の変化はどうか？
- □ 血圧の変化はどうか？
- □ 尿量の変化はどうか？
- □ 皮膚色の変化はどうか？
- □ 末梢血管から投与の際、刺入部の色調の変化や腫脹の有無を確認する。

引用・参考文献

1）Brunton LL, et al., eds. Goodman & Gilman's the Pharmacological Basis of Therapeutics. 11th ed. New York, McGraw-Hill, 2006, 2021p.

2）Miall-Allen VM, et al. Response to dopamine and dobutamine in the preterm infant less than 30 weeks' gestation. Crit Care Med. 17 (11), 1989, 1166-9.

3）Gill AB, et al. Randomized controlled trial of plasma protein fraction versus dopamine in hypotensive very low birthweight infants. Arch Dis Child. 69 (3), 1993, 284-7.

4）Roze JC, et al. Response to dobutamine and dopamine in the hypotensive very preterm infant. Arch Dis Child. 69 (1), 1993, 59-63.

5）中澤誠ほか．ドーパミン，ドブタミン．小児科．37 (3)，1996，221-9.

6）中澤誠ほか．心室中隔欠損におけるドーパミン及びドブタミンの血行動態作用．日本小児科学会雑誌．88 (5)，1984，913-9.

村瀬真紀

●●レベル2

8 副腎皮質ステロイドの使用で注意すべきことは?

ステロイドの代謝マップ

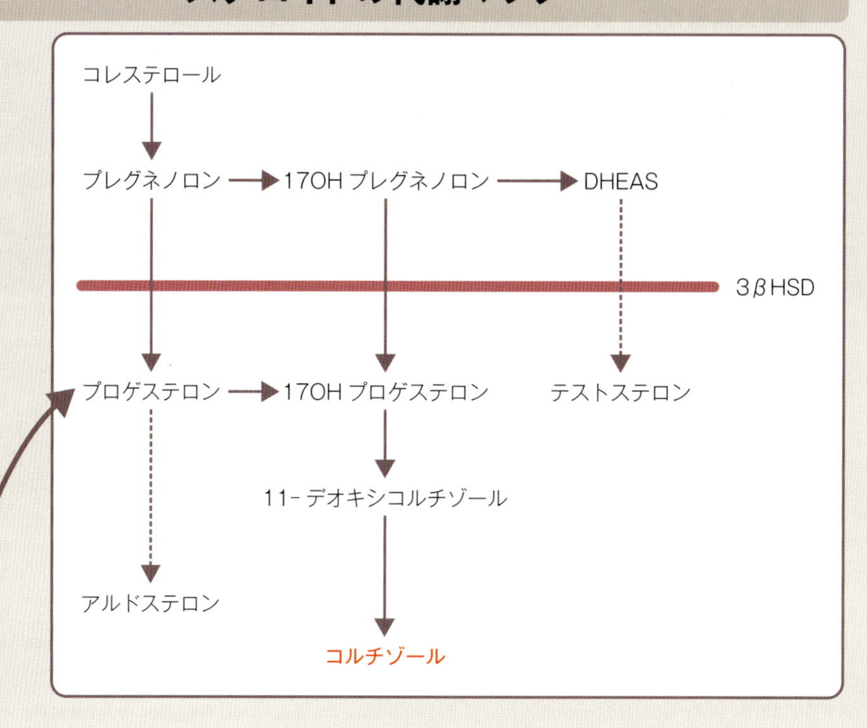

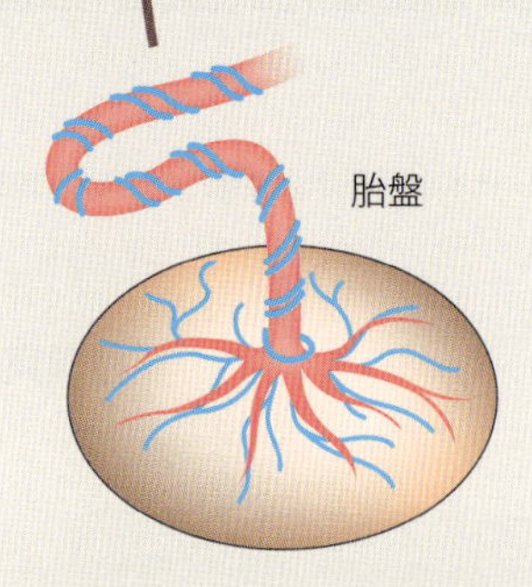

循環不全時の、副腎皮質ステロイドの適応は、主に低血圧をはじめとする絶対的・相対的副腎機能不全時である。心機能を直接的・間接的に高め、昇圧作用を示す。ただし、短期的・長期的副作用が問題となるため、慎重に使用する必要がある。

副腎皮質ステロイドについての理解を深めるには、やはり胎児・新生児の内分泌生理学的な知識を復習する必要がある。

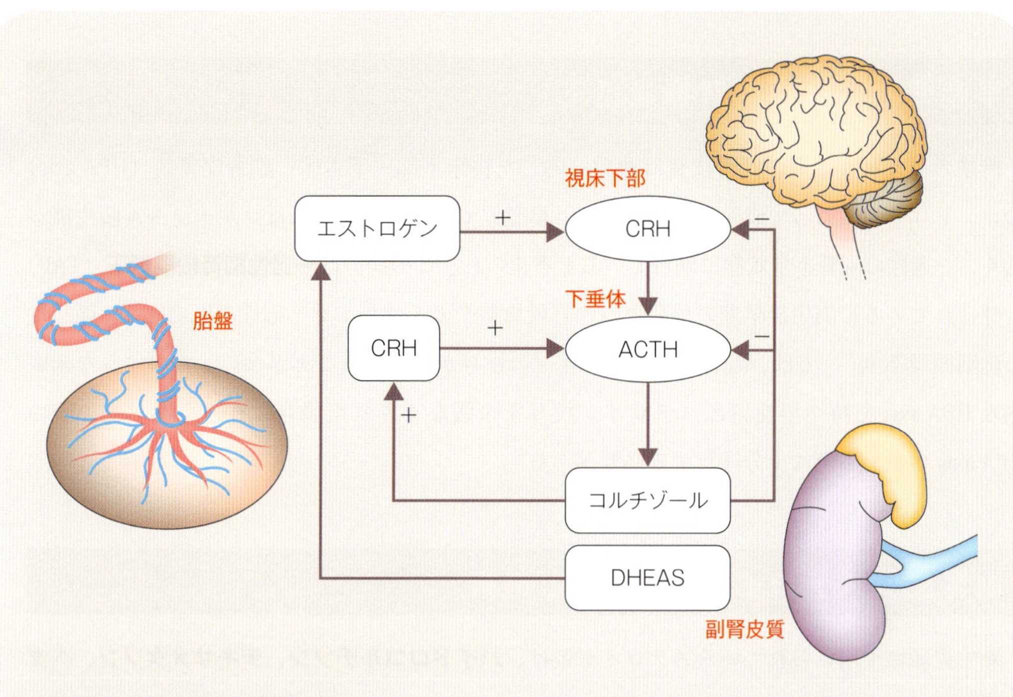

胎児期の副腎皮質の発達過程[1, 2)]

副腎皮質は視床下部・下垂体の影響の下にコルチゾールを産生する。週数に応じた視床下部ー下垂体ー副腎皮質系(HPA axis)のコントロールによって、胎児の副腎皮質は成熟していく。

妊娠初期から中期にかけては、母体のコルチゾールの多くが胎児に移行し、胎児の副腎皮質機能は抑制された状態にある。このままだと胎児の副腎皮質は成熟しないが、妊娠中期になると、胎盤は母体由来のコルチゾールをコルチゾンへと不活化するようになる。胎児の視床下部・下垂体系へのネガティブフィードバックは解除され、胎児の HPA axis が活性化されるようになる。また、胎盤の産生する副腎皮質刺激ホルモン放出ホルモン(CRH)も、胎児の副腎皮質刺激ホルモン(ACTH)産生を刺激するようになり、胎児のコルチゾール産生系が促進される。ただし、在胎 30 週頃までは、3βヒドロキシステロイド脱水素酵素(3βHSD)*という酵素がほとんど活性を持たないため、コレステロールからコルチゾールを産生することができず、その前駆物質であるデヒドロエピアンドロステロンサルフェート(DHEAS)が多く産生される。

この DHEAS は、胎盤でのエストロゲンの産生を誘導し、コルチゾールをコルチゾンに不活化することでポジティブフィードバックループ(positive feedback loop)を形成する。また、胎盤から供給されるプロゲステロンから合成されるコルチゾールは、胎盤からの CRH の分泌を亢進し、もう一つの positive feedback loop を形成する。

そして、妊娠後期に入ると、ようやく 3βHSD 活性が出現するため、胎児副腎はコレステロールからコルチゾールを産生できるようになる。

*ステロイド代謝経路の律速段階となる酵素の一つ。

早産児の一過性副腎機能低下

前述のように、胎児の副腎皮質は週数に応じた視床下部－下垂体－副腎皮質系（HPA axis）のコントロールによって成熟していくため、早産児では、生後早期にはコルチゾール産生能が低く、一過性の副腎不全状態に陥っていると考えられ、この病態は**一過性副腎機能低下**（TAP）と呼ばれている。出生後早期の早産児への容量負荷やカテコラミン不応性の低血圧[3]、亜急性の晩期循環不全[4,5]では、副腎皮質ステロイドの投与が著効することが多い。このような未成熟なHPA axisを持つ早産児にステロイド投与を余儀なくされた場合、その影響やその後のHPA axisの機能不全に十分注意する必要がある[6]。

副腎皮質ステロイド剤の種類と選択

新生児領域で用いられているステロイド剤は、**ハイドロコルチゾン**、**デキサメタゾン**、**ベタメタゾン**が多いと思われるが、それぞれの力価、半減期、ミネラル（鉱質）コルチコイド作用、グルコ（糖質）コルチコイド作用の違いを理解しておく必要がある（**表8-1**）。

グルココルチコイドは、心拍出力増強作用と末梢血管抵抗上昇作用により昇圧する。また、間接的なカテコラミン増強作用がある。ミネラルコルチコイドは、腎尿細管におけるナトリウムの再吸収を高め、循環血液量を増大させることにより昇圧する[7]。

デキサメタゾンやベタメタゾンといった合成副腎皮質ホルモン剤は、ミネラルコルチコイド作用が少なく、いくつかのランダム化比較試験（RCT）ではステロイドの慢性肺疾患（CLD）発症予防効果が示されているが、神経学的予後不良などのリスクがあるため推奨されない[8,9]。

一方、ミネラルコルチコイド作用を有するハイドロコルチゾンは早産児晩期循環不全に有効

表8-1 ステロイド剤の作用の比較

	血中半減期（時間）	グルコ（糖質）コルチコイド作用*	ミネラル（鉱質）コルチコイド作用*
ハイドロコルチゾン	1.2	1	1
コルチゾン	1.2	0.7	0.7
プレドニゾロン	1.5	4	0.8
メチルプレドニゾロン	2.8	5	≒0
デキサメタゾン	3.5	25	≒0
ベタメタゾン	3.3	25	≒0

*ハイドロコルチゾンを1としたときの力価

であることや、慢性肺疾患予防目的のハイドロコルチゾンの少量早期投与の研究において2歳時までの発達に悪影響はないとの報告があるなど[10)]、デキサメタゾンと比較して中枢神経系への影響が少ないと期待されており、現時点での第一選択薬はハイドロコルチゾンと考えられる[11)]。

副腎皮質ステロイド剤の投与量[2)]

グルコ（糖質）コルチコイドの生理的補充量は0.5～1.0mg/kg/日程度とされている。急性期離脱後の副腎機能低下（**晩期循環不全**）が、**相対的副腎不全**によると考えられる根拠の一つとして、生理的補充量のグルコ（糖質）コルチコイド投与が著効することが挙げられる。一方、少量のグルコ（糖質）コルチコイドではまったく反応せず、より大量のグルコ（糖質）コルチコイドの投与を要する場合もあり、短期的・長期的な副作用が問題となる。

引用・参考文献

1）河井昌彦．早産児の副腎皮質機能．Neonatal Care．23（3），2010，312-7.
2）山田恭聖．早産児の副腎皮質機能低下症．周産期医学．35（2），2005，1655-9.
3）Seri I. Management of hypotension and low systemic blood flow in the very low birth weight neonate during the first postnatal week. J Perinatol. 26, 2006, S8-13.
4）Shimokaze T, et al. Late-onset glucocorticoid-responsive circulatory collapse in preterm infants: clinical characteristics of 14 patients. Tohoku J Exp Med. 235（3），2015, 241-8.
5）Kawai M, et al. Nationwide surveillance of circulatory collapse associated with levothyroxine administration in very-low-birthweight infants in Japan. Pediatr Int. 54（2），2012, 177-81.
6）山田恭聖．“周産期のステロイド投与が児の副腎機能に及ぼす影響”．新生児内分泌ハンドブック．新生児内分泌研究会編．大阪，メディカ出版，2008，191-9.
7）河井昌彦．“早産児の循環不全に対するステロイド療法”．新生児内分泌ハンドブック．新生児内分泌研究会編．大阪，メディカ出版，2020，237-43.
8）Doyle LW, et al. Early（< 8 days）systemic postnatal corticosteroids for prevention of bronchopulmonary dysplasia in preterm infants. Cochrane Database Syst Rev. 10（10），2017, CD001146.
9）Doyle LW, et al. Late（> 7 days）systemic postnatal corticosteroids for prevention of bronchopulmonary dysplasia in preterm infants. Cochrane Database Syst Rev. 10（10），2017, CD001145.
10）Baud O, et al; PREMILOC Trial Group. Association between early low-dose hydrocortisone therapy in extremely preterm neonates and neurodevelopmental outcomes at 2 Years of Age. JAMA. 317(13), 2017, 1329-37.
11）丹羽房子．“ 周産期のステロイド投与が時に及ぼす長期的な影響 ”．新版　新生児内分泌ハンドブック．新生児内分泌研究会編．大阪，メディカ出版，2020，253-63.

白石　淳

●●レベル2

9 容量負荷で注意すべきことは?

新生児に見られる容量負荷の対象となるショックの原因

循環血液量減少性ショック
• 分娩前血液喪失 ①胎盤早期剝離 ②前置胎盤 ③双胎間輸血症候群 ④胎児母体間輸血 • 分娩後血液喪失 ①凝固障害 ②ビタミンK 欠乏症 ③分娩外傷：帽状腱膜下出血、肝損傷、副腎出血、頭蓋内出血など ④医原性：カテーテル誤操作など
循環血液分布異常性ショック
• 敗血症性 • 神経原性：新生児仮死後、頭蓋内出血後など • 内分泌性：副腎皮質過形成、副腎出血など • アレルギー性：アナフィラキシー、薬剤性

（文献1より改変）

体外への喪失により循環血液量が減少することで心拍出量が低下し、心臓や血管床の容積が縮小
➡容量負荷の適応

末梢血管拡張と血管透過性亢進により相対的に血液内容量が不足
➡容量負荷の適応
ただし、他の治療と併用

循環不全時の容量負荷の適応は、循環血液量減少や循環血液分布異常によるショック時である。

循環血液量減少性ショックとは、血液および水分や電解質などの体液が、体外へ喪失するため循環血液量の低下を来し、循環不全に陥った状態である。循環血液量の減少は心拍出量の低下を招き、心臓も血管床も容積が縮小した状態となり、容量負荷の適応となる。

また、循環血液分布異常性ショックとは、血液内容量の総量は正常であるものの、末梢血管拡張と血管透過性亢進により相対的な血管内容量の不足が生じ、循環不全に至った状態である。敗血症性ショックの初期、アナフィラキシーショック、神経原性ショック、内分泌性ショックなどが含まれ、これらの場合も容量負荷の適応となるが、原病に対する治療や心血管作動薬などとの併用療法が考慮される。

容量負荷の方法[1)]

正期産児では、10 ～ 20mL/kg 相当の**生理食塩水**または**乳酸リンゲル液**を 30 ～ 60 分で投与して再評価する。極低出生体重児では、過度な急速輸液が頭蓋内出血の誘因となる可能性があるため、30 分以上かけて負荷し、2 ～ 4mL/kg の投与で再評価する。新生児に容量負荷をかける際に、新鮮凍結血漿や血液蛋白製剤（アルブミン製剤など）が生理食塩水や乳酸リンゲル液よりも優れているというエビデンスはなく[2)]、血液製剤の安易な使用は避けるべきである。明らかな出血性ショック状態、貧血状態においては、輸液療法とともに濃厚赤血球液 5 ～ 10mL/kg を 30 ～ 60 分で輸血し、その後に必要量の補充を行う。

出生時の新生児蘇生における容量負荷[3)]

胎盤早期剝離、前置胎盤、臍帯からの出血、胎児母体間輸血、双胎間輸血症候群などの病歴があり、また病歴は不明でも明らかな循環血液量の減少によるショックのために十分な蘇生の効果が得られていないと考えられる場合には、循環血液増加薬の使用を考慮する。使用が推奨されている**循環血液増加薬**は生理食塩水で、その他乳酸リンゲル液、また胎児期から貧血が考えられる場合には O 型 Rh（－）の濃厚赤血球も使用可能である。

使用量は 10mL/kg を臍帯静脈などから経静脈的に 5 ～ 10 分かけて投与する。反応が不良な場合は、もう一度同量を投与する。大量の血液損失が予想される場合には、これ以上の投与が必要かもしれない。

アドレナリン投与にもかかわらず状態改善のない出血のある新生児に対して、循環血液増加薬による早期の補充療法が適応となるが、出血を伴わない新生児に対して循環血液増加薬の補充をルーチンに行うことを支持するエビデンスはないことから、薬物投与において循環血液増加薬の投与はアドレナリン投与に先行して行うものではない。

引用・参考文献

1）飯嶋重雄，与田仁志．“ショック”．周産期診療指針 2010．周産期医学増刊．東京，東京医学社，2010，696-700．

2）Osborn, DA, et al. Early volume expansion for prevention of morbidity and mortality in very preterm infants. Cochrane Database Syst. Rev. 2004 ; (2) : CD002055. Review.

4）草川功．“薬物投与”．日本版救急蘇生ガイドライン 2020 に基づく新生児蘇生法テキスト．細野茂春監修．第 4 版．東京，メジカルビュー社，2021，102-7．

白石　淳

●●●レベル3

10 肺血流増加型先天性心疾患はどう管理する？ ～呼吸管理を中心に～

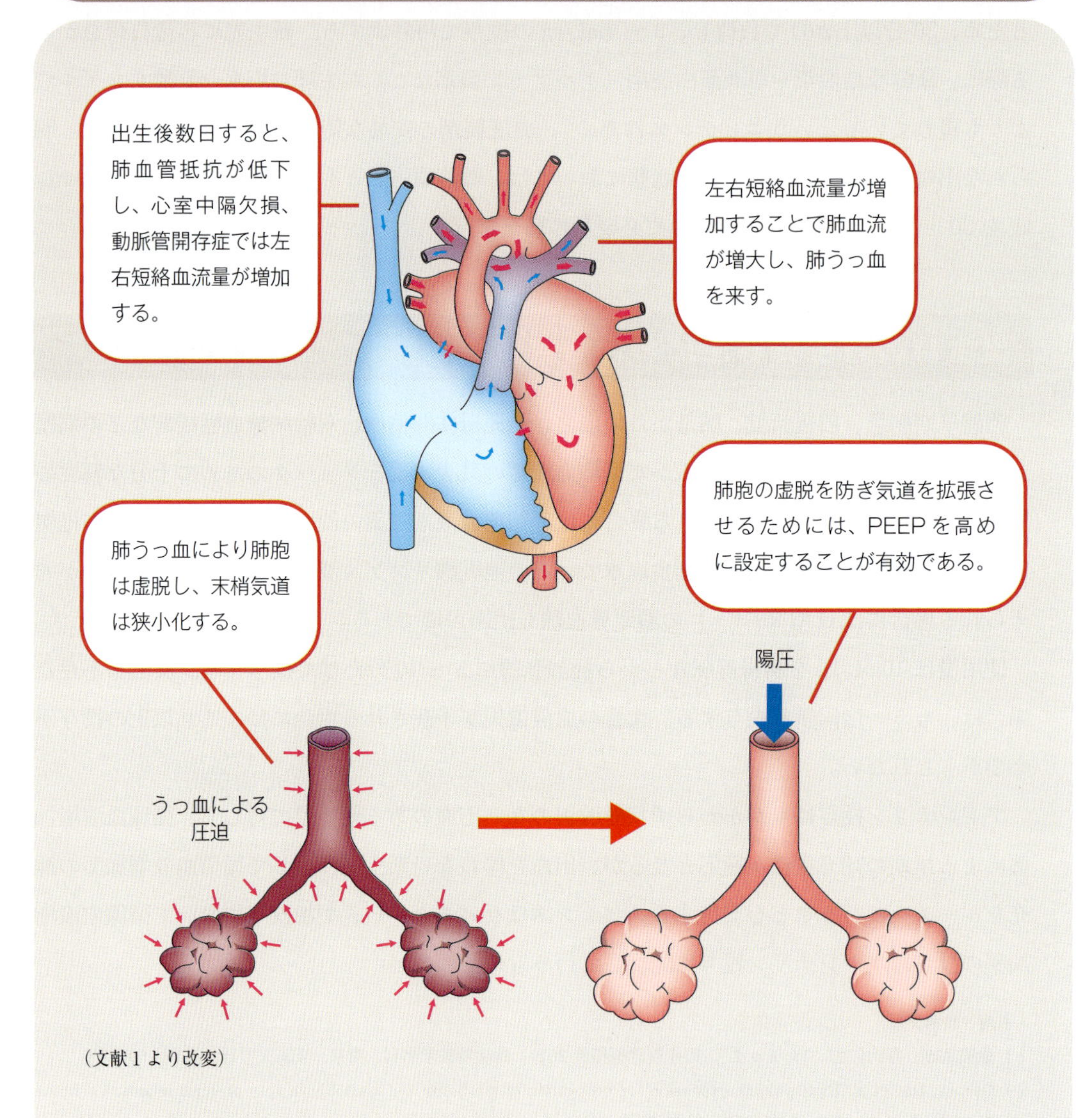

（文献1より改変）

肺血流増加型先天性心疾患には心室中隔欠損（VSD）、動脈管開存症（PDA）、総動脈幹症、総肺静脈還流異常（TAPVC）、大動脈縮窄複合、大血管転位（TGA）などがある。VSD、PDAを例に挙げると、出生後に肺血管抵抗の低下に伴い、動脈管や心室中隔の欠損孔を介し左右短絡血流量が増加し、肺血流が一層増加するため肺うっ血を来す。肺うっ血により肺胞や末梢気道が周囲の組織から圧迫され、末梢気道が狭くなり肺胞は虚脱しやすくなるため呼吸障害を来す。

気道を拡張し、肺胞の虚脱を防ぐためには、経鼻式持続陽圧呼吸（nasal CPAP）や人工換気の呼気終末陽圧（PEEP）の設定圧を高めにして呼吸管理を行うことが有効である。

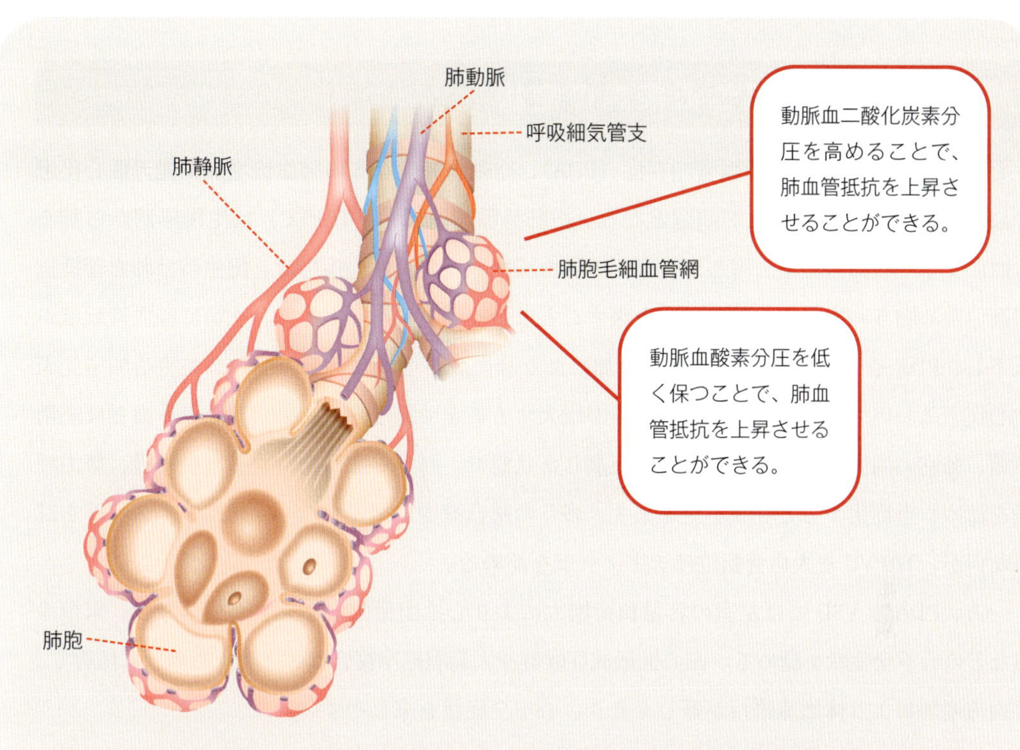

増加した肺血流を減らすために、調節呼吸で動脈血二酸化炭素分圧を50mmHg以上に保つこと、もしくは混合窒素による低酸素吸入療法により酸素濃度を下げ動脈血酸素分圧を低く保つことで、肺血管抵抗を上昇させることができる。

肺血流増加型先天性心疾患の症状

心室中隔欠損（VSD）、動脈管開存症（PDA）、総動脈幹症などの肺血流増加型先天性心疾患では、肺うっ血を来すことが問題となる。総肺静脈還流異常（TAPVC）は生後早期から肺うっ血による呼吸障害を来し得るが、多くの肺血流増加型先天性心疾患は、出生時は肺血管抵抗が高いため肺うっ血による呼吸障害を来すことは少ない。しかし出生後、次第に肺血管抵抗が低下し、PDA や VSD では左右短絡の増加により肺血流が増大し、その他の肺血流増加型先天性心疾患においても体血流に比し肺血流が増大することで肺うっ血を来す。肺うっ血とは末梢気道、肺胞の周囲の毛細血管に血液が充満した状態で、肺うっ血が進行すると多呼吸、努力呼吸を認め、重症化すると呼吸不全を来す。多くの肺血流増加型先天性心疾患はチアノーゼを認めないが、TAPVC や大血管転位はチアノーゼを認める。

一方、PDA や VSD では左室の容量負荷増大により心拍出量低下を来すと尿量減少、末梢冷感などの心不全症状を認める。左心低形成症候群や大動脈縮窄複合は体血流を動脈管に依存し、肺血流増加により体血流維持が難しくなり、心不全症状を来しやすい。

肺血流増加型先天性心疾患の管理～呼吸管理を中心に～

ミニマルハンドリングを心がけ全身管理を行うことが基本となる。肺うっ血による呼吸障害に対応するためには、肺胞の虚脱を防ぎ、気道を拡張させることが必要になる。その対応として nasal CPAP や陽圧換気の**PEEP を高めに設定**する方法がある。**nasal CPAP** は、自発呼吸下で経鼻式に呼気吸気を通じて持続的に陽圧をかける方法で、PFFP は 10cmH_2O 以下であれば心拍出量に影響を与えないとの報告があるが[2]、肺の過膨張や無気肺を来すことなく適切な肺容量を保つには、おおむね PEEP を 4 ～ 7cmH_2O 程度で管理することが適当と思われる。

肺うっ血が高度で呼吸不全が改善しない場合や心不全症状が強い場合、**肺血管抵抗を上昇**させて**肺血流を減少**させる治療が求められる。肺血管抵抗を上昇させる方法として、胸腔内圧を高くすること、アシドーシスにすること、動脈血二酸化炭素分圧（$PaCO_2$）を高く保つこと、もしくは動脈血酸素分圧（PaO_2）を低く保つことなどが挙げられる[3]。$PaCO_2$ を 50～60mmHg、症例によってはさらに高い値に保つために、鎮静薬や筋弛緩薬を用いて調節呼吸を行う。この治療の問題は、無気肺、感染などを引き起こすリスクが高いことである。

PaO_2 を低く保つためには吸入酸素濃度（F_IO_2）を下げる必要があり、酸素投与を中止する。最近では、F_IO_2 が 0.21 より低くなるように混合窒素を用いた**低酸素吸入療法**が行われている[4]。自発呼吸下で直接低酸素ガスを吸入させることも可能である。PaO_2 は連続モニタリングできないので、経皮動脈血酸素飽和度（SpO_2）をモニタリングし、左心低形成症候群やその類縁疾

患では SpO_2 を75～80％、それ以外は80％前後になるように F_IO_2 を調節する[5)]。2005～2008年に行われた肺血流増加型先天性心疾患に対する低酸素吸入療法に関するアンケート調査で、安定した状態で手術到達することが示された。したがって、手術待機時の有効な治療法の一つと考えられる[6)]。低酸素吸入療法の詳細は6章11「低酸素吸入療法って何？ どんなときに使う？」を参照していただきたい。

最近では低出生体重児の症例も数多く管理され、早期の根治術が困難な症例では調節呼吸、低酸素吸入療法の長期化が問題となる。基礎となる先天性心疾患の病態だけでなく、手術リスクが症例によって大きく異なるため、心臓外科医との連携を密にし、姑息術、心内修復術を行う時期を検討する。

新生児循環管理のポイント POINT

- □ 呼吸状態はどうか？　陥没呼吸、多呼吸、無呼吸？
- □ SpO_2 は何％か？
- □ 心拍数、血圧はいくつか？
- □ 尿量はどれぐらいか？
- □ 経皮二酸化炭素分圧もしくは呼気二酸化炭素分圧はどれくらいか？

引用・参考文献

1）髙橋長裕．図解先天性心疾患：血行動態の理解と外科治療．第2版．東京，医学書院，2007，232p.
2）Hsu HS, et al. Effect of continuous positive airway pressure on cardiac output in neonates. Zhonghua Min Guo Xiao Er Ke Yi Xue Hui Za Zhi. 37 (5), 1996, 353-6.
3）Stokes MA, "Anesthetic and perioperative management". Pediatric Cardiac Anesthesia. 4th ed. Lake CL, ed. Philadelphia, Lippincott Williams & Wilkins, 2005, 174-89.
4）清水美妃子．窒素（N_2）による低酸素性呼吸管理．周産期医学．41（1），2011，100-3.
5）豊島勝昭．"先天性心疾患"．周産期診療指針2010．周産期医学増刊．東京，東京医学社，2010，673-7.
6）石澤瞭．肺血流量増加型先天性心疾患に対する低酸素濃度ガス吸入療法の効果と安全性に関する基礎的・臨床的研究．成育医療研究委託事業（17公-5）.

千葉洋夫

●●● レベル3

11 低酸素吸入療法って何？どんなときに使う？

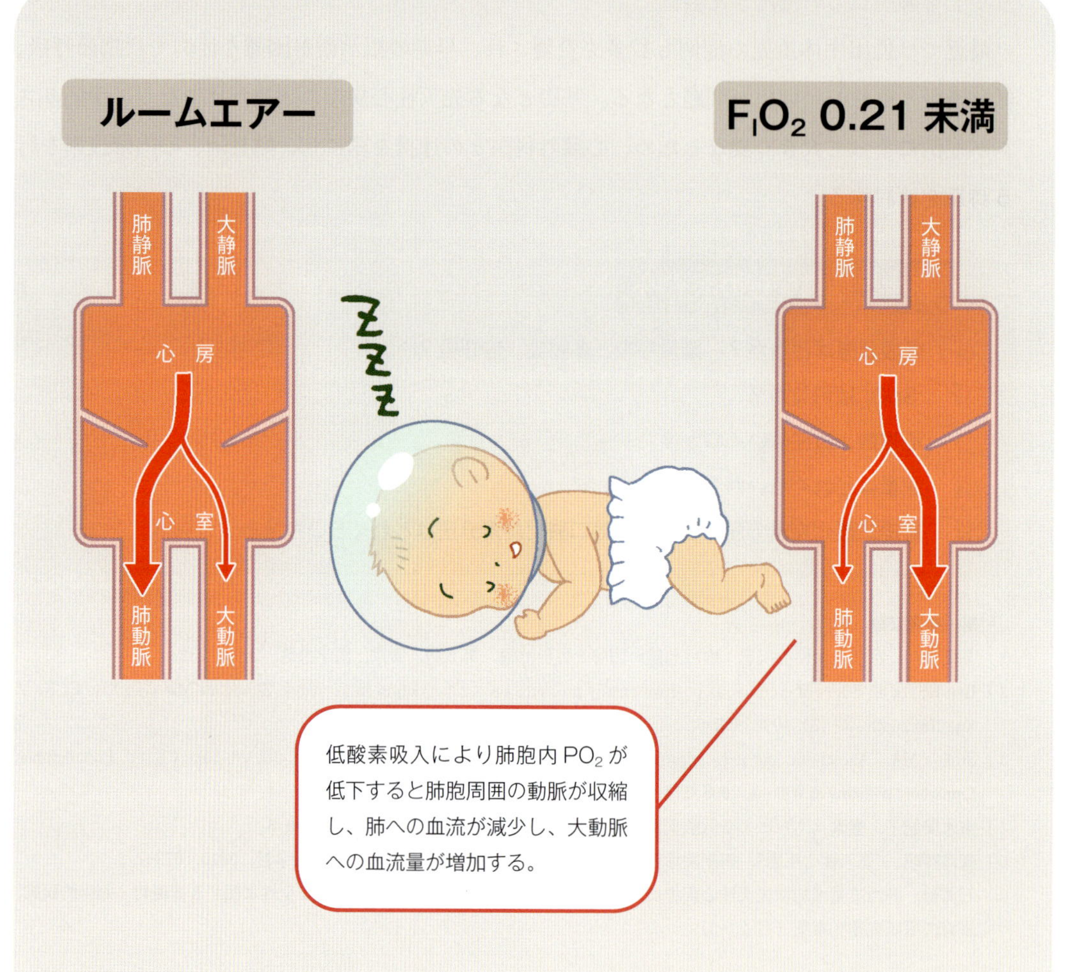

左心系（肺静脈、左房、左室、大動脈）と右心系（体静脈、右房、右室、肺動脈）との間にシャントがあると、血液はより低圧系である右心系に流れ込みやすくなる（肺血流増加型先天性心疾患）。このため、心臓、肺循環への容量負荷となり、多呼吸などの呼吸障害を伴う心不全症状を呈する。特に、左心低形成症候群など一部の肺血流増加型先天性心疾患では、生理的な肺高血圧が改善する生後２～３日頃から、高度の肺血流量増加および体血流量減少によりショック状態（高肺血流性ショック）を呈することがある。

低酸素吸入療法は21％よりも低い酸素濃度のガスを吸入し、肺胞気 PO_2 を低下させ、肺胞周囲の動脈を収縮（低酸素性肺血管収縮）させることにより肺血流を減少させ、かつ大動脈（体循環）への血流を増加させる治療法である。

肺血流増加型先天性心疾患の一般的管理

肺血流増加型心疾患の管理の基本は、高肺血流に伴う心臓、肺の負担を軽減することである。つまり、肺血流を減らしてあげることが治療の基本になる。

肺血流を減らすには二つの方法がある。一つは全体の循環血液量を減らすこと（投与水分量の減量、利尿薬投与）で、もう一つは血管抵抗を調節して肺への血流量を抑えることである（肺血管抵抗⬆：肺胞気 PO_2 ⬇、アシドーシス、高気道内圧など。体血管抵抗⬇：血管拡張薬、末梢の保温）。また、心筋が容量負荷に耐えることができるように強心薬を使用することもある。

低酸素吸入療法の適応となる肺血流増加型先天性心疾患

体循環を担う左心系（左房、左室、大動脈）と肺循環を担う右心系（右房、右室、肺動脈）との間に交通を有する先天性心疾患の場合、シャント血流は低圧系の右心系に流入しやすくなる。これにより、肺血流量（Qp）は増加し、体血流量（Qs）は減少する。体血流量の減少を代償するために、心拍数が増加するが、心臓にとっては仕事量（容量負荷）がさらに増加する結果となり、代償機構が破綻すると心不全やショックに至る。

ところが、このような肺血流増加型の先天性心疾患を有する児の多くは、胎児期に心不全を発症していない。胎児期は肺血管が収縮していて肺血管抵抗が高いため、交通があっても右心系に血液が流れにくいためである。そして、生後の肺血管を拡張させる代表的な因子が酸素である。

上記を逆手にとって、21％よりも低い酸素濃度のガス（通常15～20％）を吸入し、肺胞周囲の末梢肺動脈を収縮させることで、肺血流を減少させ体血流を増加させる、いわゆる胎児期の血行動態に戻す治療法が、低酸素吸入療法（N_2 吸入療法）である。

したがって低酸素吸入療法は、肺血流増加型先天性心疾患、その中でも左心低形成症候群、大動脈弓離断や大動脈縮窄複合、総動脈幹症や大動脈肺動脈窓、肺動脈狭窄のない単心室形態のように、早期に重度の肺血流過多を来す疾患が主な適応となる。

吸入方法

空気や人工空気と窒素ガスを混合して低酸素ガスとし、吸入させる。呼吸不全も合併する場合は、挿管人工呼吸管理下で使用するが、非定常流式の人工呼吸器の吸気回路に窒素ガスを混合する場合は、人工呼吸器からの空気ガス流量が一定でないため、投与酸素濃度も変動するこ

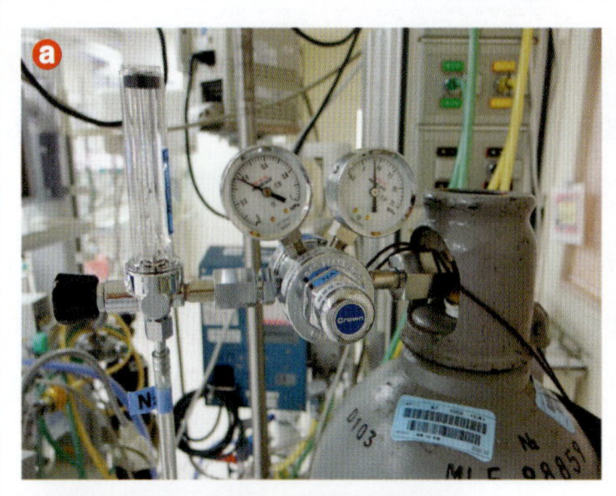

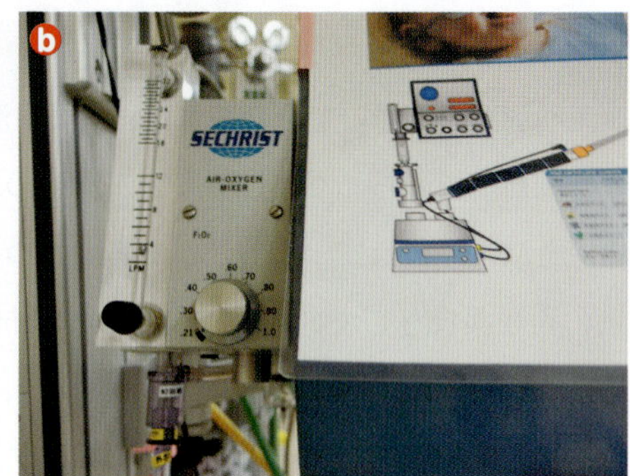

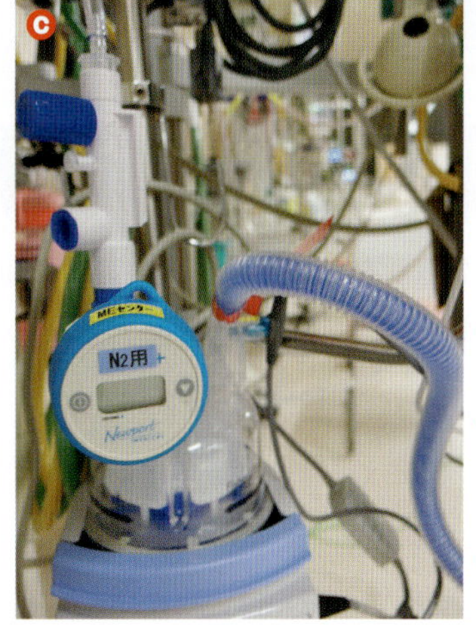

ⓐ工業用窒素ガスボンベから、窒素ガスを得る。窒素量は流量計で調節する。
ⓑ酸素ブレンダー（酸素濃度は21%に原則固定）から人工空気を得る。空気量は流量計で調節。ブレンダーから人工空気が送出したところで、窒素を混合させる。
ⓒ酸素濃度は、窒素と人工空気それぞれの流量計で調整するが、最終的に濃度計で確認する。

図11-1 低酸素吸入療法の回路

とに留意が必要である。投与回路を**図11-1**に示す。

開始時期

低酸素吸入療法を行う理由として、以下が挙げられる。

①手術を予定していた児の心不全が急性増悪した際の緊急避難的治療

②体格が小さいなど何らかの理由で手術を待機せざるを得ない場合の心不全コントロール

①の場合、経皮酸素飽和度（SpO_2）高値に加えて呼吸窮迫症状、皮膚色不良、尿量減少、血液中乳酸値上昇のいずれかが認められる場合に開始している。②のように、手術までの待期期間が長期になることが予想される場合、特に早産児や体格が著明に小さい児においては心機能の予備力がないため、胸部X線所見（肺血管陰影や心胸郭比）や心エコー所見を参考にしながら、多呼吸傾向などの比較的軽微な症状でも開始している。また、左心低形成症候群のように動脈管を介して体血流を右心系血流に依存している疾患では、プロスタグランジンE_1製剤

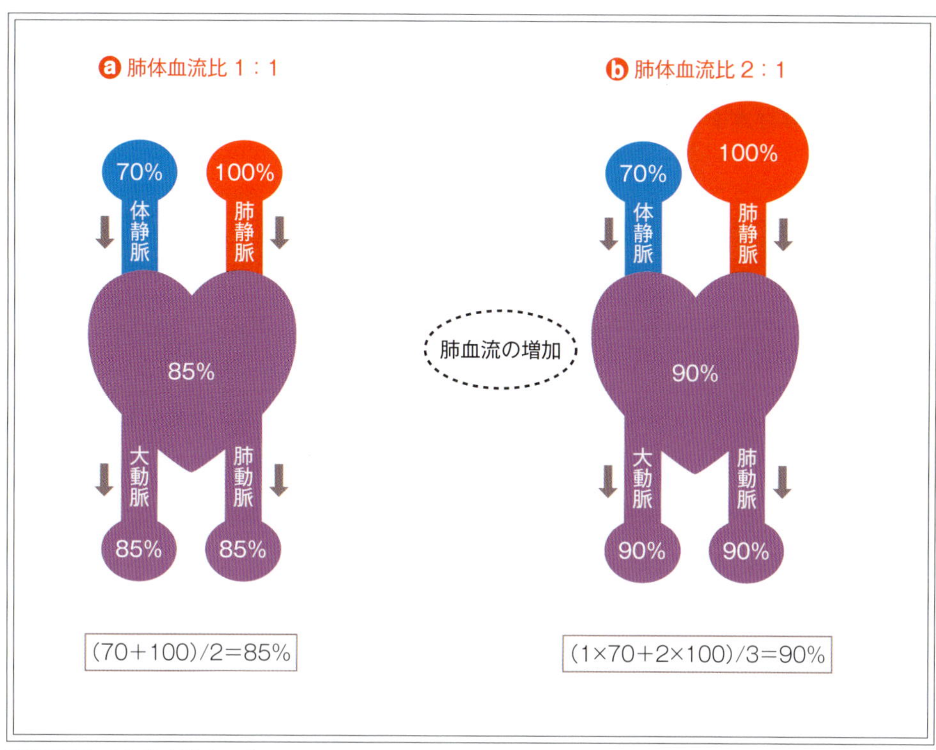

図11-2 吸入酸素濃度の考え方

（PGE_1）で動脈管開存を維持しても、生後時間とともに肺血管抵抗が下がり、また PGE_1 自体に肺血管拡張作用があるため、SpO_2 が高値であれば、その他の症状が出現していなくとも開始している。

目標の経皮的動脈血酸素飽和度（SpO_2）、動脈血酸素飽和度（SaO_2）

低酸素吸入療法中の目標 SpO_2 や SaO_2 は確立されていないが、目安として、その疾患の肺体血流比（Qp/Qs）が1：1（すなわち肺血流増加がない状態）の時の SpO_2、SaO_2 が目標となる。左房に戻ってくる肺静脈血酸素飽和度と右房に戻ってくる混合静脈血の酸素飽和度をそれぞれ100％、70％と仮定すると、心内で動脈血と静脈血が完全に混合する疾患（単心室など）の場合は、Qp/Qs 1：1の場合でも SpO_2、SaO_2 は（100＋70）/2 ＝ 85％となり、これを目標に吸入酸素濃度を調節する（**図11-2-a**）。

一方、Qp/Qs が1：1でも SpO_2、SaO_2 が90％後半〜100％になる心疾患（心室中隔欠損や房室中隔欠損、大動脈縮窄複合の右上肢）の場合は、本来は SpO_2 90％後半が目標になるが、それでは肺血流過多になっても SpO_2 の変化として捉えられないため、低酸素療法を行う場合には、90％前半を管理目標にすることが多い。

図11-2-ⓑの場合のように肺血流量が体血流量の2倍となる場合、図の計算のように大動脈を流れる血液の酸素飽和度 SaO_2 は90%となる。つまり、単心室型の心臓の場合、血流量を考えると $SaO_2$90%は高すぎることになる。

当院の工夫

1 吸入方法

本来、ヘッドボックスを用いる方法で安定した濃度を吸入できるが、哺乳がしにくく、啼泣時にあやすことが難しいなどの欠点がある。心不全の児では酸素消費量を減らす目的で安静を保つことが重要であるため、哺乳や抱っこのしやすい鼻カニュラを使用して吸入する場合もある。当院では、安静を保つ、加湿をしっかりかける、外れにくく抱っこしやすいなどの点から、高流量鼻カニュラシステム（HFNC）を用いることが多い。HFNCは一方で二酸化炭素の洗い出し効果も有するため、換気改善に伴う肺血管抵抗低下には注意する。

流量は、鼻カニュラであれば1～3L/分、HFNCであれば新生児期の場合、4～6L/分で使用している。

2 窒素の供給源

従来使用してきた窒素ボンベは巨大で極めて重く、設置にスペースを要し、地震などで倒れたりすると危険を要すると考えられた。災害時対応も重要視されつつある近年であり、当院NICUでは窒素ガスも中央配管様式に変更した（**図11-3**）。

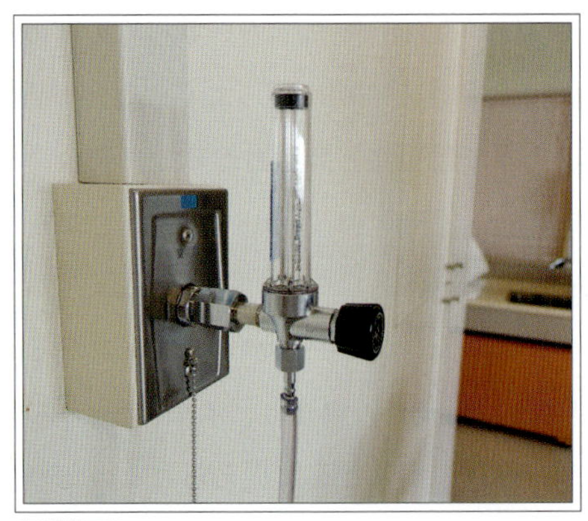

図11-3 窒素供給源の変更（中央配管方式）

表11-1 低酸素吸入療法と高二酸化炭素療法の比較

	低酸素吸入療法	高二酸化炭素療法
鎮静・筋弛緩	不要	必要
人工呼吸管理	不要	必要
経腸栄養	可能	困難
アシドーシス	生じにくい	生じやすい
低酸素血症	生じる	生じにくい

留意点

心疾患児を診療していると、どうしても循環状態にのみ目が向きがちだが、呼吸の観点も忘れてはならない。低酸素吸入療法を開始後に SpO_2 が低下し、肺血流増加が改善したと考えていたが、実際は無気肺を合併していただけで肺血流量自体は減っていなかったということも起こり得る。呼吸努力は酸素消費量を増加させるため、心不全児での呼吸窮迫合併は循環状態の破綻に容易に結び付く。このような場合は気管挿管による人工呼吸管理をためらわない。また酸素消費を減らすためには、啼泣時にあやすことや、鎮静・鎮痛管理も重要となる。

肺血管抵抗を上げる目的で、呼吸管理の観点からは、高二酸化炭素療法がある。高二酸化炭素血症による肺血管抵抗上昇により肺血流を減少させる目的で行う。10回／分程度の低換気にすることで、高二酸化炭素血症を達成するが、高二酸化炭素血症は自発呼吸を誘発するため、筋弛緩薬を併用した完全調節下での人工呼吸管理を要する。その他、呼吸性アシドーシスを生じやすく、筋弛緩のため無気肺を形成しやすく、気道分泌物による影響が大きい、経腸栄養を行いにくいことが、低酸素吸入療法と比べたデメリットであるが、低酸素血症を合併する肺血流増加型心疾患でも施行できることはメリットになり得る（**表11-1**）。

おわりに

開始のタイミングや、至適酸素濃度が臓器にかかわらず同じなのかどうかなど、低酸素吸入療法はまだ確立された治療法ではなく、今回の内容はあくまでも当院でのやり方を述べた。低酸素血症による壊死性腸炎のリスクも考慮されるべきであり、施行中の腹部所見やX線所見には細心の注意を払う必要がある。何よりも、神経発達など長期予後に及ぼす影響がはっきりしておらず、あくまでも手術までのつなぎの治療であることを忘れてはならない。

それでも、窒素ガスを用いた低酸素吸入療法は「肺血流増加型心疾患に対する低濃度酸素吸入」として2018年度から保険算定が可能になり、治療方法としてようやく公に認められた形となった。ただし残念なことに酸素吸入のカテゴリーに含められており、診療報酬も酸素吸入と同等である。対象となる疾患の重症度や、施行中の綿密なモニタリングの必要性からは、むしろ一酸化窒素吸入療法（NO 吸入療法）と同等の診療報酬が妥当であり、今後の課題とも言える。

引用・参考文献

1）高橋重裕．“低酸素吸入療法って何？どんな時に使う？”．ステップアップ新生児循環管理．大阪，メディカ出版，2016，286-90．
2）朴仁三ほか．新生児期，乳児期肺血流増加型心疾患に対する低酸素換気療法の効果．日本小児循環器学会雑誌．16，2000，869-76．
3）石澤瞭，磯田貴義．肺血流量増加型先天性心疾患に対する低酸素濃度ガス吸入療法のてびき．成育医療研究委託事業「肺血流量増加型先天性心疾患に対する低酸素濃度ガス吸入療法の効果と安全性に関する基礎的・臨床的研究」，2005-2008．
4）黒嵜健一．吸入ガス療法．小児内科．47（2），2015，187-91．

中尾　厚

12 一酸化窒素（NO）を先天性心疾患に使うのはどんなとき?

一酸化窒素吸入療法の作用機序

肺胞
NO
NO
肺静脈
気管支
肺動脈
NO
GC
GTP
cGMP
Ca^{2+}濃度⬇
血管拡張

（文献 1 より転載）

肺胞から肺血管に到達した一酸化窒素（NO）は、GC（guanylate cyclase）の活性化を介してcGMPを高めることで血管平滑筋を弛緩させ、肺血管を拡張させる。肺血管中のNOは直ちに代謝されるため、体血管にはほとんど到達せず、肺血管拡張の選択性が極めて高い。

わが国では、新生児のみならず、乳児期以降の先天性心疾患に伴う肺高血圧（PH）に対して、周術期の急性期肺高血圧治療に一酸化窒素（NO）吸入療法が施行されてきた経緯がある。2016年1月には**「心臓手術の周術期における肺高血圧」に対するNO吸入療法が保険適応**となり、周術期の使用が公に認められた形となった。ここでは、先天性心疾患に対するNO吸入療法の使用を術前・術後に分けて解説する。

先天性心疾患術前の一酸化窒素吸入療法

特殊なケースになるが、先天性心疾患の中でも以下の病態ではNO吸入療法が選択される場合がある。

①胎児期やそれに引き続く早期新生児期から正常新生児に比して肺血管抵抗が高い病態

動脈管早期収縮や完全大血管転位（TGA）の一部で見られるような新生児遷延性肺高血圧（PPHN）を合併する心疾患が挙げられる。両疾患とも比較的胎児診断されにくいため、生後に診断されて新生児搬送によりNICUに入院することが多い。新生児搬送はそれ自体が児にとって侵襲であり、PPHNが悪化する一因となる。「依頼を受けたときに比べ、入院時に酸素化が明らかに悪化している」場合は、PPHNの存在を疑う必要がある（TGAでは卵円孔の狭小も併せて除外する必要がある）。

②右室の機能が低下しており、肺血流を維持するため生後に一刻も早く肺血管抵抗を下げたい病態

エブスタイン病や三尖弁異形成が挙げられる。いずれも三尖弁や肺動脈弁の形態・機能異常のため、機能的肺動脈閉鎖により血流が乏しい病態を呈する。重篤な場合はプロスタグランジンE1製剤で動脈管を維持するとともに、NO吸入療法で肺血管抵抗の速やかな低下を図る。

③重篤な肺血流減少性心疾患でカテーテルや手術治療を準備するまでのレスキュー

重度肺動脈弁狭窄などで、少しでも肺血流を増加させたいときにレスキュー目的で使用することはあるが、このような形態的狭窄の場合は、肺血流量は狭窄の程度によって規定される。NO吸入療法の効果は極めて限定的であり、カテーテルや手術治療の準備を遅らせてはならない。

先天性心疾患術後の一酸化窒素吸入療法

心室中隔欠損をはじめとする**肺血流増加型心疾患**の場合、手術時期によっては肺血管抵抗が上昇している場合がある。この場合、術後もPHが残存したり、気管吸引や換気不全、低酸素血症などを契機に肺血管が攣縮して**肺高血圧クライシス（PH crisis）**（4章3「新生児期の

術後管理で注意すべきことは？」参照）を生じることがあり、これらの予防もしくは治療としてNO吸入療法が用いられる。

心臓手術周術期の肺高血圧での一酸化窒素吸入療法の用法

アイノフロー吸入用800ppmの添付文書には以下のとおり示されている[2)]。

①小児：本剤は吸入濃度10ppmで吸入を開始し、十分な臨床効果が得られない場合は20ppmまで増量することができる。

②症状に応じて、血行動態や酸素化が改善し、本治療から離脱可能となるまで継続する。なお、吸入期間は7日間程度までとする。

③離脱の際には、血行動態および酸素化の改善に従い、5ppmまで漸減する。その後さらに漸減し、安全に離脱できる状態になるまで吸入を継続する。

▶…注　意

体血流を動脈管などを介した右左短絡に依存している心疾患の場合、NO吸入療法により肺血管抵抗が低下することで右左短絡の血流が減少し、血行動態が悪化するため、NO吸入療法使用は禁忌とも言える。

また、左右短絡の心疾患で肺血流が増加している場合、NO吸入療法により肺血流がさらに増加する。術前投与に関しては安全性および有効性は確立していないため、リスク・ベネフィットを勘案して本剤適用の要否を慎重に判断することと、使用後の状態改善を確認する必要がある。

新生児循環管理のポイント　POINT

- 「心臓手術の周術期における肺高血圧」に対する一酸化窒素吸入療法が保険収載されている。
- 肺血流増加型心疾患における術後残存肺高血圧やPH crisisの管理に使用される。
- 肺血流の維持のため速やかに肺血管抵抗を下げなければならない心疾患における術前管理にも使用が考慮される。
- 血行動態をきちんと把握して使用しなければならない。

引用・参考文献

1）鈴木悟ほか．新生児NO吸入療法．医学のあゆみ．204（9），2003，657-62.
2）エア・ウォーター株式会社．アイノフロー吸入用800ppm添付文書.

中尾　厚

●●レベル2

13 COX阻害薬は動脈管にどう作用する？ 副作用は？

シクロオキシゲナーゼ（COX）の作用機序

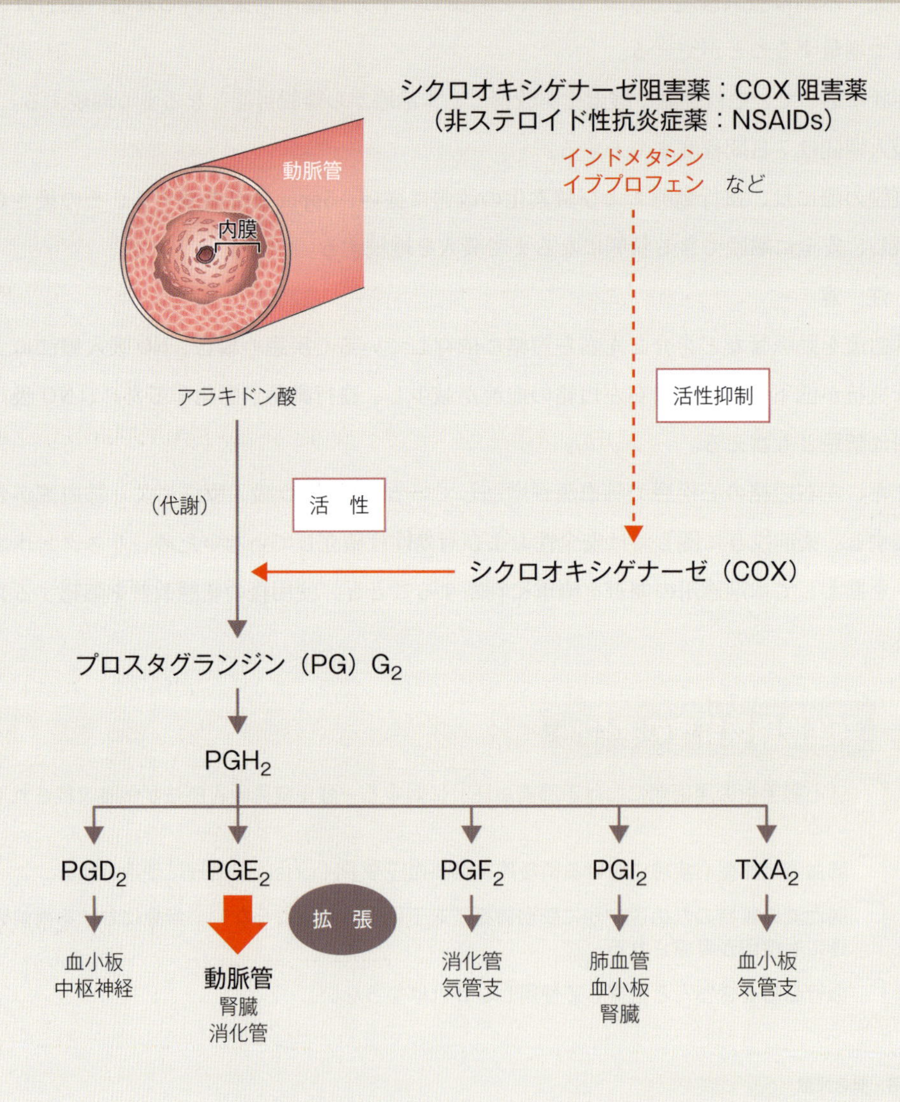

シクロオキシゲナーゼ（COX）阻害薬であるインドメタシンとイブプロフェンは、未熟児動脈管開存症（PDA）の治療薬である。COXにはアラキドン酸からプロスタグランジンE_2（PGE_2）への代謝を活性化させる作用がある。COX阻害薬はこの経路を阻害することで、動脈管の収縮を促す。

COX阻害薬による副作用と注意すべき所見

副作用	臨床症状	検査所見
腎機能障害	尿量減少 浮腫	血清ナトリウム低下 血清クレアチニン上昇
消化器障害	胃残渣の増加 胆汁様胃液の出現 腹部膨満 腹壁の色調不良	【腹部X線】 腹腔内の遊離ガス像 【腹部エコー】 腸管壁内ガス像 門脈内ガス像
低血糖	活気不良	血糖低下
血小板機能障害	点状出血 出血傾向による症状	【脳エコー】 重症例では頭蓋内出血

これらの副作用を認めた場合は投与の中止や減量などを考慮する。

シクロオキシゲナーゼ（COX）阻害薬の作用・副作用

インドメタシンと**イブプロフェン**は、日本で**未熟児動脈管開存症**（PDA）の治療薬として保険収載されている**シクロオキシゲナーゼ（COX）阻害薬**である。COXにはアラキドン酸から動脈管の拡張作用を持つ物質であるプロスタグランジンE_2（PGE_2）への代謝を活性化させる作用がある。COX阻害薬はこの経路を阻害することで、動脈管を収縮しやすくする（p.336図参照）。一方、COX阻害薬は全身の恒常性を維持するために必要な各種PGやトロンボキサンA_2（TXA_2）の合成も阻害するため、腎機能障害、消化管穿孔や壊死性腸炎などの消化器障害、低血糖、血小板機能障害、肺高血圧といった、早産児の長期予後に影響を及ぼし得る副作用をもたらす（p.336図参照）[1)]。したがって、これらの副作用を認めた場合は投与の中止や減量などを考慮する必要がある。また、COX阻害薬とステロイド製剤との併用が消化管穿孔のリスクを高めることも知っておくべきである[2)]。

COX阻害薬が投与される対象

未熟児PDAの自然閉鎖率は、在胎28週以上、出生体重1,000g以上では94％と比較的高率のため[3)]、在胎28週以上の早産児では一律の治療介入は行わず、慎重な経過観察が考慮される。一方、在胎28週未満の超早産児では、生後72時間時点で未熟児PDAを認めた症例の73％が経過中に自然閉鎖したものの、17％が死亡し、21％に重症の頭蓋内出血（IVH）を発症し

表13-1 インドメタシン（インダシン®）の投与量（添付文書より）

	投与量（mg/kg）		
初回投与時の生後時間	1回目	2回目	3回目
生後48時間未満	0.2	0.1	0.1
生後2～7日未満	0.2	0.2	0.2
生後7日以上	0.25	0.25	0.25

＊1：投与後に無尿または著明な乏尿（尿量：0.6mL/kg/時未満）が現れたら、腎機能が正常化するまで次の投与は行わないこと

＊2：1回目あるいは2回目の投与で動脈管の閉鎖が得られた場合は、以後の投与は行わずに経過を観察しても差し支えない

＊3：投与終了後48時間以上経過して動脈管が閉鎖している場合は追加投与の必要はない

たとの報告がある[3)]。以上の知見から、**症候性の未熟児PDAと診断された早産児**や、臨床症状が顕性化する前でも心エコー所見でhemodynamically significant PDA（循環動態的に有意と考えられるPDA）と診断された早産児に対しては、COX阻害薬による治療を遅滞なく開始することが推奨されている。

インドメタシン静注療法と予防投与

症候性の未熟児PDAに対するインドメタシンの治療効果については、科学的根拠が十分に蓄積されている[2)]。インドメタシンの治療投与を行う場合は、通常3回を1クールとし、インドメタシンとして0.1～0.2mg/kg、12～24時間ごとの投与が勧められており、急速静注を避けた静注投与が一般的である（**表13-1**）[2)]。無尿または著しい乏尿（0.6mL/kg/時未満）が明らかな場合には、2回目以降の投与を中止する。科学的根拠のある最も効果的な投与時間は見出されておらず、1回の投与時間については1時間未満～6時間と施設間差異が大きい[2)]。投与回数については、連続4回以上の投与でも効果に差がない一方で、消化管穿孔の発症が約2倍に増加したとの報告があることから、連続投与は3回までに留めておくことが推奨されている[4)]。

またインドメタシンには、**生後早期の予防投与**により未熟児PDAやIVHの発症を予防する効果も証明されている。予防投与を行う場合は、生後6時間以内に0.1mg/kgを6時間かけて静注投与することが推奨されている。海外では新生児科医による心エコー評価が行われていない国も多いことから予防投与が選択されやすいが、日本では新生児科医による経時的な心エコー評価が行われていることが多く、症例ごとに予防投与と治療投与の使い分けがなされている。

表13-2 イブプロフェン（イブリーフ®）の投与量（添付文書より）

	投与量	投与時間	投与間隔
初回	10mg/kg	15分以上かけて	24時間以上あけて
2回目および3回目	5mg/kg		

＊1：投与時間の上限は1時間を目安とすること

＊2：無尿または著明な乏尿（尿量：0.6mL/kg/時未満）が明らかな場合は、2回目または3回目の投与を行わないこと

＊3：初回または2回目の投与後、動脈管の閉鎖が得られた場合は、再開通の可能性と副作用のリスクを慎重に検討した上で投与継続の要否を検討すること

イブプロフェン静注療法

2018年4月にイブプロフェンが保険収載され、未熟児PDAの治療薬として新たに使用できるようになった。日本での使用経験の蓄積は十分ではないため、わが国における治療効果や有害事象が海外と同様であるかを確認していく必要がある。通常3回を1クールとし、イブプロフェンとして初回は10mg/kg、2回目および3回目は24時間間隔で5mg/kgを15分～1時間かけて急速静注を避けた静注投与を行い（**表13-2**）、無尿または著しい乏尿（0.6mL/kg/時未満）が明らかな場合には2回目以降の投与を中止する。初回の投与量はより少なくても有効である。

未熟児PDAに対するイブプロフェン投与をインドメタシンなどと比較したメタアナリシスによると[5)]、イブプロフェンの動脈管収縮作用はインドメタシンと同等で（リスク比：1.07、95％CI 0.92～1.24）、治療薬投与後の消化器障害の発症はインドメタシンと比較して約2/3（リスク比：0.68、95％CI 0.49～0.94）に減少し、腎機能障害はインドメタシンと比較して約1/3（乏尿のリスク比：0.28、95％CI 0.14～0.54）に減少していた。したがって、イブプロフェンはインドメタシンと同等の治療効果を持ちながら、より副作用の少ない未熟児PDAの治療薬と言える。一方、インドメタシンで確認されている生後早期の予防投与については、肺高血圧などの有害事象のために研究が中断されており、未熟児PDAやIVHの予防効果は証明されていない[5)]。

新生児循環管理のポイント

POINT

- 超早産児では、COX 阻害薬の副作用が強く認められることがあるため、投与後は慎重な観察が必要である。
- 乏尿は最も出現しやすい副作用であるため、COX 阻害薬の投与後は時間尿量、水分バランス、体重増加、浮腫の出現などに注意が必要である。
- 生後 1 週間以降は COX 阻害薬の効果は低下するため[1]、内科的治療のみに固執せず外科的治療が可能な施設への転院搬送も視野に入れながら診療に当たる必要がある。

引用・参考文献

1）Rudolph AM. “The Ductus arteriosus and persistent patency of the ductus arteriosus” . Congenital Disease of the Heart: Clinical-Physiological Considerations. 3rd ed. 2009, Oxford, Wiley-Blackwell, 115-47.

2）未熟児動脈管開存症診療ガイドライン作成プロジェクトチーム（J-PreP)。根拠と総意に基づく未熟児動脈管開存症治療ガイドライン。日本未熟児新生児学会雑誌。22（2), 2010, 77-89.。

3）Benitz WE, Committee on Fetus and Newborn, American Academy of Pediatrics. Patent Ductus Arteriosus in Preterm Infants. Pediatrics. 2016 Jan;137（1). doi: 10.1542/peds.2015-3730.

4）Herrera C, et al. Prolonged versus short course of indomethacin for the treatment of patent ductus arteriosus in preterm infants. Cochrane Database Syst Rev. 2007;（2):CD003480.

5）Ohlsson A, et al. Ibuprofen for the treatment of patent ductus arteriosus in preterm or low birth weight（or both) infants. Cochrane Database Syst Rev. 2020;2（2):CD003481.

奈良昇乃助

14 PDAの内科的治療にはどんなものがある？動脈管が開かないための予防的管理は？

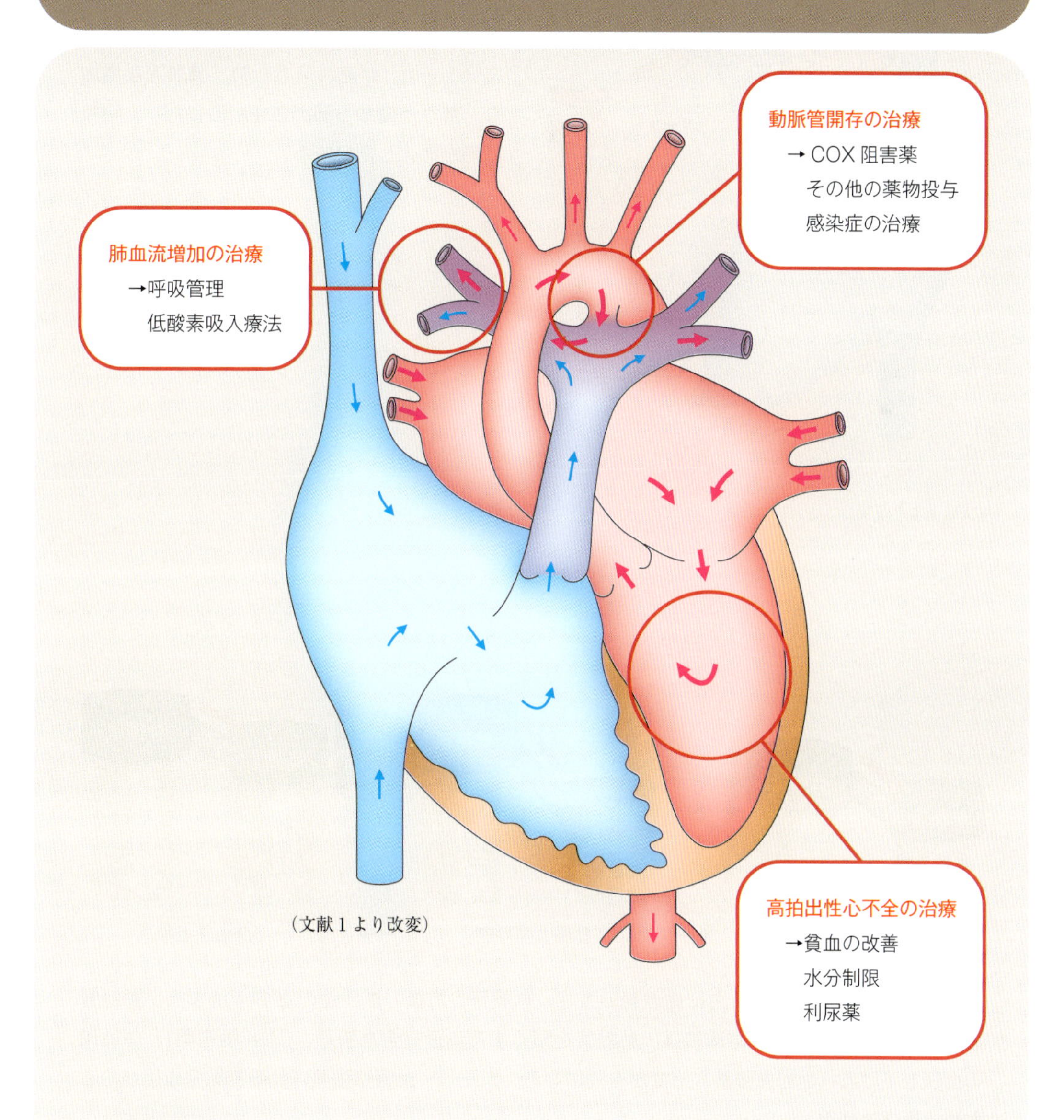

（文献1より改変）

動脈管開存症（PDA）の内科的治療には大きく分けて、①全身管理（感染症の管理、呼吸管理）、②循環管理（貧血の改善、投与水分量の調整、利尿薬・カテコラミンの投与）、③シクロオキシゲナーゼ（COX）阻害薬（インドメタシン、イブプロフェン、メフェナム酸）、④その他の薬物治療（ステロイド、ビタミンAなど）、⑤カテーテル治療の5つの方法がある。動脈管が開かないための予防的管理としては、①母体への出生前投与を避けることで効果が期待できる薬（マグネシウム製剤、非ステロイド性抗炎症薬）、②母体への出生前投与で効果が期待できる薬（ステロイド、ビタミンA）の投与およびインドメタシンの予防投与がある。

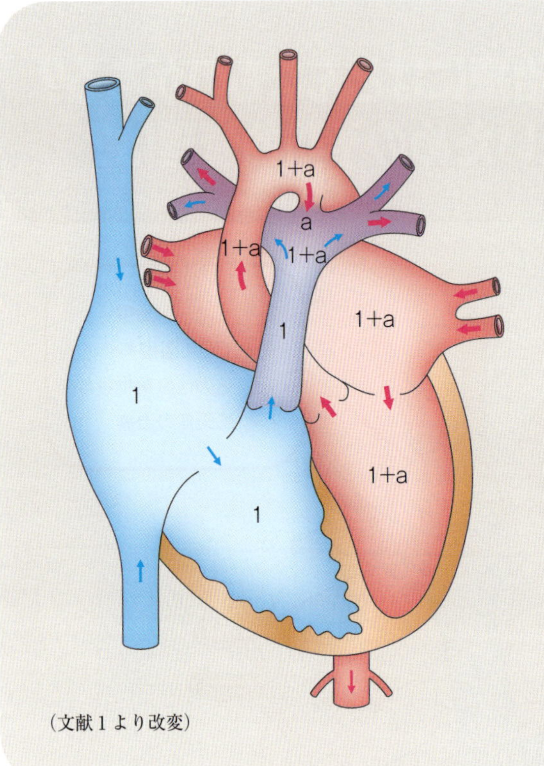

（文献１より改変）

体循環に「1」の血流を流すために、左室は動脈管短絡血流量「a」を足した「1 ＋ a」を送り出す必要があるため、高拍出性心不全に陥りやすくなる。肺循環には右室からの血流量「1」に動脈管短絡血流量「a」を足した「1 ＋ a」が流れ込むため、肺血流が増加し、肺うっ血から肺出血を起こしたり、呼吸状態が悪化したりする。

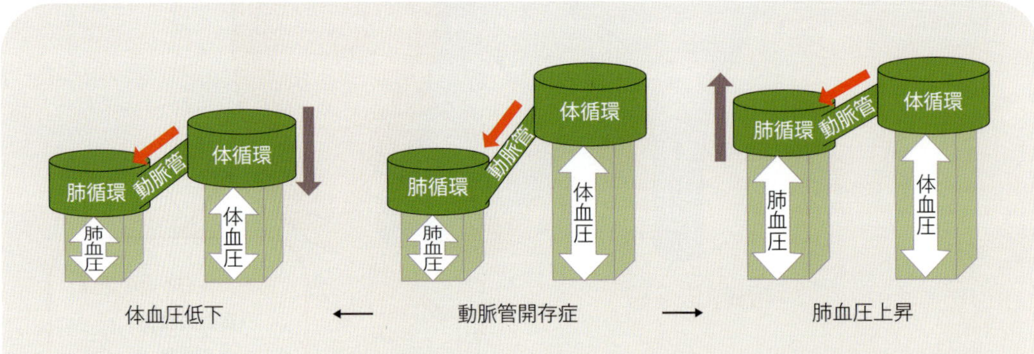

動脈管の短絡血流量は、主に動脈管の太さ、動脈管の前後の血圧差の２つで決まる。動脈管の短絡血流を少なくするためには、動脈管を細くする治療（全身管理、COX 阻害薬）、体循環の血圧を下げる（血管拡張薬）治療が有効になる。ただし、血管拡張薬は動脈管拡張作用があるため、通常は使用しない。

内科的治療

動脈管開存症（PDA）では、心臓はたくさん血液を送り出しているのに、有効な血液が体循環に回ってこない（肺循環に逃げている）ために心不全を発症する。よって、PDAの内科的治療としては、まず①**動脈管を閉じる治療**＝COX阻害薬、その他の薬物治療、②**動脈管が閉じやすい環境に整える治療**＝全身管理、循環管理、が優先される。

1 全身管理

▶…感染症の管理

感染症では、内因性のプロスタグランジン（PG）が産生され、いったん閉鎖していた動脈管が再開通することをしばしば経験する。感染症を発症させない適切な管理を行い、必要により抗菌薬を投与し感染をコントロールすることで、動脈管の閉鎖を得ることができる場合がある。

▶…呼吸管理

まず全身状態の安定を得る管理を行うことが重要である[2)]。アシドーシスがある状態では心不全は必ず進行する。人工肺サーファクタント投与、高頻度振動換気など、全身状態の安定を得るために必要なことは行うべきである。

2 循環管理

▶…貧　血

心不全の増悪を招くため、ヘモグロビン値は12g/dL以上に保ちたい。

▶…投与水分量

日齢当たりの必要水分量の8割程度まで減量することで、心臓への負担は軽減する。ただし、過度の水分制限や長期にわたる水分制限では、一時的に効果があったとしても、全身循環血液量の減少を招き、かえって心臓へ負担がかかってくる。

▶…利尿薬

うっ血による心不全状態などにおいて適切な時期に使用することで、一時的に循環血液量を減少させ、心不全を軽減する効果を期待できる。ただしフロセミドの使用は腎臓における内因性のPGE_2産生を誘導し、動脈管の拡張を促す作用がある。動物実験では、フロセミドにより動脈管が拡張すると報告されている[3)]。特にCOX阻害薬使用後の尿量減少時に使用すると、腎不全が遷延する可能性がある。

▶…カテコラミン

通常、末梢血管抵抗を上げて血圧を上げる作用がある。心収縮力が低下している場合は有効であるが、収縮力が低下していなければ体血管抵抗と肺血管抵抗の差を広げる結果になり、心不全を逆に悪化させることがある。

3 薬物療法

▶…インドメタシン、イブプロフェン

インドメタシンとイブプロフェンについて詳しくは6章13「COX阻害薬は動脈管にどう作用する？ 副作用は？」を参照。

▶…メフェナム酸

インドメタシンが保険適応となる以前から、わが国ではメフェナム酸（ポンタール®）が2mg/kgで12時間ごとに経口投与されていた。しかし、経口投与に限られる、吸収に個体差があるなどのため、現在の主流はインドメタシンとなっている。

▶…アセトアミノフェン（パラセタモール）

COX阻害薬が無効な症例やCOX阻害薬禁忌の症例に対するrescue therapyと位置付けられている[4]。長所としては、COX阻害薬に比べ尿量減少や血小板減少などの副作用が少ない点が挙げられる。ただし、循環不全がある症例では血中濃度が上昇しやすいので注意が必要である[5]。一方、短所としては、自閉症スペクトラム発症との因果関係を指摘する報告がある。静注用アセトアミノフェン15mg/kg/回を6時間ごとに3〜7日間投与する。在胎期間により投与量を調整する場合もある[6]。

4 その他の薬物治療

▶…ステロイド、ビタミンA補充

インドメタシン治療と併用することが有効ではないかと考えられていたが、これまでの研究ではその効果は不明である。ステロイドに関しては、特に消化管穿孔のリスクが高まるために、インドメタシンとの併用は避けることが望ましい。

5 低酸素吸入療法

正期産児では、酸素濃度反応性に動脈管の収縮が促される場合がある。しかし早産児の動脈管は酸素濃度反応性が低いと言われている。吸入酸素濃度を増加させることで動脈管の収縮に寄与する可能性はある。しかし動脈管の収縮が得られず、肺血管抵抗が低下することで肺血流が増加し、逆にPDAが症候化することも考えられる。その場合は吸入酸素濃度を低下させることも検討しなければならない。

既にPDAが症候化し、状態がひっ迫している場合、吸入酸素濃度を21％以下に下げる**低酸素吸入療法**が有効な場合も報告されている[7]。ただし低酸素が長期的に神経系や心肺機能に与

える影響については不明であり、安易な使用は控えるべきである。

6 カテーテル治療

PDA閉鎖デバイスであるAmplatzer Piccolo™ Occluderを用いたアメリカの9施設での動脈管閉塞術の研究で、700g以上2kg以下のPDA閉塞成功率は99％だった[8)]。1人にデバイスによる明らかな大動脈閉塞、2人に出血による輸血、先天性血小板減少症の1人に術後の赤血球と血小板輸血が行われた。5人に術後三尖弁閉鎖不全の悪化がみられた。結果として2019年にアメリカ食品医薬品局（FDA）の承認を得ている。調べ得た範囲内でわが国からの同様の報告はいまだないが、今後、わが国でも行われる可能性がある。

予防的管理

動物実験では、マグネシウム製剤、非ステロイド性抗炎症薬を母体へ投与すると出生後の児の動脈管が閉鎖しにくくなる一方、ステロイドやビタミンAを投与すると閉鎖しやすくなる、という報告がある。早産児の臨床研究でも同様の報告が見られる[9)]。もちろん妊娠継続のために必要であれば、子宮収縮抑制薬は使用すべきである。ただ母体に使用した薬物は生後の児の動脈管収縮にも影響することを念頭に置いて、少なくとも不必要な薬物の使用は控えるべきだろう。

24時間以内のインドメタシン予防投与は動脈管の症候化予防だけでなく、頭蓋内出血の発症予防、肺出血のリスク低下、神経発達予後にも有効性が報告されている[10)]。一方で、自然閉鎖が期待できる在胎期間の児への投与は慎重に行うべきで、対象は施設ごとに決定される。イブプロフェンやアセトアミノフェンについては、予防投与は推奨されていない。

今後期待される新しい治療法

スルホニル尿素薬グリベンクラミドには、細胞膜KATPチャネルを遮断することで動脈管を閉鎖する作用がある。胎仔・新生仔ラットを用いた動物実験では有効性と安全性が確認されており、今後、未熟児PDAへの臨床応用が期待される[11)]。

新生児循環管理のポイント

POINT

- 心拍数の変化、心雑音の変化、bounding pulse、脈圧の変化、気管吸引液の色調をしっかりみる。
- 動脈管開存症の症状としては desaturation（酸素飽和度の低下）の頻度が増えるので、刺激を要するような desaturation の頻度をみる。

引用・参考文献

1）髙橋長裕．図解先天性心疾患：血行動態の理解と外科治療．第 2 版．東京，医学書院，2007，232p.

2）未熟児動脈管開存症診断ガイドライン作成プロジェクトチーム（J-PreP）．根拠と総意に基づく未熟児動脈管開存症治療ガイドライン．日本未熟児新生児学会雑誌．22（2），2010，77-89.

3）Toyoshima K, et al. In vivo dilatation of the ductus arteriosus induced by furosemide in the rat. Pediatr Res. 67 (2), 2010, 173-6.

4）Hamrick SEG, et al. Patent ductus arteriosus of the preterm infant. Pediatrics. 146(5), 2020, e20201209.

5）大島あゆみほか．未熟児動脈管開存症に対するアセトアミノフェン静注療法と血中濃度の検討．日本新生児成育医学会雑誌．31（3），2019，717.

6）設楽佳彦．未熟児動脈管開存症．月刊薬事 臨時増刊号．62（7），2020，1286-91.

7）丹哲士ほか．未熟児動脈管開存に対する窒素による低酸素換気療法の有効性．日本周産期・新生児医学会誌雑誌．40（1），2004，1-5.

8）Sathanandam SK, et al. Amplatzer Piccolo Occluder clinical trial for percutaneous closure of the patent ductus arteriosus in patients ≧ 700 grams. Catheter Cardiovasc Interv. 96(6), 2020, 1266-76.

9）Katayama Y, et al. Antenatal magnesium sulfate and the postnatal response of the ductus arteriosus to indomethacin in extremely preterm neonates. J Perinatol. 31, 2011, 21-4.

10）Schmidt B, et al. Long-term effects of indomethacin prophylaxis in extremely-low-birth-weight infants. N Engl J Med. 344(28), 2001, 1966-72.

11）門間和夫．動脈管薬の実験 40 年．日本小児循環器学会雑誌．32（4），2016，261-9.

熊谷　健

●●レベル2

15 PDAの外科的結紮術のメリット・デメリットは？

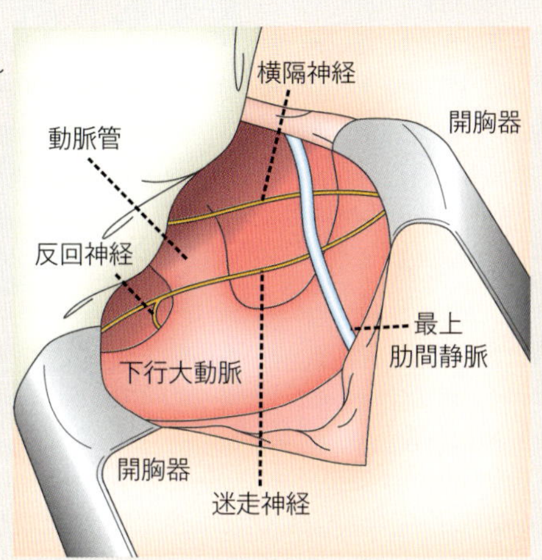

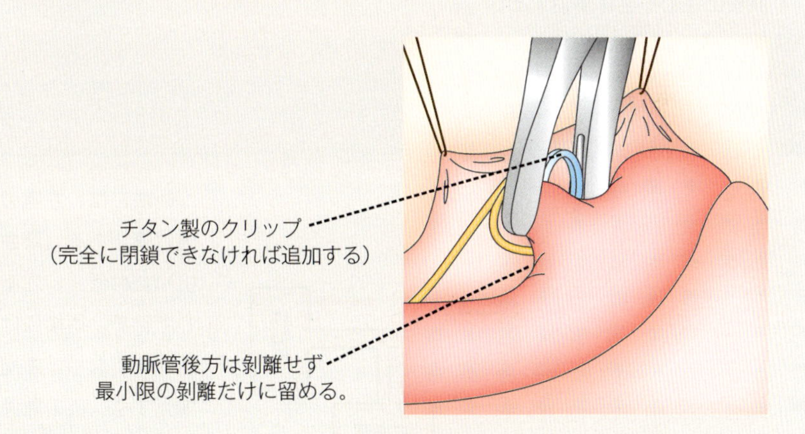

（文献1より改変）

動脈管開存症（PDA）に対する外科的結紮術のメリットは、①肺血流と全身血流との均衡が得られること、②習熟した術者であれば、ごく短時間で手術が終了することである。一方デメリットとしては、①出血、感染などの手術のリスク、全身麻酔のリスク、②急激な血圧の変動（afterload mismatch）、頭蓋内出血、③外科的な合併症（反回神経麻痺、横隔神経麻痺、乳び胸、気胸）、④遺残短絡、⑤手術創が残ること、運動機能などへの長期的影響が挙げられる。

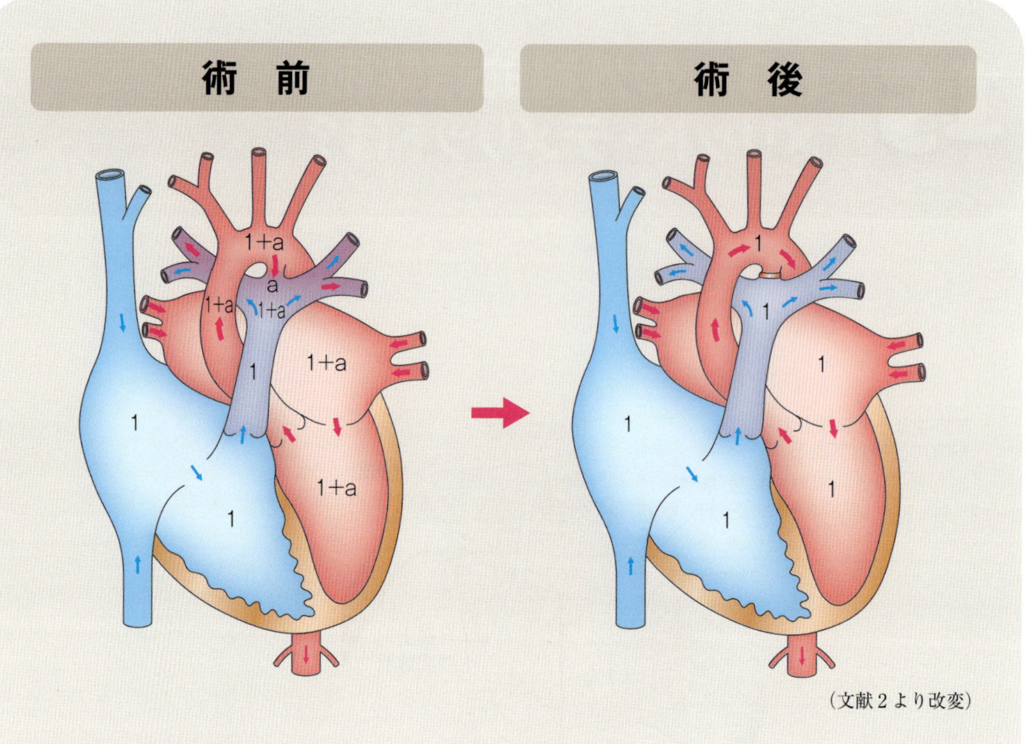

（文献2より改変）

動脈管を閉じることで、肺に流れていた余分な「a」の血流はなくなる。その分、左室に戻る血液量も減少し、容量負荷がなくなる。左室は全身に送るべき「1」の仕事をこなすだけでよく、高拍出性心不全は解消する。

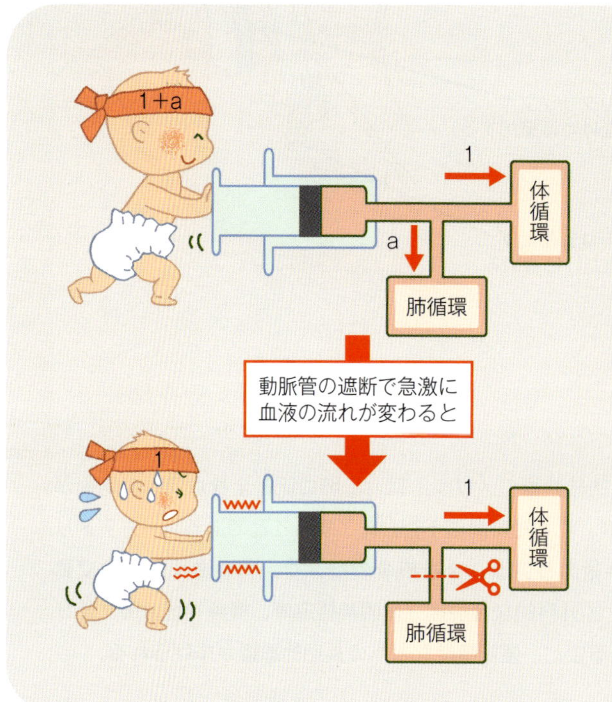

術前には、左室の後負荷は肺循環に逃げ道がある（肺血管抵抗＜体血管抵抗）ため低く、左室は「楽に」仕事をしている。術後には、肺循環への逃げ道がなくなり、左室の後負荷は急激に増大する。この急速な変化に対応できない状態を、後負荷不整合（afterload mismatch）と呼ぶ。結紮術後、時に見られる現象である。

外科的治療

限られた疾患を除いて、動脈管が出生後に開存し続けている利点はない。さまざまな内科的治療を行っても閉鎖しない、または再開通により症候化したときなど、内科的な治療に行き詰った際の最も効果的な治療法が結紮術である(4章2「新生児期に根治術が必要となる疾患とその術式は?」参照)。

1 結紮術のメリット

▶…肺血流/全身血流の均衡が得られる

肺の血管抵抗が下がってきている時期に動脈管が開存していると、体循環に流れるべき血液が肺循環に奪われてしまう。そのため、体循環血液量<肺循環血液量になり、腸管血流量の低下から壊死性腸炎、腎血液量の低下から尿量減少や腎前性腎不全を来しやすくなる。体循環血液量を維持するために、生体は心拍数を増加して代償する。体循環が増えれば、それにつれて肺循環血液量も増えるため、肺うっ血〜酸素飽和度の低下、呼吸器条件の悪化、肺出血を招くなどの悪循環に陥ってしまう。

こうした悪循環の主原因である動脈管を直接閉鎖する手段が、**外科的結紮術**になる。術直後から正常血行動態が得られ、全身管理が格段に行いやすくなる。デメリットも大きいが、得られるメリットも計り知れないくらい大きい。

▶…習熟した術者であれば極短時間で手術が終了する

当院では、ほとんどの症例が手術開始から30分以内で終了している。習熟した術者や麻酔科医が担当すると、手術による出血や麻酔のリスクも極めて低くなる。

2 結紮術のデメリット

▶…手術のリスク(出血・感染)、全身麻酔のリスク

早産児に慣れた心臓外科医、麻酔科医による手術が望ましい。新生児臨床研究ネットワークによる研究では、有意差はないものの、手術件数の少ない施設では退院時死亡の確率が高く、手術の実施は、実施しないことに比べ、退院時死亡のリスクを80%高める、という結果だった[3)]。

▶…急激な血圧の変動、後負荷不整合(afterload mismatch)、頭蓋内出血

術前は動脈管が開いているため、左室が血液を駆出するときの抵抗(=後負荷)は、血管抵抗の低い肺血管抵抗に相当する。そのため左室は、収縮も拡張も「楽をしている」状態である。

手術により動脈管が結紮されると、左室の後負荷は血管抵抗の高い体血管抵抗に急激に変化するため、血液を駆出するのに急に大きな力を必要とする。後負荷の急激な増加に対応する心

機能の予備力がないと、こうした圧の変化に対応できず、左室の内腔が拡大し、左室壁運動が低下する。この状態を**後負荷不整合（afterload mismatch）**または postligation cardiac syndrome と呼ぶ。すべての症例に発症するわけではないが、場合によっては急激な変化に対応できず、頭蓋内出血を発症する可能性もある。

アメリカの単施設25年間の検討では、44％の児が少なくとも一つ以上の短期的な合併症を有し、昇圧薬の使用（33％）、声帯麻痺（9％）が最も多かったと報告されている[4]。

▶…外科的な合併症（反回神経麻痺、横隔神経麻痺、乳び胸・気胸）

p.347に示したように、動脈管の周囲にはさまざまな神経が走行している。それらを傷付けると、一過性のものから永続する神経麻痺まで発症する。圧倒的に多いのは反回神経麻痺で、その他、横隔神経麻痺、リンパ管損傷による乳び胸などが発症する。

- 反回神経：迷走神経の分枝で、声帯の運動に関与する筋肉を支配する。
  →嗄声、嚥下障害を発症する。
- 横隔神経：横隔膜の弛緩・収縮に関与する。
  →横隔膜の弛緩による呼吸障害、抜管困難を来す。
- 胸管（リンパ管）：下半身から集合したリンパ管は、腹部から横隔膜を通過し、大動脈と胸椎付近を上行し、左鎖骨下静脈に流れ込む。
  →リンパ液が胸腔内に漏れ出ることにより乳び胸を来す。
- 気胸：閉胸時に残った空気によるもので、短期間で吸収される。

▶…遺残短絡

通常、チタン製のクリップで閉鎖するが、やり直しができないので、短絡が残れば追加でクリッピングすることがある。

▶…長期的影響（手術創、運動機能）

左側方開胸により動脈管に到達するのが一般的である。左腋窩の皮膚切開の後、広背筋、前鋸筋など上腕や肩甲骨の運動に関与する筋の一部を切開し、肋骨上部に至る。肋間筋を切開し、胸腔内に到達する。

手術創は皮膚線状に平行なため傷は目立ちにくくなるが、形成外科的問題は残る。上腕・肩甲骨に何らかの運動機能障害を残す可能性は否定できない。肋骨の癒合による胸郭変形なども起こり得る。

これらの問題を解決するため、小切開アプローチや胸腔鏡下手術（VATS）が試みられている[5]。切開が少ないため児に与える侵襲も少なく、超低出生体重児においても良好な成績が報告されている[6, 7]。

新生児循環管理のポイント POINT

- 術後の血圧、脈圧はどうか？　尿は出ているか？
- 呼吸状態は術後も安定しているか？

引用・参考文献

1）藤原直．小児心臓血管外科手術：血行動態と術式の図説・解説．東京，中外医学社，2011，25-39.

2）髙橋長裕．図解先天性心疾患：血行動態の理解と外科治療．第2版．東京，医学書院，2007，232p.

3）未熟児動脈管開存症診断ガイドライン作成プロジェクトチーム（J-PreP）．根拠と総意に基づく未熟児動脈管開存症治療ガイドライン．日本未熟児新生児学会雑誌．22（2），2010，77-89.

4）Foster M, et al. Short-term complications associated with surgical ligation of patent ductus arteriosus in ELBW infants: A 25-year cohort study. Am J Perinatol. 2019 Nov 4. doi: 10.1055/s-0039-1698459. Online ahead of print.

5）釼持学ほか．超低出生体重児17例に施行した胸腔鏡下動脈管閉鎖術の経験：インドメタシン投与群との比較．日本周産期・新生児医学会雑誌．44（3），2008，678-83.

6）小林城太郎．低出生体重児に対する動脈管結紮術の方法と問題点．日本小児循環器学会雑誌．31（Suppl. 1），2015，1.107.

7）宮地鑑ほか．体重1kg未満の超低出生体重児に対する内視鏡下動脈管閉鎖術．日本小児循環器学会雑誌．前掲書5．1.107.

熊谷　健

第7章

特殊な循環不全

1 新生児蘇生法での薬物投与はどうする？

アドレナリン（ボスミン®）

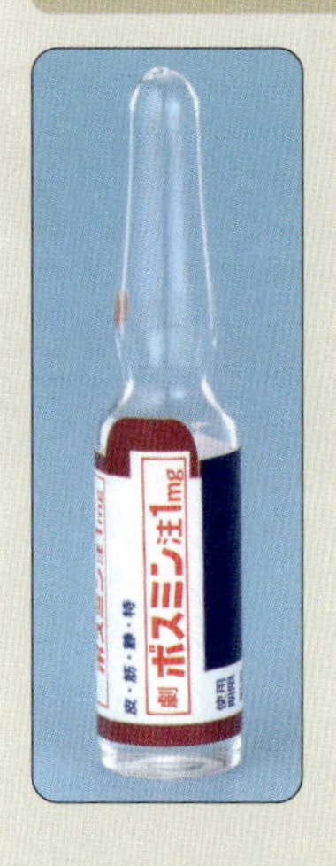

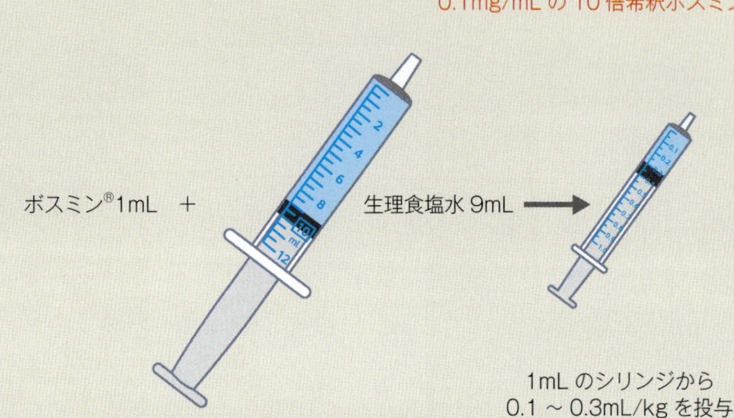

炭酸水素ナトリウム（メイロン®8.4%）

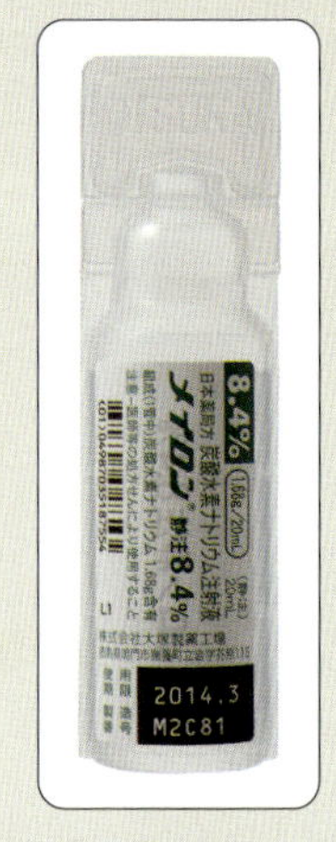

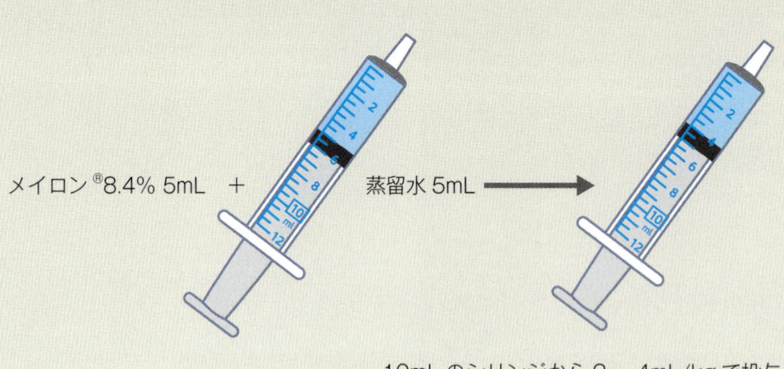

蘇生に使用する薬剤は緊急性を要するので、投与の意味と希釈による薬剤濃度をしっかりと把握しておかなければならない。アドレナリン（ボスミン®）は投与しやすいように、炭酸水素ナトリウム（メイロン®8.4%）は浸透圧を下げるために、希釈を行う。メイロン®8.4%は浸透圧が高いので、生理食塩水ではなく注射用蒸留水で希釈する。

シリンジに薬剤名と希釈濃度を明記しておくと、蘇生現場での誤投与を防ぐことができる。

新生児蘇生法における薬物投与（表1-1）

2010年、国際蘇生連絡協議会（ILCOR）にて心肺蘇生法の改訂（Consensus 2010）が行われ、薬物投与についても言及された[1)]。

まず、新生児蘇生法のアルゴリズムを理解しておく必要がある。詳細はガイドラインに譲るが、薬剤投与は出生から60秒後以降において、人工呼吸と胸骨圧迫を行っても、なお心拍数が60回／分未満の場合に行われる。

1 アドレナリン

蘇生の現場において最も使用されるのは、**アドレナリン**（**ボスミン®**）であろう。βアドレナリン受容体を刺激して心筋の収縮力を強め、心拍数を増加させるとともに、αアドレナリン受容体を刺激して末梢血管を収縮させ、冠動脈や脳への血流量を増加させる。

▶…投　与

臍帯静脈など経静脈投与が望ましいが、ルート確保が困難な場合は挿管チューブより気管内投与を行う。気管内投与では、挿管チューブ内壁などに薬剤が付着・残存しやすい上に、肺胞で吸収されることになるため、静脈内投与に比べて効果発現が遅く、不確実であることを知っておかなければならない。**10倍に希釈**すると投与しやすい。アルカリ溶液と混ざると安定性を欠くため、メイロン® との混注は回避する。

▶…効果判定

アルゴリズムに則り、投与後30秒ごとに心拍数を確認し、心拍数が60回／分未満が持続する場合は再度3〜5分ごとに投与を検討する。

▶…副作用

洞房結節に作用するため、使用後の頻脈、不整脈に注意する。

2 循環血液増加薬

蘇生を行う中で、有効な循環血液量が維持されていないと判断した場合は、**循環血液増加薬**の投与を検討する。Consensus 2010、2015、2020では、失血を疑う周産期歴がある場合の使用を推奨している。しかし、蘇生の現場ですぐに、血圧の測定や心エコーでの評価が可能である場合は少ない。また実際には、心肺蘇生がなされた後、各種検査データを用いて循環血液量の評価を行うことが多いのではないかと考える。使用が推奨されているのは生理食塩水である。

▶…効果判定

前述の通り、血圧測定や心エコーなどでの評価が可能であればよいが、そうでない場合には、筆者は四肢の脈を触知している。成熟児の場合、慣れてくれば四肢の脈の強弱により、おおよ

表1-1 新生児蘇生のための薬物

薬　剤	投与量	溶　解	実際の溶解方法	シリンジ	実際の投与量
ボスミン®(0.1%アドレナリン)(1mg/mL)	静脈内投与：0.01～0.03mg/kg	生理食塩水で10倍希釈	ボスミン®1mL＋生食9mL（0.1mg/mL）	1mL	静脈内投与：0.1～0.3mL/kg
	気管内投与：0.05～0.1mg/kg	生理食塩水で10倍希釈	ボスミン®1mL＋生食9mL（0.1mg/mL）	10mL	気管内投与量：0.5～1.0mL/kg
生理食塩水	10mL/kg	原液	原液	30mL	10mL/kg 5～10分で投与
メイロン®8.4%(炭酸水素ナトリウム)	1～2mEq/kg	蒸留水で2倍希釈	メイロン®8.4%5mL＋蒸留水5mL(0.5mEq/mL)	10mL	2～4mL/kg 1mL/kg/分以上かけて速度

（文献2より改変）

その血圧の推定は可能である。

▶…**副作用**

心機能の未熟な新生児においては、急激な循環血液量増加に伴う心不全の発症に注意する。

3 炭酸水素ナトリウム

十分な呼吸管理のもと、呼吸性アシドーシスの補正がなされ、心拍数も維持されているにもかかわらず、臓器での嫌気性代謝が亢進していると考えられる場合は、代謝性アシドーシスの補正を行う。**炭酸水素ナトリウム**である**メイロン®8.4%**が一般的に使用されている。

▶…**投　与**

生理食塩水に対する浸透圧比が約6と非常に高い薬剤であるため、蒸留水によって希釈して投与する。蘇生を必要とするような末梢循環の悪い新生児において血管外に漏れた場合、組織の壊死が起こる可能性がある（**図1-1**）。そのため、可能な限り太い静脈（新生児の蘇生の現場では臍帯静脈）の使用が望ましいが、末梢静脈が使用されることも多いであろう。いずれのルートの場合も緩徐に投与する。

▶…**効果判定**

蘇生の現場では判定は難しく、実際には血液ガスを測定し、代謝性アシドーシスの改善を確認する必要がある。

▶…**副作用**

組成としてナトリウムの電解質濃度が高い（1,000mEq/L）ため高ナトリウム血症を、アルカリ製剤であるため代謝性アルカローシスを引き起こす。新生児では頭蓋内出血のリスクがある。

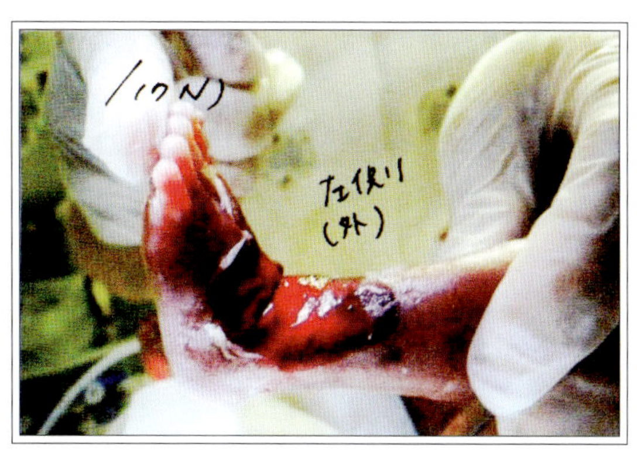

図1-1 メイロン®8.4%の血管外漏出による組織の壊死

引用・参考文献

1）田村正徳監修．日本版救急蘇生ガイドライン 2010 に基づく新生児蘇生法テキスト．改訂第 2 版．東京，メジカルビュー社，2010，174p.

2）草川功．“薬物投与”．日本版救急蘇生ガイドライン 2020 に基づく新生児蘇生法テキスト．第 4 版．細野茂春監修．東京，メジカルビュー社，2021，102-7.

杉浦　弘

●●● レベル3

2 新生児仮死で脳を守る循環管理とは？

自動調節能とpressure passive circulation（圧受け身循環）

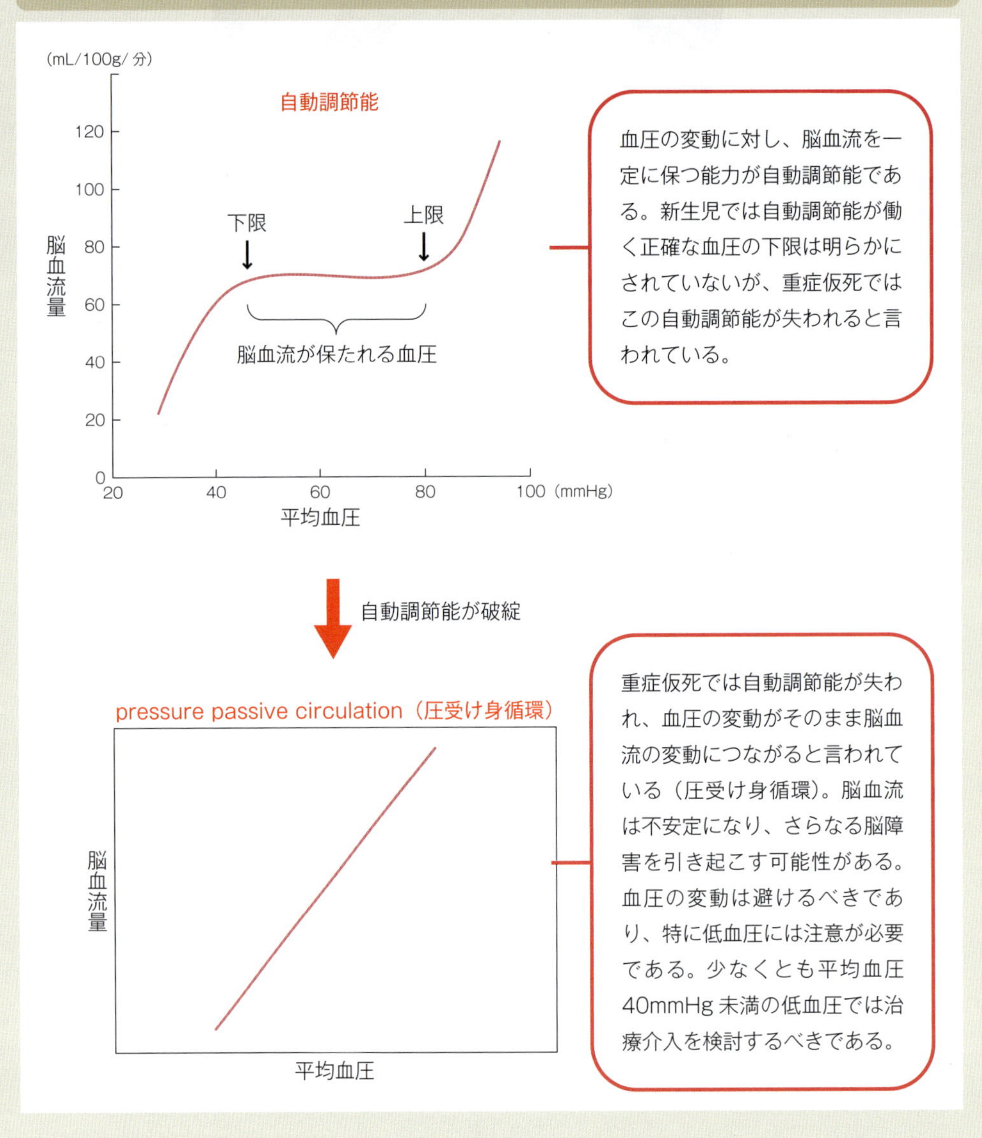

適切な脳循環の保持は脳を守るために非常に重要である。脳循環の不安定さは、仮死によってダメージを受けた脳に低酸素や虚血による障害を加える。脳循環を良好に保つためには、血圧の管理が重要である。平均血圧40mmHg未満の低血圧は避けたい。脳循環には血液中の二酸化炭素分圧も影響する。$PaCO_2$は40～50mmHgぐらいを目指そう。

冷却中の低血圧治療プロトコール案

正期産児
平均血圧 40mmHg 未満の低血圧

心エコーなどによる原因の精査

容量不足

心収縮力低下

容量不足	心収縮力低下
容量負荷 10～20 ml/kg の生理食塩水 貧血なら赤血球製剤 新鮮凍結血漿も検討する 容量負荷が必要なら繰り返す	強心昇圧剤の投与 ドブタミン 5～10μg/kg/ 分 ドパミンとの併用可 病態に応じて、ミルリノンや エピネフィリン

上記で効果が不十分な場合

ハイドロコルチゾン 2～4mg/kg 静注

容量不足では容量負荷する。ただし、高度の心筋障害で心拡大や弁逆流を伴う場合には、容量負荷が前負荷過剰を引き起こし心臓に負担になることもあるため、注意が必要である。生理食塩水では十分でなく、赤血球製剤や凍結血漿製剤の輸血が必要な場合もある。

仮死の低血圧は心筋虚血による心原性心不全が原因であることが多く、心臓の収縮能が低下している場合が多い。ドブタミンが第一選択とされることが多い。病態に応じて、その他の循環作動薬も検討する。血管拡張薬の投与には血圧低下への注意が必要である。低血圧には心筋虚血による心収縮能低下以外に感染や出血が原因となることもある。低血圧の原因を考えることが重要である。

ステロイド投与は脳受傷への影響が不明であるため、慎重に行うべきである。しかし、容量負荷や昇圧薬で効果が不十分な低血圧ではステロイド投与が有効な場合も多いため、投与が検討される。

低体温療法による心拍数と血圧の変化

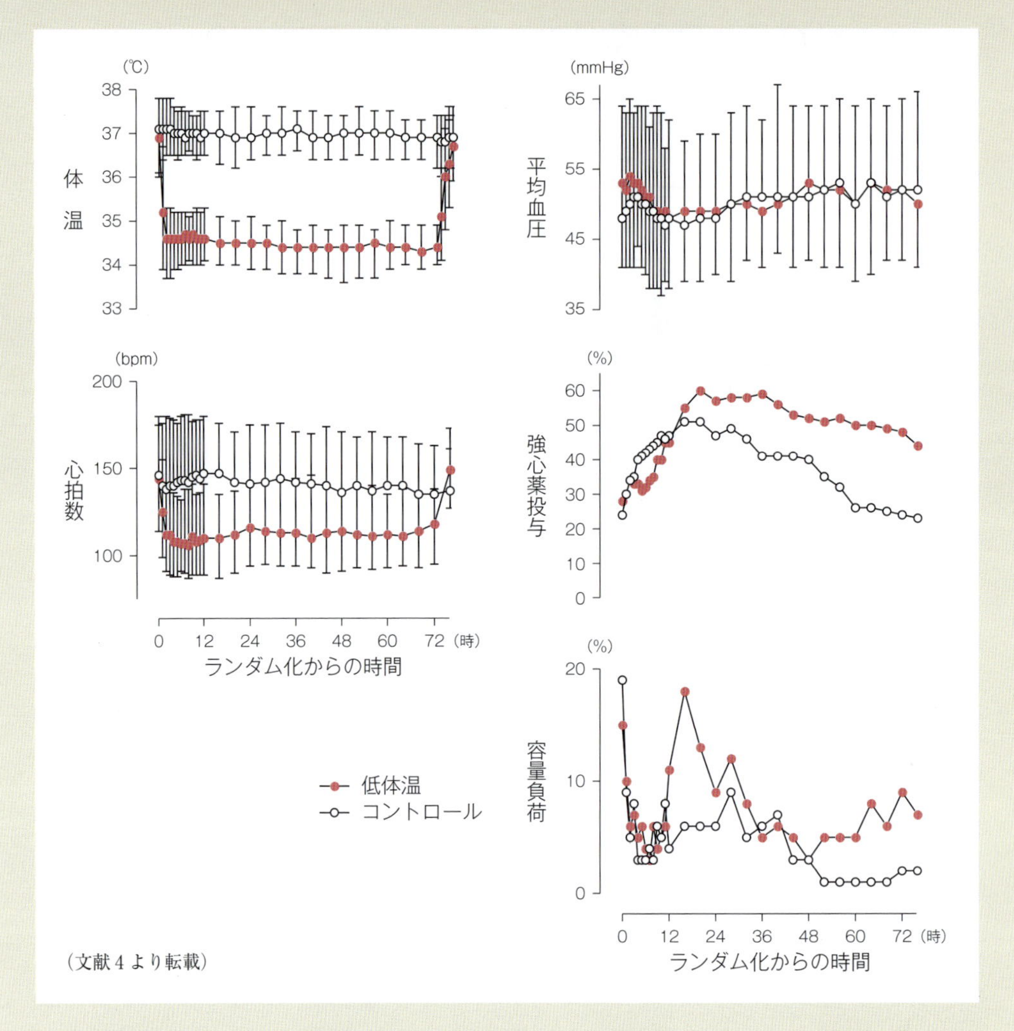

（文献4より転載）

低体温療法による循環への影響についての報告である。低体温ではほとんどの症例が洞性徐脈となる。低体温療法による QT 時間の延長も報告されている。

しかし、低体温による血圧への影響は少なく、低体温群とコントロール群（低体温でない群）で血圧に大きな差はなく、低体温だけでは血圧には大きな影響はないとされている。低体温より、血管抵抗が上昇するためと考えられている。しかし、仮死による低血圧のために、体温とは関係なく、50％程度の症例に容量負荷や強心薬投与などの治療が行われている。また、低体温療法中には、抗痙攣薬などの循環に影響を与える薬剤を併用することも多く、これらの薬剤投与によって低血圧に陥ることもよくある。やはり低体温療法中には厳密な血圧管理が必要である。

圧受け身循環～脳循環と自動調節能～

脳は大量の血流を必要とし、血流が途絶えると、すぐに機能停止に至ってしまう。脳血流を守り、調節する機構として**自動調節能**がある。自動調節能とは、体血圧の変化に対し、脳の血管が収縮・拡張し、脳血流量を一定に保つ機構である。しかし、重症の仮死では自動調節能は破綻し、脳血流量は血圧に依存して変動することが知られている。この状態を pressure passive circulation（**圧受け身循環**）という。血圧が変化すると脳血流もダイレクトに変化するため、脳は虚血に陥りやすくなる。仮死では血圧を厳重に観察することが重要である。動脈ライン留置による動脈圧測定も積極的に考慮すべきである。脳循環には血液中の二酸化炭素分圧も影響する。低二酸化炭素血症では脳血流は著明に減少する。正常の二酸化炭素レベルの保持も重要である。

新生児仮死での循環不全

新生児仮死では低血圧、心ポンプ不全などの**循環不全**が高い確率で認められる。仮死によって心筋が虚血に陥ることが、その原因（**心原性心不全**）である。心筋虚血は一時的であることがほとんどだが、重症の仮死では乳頭筋の虚血壊死も報告されている。また、胎児母体間輸血症候群での貧血や、冷却による血管透過性の亢進による循環血液量の喪失・不足や感染も循環不全の原因となる。

低体温療法や抗痙攣薬による循環・血圧への影響

低体温療法により、生理的な**洞性徐脈**がほとんどの症例で認められるが、血圧にはあまり影響がない。低体温療法の継続が困難になるような心血管系の副作用は少ないとされている。しかし、仮死の治療中には、低体温療法以外にも循環に影響する薬剤が多く用いられる。低体温療法中にフェノバルビタールなどの抗痙攣薬、硫酸マグネシウムなど、血圧に影響する薬剤が投与されるときには低血圧に注意する。低体温療法中に筋弛緩薬はできるだけ用いるべきではない。

実際の管理～血圧・脈拍はどれぐらいを目指すか～

33 ～ 35℃の低体温療法中には 100 回／分前後の徐脈は正常である。120 回／分以上の心拍はむしろ異常かもしれない。急に心拍数が上昇する場合には、痙攣や感染などの可能性を考える。80回／分程度の徐脈でも、血圧や尿量が安定しており、アシドーシスの進行がなければ、治療介入は必要ない。また、日本の新生児低体温療法登録事業からの研究では、入院から冷却終了までの頻脈が発達予後不良と関連することが報告された。頻脈は予後増悪因子というより強い受傷の結果と考えられるが、冷却中の頻脈には注意が必要である。

一方で、冷却中の低血圧には注意が必要である。脳循環の自動調節能が失われている可能性もあり、血圧の変動は避けたい。具体的には平均血圧40mmHg未満で治療介入を検討する。

水分投与量は控えなくてよいのか？～脳浮腫への懸念～

脳に血液が流れる圧（**脳灌流圧**）には血圧だけでなく、頭蓋内圧も関与する（**脳灌流圧＝動脈血圧－頭蓋内圧**）。しかし、新生児では脳圧が上昇しても頭蓋骨の縫合が開いて対応するため、小児や成人に比べ頭蓋内圧が上昇しにくい。新生児で脳灌流圧を決定するのは主に血圧である。もちろん水分の過剰投与は脳浮腫への影響を考えて避けるべきであるが、新生児脳症の治療では、脳浮腫予防を目的とした水分制限より適切な血圧管理のための容量負荷を優先すべきである。十分に循環血液量を確保し、全身の組織循環を保持することが重要である。無理な水分制限は勧められない。

低体温療法と新生児遷延性肺高血圧症

肺高血圧に対して一酸化窒素吸入療法を施行しつつ低体温療法を安定して行うことができるなら、新生児遷延性肺高血圧症は低体温療法の禁忌ではない。しかし、管理には細心の注意が必要であり、呼吸・循環が低体温によって不安定になるようなら、慎重に復温すべきである。低体温療法は万能の治療ではない。低酸素性虚血性脳症の治療中に、呼吸循環を不安定にし、脳循環を破綻させることは厳に慎むべきである。

新生児循環管理のポイント

POINT

- 血圧に注意して観察しよう。平均血圧40mmHg未満の低血圧では治療介入を考えよう。
- 抗痙攣薬などの投与時には、投与開始時刻と前後のバイタル変化（特に体温、血圧）をしっかり観察、記録する。
- 低体温療法中の心拍数120回／分以上は頻脈と判断される。感染や痙攣など異常のサインかもしれない。注意しよう。

引用・参考文献

1）Volpe JJ. "Hypoxic ischemic encephalopathy : neuropathology and pathogenesis". Neurology of the Newborn. 5th ed. Philadelphia, W.B. Saunders, 2008, 370-5.
2）Volpe JJ. "Hypoxic ischemic encephalopathy : clinical aspects". 前掲書 1. 447-80.
3）Levene MI, et al. "The asphyxiated newborn infant". Fetal and Neonatal Neurology and Neurosurgery. 4th ed. Edinburgh, Churchill Livingstone, 2009, 561-86.
4）Battin MR, et al. Does head cooling with mild systemic hypothermia affect requirement for blood pressure support? Pediatrics. 123 (3), 2009, 1031-6.
5）田村正徳ほか. "低体温療法中の内科管理：呼吸循環管理". 新生児低体温療法実践マニュアル：CONSENSUS2010 に基づく. 東京, 東京医学社, 67-70.
6）TOBY study protocol and handbook. https://www.npeu.ox.ac.uk/toby/protocol［2012.1.10］
7）Tsuda K, et al. Body Temperature, Heart Rate, and Short-Term Outcome of Cooled Infants. Ther Hypothermia Temp Manag. 9(1), 2019, 76-85.

柴崎　淳

●●● レベル3

3 双胎間輸血症候群って何? どんな注意が必要?

双胎間輸血症候群

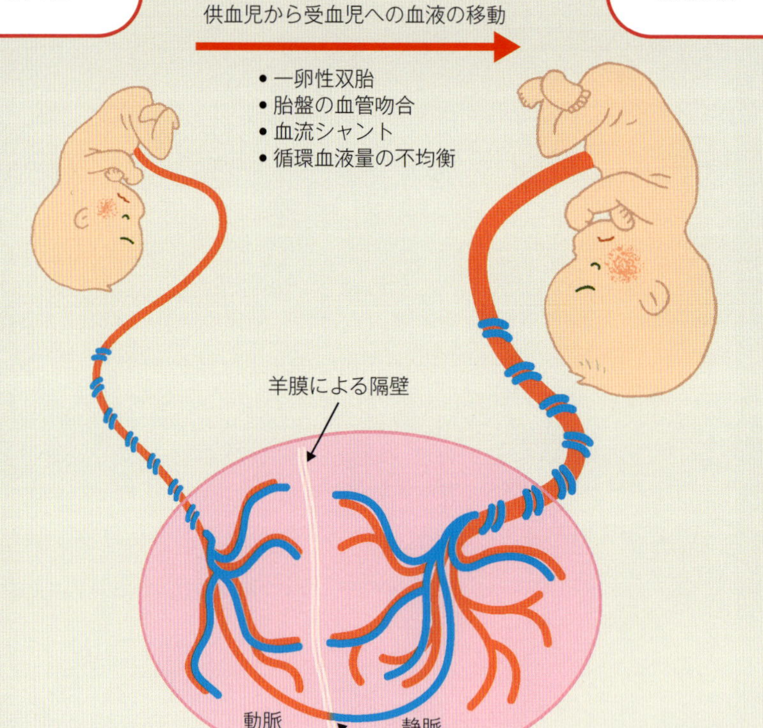

双胎間輸血症候群（TTTS）とは、一絨毛膜性双胎の共有胎盤の吻合血管を介して供血児から受血児に血液が移行し、循環血液量のアンバランスが生じる病態である[1~3]。供血児は血液量過少のために胎児腎不全（羊水過少）・胎児発育不全を来す。受血児は血液量過多のために多尿（羊水過多）・心不全を来す。受血児では羊水過多から切迫早産や前期破水を引き起こしやすく、供血児では羊水過少で体動制限や臍帯圧迫を受けやすい。そのため、胎児仮死や早産に至りやすい[1~3]。

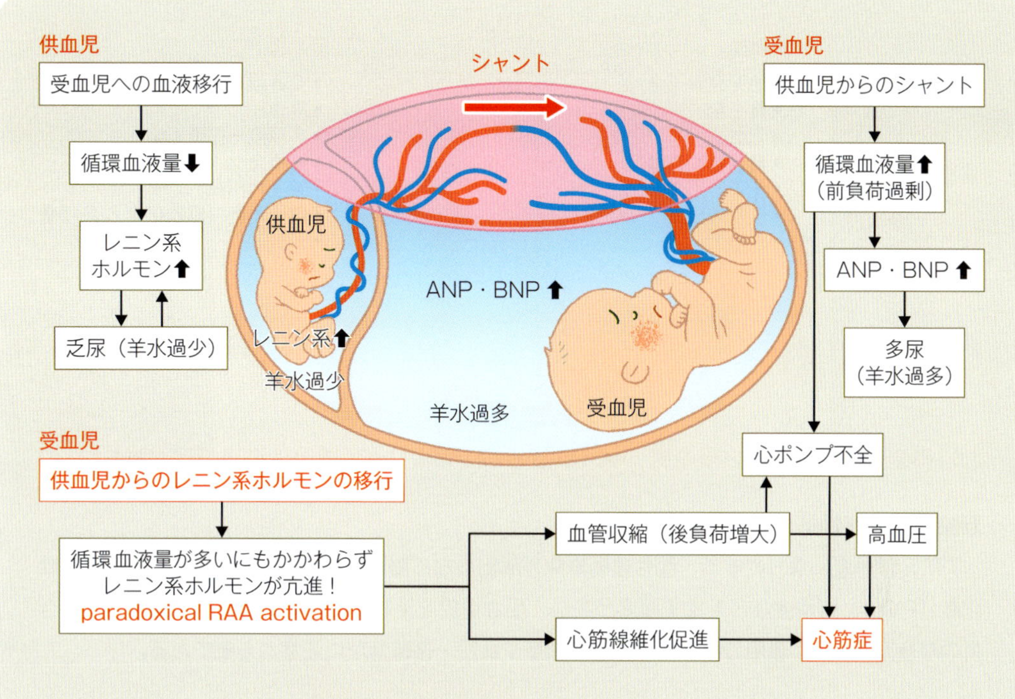

供血児から移行するレニン系ホルモンが
受血児の心筋傷害を助長！！！

双胎間輸血症候群受血児心臓の心臓内分泌学的考察

受血児心臓は、供血児からの循環血液量移行による循環血液量過多（前負荷増大）と、腎不全の供血児から移行するレニン・アンギオテンシン・アルドステロン系（RAA 系）ホルモンによる全身血管収縮（後負荷増大）を起こしやすい胎児環境にある[4, 5]。前負荷・後負荷ともに過大な状況に加えて、心筋傷害物質である RAA 系ホルモンは受血児の心筋肥厚の原因になる[4, 5]。循環血液量過多にかかわらず、レニン系ホルモンの亢進状態は paradoxical RAA activation と呼ばれ、受血児特有の心臓病変の原因となる[4, 5]。

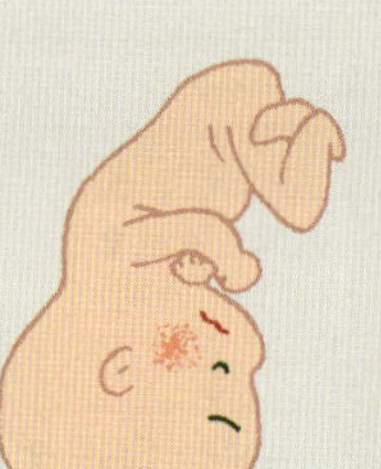
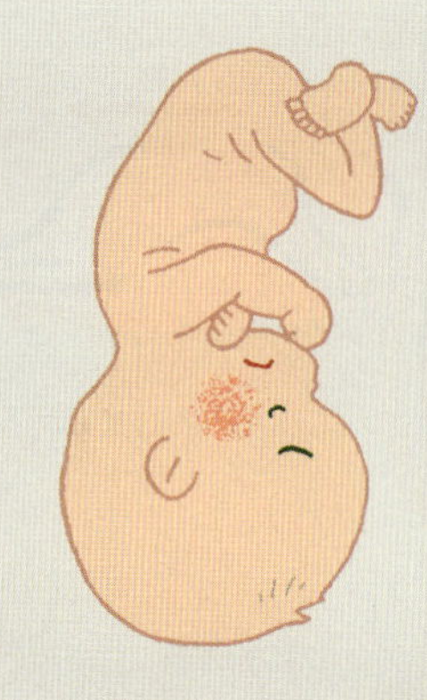

供血児
- 胎児発育不全
- 腎不全
- 低血圧
- 動脈管開存症
- 生後心不全
- 脳室内出血
- 貧血

受血児
- 全身浮腫
- 高血圧
- 多尿症→循環不全ショック
- 心不全
- 脳室内出血
- 脳室周囲白質軟化症＆脳梗塞
- 多血症

心不全や腎不全合併の早産児 ➡ 単胎の早産児より水分調節や循環管理が難しい。

双胎間輸血症候群の早産児の諸問題

TTTSは早産になりやすく、脳性運動麻痺の原因となる脳室内出血（IVH）や脳室周囲白質軟化症（PVL）、脳梗塞などを来す頻度が高い。脳合併症を予防するためには、心不全や腎不全合併の早産児と考え、単胎の早産児より水分調節や血圧・循環管理に注意が必要である。

双胎間輸血症候群って何？

双胎間輸血症候群（TTTS）とは、**一絨毛膜性双胎**において、胎盤に血管吻合があるために循環血液量やホルモンが**供血児から受血児に移行**する病態である。小さい児（供血児）では、受血児へ循環血液量が移行することにより腎血流が減少し、**胎児腎不全**や**羊水過少**を来す。受血児では、循環血液量の増加と供血児からの血管収縮・心筋傷害作用のある**レニン系ホルモン**の移行により、**羊水過多**、**胎児心筋傷害**、**胎児心不全**を来す。

出生した場合、供血児は腎機能障害、受血児は心不全や多尿後に生じる循環不全ショックなどが問題となる。早産や新生児死亡のリスクがあるとともに、脳室内出血（IVH）、脳室周囲白質軟化症（PVL）、脳梗塞などの脳病変を高率に合併し得る双胎である[1〜3)]。

近年は羊水過多（羊水最大深度8cm以上）・羊水過少（同2cm以下）による出生前診断と、胎児エコー所見に基づく**Quintero分類**による胎児期の重症度評価が普及している[1〜3)]。在胎16〜26週未満のTTTSには、**胎児鏡下胎盤吻合血管レーザー凝固術**（FLP）が普及し、救命率の向上、神経学的予後の改善に大きく寄与している[1〜3)]。

双胎間輸血症候群にはどんな注意が必要？

1 出生時の注意

FLPの普及以来、羊水過多・羊水過少を伴うTTTSに典型的な一絨毛膜性双胎の新生児集中治療は減少しつつある。しかし、羊水過多・羊水過少の出生前診断基準は満たさないが、生後にTTTSの病態をとる双胎が少なからずいる[6~8]。出生前診断はなくとも、「体重や羊水量に差がある一絨毛膜性双胎」や「大児に心筋肥厚、小児に胎児発育不全にかかわらず心筋肥厚がなく、むしろ心筋が薄い一絨毛膜性双胎」では、TTTS関連の循環不全を生後発症しないかに注意が必要である[6~8]。大児の臍帯が浮腫状に太く、生直後から利尿を繰り返し、網状チアノーゼなどの症状があれば、胎児期にTTTSの血行動態が存在した可能性を疑うようにしている。

2 供血児の注意

重症例では乏尿や腎機能障害などの**腎不全の治療**が必要となる。中等症以下は尿細管障害のため利尿は良好であるが、重炭酸イオン喪失に伴う代謝性アシドーシスが進行する場合があり、水分量や重炭酸イオンの補充を必要とする。低血糖・貧血を合併することがある。

未熟児動脈管開存症では、乏尿がより重症化する可能性や、インドメタシンの副作用である腎機能障害がより問題となることがあり、結紮術の適応を早めに考慮しなければならないことがある。

心筋が薄い（弱い）可能性があり、血圧は単胎の早産児に比して低めである。昇圧・強心治療に伴い、左房・左室の拡大、心ポンプ不全を来すことがある[9]。在胎週数の若い早産児では、肺出血やIVHの成因となり得るので、血圧上昇後に心ポンプ不全が生じる場合には、利尿薬や血管拡張薬を併用する[9]。

3 受血児の注意

重症例では重症心不全、中等症以下では**高血圧・多尿症**に引き続き生後12～24時間に**循環不全ショック**を来す[10, 11]。

胎児心不全により、胎児期から血管拡張作用のあるナトリウム利尿ペプチド（ANP・BNP）が高値である[10, 11]。出生後も**ANP**や**BNP**の高値が持続し、多尿が続くことがある。一方、受血児腎臓は血管収縮作用を有するレニン系ホルモンの産生能力が低く、供血児から移行しているレニン系ホルモンの消失時期にレニン系ホルモンは低下する（**図3-1**）。

血管拡張因子が大きく、血管収縮因子が小さい状況となるので、全身の血管が弛緩した状態に陥る。血液が心臓に戻りづらい状態となり、前負荷不足により低血圧や乏尿などの循環不全

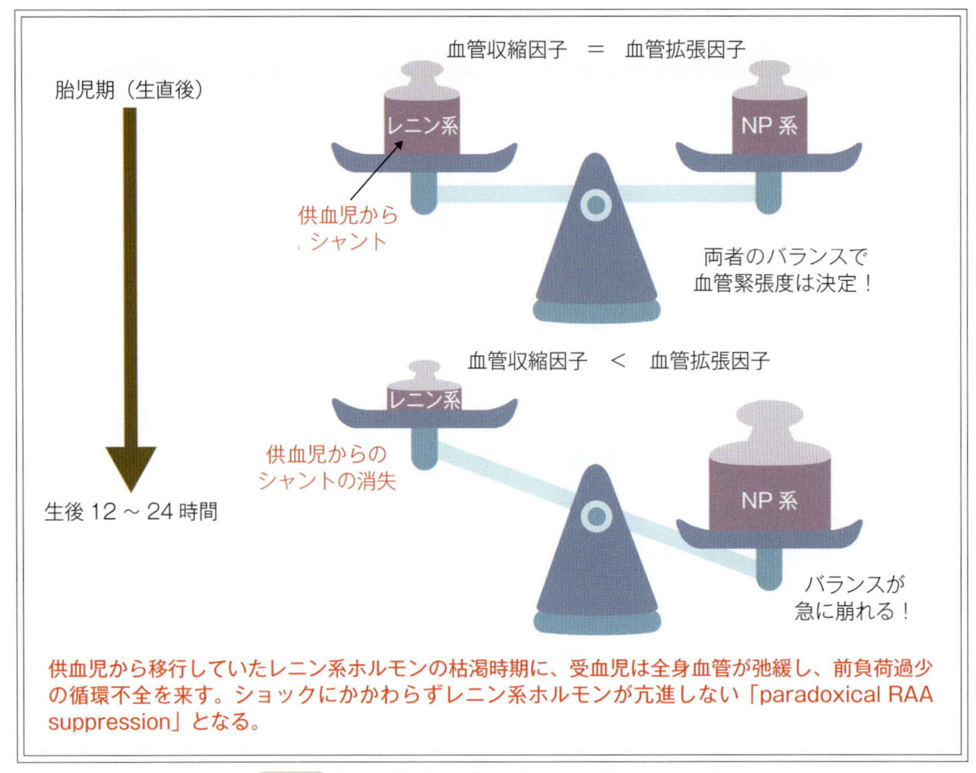

図3-1 出生に伴う受血児のホルモンバランスの変化

を来す[10, 11]。血圧の維持には大量輸液を要し、全身浮腫を引き起こす。生後数日して浮腫が改善する頃に多尿期になるが、循環血液量の急激な増加から前負荷過剰の心ポンプ不全を来し、IVH や肺出血を引き起こすことがある。

多尿後の循環不全予防を目指し、前負荷不足に陥らないように生後早期から生理食塩水、新鮮凍結血漿による容量注入を行う。過度の容量負荷となると、心筋傷害が増悪したり、浮腫の回復期に前負荷過剰による心不全を来す原因となり得る。組織循環を反映する乳酸値や血液ガス分析による BE、さらには循環血液量の指標として心エコー検査による左房径／大動脈径比（LA/Ao 比）や左室容積や上大静脈血流量などを指標に水分量を調節する。

心ポンプ不全が著しい症例にはカテコラミンやハイドロコルチゾンなどの強心治療を施行する。輸液過剰投与や浮腫回復期の前負荷急増による心ポンプ不全、もしくは後負荷上昇（高血圧）による心ポンプ不全時に血管拡張薬を低用量で投与することはあるが、重篤な低血圧を来す場合も多いので、極力使用は控える[10, 11]。ショックに陥った場合には、バソプレシンなどの血管収縮薬が有用な可能性がある[10, 11]。

新生児循環管理のポイント

POINT

- 血圧値、尿量、水分バランスなどを時間当たりで経時的に観察する。
- 乏尿に陥る血圧値、尿量が良好になる血圧値、心エコー上で心ポンプ不全を来す血圧値などを考察する。
- 代謝性アシドーシスや乳酸値、心臓のサイズなどを経時的に記録し、バイタルサインの変動との関連性を見る。

引用・参考文献

1）Quintero RA, et al. Stage-based treatment of twin-twin transfusion syndrome. Am. J. Obstet. Gynecol. 188 (5), 2003, 1333-40.

2）村越毅ほか．双胎間輸血症候群における胎児鏡下胎盤吻合血管レーザー凝固術の有用性・合併症に関する臨床的検討．日本周産期・新生児医学会雑誌．40（4），2004，823-9.

3）村越毅．多胎と周産期脳障害．周産期医学．38（6），2008，679-82.

4）Mahieu-Caputo D, et al. Pathogenesis of twin-twin transfusion syndrome : the reninangiotensin system hypothesis. Fetal Diagn. Ther. 16 (4), 2001, 241-4.

5）Mahieu-Caputo D, et al. Paradoxic activation of the renin-angiotensin system in twin-twin transfusion syndrome : an explanation for cardiovascular disturbances in the recipient. Pediatr. Res. 58 (4), 2005, 685-8.

6）豊島勝昭ほか．NICU 循環管理からみた胎児鏡下胎盤吻合血管レーザー凝固術（FLP）の適応拡大について．日本周産期・新生児医学会雑誌．47（4），2011，784-7.

7）横山岳彦ほか．羊水過多過少による双胎間輸血症候群の診断基準を満たさない一絨毛膜二羊膜性双胎の急性期障害と長期予後：アンケート調査から．日本周産期・新生児医学会雑誌．53（4），2017，966-73.

8）横山岳彦ほか．一絨毛膜二羊膜性双胎の出生後循環障害の有無と胎児心エコー所見および長期予後との関係について．日本周産期・新生児医学会雑誌．54（4），2018，990-6.

9）豊島勝昭．TTTS：出生直後の循環管理を中心に．周産期医学．40（3），2010，351-6.

10）豊島勝昭ほか．一絨毛膜性双胎の胎児・新生児循環の心臓血管内分泌学的検討．日本周産期・新生児医学会雑誌．43（4），2007，999-1003.

11）豊島勝昭．双胎間輸血症候群の循環の心臓血管内分泌学的考察．周産期医学．38（9），2008，1171-7.

12）豊島勝昭．“双胎間輸血症候群（TTTS）”．新生児の心エコー入門．大阪，メディカ出版，2020，287-96.

豊島勝昭

晩期循環不全はなぜ起こる?

年別発症率（2003~2017年統計）

年		
2003	90	2061
2004	110	2551
2005	179	2777
2006	235	3037
2007	301	3729
2008	344	3561
2009	356	3763
2010	401	4478
2011	456	4739
2012	437	4838
2013	433	4579
2014	384	4197
2015	381	4269
2016	320	3853
2017	207	3261

0 10 20 30 40 50 60 70 80 90 100（%）

2003年の4.2%から2008年の8.8%までは増加傾向、その後2014年まで8%以上の発症率であったが、その後は漸減しているようである。

在胎期間別発症率（2003~17年統計）

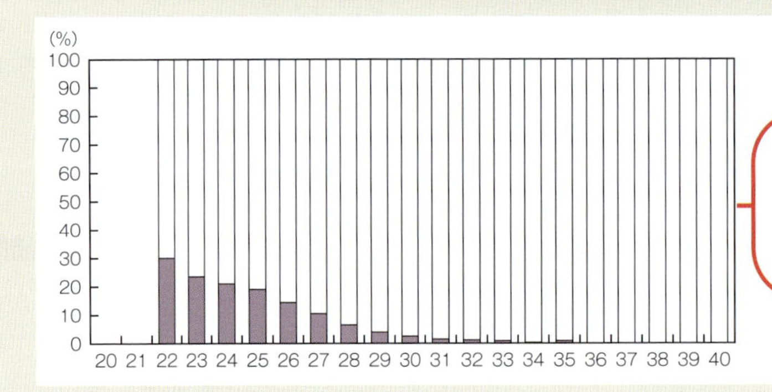

在胎期間が短い児ほど発症率が高いことは明白である。

出生体重別発症率（2003~17年統計）

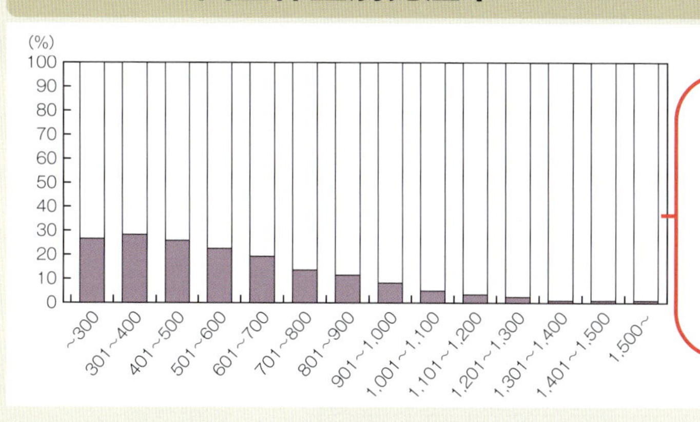

301g以上については出生体重が小さいほど発症しやすいが、300g以下においては、症例数、生存率を鑑みれば評価が難しいと思われる。

施設別発症率（2017年）

まったく発症を見ない施設もあれば、発症率が30%近い頻発施設もあり、施設間差があることは明らかである。

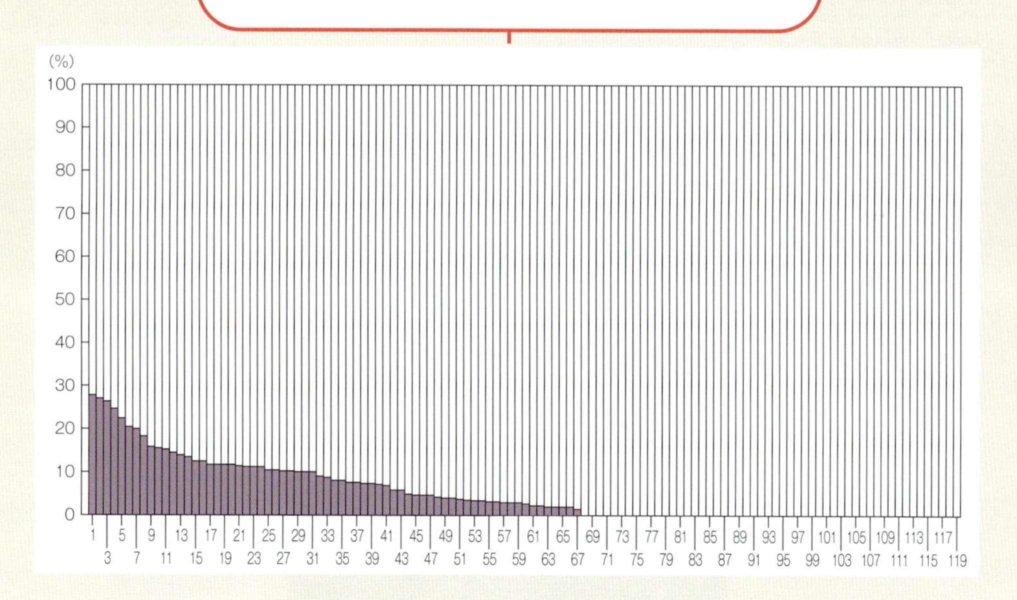

（周産期母子医療センターネットワークデータベースより）

自施設の超低出生体重児における発症率（2001~2020）

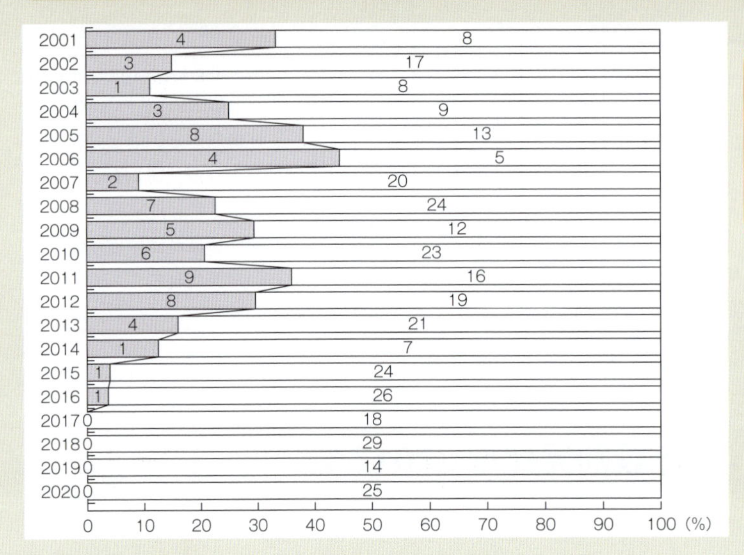

当院は頻発施設であったが、2014年以降は減少し2017年以降4年間は発症がない。

はじめに、残念ながらこの問題は、まだ解明されていないことを知っておく必要がある。相対的副腎不全が関与していることに疑いはないが、その発症機序はまだ明らかでなく、リスク因子にも不明な点が多い。

疫学的には、①在胎期間が短く、出生体重の小さい児、つまり未熟性の高い児ほど発症しやすい、②施設により発症率が大きく異なるということが、内分泌学的には、早産児の視床下部ー下垂体ー副腎皮質系の未熟性が発症に関与していることが分かっている。

胸部単純X線写真（発症時）

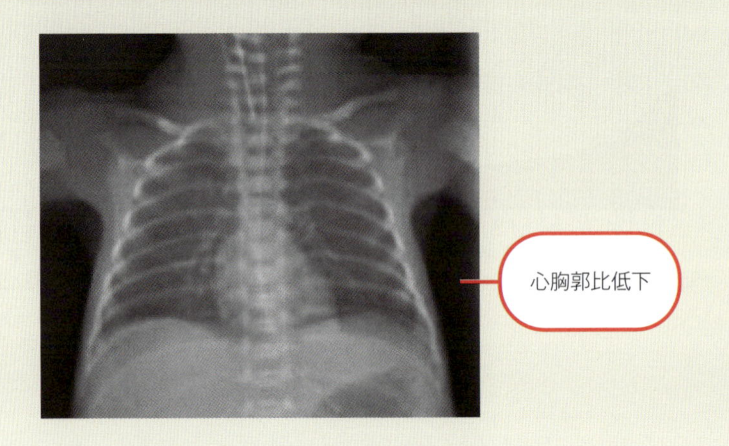

超音波血流測定

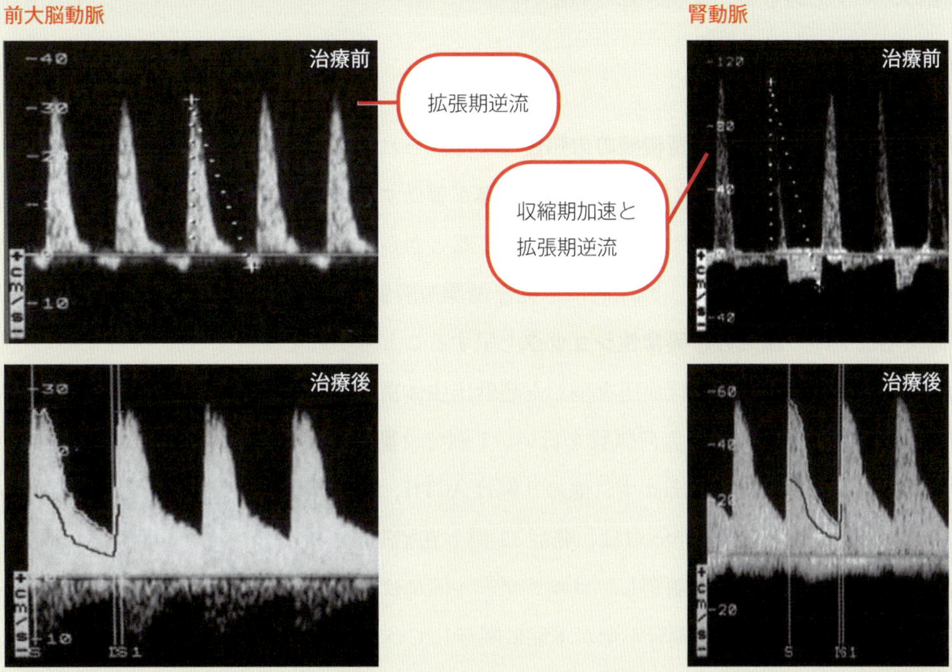

前大脳動脈

腎動脈

治療前

拡張期逆流

治療前

収縮期加速と
拡張期逆流

治療後

治療後

画像所見上は循環血液量減少性ショックの像を呈する。胸部単純X線写真では、心陰影が狭小化し、心胸郭比が低下する。その後、肺野透過性低下や肺水腫様変化が現れる。心エコー検査では、左室拡張末期径は小さくなり、駆出率は増大する。動脈管が再開通する症例を時に認めるが、症候化は経験しない。臓器血流測定では腎動脈血流が加速し、時には100cm/秒を超え、拡張期は途絶もしくは逆流してしまう。重症例では前大脳動脈においても同様に拡張期血流は途絶もしくは逆流する。

晩期循環不全とは?

晩期循環不全の一般的な概念は、「出生直後の呼吸循環動態が不安定な時期を過ぎ、感染症や動脈管開存症など明らかな誘因なく突然発症する、早産児に特有の循環不全」である。

この病態が全国的に話題になったのは、2000年に「**急性期離脱後の一過性循環不全**」として複数の施設から報告されてからであり、まだ歴史の浅い疾患である。欧米において本症に発症時期などが類似しているものはWardらの報告のみと思われていたが、2013年以降に韓国から[1)]、2020年にはついに米国からも報告されはじめており[2)]、興味深い。

この疾病が重要であるのは、神経学的予後に大きく関わるからにほかならない。脳室周囲白質軟化症を続発することや、脳性麻痺や発達遅滞の独立した要因となることが知られている[3)]。

晩期循環不全の原因

本項のテーマであるが、解明されていない。

1 内分泌学的視点

早産児、特に超早産児の**副腎機能の未熟性**はよく知られており、また治療として行われる容量負荷に反応しない症例が多く、**ステロイド投与**が著効すること、眼底検査や再挿管といった**ストレス**を伴う処置後に発症する症例も見られることからも、**相対的な副腎不全によるショック**という説はもっともである。臨床的に単純な循環血液量減少ではなく、全身浮腫、肺水腫、異常体重増加を伴う**血液分布異常性ショック**を呈することもそれを支持する。

山田らは、急性期離脱後に低血圧を呈した超低出生体重児4例の有症状時に副腎皮質刺激ホルモン放出ホルモン（CRH）負荷試験を行い、1例では**副腎皮質刺激ホルモン**（ACTH）は反応を示すが**コルチゾール**は反応せず、他の3例はACTH、コルチゾールともに反応が乏しかったと報告した[3]。またMasumotoらは、発症11例と在胎期間をマッチさせた非発症11例のコルチゾールとその前駆物質を測定し、コルチゾール値には差がないが、その前駆物質の総量が発症群で高値であり、相対的副腎不全が本症に関与していると報告している[4]。これらからも、早産児の視床下部－下垂体－副腎皮質系の未熟性が発症に関与していることには異論がない。一方で、幸脇らは、尿中ステロイドプロファイルの検討により、発症例では非発症例に比し有意に発症前のステロイド合成が多いこと、また外科疾患などのストレス時に明らかなコルチゾール分泌反応を認めたにもかかわらず、その後発症している児が存在することを報告している[5]。副腎機能の未熟性だけで発症しているわけではない証拠と言える。

詳細な内分泌学的な精査が現実的に難しいことが、原因究明への大きな壁である。採血量の制約がある上に、本症を発症すると採尿さえも難しくなる。また、副腎皮質系以外のホルモン、各種サイトカイン、一酸化窒素などの血管作動性因子との関連についての報告はわずかである。研究機関と協力してサンプルの解析に当たる必要がある。

2 疫学的視点

p.370～372に示したような発症率の変化、施設間差を考えると、複数の因子による発症機序を考えなければならない。施設間差は管理方針の違いによるものと考えるのは容易であるが、それを説明するためには多施設共同での詳細な前方視的調査が必要である。

3 治療・管理的視点

2000年以降に報告が急増していることから、早産児医療の変化に伴うものとも考えられてきた。早期授乳や経静脈栄養、早期人工呼吸離脱、水分投与量、ナトリウム投与量、投与薬剤（利尿薬、キサンチン製剤、エリスロポエチン、レボチロキシンなど）などとの関連も疑われてきたが、まだ統一した見解をみていない。自施設では「超早期授乳と急性期離脱後循環不全に関連性がある」という仮説を立てて証明したが[7]、単一施設のみの解析にとどまる。また発症の明らかな契機として輸液終了、眼底検査なども指摘されている[8]。

●

本症発症のベースに早産児の相対的副腎不全があることは間違いないが、その発症のリスク因子は特定できていない。発症率の急増、施設間差などから、近年の早産児管理に対して適応できていない赤ちゃんたちの訴えと言えるかもしれないが、この数年の漸減傾向をみると、よりその機序が複雑であることが示唆される。ベッドサイドで赤ちゃんの診療・看護にあたる医療者、特に若い医師が新たな視点でこの問題に取り組まれることを強く望む。

新生児循環管理のポイント　POINT

発症リスクの高い出生体重 1,100g 以下、在胎 32 週未満の児において、以下に留意する。

【発症前（未発症例、回復症例）】

- ☐ 好発時期（一般的には生後 2 ～ 4 週）、特に眼底検査、気管挿管などの処置後、利尿薬、キサンチン製剤、エリスロポエチン、レボチロキシンなどの薬剤投与開始後には、少なくとも 3 ～ 4 時間ごとの血圧、水分出納を記録する。
- ☐ 頻脈、異常体重増加、活気低下、血清ナトリウム値の低下など、本症を思わせる所見に注意する。
- ☐ 皮膚所見に注目！　発症前に何となく皮膚がぶよっとむくんでくる症例が見られる。

【発症～回復まで】

- ☐ 血圧、尿量（1 ～ 2 時間ごと）、無尿時間を記録する。
- ☐ 低血圧、ショックによる活動性低下の有無、ステロイド投与に伴う irritability（易刺激性）など、活気はどうか？

引用・参考文献

1）Lee WJ, et al. Clinical Features of Late-onset Circulatory Collapse in Preterm Infants. Korean J Perinatol. 24 (3), 2013, 148-56.
2）Marinelli KC, et al. Clinical risk factors for the development of late-onset circulatory collapse in premature infants. Pediatr Res. 2020 Jun 3. doi: 10.1038/s41390-020-0990-7.
3）Yasuoka K, et al. Late-Onset Circulatory Collapse and Risk of Cerebral Palsy in Extremely Preterm Infants. J Pediatr.212, 2019, 117-23.
4）山田恭聖ほか．超早産児急性期離脱後の低血圧症における下垂体機能低下．日本未熟児新生児学会雑誌．17 (2), 2004, 99-106.
5）Masumoto K, et al. Comparison of serum cortisol concentrations in preterm infants with or without late-onset circulatory collapse due to adrenal insufficiency of prematurity. Pediatr Res. 63 (6), 2008, 686-90.
6）幸脇正典ほか．極低出生体重児における尿中ステロイドプロファイルの検討：晩期循環不全の病態解明のために．日

本周産期・新生児医学会雑誌. 46 (2), 2010, 586.
7) 影山操ほか. 急性期離脱後循環不全と早期授乳との関連性についての検討. 日本未熟児新生児学会雑誌. 18 (3), 2006, 410.
8) 影山操ほか. 岡山医療センターにおける過去15年の晩期循環不全（急性期離脱後循環不全）. 日本新生児成育医学会雑誌. 28 (3), 2017, 548.

影山　操

付表

循環管理でよく出会う薬剤一覧

循環管理でよく出会う略語一覧

循環管理でよく出会う 薬剤一覧

動脈管閉鎖薬

薬剤名	商品名	投与量	副作用	備考
インドメタシン	**インダシン静注用** (1mg/mL)	患児の生後時間に応じて下記の用量*を12～24時間間隔で通常3回投与 【予防投与】 IVHの予防として、生後6時間以内に0.1mg/kgを6時間かけて3回まで実施	乏尿、出血傾向、低血糖、低Na血症、消化管障害、壊死性腸炎，血小板減少など	①投与後に無尿または著明な乏尿が（尿量：0.6mL/kg時未満）が現れたら、腎機能が正常化するまで次の投与は行わない。 ②1回目あるいは2回目の投与で動脈管の閉鎖が得られた場合は、以後の投与は行わずに経過を観察しても差し支えない。 ③投与終了後48時間以上経過して動脈管が閉鎖している場合は追加投与の必要はない。 ④投与時間は30分以上かけて行う。
イブプロフェン	**イブリーフ静注** (20mg/2mL)	初回10mg/kg 2回目、3回目は5mg/kg いずれも15分以上かけて静注 24時間間隔で投与	副作用はインドメタシンと同様 ・肺高血圧にも注意 ・乏尿はインドメタシンより少ない。	初回投与は5mg/kgでも有効なことがある。 インドメタシン同様、動脈管の閉鎖が得られたら投与を行わず経過を見てもよい。 インドメタシンのような予防投与のエビデンスは今のところない。
メフェナム酸	**ポンタールシロップ** (32.5mg/mL)	2mg/kgを10倍希釈して（0.6mL/kg）12時間ごとに3回投与（1クール）それまでに閉鎖したら追加投与の必要なし	副作用はインドメタシンと同様	動脈管閉鎖治療目的は保険適応外

＊インドメタシンの用量

初回投与の生後時間	投与量（mg/kg）		
	1回目	2回目	3回目
生後48時間以内	0.2	0.1	0.1
生後2～7日未満	0.2	0.2	0.2
生後7日以上	0.2	0.25	0.25

科学的根拠の詳細や推奨はJapanese Preterm PDA（J～PreP）ホームページ（http://jprep.2mites.net/modules/d3downloads/index.php?cid=5）から閲覧可能

※アセトアミノフェン（パラセタモール）は海外では使用されている。

昇圧薬

薬剤名	商品名	投与量	作用	副作用
カテコラミン				
ドパミン	**イノバン**	1～20μg/kg/分	低用量で腎血流↑（ドパミン作用）、中等度量で心収縮力・心拍数↑（β_1作用）、高用量で血管収縮（α_1作用）	頻脈、大量で血管抵抗↑
ドブタミン	**ドブトレックス**	1～20μg/kg/分	β_1作用強い、心収縮力・心拍数↑（β_1作用）	頻脈
イソプロテレノール	**プロタノールL**	0.01～1.0μg/kg/分	強力なβ_1およびβ_2作用、心収縮力・心拍数↑（β_1作用）、血管収縮（α_1作用）	頻脈、不整脈
エピネフリン（アドレナリン）	**ボスミン**	0.01～1.0μg/kg/分	心収縮力・心拍数↑（β_1作用）、血管収縮（α_1作用）	頻脈、不整脈
ノルエピネフリン（ノルアドレナリン）	**ノルアドレナリン**	0.01～1.0μg/kg/分	心収縮力・心拍数↑（β_1作用）、血管収縮（α_1作用）	頻脈、不整脈
バソプレシン	**ピトレシン**	0.001～0.01U/kg/分	抗利尿ホルモン、血管収縮作用、難治性低血圧に有用	皮膚蒼白、気管支攣縮

PDE Ⅲ阻害剤

薬剤名	商品名	投与量	作用	副作用
ミルリノン	**ミルリーラ**	0.25〜0.75μg/kg/分 （初回50μg/kg、10分かけてもよい）	Inodilator、心収縮力↑、血管拡張	低血圧、不整脈、血小板減少
オルプリノン	**コアテック**	0.1〜0.4μg/kg/分 （初回10μg/kg、5分かけてもよい）	Inodilator、心収縮力↑、血管拡張	低血圧、不整脈、血小板減少

強心薬

薬剤名	商品名	投与量	作用	副作用
ジゴキシン	**ジゴシン**	維持量 0.004〜0.008mg/kg/日（静注） 0.005〜0.01mg/kg/日（経口）	多くは頻脈性不整脈に使用、陽性変力作用、陰性変時作用	ジギタリス中毒（高度徐脈、房室ブロック）、悪心、めまい
デノパミン	**カルグート**	1〜3mg/kg/日　分3	慢性心不全　カテコラミンからの離脱時に使用	

利尿薬

薬剤名	商品名	投与量		作用	副作用
		静注	経口		
フロセミド	**ラシックス（静注、経口）**	0.5〜5mg/kg/回 大量では持続静注	1〜3mg/kg　分2〜3	ループ利尿薬	低Na血症、低K血症、低Cl血症、アミノグリコシドと併用で聴神経障害
スピロノダクトン	**ソルダクトン（静注）** **アルダクトンA（経口）**	0.5〜5mg/kg/回	2〜4mg/kg　分2〜3	アルドステロン受容体拮抗薬、K保持作用	代謝性アシドーシス、高K血症

薬剤名	商品名	投与量		作 用	副作用
		静 注	経 口		
トラセミド	**ルプラック（経口）**		0.4～0.6mg/kg 分2～3 フロセミドの5倍の力価	ループ利尿薬	電解質異常
アセタゾラミド	**ダイアモックス（静注、経口）**	5～15mg/kg/回	15～30mg/kg/日 分3	炭酸脱水素酵素抑制薬、髄液産生抑制作用	代謝性アシドーシス、低K血症
カルペリチド	**ハンプ（静注）**	0.02～0.1（最大0.2）μg/kg/分		利尿ペプチド、利尿薬不応性心不全	低血圧、徐脈
トルバプタン	**サムスカ（経口）**		0.3～0.5mg/kg/日	バソプレシン V_2 受容体拮抗薬、水利尿により低Na血症を改善、SIADHにおける低Na血症の改善	高Na血症、浸透圧性脱髄症候群

β遮断薬

薬剤名	商品名	投与量		作 用	副作用
		静 注	経 口		
プロプラノロール	**インデラル**	0.01～0.1mg/kg	1～4mg/kg/日 分3～4	慢性心不全、低酸素発作（TOF）予防、頻脈性不整脈に使用	心機能低下、房室ブロック、気管支攣縮、低血糖
カルベジロール	**アーチスト**		0.1mg/kg/日 分2から開始し、1mg/kg/日 分2まで徐々に増量	慢性心不全に使用	心機能低下、房室ブロック、気管攣縮、低血糖

薬剤名	商品名	投与量		作 用	副作用
		静 注	経 口		
メトプロロール	**セロケン**		1～2mg/kg/日 分2	慢性心不全、低酸素発作（TOF）予防	心機能低下、房室ブロック、気管支攣縮、低血糖
ランジオロール	**オノアクト点滴静注用**	1～10μg/kg/分		超短時間作用型β_1選択的遮断薬、頻脈性不整脈に使用	心機能低下、房室ブロック、高度徐脈

血管拡張薬

薬剤名	商品名	投与量	作 用	副作用

■…静注用

ホスホジエステラーゼⅢ（PDE Ⅲ）阻害薬

薬剤名	商品名	投与量	作 用	副作用
ミルリノン	**ミルリーラ**	0.25～0.75μg/kg/分	Inodilator、心収縮力↑、血管拡張	低血圧、不整脈、血小板減少
オルプリノン	**コアテック**	0.1～0.4μg/kg/分	Inodilator、心収縮力↑、血管拡張	低血圧、不整脈、血小板減少

亜硝酸製剤

薬剤名	商品名	投与量	作 用	副作用
ニトログリセリン	**ミリスロール**	0.5～20μg/kg/分	少量で前負荷軽減、高用量で後負荷軽減	ホスホジエステラーゼV（PDE V）阻害薬との併用禁。低血圧、不整脈、メトヘモグロビン血症
ニトロプルシド	**ニトプロ（注）**	0.5～3μg/kg/分	少量で前負荷軽減、高用量で後負荷軽減。ニトログリセリンよりも動脈拡張作用が強い。	PDE V阻害薬との併用禁。低血圧、不整脈、シアン中毒（長時間、大量で）

α型ヒト心房性ナトリウム利尿ポリペプチド製剤（hANP）

薬剤名	商品名	投与量	作 用	副作用
カルペリチド	**ハンプ**	0.02～0.1（最大0.2）μg/kg/分	利尿ペプチド	低血圧、徐脈

薬剤名	商品名	投与量	作 用	副作用
プロスタグランジン E_1（PGE_1）製剤				
アルプロスタジル（lipoPGE_1）	**リプル、パルクス**	5～10ng/kg/分 必要最小限で維持	動脈管開存作用（動脈管依存性心疾患）	無呼吸、下痢、発熱
アルプロスタジルアルファデクス（PGE_1）	**プロスタンディン**	10～100ng/kg/分 必要最小限で維持	動脈管開存作用（動脈管依存性心疾患）	上記以上に副反応出やすい
その他				
塩酸トラゾリン	**イミダリン**	1mg/kg を 30 分かけて静注 有効例では 0.1～1mg/kg/時	αブロッカー、血管拡張作用、新生児遷延性肺高血圧症	低血圧（容量負荷必要）、消化管出血、皮膚紅潮
硫酸マグネシウム	**マグネゾール**	150～200mg を 5 分かけて静注 有効なら 20～100mg/kg/時	血管拡張作用	低血圧、筋弛緩、腸管運動抑制
クロルプロマジン	**コントミン**	0.1mg/kg/時	麻酔前投薬、血管拡張作用	錐体外路症状

■…経口用

アンジオテンシン変換酵素（ACE）阻害薬

薬剤名	商品名	投与量	作 用	副作用
エナラプリル	**レニベース**	0.1～0.2mg/kg/日　分 1～2	レニンーアンギオテンシン系阻害で末梢血管拡張	低血圧、腎不全、高K血症、乾性咳嗽
カプトプリル	**カプトリル**	0.3～1.5mg/kg/日　分 3	レニンーアンギオテンシン系阻害で末梢血管拡張	低血圧、腎不全、高K血症、乾性咳嗽

肺高血圧治療薬

薬剤名	商品名	投与量	作用	副作用
■…吸入用				
一酸化窒素（NOガス）	アイノフロー吸入用800ppm	人工呼吸器に接続。20ppmからスタートし、改善に伴い5ppmまで減量	選択的肺血管拡張作用、新生児遷延性肺高血圧症	メトヘモグロビン血症
プロスタサイクリン（PGI_2）製剤				
イロプロスト	ベンテイビス吸入液	座位で自立吸入可能な年長児以上 1回2.5μg	肺血管拡張薬、PGI_2系の吸入薬、即効性で持続時間は短い。	
■…静注用				
プロスタサイクリン（PGI_2）製剤				
エポプロステノール	フローラン	2〜20ng/kg/分（80〜120ng/kg/分の大量療法もある） 少量から開始する。	強力な血管拡張作用	低血圧 小児適応あり
■…経口用				
プロスタサイクリン（PGI_2）製剤				
ベラプロスト	ドルナー、プロサイリン	1〜5μg/kg/日　分3〜4	肺血管拡張作用	嘔吐、下痢、低血圧
PDE V阻害薬				
シルデナフィル	レバチオ	0.5〜5mg/kg/日　分3〜4（8mg/kg/日の報告もある）	肺血管拡張作用	腎不全、低血圧、動脈管拡張作用、未熟児網膜症 小児適応あり

薬剤名	商品名	投与量	作用	副作用
タダラフィル	**アドシルカ**	1mg/kg/日　分1	肺血管拡張作用	腎不全、低血圧、動脈管拡張作用、未熟児網膜症

エンドセリン（ET）受容体阻害薬

薬剤名	商品名	投与量	作用	副作用
ボセンタン	**トラクリア**	4～8mg/kg/日　分2	エンドセリン受容体拮抗薬	肝障害、動脈管拡張作用 小児適応あり
アンブリセンタン	**ヴォリブリス**	0.1～0.2mg/kg/日　分1	選択的エンドセリンA型（ERA）受容体拮抗薬	貧血、体液貯留、肝障害
マシテンタン	**オプスミット**	0.2～0.3mg/kg/日　分1～2	ボセンタンと同じく非選択的阻害薬	小児では調査中

抗不整脈薬

薬剤名	商品名	投与量	作用	副作用
硫酸アトロピン	**硫酸アトロピン**	0.01～0.02mg/kg	副交感神経遮断薬、房室伝導促進	頻脈、口渇、緑内障には禁忌
ATP	**アデホス-L**	0.1～0.3mg/kg 原液で急速静注。静注後も生食で後押しする。最大0.5mg/kg	房室伝導促進、自動能抑制、テオフィリンに拮抗	高度徐脈、気管支攣縮、顔面紅潮
ジゴキシン*	**ジゴシン**	飽和量（経口）　0.01～0.02mg/kg （静注ではその2/3） 維持量（経口）0.005～0.01mg/kg/日　分2	房室伝導抑制（上室頻拍に使用）	ジゴキシン中毒（高度徐脈、房室ブロック）
プロカインアミド	**アミサリン**	静注　10～15μg/kg 持続静注　20～60μg/kg/分 経口　30～50mg/kg/日	Naチャネル遮断薬（Ⅰa）	心室頻拍、無顆粒球症、全身性エリテマトーデス（SLE）症状
ジソピラミド	**リスモダン**	静注　1～2mg/kg 経口　5～10mg/kg/日	Naチャネル遮断薬（Ⅰa）	抗コリン作用、キニジン様作用に注意排尿困難、低血糖、無顆粒球症

薬剤名	商品名	投与量	作 用	副作用
酢酸フレカイニド	**タンボコール**	静注　1〜2mg/kg 経口　3〜5mg/kg/ 日	Na チャネル遮断薬（Ⅰc）、上室・心室頻脈有効	心室頻拍、心不全、嘔吐
塩酸ソタロール	**ソタコール**	経口　1〜2mg/kg/ 日から始め、6mg/kg/ 日まで増量	K チャネル抑制（Ⅲ）	QT 延長、Torsades de pointes
塩酸ニフェカラント	**シンビット**	静注　0.15〜0.3mg/kg 持続静注 0.2〜0.4mg/kg/ 時	K チャネル抑制（Ⅲ）	QT 延長、Torsades de pointes
リドカイン	**キシロカイン**	静注　1〜2mg/kg 持続静注　1〜3mg/kg/ 時	Na チャネル遮断薬（Ⅰb）、異所性自動能抑制、伝導時間低下	過量で痙攣、徐脈、房室ブロック、嘔吐、意識障害
メキシレチン	**メキシチール**	静注　2〜3mg/kg 持続静注　0.4〜0.6mg/kg/ 時 経口　5〜10mg/kg/ 日	Na チャネル遮断薬（Ⅰb）、異所性自動能抑制、伝導時間低下	徐脈、房室ブロック、嘔吐、意識障害
プロプラノロール	**インデラル**	静注　0.01〜0.1mg/kg 経口　1〜4mg/kg/ 日　分 3〜4	β 受容体遮断薬（Ⅱ）、頻脈性不整脈に使用	心機能低下、房室ブロック、気管支攣縮、低血糖
ランジオロール	**オノアクト点滴静注用**	点滴静注　1μg/kg/ 分（〜10μg/kg/ 分まで）	超短時間作用型 β_1 選択的遮断薬、頻脈性不整脈に使用	心機能低下、房室ブロック、高度徐脈、ショック
アミオダロン	**アンカロン**	静注　5mg/kg　30 分かけて 経口　初期 10〜20mg/kg　分 1〜2 で 1〜2 週間。維持 5〜10mg/kg/ 日　分 1〜2	K チャネル抑制（Ⅲ）、難治性上室・心室不整脈に有用	甲状腺機能障害、角膜色素沈着、発疹、頭痛、肺線維症

＊ジゴキシンの投与量（週数別）

修正週数	静注		経口		
	飽和量（μg/kg）	維持量（μg/kg）	飽和量（μg/kg）	維持量（μg/kg）	
＜29週	15	4	20	5	24時間ごと
30～36週	20	5	25	6	24時間ごと
37～48週	30	4	40	5	12時間ごと
＞49週	40	5	50	6	12時間ごと

＊ジゴキシンの投与量（早産・正期産別）

	経口（日）		静注（日）
	維持量（μg/kg）	飽和量（μg/kg）	
早産児	5～10	10	経口量の80%で使用、腎機能低下時は減量
正期産児	5～10	10～20	

引用・参考文献

1）Calligaro IL, et al. Pharmacologic consideration in the neonate with congenital heart disease. Clin Perinatol. 28, 2001, 209–22.
2）Ward RM, Lugo RA. Cardiovascular drugs in the newborn. Clin Perinatol.32, 2005, 979–97.
3）与田仁志．新生児医療・必修基礎知識：心血管作動薬の使い方．小児科臨床．113，2010，1549–56.
4）浅野貴大ほか．“NICU で使う薬物と使い方”．新生児医療．渡辺とよ子編．東京，中山書店，2010，198–204（小児科臨床ピクシス，16）.
5）新生児医療連絡会編．NICU マニュアル．第 4 版．東京，金原出版，2007，720p.
6）日本小児循環器学会編．小児不整脈の診断治療ガイドライン．日本小児循環器学会雑誌．suppl，2010，30–9.
7）豊島勝昭．循環作動薬の使用法と注意点．Neonatal care．20（8），2007，750–5.
8）増谷聡．新生児の薬物療法：新生児に対する新しい抗心不全治療．周産期医学．39（12），2009，1667–81.
9）日本医薬品集　医療薬 2010 年版．東京，じほう，3500p.
10）森田潔．小児心臓麻酔マニュアル．東京，メディカルフロントインターナショナル，2008，19–31.
11）Artman M, et al. “Cardiovasucular drug therapy”. Neonatal Cardiology. 2nd ed. New York, McGraw–Hill Education/Medical, 2010, 231–50.
12）村上智明ほか．日本小児循環器学会．小児心不全薬物治療ガイドライン（平成 27 年改訂版）．日本小児循環器学会雑誌．31（S2），2015，S2.1–S2.36.
13）安河内聰ほか．日本循環器学会編．先天性心疾患並びに小児期心疾患の診断検査と薬物療法ガイドライン（2018 年改訂版）．日本循環器学会雑誌．2019，141–67，181–95.

与田仁志・日根幸太郎・緒方公平

循環管理でよく出会う 略語一覧

AA ● aortic atresia
大動脈閉鎖

ACA ● anterior cerebral artery
前大脳動脈

ACE ● angiotensin converting enzyme
アンジオテンシン変換酵素

ACHD adult congenital heart disease
成人先天性心疾患

ACTH ● adrenocorticotropic hormone
副腎皮質刺激ホルモン

AED ● automated external defibrillator
自動体外式除細動器

aEEG ● amplitude-integrated electroencephalogram

AF (Af) ● atrial fibrillation
心房細動

AFL ● atrial flutter
心房粗動

ANP ● atrial natriuretic peptide
心房性ナトリウム利尿ペプチド

Ao ● aorta
大動脈

AR ● aortic regurgitation
大動脈弁逆流

AS ● aortic stenosis
大動脈（弁）狭窄

ASD ● atrial septal defect
心房中隔欠損

AT (Act) ● acceleration time
加速時間

ATP ● adenosine triphosphate
アデノシン三リン酸

AV ● atrioventricular
房室

AVNRT ● atrioventricular nodal reentrant tachycardia
房室結節リエントリー性頻拍

AVRT ● atrioventricular reciprocating tachycardia
房室回帰頻拍

AVSD ● atrioventricular septal defect
房室中隔欠損

B

BAS ● balloon atrioseptostomy
バルーン心房中隔切開術

BNP ● B-type（brain）natriuretic peptide
B 型（脳性）ナトリウム利尿ペプチド

BPD ● bronchopulmonary dysplasia
気管支肺異形成

BT shunt ● Blalock-Taussig shunt
ブラロック・タウシッヒシャント

C

CAVB ● complete atrioventricular block
完全房室ブロック

CBF ● cerebral blood flow
脳血流量

CDH ● congenital diaphragmatic hernia
先天性横隔膜ヘルニア

cAMP ● cyclic adenosine monophosphate
環状アデノシン一リン酸、サイクリック AMP

cGMP ● cyclic guanosine monophosphate
環状グアノシン一リン酸、サイクリック GMP

CHD ● congenital heart disease
先天性心疾患

CHF ● congestive heart failure
うっ血性心不全

CK-MB ● creatine kinase
クレアチンキナーゼ MB 分画

CLD ● chronic lung disease
慢性肺疾患

CMV ● controlled mechanical ventilation（＝IMV）
機械的調節換気

CO ● cardiac output
心拍出量

CoA ● coarctation of the aorta
大動脈縮窄

COX ● cyclooxygenase
シクロオキシゲナーゼ

CPAP ● continuous positive airway pressure
持続的気道内陽圧

CRF ● corticotropin-releasing factor
副腎皮質刺激ホルモン放出因子

CRH ● corticotropin-releasing hormone
副腎皮質刺激ホルモン放出ホルモン

CRT ● cardiac resynchronization therapy
心臓再同期療法

CRT ● capillary refilling time
毛細血管再充満時間

CS ● coronary sinus
冠静脈洞

CTAR ● cardiothoracic area ratio
心胸郭面積比

cTGA ● corrected transposition of great arteries
修正大血管転位

CTR ● cardiothoracic ratio
心胸郭比

CVP ● central venous pressure
中心静脈圧

D

DA ● ductus arteriosus
動脈管

DAD ● delayed afterdepolarization
遅延後脱分極

DCM ● dilated cardiomyopathy
拡張型心筋症

DD twin ● dichorionic diamniotic twin
二絨毛膜二羊膜双胎

DHEAS ● dehydroepiandrosterone sulfate
デヒドロエピアンドロステロンサルフェート

DIC ● disseminated intravascular coagulation syndrome
播種性血管内凝固症候群

DOA ● dopamine
ドパミン

DOB ● dobutamine
ドブタミン

DORV ● double outlet right ventricle
両大血管右室起始

DV ● ductus venosus
静脈管

E

EAD ● early afterdepolarization
早期後脱分極

ECD ● endocardial cushion defect
心内膜床欠損

ECG ● electrocardiogram
心電図

ECMO ● extracorporeal membrane oxygenation
膜型人工肺

EEG ● electroencephalogram
脳波

EF ● ejection fraction
駆出率

EFE ● endocardial fibroelastosis
心内膜線維弾性症

ESWS ● end-systolic wall stress
収縮末期壁応力

ET ● endothelin
エンドセリン

ET ● ejection time
駆出時間

F

FGR ● fetal growth restriction
胎児発育不全

F_IO_2 ● fraction of inspiratory oxygen
吸入酸素濃度

FIRS ● fetal systemic inflammatory response syndrome
胎児炎症反応症候群

FISH ● fluorescence in situ hybridization
蛍光 in situ ハイブリダイゼーション

FLP ● fetoscopic laser photocoagulation of communicating vessels
胎児鏡下胎盤吻合血管レーザー凝固術

FO ● foramen ovale
卵円孔

FS ● fractional shortening
短縮率

G

GCV ● great cerebral vein
大大脳静脈

GERD ● gastroesophageal regurgitation disease
胃食道逆流症

GFR ● glomerular filtration rate
糸球体濾過値

Hb ● hemoglobin
ヘモグロビン

HbF ● hemoglobin F
胎児ヘモグロビン

HCM ● hypertrophic cardiomyopathy
肥大型心筋症

HFO ● high frequency oscillation
高頻度振動換気

HIE ● hypoxic ischemic encephalopathy
低酸素性虚血性脳症

HLHS ● hypoplastic left heart syndrome
左心低形成症候群

HOT ● home oxygen therapy
在宅酸素療法

HPA axis ● hypothalamic-pituitary-adrenal axis
視床下部－下垂体－副腎皮質系

HR ● heart rate
心拍数

IAA ● interrupted aortic arch
大動脈弓離断

ICD ● implantable cardioverter defibrillator
植込み型除細動器

ICV ● internal cerebral vein
内大脳静脈

IDM ● infant of diabetic mother
糖尿病母体児

IE ● infectious endocarditis
感染性心内膜炎

IMV ● intermittent mandatory ventilation（＝CMV）
間欠的強制換気

IUGR ● intrauterine growth restriction（retardation）
子宮内発育不全

IVC ● inferior vena cava
下大静脈

IVH ● intraventricular hemorrhage
脳室内出血

LA ● left atrium
左房

LAD ● left anterior descending artery
左前下行枝

LAD ● left axis deviation
左軸偏位

LBBB ● left bundle branch block
左脚ブロック

LV ● left ventricle
左室

LVCO ● left ventricular output
左室拍出量

LVDd ● left ventricular end-diastolic diameter
左室拡張末期径

LVDs ● left ventricular end-systolic diameter
左室収縮末期径

LVEDP ● left ventricular end-diastolic pressure
左室拡張末期圧

LVEDV ● left ventricular end-diastolic volume
左室拡張末期容積

LVEDVI ● left ventricular end-diastolic volume index
左室拡張末期容積係数

LVEF ● left ventricular ejection fraction
左室駆出率

LVESP ● left ventricular end-systolic pressure
左室収縮末期圧

LVESV ● left ventricular end-systolic volume
左室収縮末期容積

LVET ● left ventricular ejection time
左室駆出時間

LVFS ● left ventricular fractional shortening
左室内径短縮率

LVH ● left ventricular hypertrophy
左室肥大

LVO ● left ventricular output
左室拍出量

LVOT ● left ventricular outflow tract
左室流出路

LVSV ● left ventricular stroke volume
左室 1 回拍出量

M

MA ● mitral atresia
僧帽弁閉鎖

MAP ● mean airway pressure
平均気道内圧

MAP ● mean arterial (blood) pressure
平均血圧

MAPCA ● major aortopulmonary collateral arteries
主要体肺(大動脈肺動脈)側副血行路

MAS ● meconium aspiration syndrome
胎便吸引症候群

MCA ● middle cerebral artery
中大脳動脈

MD twin ● monochorionic diamniotic twin
一絨毛膜二羊膜双胎

metHb ● methemoglobin
メトヘモグロビン

MPA ● main pulmonary artery
主肺動脈

MR ● mitral regurgitation
僧帽弁逆流

MS ● mitral stenosis
僧帽弁狭窄

mVcfc ● rate-corrected mean velocity of circumferential fiber shortening
心拍補正左室平均円周短縮速度

MVP ● mitral valve prolapse
僧帽弁逸脱

NO ● nitric oxide
一酸化窒素

NPPV ● noninvasive positive pressure ventilation
非侵襲的陽圧換気

NYHA ● New York Heart Association
ニューヨーク心臓協会

NSVT ● nonsustained ventricular tachycardia
非持続性心室頻拍

N_2 ● nitrogen
窒素

PA ● pulmonary artery
肺動脈

PA ● pulmonary atresia
肺動脈閉鎖

PAB ● pulmonary artery banding
肺動脈絞扼術

PAC ● premature atrial contraction(=APC)
心房期外収縮

$PaCO_2$ ● arterial partial pressure of carbon dioxide
動脈血二酸化炭素分圧

PAH ● pulmonary arterial hypertension
肺動脈性高血圧

PaO_2 ● arterial partial pressure of oxygen
動脈血酸素分圧

PAPVC (PAPVD) (PAPVR) ● partial anomalous pulmonary venous connection（drainage、return）
部分肺静脈還流異常

PCWP ● pulmonary capillary wedge pressure
肺毛細管楔入圧

PCPS ● percutaneous cardiopulmonary support
経皮的心肺補助装置

PDA ● patent ductus arteriosus
動脈管開存症

PDE ● phosphodiesterase
ホスホジエステラーゼ

PEEP ● positive end-expiratory pressure
呼気終末持続陽圧

PFC ● persistent fetal circulation
胎児循環遺残

PFO ● patent foramen ovale
卵円孔開存

PG ● pressure gradient
圧較差

PGE ● prostaglandin E
プロスタグランジン E

PGI ● prostacyclin
プロスタサイクリン

PH ● pulmonary hypertension
肺高血圧

PI ● perfusion index
灌流指標

PIP ● peak inspiratory pressure
最大吸気圧

PLSVC ● persistent left superior vena cava
左上大静脈遺残

PO_2 ● partial pressure of oxygen
酸素分圧

PPA ● pure pulmonary atresia
純型肺動脈閉鎖

PPHN ● persistent pulmonary hypertension of the newborn
新生児遷延性肺高血圧症

PPS ● peripheral pulmonary stenosis
末梢肺動脈狭窄

PR ● pulmonary regurgitation
肺動脈弁逆流

PS ● pulmonary stenosis
肺動脈弁狭窄

PV ● pulmonary vein
肺静脈

PVC ● premature ventricular contraction（＝VPC）
心室期外収縮

PVL ● periventricular leukomalacia
脳室周囲白質軟化症

PVO ● pulmonary venous obstruction
肺静脈閉塞

R

RA ● right atrium
右房

RAAS ● renin-angiotensin-aldosterone system
レニン・アンギオテンシン・アルドステロン系

RR ● respiration rate
呼吸数

RBBB ● right bundle branch block
右脚ブロック

RDS ● respiratory distress syndrome
呼吸窮迫症候群

RV ● right ventricle
右室

RVH ● right ventricular hypertrophy
右室肥大

RVOT ● right ventricular outflow tract
右室流出路

S

SA ● single atrium
単心房

SaO_2 ● saturation of arterial oxygen
動脈血酸素飽和度

SAS ● subaortic stenosis
大動脈弁下狭窄

SF ● shortening fraction
短縮率

SIRS ● systemic inflammatory response syndrome
全身性炎症反応症候群

SLE ● systemic lupus erythematosus
全身性エリテマトーデス

SpO_2 ● percutaneous oxygen saturation
経皮的動脈血酸素飽和度

SS ● straight sinus
直静脈洞

SSS ● sick sinus syndrome
洞不全症候群

STA ● surfactant TA
サーファクタント TA

SV ● stroke volume
1 回拍出量

SV ● single ventricle
単心室

SVC ● superior vena cava
上大静脈

SVT ● supraventricular tachycardia
上室頻拍

TA ● tricuspid atresia
三尖弁閉鎖

TAP ● transient adrenocortical insufficiency of prematurity
一過性副腎機能低下

TAPVC (TAPVD) (TAPVR) ● total anomalous pulmonary venous connection (drainage、return)
総肺静脈還流異常

TCPC ● total cavopulmonary connection
上下大静脈肺動脈吻合

TdP ● Torsade de Pointes
トルサデポアン

TEE ● transesophageal echocardiography
経食道心エコー

TGA ● transposition of great arteries
大血管転位

TOF (T/F) ● Fallot's tetralogy、tetralogy of Fallot
ファロー四徴症

TR ● tricuspid regurgitation
三尖弁逆流

TTN ● transient tachypnea of the newborn
新生児一過性多呼吸

TTTS ● twin-to-twin transfusion syndrome
双胎間輸血症候群

U

UA ● umbilical artery
臍（帯）動脈

UV ● umbilical vein
臍（帯）静脈

V

VA ● ventriculoatrial
室房

VAD ● ventricular assist device
補助人工心臓

VATS ● video assisted thoracoscopic surgery
胸腔鏡下手術

VF (Vf) ● ventricular fibrillation
心室細動

VPC ● ventricular premature contraction（＝PVC）
心室期外収縮

VSD ● ventricular septal defect
心室中隔欠損

VT ● ventricular tachycardia
心室頻拍

W

WPWS ● Wolff-Parkinson-White syndrome
ウォルフ・パーキンソン・ホワイト症候群

WS ● wall stress
壁応力

与田仁志・緒方公平

索引 INDEX

す

せ

そ

た

※略語については、付表「循環管理でよく出会う略語一覧」参照

●編者紹介

与田　仁志　（よだ　ひとし）

1983年3月	日本医科大学卒業
1983年6月	日本赤十字社医療センター小児科入局
1987年6月	大阪府立母子保健総合医療センター小児循環器科
1989年7月	日本赤十字社医療センター新生児科
1998年10月	日本赤十字社医療センター新生児科副部長
2002年4月	東京女子医科大学第一病理学講座研究生
2009年10月	日本赤十字社医療センター新生児科部長
2010年4月	東邦大学医学部新生児学講座主任教授
2014年4月	東邦大学医療センター大森病院総合周産期母子医療センターセンター長兼任

◆専門・主な研究領域

新生児学、小児循環器学、胎児超音波学

◆主な学会活動

日本小児科学会 関東地区代議員
日本新生児成育医学会 監事
日本周産期・新生児医学会 評議員
日本小児循環器学会 評議員
日本小児放射線学会 代議員
日本胎児心臓病学会 代議員
日本胎児治療学会 幹事
東京都新生児医療協議会（東京新生児研究会）会長
胎児 MRI 研究会幹事
関東新生児教育セミナー代表
京浜新生児医療懇話会代表
城南新生児未熟児研究会代表
東京循環器小児科治療 Agora 幹事
東京小児呼吸循環 HOT シンポジウム世話人

◆公的役職

日本医療機能評価機構産科医療補償制度原因分析委員会委員
東京都周産期医療協議会産科・新生児科連絡会会長
東京都周産期搬送体制検証部会委員
東京都小児医療協議会委員
大田区医療的ケア児・者支援関係機関会議会長

改訂２版 ステップアップ新生児循環管理
ー図解とQ&Aでここまで分かる

2016年８月１日発行　第１版第１刷
2020年４月10日発行　第１版第５刷
2024年３月20日発行　第２版第２刷

編　著　与田仁志
発行者　長谷川 翔
発行所　株式会社メディカ出版
〒532-8588
大阪市淀川区宮原３－４－30
ニッセイ新大阪ビル16F
https://www.medica.co.jp/
編集担当　木村有希子
装　幀　森本良成
表紙イラスト　八代映子
本文イラスト　スタジオ・エイト／八代映子
組　版　株式会社明昌堂
印刷・製本　株式会社シナノ パブリッシング プレス

ISBN978-4-8404-7569-3　　Printed and bound in Japan

当社出版物に関する各種お問い合わせ先（受付時間：平日9：00〜17：00）
●編集内容については、編集局 06-6398-5048
●ご注文・不良品（乱丁・落丁）については、お客様センター 0120-276-115